Uni-Taschenbücher 912

UTB

Eine Arbeitsgemeinschaft der Verlage

Birkhäuser Verlag Basel und Stuttgart
Wilhelm Fink Verlag München
Gustav Fischer Verlag Stuttgart
Francke Verlag München
Paul Haupt Verlag Bern und Stuttgart
Dr. Alfred Hüthig Verlag Heidelberg
J. C. B. Mohr (Paul Siebeck) Tübingen
Quelle & Meyer Heidelberg
Ernst Reinhardt Verlag München und Basel
F. K. Schattauer Verlag Stuttgart-New York
Ferdinand Schöningh Verlag Paderborn
Dr. Dietrich Steinkopff Verlag Darmstadt
Eugen Ulmer Verlag Stuttgart
Vandenhoeck & Ruprecht in Göttingen und Zürich
Verlag Dokumentation München-Pullach

Alois Wierlacher, Hrsg.

Fremdsprache Deutsch

Grundlagen und Verfahren
der Germanistik
als Fremdsprachenphilologie

Band 1

Wilhelm Fink Verlag München

PF
3066
.F74
1980
V.1

40,374

ISBN 3-7705-1810-1

© 1980 Wilhelm Fink Verlag, München
Satz und Druck: Allgäuer Zeitungsverlag GmbH, Kempten (Allgäu)
Buchbindearbeiten: Großbuchbinderei Sigloch, Stuttgart
Einbandgestaltung: Alfred Krugmann, Stuttgart

INHALT

Vorwort 7

Alois Wierlacher
Deutsch als Fremdsprache.
Zum Paradigmawechsel internationaler Germanistik.
Zugleich eine Einführung in Absicht und Funktion des vorlie-
genden Bandes 9

Harald Weinrich
Forschungsaufgaben des Faches Deutsch als Fremdsprache . . 29

Dietrich Krusche
Die Kategorie der Fremde.
Eine Problemskizze 47

Hermann Bausinger
Zur Problematik des Kulturbegriffs 58

Heinz Göhring
Deutsch als Fremdsprache und interkulturelle Kommunikation 71

Götz Großklaus/Alois Wierlacher
Zur kulturpolitischen Situierung fremdsprachlicher Germanistik, insbesondere in Entwicklungsländern 92

Diether Breitenbach
Zur Theorie der Auslandsausbildung.
Methodische Probleme und theoretische Konzepte der "Aus-
tauschforschung" 114

Alois Wierlacher
Deutsche Literatur als fremdkulturelle Literatur.
Zu Gegenstand, Textauswahl und Fragestellung einer Litera-
turwissenschaft des Faches Deutsch als Fremdsprache 147

Willy Michel
Medienwissenschaft und Fremdsprachenphilologie 167

Siegfried J. Schmidt
Text und Kommunikat.
Zum Textbegriff einer Literaturwissenschaft des Faches Deutsch
als Fremdsprache 177

Horst Steinmetz
Textverarbeitung und Interpretation 193

Dietrich Harth
Rezeption und ästhetische Erfahrung.
"Literarische Kommunikation" im Forschungsprogramm der
Literaturwissenschaft 211

Franz Hebel
Literatur als Institution und als Prozeß 245

Robert Picht
Landeskunde und Textwissenschaft 271

Siegfried J. Schmidt
Was ist bei der Selektion landeskundlichen Wissens zu berücksichtigen? 290

Erwin Theodor Rosenthal
Rahmenbedingungen einer fremdsprachlichen Germanistik.
Ein Situationsbild am Beispiel Brasiliens 301

Vorwort

Heute einen Reader zum Thema Germanistik als Fremdsprachenphilologie herauszugeben, mag beim derzeitigen Stand der Diskussion verfrüht oder verspätet erscheinen. Man wird eine Rechtfertigung erwarten, und ich will sie in aller Kürze geben.

Die Diskussion des Deutschen als Fremdsprache ist in der Bundesrepublik Deutschland an einem Punkt angelangt, an dem sie auszuufern beginnt. Die Vielzahl der Adressatengruppen, die Divergenz ihrer Bedürfnisse und die Manigfaltigkeit der implizierten Interessen lassen den Studienbereich Deutsch als Fremdsprache allmählich unübersehbar werden. In dieser Lage ist es angebracht, Konturen der Hauptteile des Faches schärfer zu ziehen, Inventarisierungen der Fragestellungen vorzunehmen und die fruchtbarsten Ansätze, die zur Verfügung stehen, zu sichten. Andererseits beginnt die Auslandsgermanistik, sich auf ihren fremdkulturellen Zuschnitt zu besinnen, so daß von dieser Interessenlage her gleichfalls, wenn auch aus anderen Gründen, eine Konturierung des internationalen Faches Deutsch in seinen Lehr- und Forschungsperspektiven sinnvoll und angebracht erscheint.

Im Zentrum der Bände steht die Komponente des Faches, die in der bisherigen Diskussion deutlich zu kurz gekommen ist, die Literaturvermittlung. Allzuoft hat der fatale bildungsbürgerliche Begriff der literarischen Bildung von der Literatur abgeschreckt; in der Außenkulturdebatte der letzten Jahre war immer wieder der Tenor vernehmbar: weg von der Literatur, weg vom Elitär-Literarischen. Die Parole: laßt doch die Beschäftigung mit Literatur, wendet euch lieber handfesten Aufgaben zu, war weit verbreitet. Es ist an der Zeit, auch diesen Teil unseres Faches in seinem Paradigmawechsel zu verdeutlichen, ihn in die breite Diskussion zurückzuholen und der weiteren Fach-Öffentlichkeit klarzumachen, daß jene Parole eine irrige und engherzig-lieblose Auffassung von der Literatur mit dieser selbst verwechselte.

Die Bände wollen also einerseits der Perspektivgewinnung des Faches dienen, mit dem Ziel, sich des Horizontes dieses Faches zu versichern; andererseits geht es darum, die Beschäftigung mit Literatur neu zu begründen und in ihrer Funktion zu erläutern. Selbstverständlich kann nicht die ganze Fülle erwünschter Themen hier vertreten sein, aber die wichtigsten Bereiche scheinen mir doch eingebracht.

Die meisten Beiträge sind Originalbeiträge für diese Bände; Nachdruckerlaubnis für Beiträge aus dem Jahrbuch Deutsch als Fremdsprache erteilte der Verlag Groos (Heidelberg).

Ich möchte hier sowohl denen danken, die zu Wort kommen, als auch den hier nicht namentlich genannten Studenten und in- und ausländischen Kollegen, ohne deren produktive Mitarbeit die vorliegende Beschreibung konstituierender Aspekte des Faches Deutsch als Fremdsprache nicht zustandegekommen wäre.

Heidelberg, im Mai 1979   Alois Wierlacher

Alois Wierlacher

Deutsch als Fremdsprache

Zum Paradigmawechsel internationaler Germanistik.
Zugleich eine Einführung in Absicht und Funktion
des vorliegenden Bandes.

Vorbemerkung

Der vorliegende Beitrag ist keine Theorie des Faches Deutsch als
Fremdsprache, sondern setzt diese Theorie voraus. Er resümiert einige
wichtige Ergebnisse der Forschung der letzten Jahre und geht von dem
Konsens aus, den die curriculare Diskussion des Faches gefunden hat.
Das ist einerseits wenig genug, andererseits aber – für unsere Zwecke
– eine hinreichend tragfähige Ausgangsbasis.

I. Vom Gegenwind zum Rückenwind: Aspekte einer Geltungsgeschichte des Deutschen als Fremdsprache.

Im zweiten Band des Jahrbuchs Deutsch als Fremdsprache (1976) stellt
Alfred Karnein unter dem Titel 'Deutsch als Fremdsprache im 15.
Jahrhundert' das Sprachbuch Meister Jörgs vor und führt aus: "Als
im Zuge der breiten Ausbildung frühbürgerlicher Schreibkultur in den
Handelszentren des europäischen Mittelalters die damaligen Formen
und Materialien städtischen Lateinunterrichts auf Pergament und Papier festgehalten wurden, da fand auch die Behandlung des Deutschen
im Fremdsprachenunterricht – weit vor den Anfängen der Theorie der
deutschen Grammatik – ihren buchmäßigen Niederschlag. Dieses Faktum, daß die Reflexion über Deutsch als Fremdsprache älter ist als die
Anfänge der deutschen Grammatiktheorie, ist weder selbstverständlich
noch der Germanistik, genauer: der Geschichte der deutschen Philologie, bekannt. Rudolf von Raumer und Johannes Müller im 19. Jahrhundert, Max Hermann Jellinek im 20. Jahrhundert haben die Anfänge der formalen Bemühungen um eine deutsche Grammatik auch als

den Beginn des (muttersprachlichen) Deutschunterrichts gesehen und in diesem Sinne beschrieben, und dabei blieb es: Deutsch als Fremdsprache und seine längere Tradition wurden nicht zur Kenntnis genommen. So leitet die deutsche Philologie die Anfänge ihrer Geschichte von den deutschen Interlinearversionen der lateinischen Grammatik, speziell des *Donatus,* ab und erkennt erst in den deutschen Grammatiken des 16. Jahrhunderts ... den Beginn einer Grundlage für den methodisch – systematischen Deutschunterricht."[1] Diesem Absehen von einer älteren Tradition, die Deutsch als Fremdsprache zugleich als praxisorientierte Vermittlungsarbeit kenntlich macht, entspricht das bis in unsere Zeit fast generelle Übersehen der kategorialen Differenzen zwischen fremdsprachlicher und primärsprachlicher Germanistik. Ist die Nichtbeachtung des Faktums, daß die deutschen Seminare außerhalb des deutschen Sprachraums Deutsch als *Fremd*sprache und *Fremd*kultur vermitteln, in ihrer historischen Dimension als Folge der nationalpolitischen Verengung der Germanistik und ihrer entsprechenden Geltungsgeschichte im Ausland zu verstehen, so liegt in der besonderen geschichtlichen Entwicklung Deutschlands nach 1945 der Grund der Tatsache, daß der Lehr- und Forschungsbereich des Deutschen als Fremdsprache in der Bundesrepublik Deutschland – im Gegensatz zur DDR – jahrzehntelang kaum Beachtung gefunden hat[2]. Als ich 1970 im Auftrag des Senats der Universität Heidelberg erste Planungen inhaltlicher und organisatorischer Art zur Begründung eines Instituts für Deutsch als Fremdsprache vorlegte, war diese Initiative ein Sonderfall und von jenem angenehmen Rückenwind, der in der jüngsten Zeit die Fachentwicklung – im Anschluß vor allem an die Forderungen der Enquête-Kommission Auswärtige Kulturpolitik des Deutschen Bundestags – zu begleiten scheint, noch nichts zu spüren. Der Wind blies im Gegenteil und oft genug voll ins Gesicht, die Großwetterlage war miserabel: ein akademisches Fach Deutsch als Fremdsprache gab es nicht nur nicht, man hielt es kaum für möglich; Sprachunterricht 'Deutsch für Ausländer' betrieb man allenfalls bei einigen Akademischen Auslandsämtern und im Goethe-Institut – beide gleichermaßen fern und ferngehalten von den Einheiten für Forschung und Lehre wie von der Bildungspolitik und den Darendorfschen Grundsätzen für eine neue Auswärtige Kulturpolitik (1970). Der Bildungsbericht 1970, in dem die damalige Bundesregierung ihre "bildungspolitische Konzeption" vorlegte, verlor über Deutsch als Fremdsprache kein Wort. Auch der Strukturplan für das Bildungswesen des Deutschen Bildungsrates, gleichfalls 1970 veröffentlicht, sagte nichts über den Gegenstand aus. Die Empfehlungen zur

Struktur und zum Ausbau des Bildungswesens im Hochschulbereich, die, ebenfalls 1970, der Wissenschaftsrat zur Diskussion stellte, beschränkten sich auf wenige Bemerkungen zum Spracherwerb bzw. zur Auslandsgermanistik. Selbst Björn Pätzoldts imperialismuskritisch orientiertes Buch über das "Ausländerstudium in der BRD", 1972 erschienen, handelte vom fremdsprachlichen Deutschunterricht nur sporadisch und dann weitgehend unter Rückgriff auf Vorstellungen, die 1961 in der DDR von Ursula Förster vorgetragen worden waren[3]. Hinzu kam, daß der Lernende im allgemeinen und besonderen als Leser unentdeckt war, den aber das zu begründende Fach zu einem seiner konstitutiven Faktoren machen wollte. Selbst eines der für uns wichtigsten, aber auch kritikwürdigsten Bücher der letzten 20 Jahre, Gadamers *Wahrheit und Methode* (1960), spricht ja nicht vom Lernenden, sondern hat den Lehrenden vor Augen. Ebensowenig zielten die Schlagwörter von der 'Freiheit der Wissenschaft' oder der 'sozialen Wissenschaft' auf den Lernenden. Seine Entdeckung blieb der verachteten Fremdsprachendidaktik vorbehalten. In solchen Lagen sind Innovationen besonders mühsam und enervierend; Besorgnisse, man weiß es, keimen wie im Treibhaus; Fachbegriffe werden wie Heereskreuze den Diskussionen vorangetragen – Vorgänge, die deutlicher als irgendwelche anderen kundtun, wie menschlich doch Wissenschaft ist.

In den letzten Jahren hat sich die Großwetterlage wesentlich verändert. Seit 1973 ist beim DAAD ein Arbeitskreis Deutsch als Fremdsprache institutionalisiert; die Deutsche Forschungsgemeinschaft hat den Bereich Deutsch als Fremdsprache in ihre Förderungsprogramme aufgenommen; das Auswärtige Amt hat eine Lehrwerkkommission zur Begutachtung von Lehrwerken Deutsch als Fremdsprache eingesetzt; mit dem eingangs erwähnten Jahrbuch Deutsch als Fremdsprache wurde 1975 ein Kommunikationsmedium geschaffen, das 'den Deutschlehrer und den Germanisten gleichermaßen angeht' (Hyldgaard-Jensen); an den Universitäten Heidelberg und München richtete man Institute für Deutsch als Fremdsprache ein; das Gastarbeiterproblem hat zu Initiativen geführt, die das immer dringlicher gewordene Ausbildungsproblem der Ausländerkinder in der Bundesrepublik einbezogen und eine Fülle von Stellungnahmen, Angeboten, Verbandstätigkeiten etc. hervorriefen. Zögernd, aber deutlich, ist auch in der Auslandsgermanistik ein Umdenkungsprozeß in Gang gekommen mit dem Ziel, sich aus einer weithin invarianten 'internationalen Germanistik' in eine adressatenorientierte und das meint: lernerzugewandte Wissenschaft zu wandeln, in 'Deutsch als Fremdsprache'.

Es ist, wie sein Name sagt, ein didaktisches Fach; seine Forschungsaufgaben sind durchaus Funktionen seiner Lehraufgaben. Doch es
hütet sich, vom einen in das andere Extrem zu fallen. Man kann auch
in der Anwendung ersticken. Es geht ihm um adressatengemäße Verbindung von Theorie und Praxis, nicht um die Ablösung des einen
durch den anderen Monismus. So ist doppelt zu beklagen, daß sich die
Hoffnung auf Etablierung einer internationalen Kommunikation über
Studieninhalte und allgemeine Lehrprobleme des Faches Deutsch als
Fremdsprache bislang kaum erfüllt hat. Ich hätte diesen einleitenden
Ausführungen gern breite statistische Informationen beigegeben, doch
verläßliche Zahlen sind kaum zu bekommen. Auch angesichts der Ergebnisse der jüngsten für die UNESCO durchgeführten Untersuchungen über Foreign Language Teaching and Learning Today sieht man
sich mit Karl Hyldgaard-Jensen vielmehr erneut veranlaßt, das Fehlen
brauchbarer Zahlen zu beklagen.[4] Viele euphorische Ausführungen, die
zum Deutschen in der Welt derzeit gemacht werden, auch in der Bundesrepublik, sind schlicht unseriös, dienen etatpolitischen oder sonstigen
Interessen ihrer Schreiber und deren Publikationsorganen; man vergleiche nur die Ausführungen, die das erste Heft des Jahres 1979 der
Zeitschrift für Kulturaustausch unter dem Titel 'Deutsch als Fremdsprache'[5] über die Situation des Deutschen in Skandinavien macht, mit
dem Appell schwedischer Germanisten an die in Stockholm akkredi-
tieren Botschafter der vier deutschsprachigen Länder, sich gegen die
Reformvorschläge der obersten Unterrichtsbehörde Schwedens in Sachen Deutsch zu wenden. An den Schulen der USA wählen zwar 25 %
aller Schüler Fremdsprachenkurse, aber nur noch 3 % von ihnen entscheiden sich für Deutsch. Weniger als 1,5 % der Studenten an US-
Colleges und Universitäten belegen das Studienfach Deutsch[6]. In Großbritannien, wo Deutsch in der Regel – nach Französisch – erst als 2.
oder 3. Fremdsprache gewählt wird, "lernt nicht einmal ein Fünftel
aller Kinder je überhaupt Deutsch"[7]. Von der "Stiefkindposition des
Deutschunterrichts in Kanada" hat J. William Dyck gesprochen[8].
Selbst das günstige institutionelle Hochschulklima Japans: 66 % aller
Studenten entscheiden sich bei der obligatorischen Wahl ihrer Fremd-
sprachenstudien der ersten Semester für Deutsch, besagt "keineswegs,
daß wir eine für Deutsch oder Deutschland motivierte Mehrheit der
Studenten haben"[9]. Der erwähnte Rückenwind, der das Fach in den
letzten Jahren begleitet hat, ist von der Kulturpolitik der Bundesrepublik denn auch deshalb entfacht worden, weil das Deutsche in Schule
und Hochschule eben der Länder zurückgeht, die traditionell das Deut-

sche gepflegt haben, bzw. die für die Bundesrepublik Deutschland aus übergeordneten Gesichtspunkten besonders wichtig sind. Das Engagement ist im übrigen auch eine Folge des gestiegenen praktischen Interesses am Deutschlernen, dem man sich unterzieht, um eventuell einmal emigrieren zu können[10], um einen Arbeitsplatz zu finden, fachsprachliche Kenntnisse sich anzueignen, die im Beruf von Nutzen sind usw.: "Wenn Deutsch", schreibt Gerhard Schulz über die Situation in Australien, "geringere Verluste" als etwa Französisch "einzustecken hatte, so lag das vor allem daran, daß die Bundesrepublik und neuerlich auch die Deutsche Demokratische Republik zu wichtigen Handelspartnern Australiens wurden und damit zu dem traditionellen Interesse ein praktisch orientiertes hinzutrat"[11]. "Ziel" aller Kulturpolitik ist es dementsprechend, "das vorhandene Interesse" am Erlernen der deutschen Sprache zu ermutigen, Sorge dafür zu tragen, daß "ein aktuelles Deutschlandbild vermittelt wird und durch beides Bindungen an unser Land und seine Kultur entstehen können. Denn das haben wir in der nunmehr fast ein Jahrzehnt dauernden Diskussion über Ziele und Methoden unserer auswärtigen Kulturpolitik gelernt: Auswärtige Kulturpolitik ... ist zu einem erheblichen Teil Spracharbeit und soll dies bleiben"[12]. Es gibt derzeit etwa 19 Millionen Deutschlernende, zumeist in der Sekundarstufe, in aller Welt, davon etwa 13 Millionen in Osteuropa und in der Sowjetunion.[13] 1977 "wurden 1467 Schulen mit 168 Millionen Mark gefördert"[14]; für die Sprachförderung stehen zur Zeit 371 DAAD-Lektoren, 108 Zweigstellen und 40 Nebenstellen des Goetheinstituts zur Verfügung[15]; im Inland studieren rund 50 Tausend ausländische Studenten (zirka 5,5 % aller immatrikulierten Studenten), die meisten naturwissenschaftlich-technische Fächer; die Zahl der Immatrikulationen an den Fachhochschulen ist prozentual erheblich höher als die an den Universitäten: An manchen Fachhochschulen beträgt der Anteil der ausländischen Studenten bereits zwischen 10 und 15 %: an der Technischen Fachhochschule Berlin (WS 78/79) 11,8 %; Fachhochschule Köln (WS 78/79) 14,4 %; Fachhochschule Konstanz (WS 78/79) 13,5 %[16]. Es leben zur Zeit etwa 2,5 Millionen Arbeitsmigranten in der Bundesrepublik aus den fünf Peripheriestaaten Europas: Türkei, Griechenland, Jugoslawien, Italien, Spanien und Portugal[17]. 434 500 ausländische Schüler besuchten im Schuljahr 1977/78 die allgemeinbildenden Schulen in der Bundesrepublik. Die Schüler an beruflichen Schulen sind dabei nicht mitgerechnet; dies waren im letzten Jahr etwa 60 000. Gegenüber dem Schuljahr 65/66 hat sich damit die Zahl ausländischer Schüler an den Schulen der Bundesrepublik verzwölffacht. Die mit Abstand größte Gruppe bilden die Türken (37 %), die zweitgrößte Gruppe die Italiener (16 %). Es folgen die Griechen mit 11, die Jugoslawen mit 10, die Spanier mit 6 und die Portugiesen mit 3,5 %[18]. Angesichts dieser Zahlen ist die Dringlichkeit einer Regelung auch der Sprachprobleme der Ausländer und ihrer Kinder in der Bundesrepublik evident.

II. Zur Physiognomie des Faches. Von der 'internationalen' zur kulturkontrastiven Germanistik.

Die Statistiken zur Situation der Gastarbeiter und der Immatrikulationen an den Fachhochschulen machen gleichermaßen deutlich, daß im weiten, vielfältigen Studienbereich des Deutschen als Fremdsprache die wirtschafts- und industrieorientierten Angebote im Vordergrund des Interesses stehen. Das Studienfach der Germanistik hat an dieser Nachfrageentwicklung so gut wie gar nicht partizipiert; auch ein relativ glimpflicher Verlust, wie in Australien, bleibt ein Verlust. Um so mehr fällt auf, daß in einem südamerikanischen Land, mit dem die Bundesrepublik Deutschland außerordentlich intensive Wirtschaftsbeziehungen verbindet, die Zahl der Germanistikinteressenten, wenn auch geringfügig, gestiegen ist. Die deutsche Wirtschaft ist in kaum einem anderen sogenannten Entwicklungsland so stark vertreten wie in Brasilien. Von allen deutschen Investitionen in Lateinamerika sind rund 56 % in diesem Lande registriert. Außerdem ist die Bundesrepublik der zweitwichtigste Kunde bzw. der viertwichtigste Lieferant Brasiliens. Und die Germanistik des Landes hat sich eine bemerkenswerte Ausweitung ihrer Angebotspalette einfallen lassen[19]. Dies Beispiel macht deutlich, daß das Fach selbst an seiner Situation mitschuldig ist. Es kann sich auch nicht entlasten durch Hinweise auf die Frustration, die die deutsche Germanistik nach Erhebungen von Brigitte Gerstein insbesondere französischen Stipendiaten verursacht; es nützt auch wenig, die diffusen Erfahrungen tausender jüngerer amerikanischer Studenten zu beklagen, die in ihrem Junior Year nach Deutschland kommen. Die geringe Popularität des internationalen Faches Germanistik, die in den letzten Jahren nicht wesentlich abgenommen hat, ist eine Funktion zunächst der Fachstruktur selbst. Die Germanistik des Auslands hat sich erst in Ansätzen – zu den Bemühungen sind u. a. Initiativen in USA, Frankreich, Schweden, Japan, Australien, Ungarn und Südafrika zu zählen – von der oft nur statusbedingten Vorbildlich-

keit der deutschen Germanistik gelöst, deren primärsprachenphilologi-
schen Charakter man übersah, verkannte, verdrängte, wie man die
eigene fremdsprachliche Situation überging. Man hat die eigenen Lehr-
und Forschungsaufgaben bisher so gut wie gar nicht aus der fremdkulturellen Perspektive der Auslandsgermanistik gewonnen; die Neu-
gründungen germanistischer Zeitschriften des Auslands während des
letzten Jahrzehnts weichen kaum von dieser Linie ab. Mit anderen
Worten: das Fach hat es unterlassen, sich in Forschung und Lehre auf
den Umstand zu besinnen, daß es schon deshalb adressatenorientiert,
also lernerzugewandt arbeiten muß, weil jede Wissenschaft nur zum
Teil auf der ihr eigenen Fragedynamik, zum anderen aber aus den
Vorgaben der soziokulturellen Umfelder ihre Fragestellungen gewinnt,
die auch ihre Qualität als gesellschaftliche Institution berühren. Der
Wissenschaftsbegriff wurde häufig nicht am Lerner- sondern am Leh-
rerinteresse orientiert, oft genährt vom Statusbedürfnis, sich wie ein
deutscher Professor zu bewegen. So "gibt es viele Deutsche", schreibt
Theodore Ziolkowski zu den Verhältnissen nicht nur in den USA, "die
seit Jahren schon an ausländischen Universitäten die Germanistik
betreuen und trotzdem genauso provinziell geblieben sind, als wenn
sie die Heimat nie verlassen hätten. Sie halten ihre Vorlesungen
ausschließlich auf deutsch, sie schreiben ihre Aufsätze in deutscher
Sprache für deutsche Zeitschriften, sie haben keinen lebendigen Kontakt zur Kultur, in der sie leben, und richten sich nach dem, was sie
im SPIEGEL lesen oder von Gastprofessoren aus der Bundesrepublik
begierig aufschnappen"[20]. Immer noch wird das Theorem einer adres-
satenunspezifischen Wissenschaft von Konzepten wie 'internationale
Germanistik' genährt, als sei dieses Fach der Ingenieurwissenschaft vergleichbar, für die in jedem Teil der Erde die gleichen mathematischen
Gesetze gelten. Dabei hätte doch der Grundgedanke schon der Hermeneutik von der Vorurteilsgebundenheit allen Textumgangs, daß also
jeder Leser immer schon von seiner Position her liest, er immer schon
von seinen Wertsetzungen her dem Text Bedeutungen zuweist, die internationale Germanistik dazu bringen müssen, sich auf ihre Adressatenorientiertheit zu besinnen. Die Notwendigkeit eines Paradigmawechsels ist unbestreitbar: Germanistik als Lehrfach ist zu begreifen
als lernerzugewandte Wissenschaft und muß sich als vergleichende
Fremdkulturwissenschaft strukturieren[21].

Es ist heutzutage eher eine Binsenwahrheit, daß jede Wahrnehmung
– auch das Lesen – innerhalb eines vorgängigen Rahmens von Theorie-
elementen, Erwartungen, Urteilen, etc. erfolgt Texthermeneutik und

Lerntheorie der Fremdsprachendidaktik treffen sich in der für uns zentralen Erkenntnis, daß Lernen wie Lesen in besonderem Maße von den Lern- und Lesevoraussetzungen abhängen. Damit sind nicht nur die sozio-ökonomischen Bedingungen gemeint, sondern auch sonstige Verhaltenssteuerungen, differente Lernbereitschaften, Wissenschaftskontexte, kulturelle Vorprägungen, Lernmodi usw. In der internationalen Germanistik aber sind alle diese Lernvoraussetzungen bis heute so gut wie gar nicht in curriculare Überlegungen einbezogen worden. Sie folgt weithin dem noch 1971 von Walther Killy in seiner fragwürdigen Verteidigung der "unumstößlichen Großen", "der Meister" der Literatur formulierten Paradigma: "daß sich die Lehrsätze der Mathematik, die unumstößlich sind, nicht nach den Erfordernissen des Unterrichts richten, vielmehr der Unterricht nach den Lehrsätzen, welche er zu vermitteln hat."[22] Noch 1969 wurden literarische Werte als axiomatische Qualitäten beschrieben und derjenige, der sie nicht erfassen könne, eher verhöhnt als in seiner Distanz zu ihnen ernstgenommen. Auch wenn inzwischen nicht weniger als zweiundzwanzig verschiedene Bedeutungen des Begriffs des Paradigma[23] aufgelistet worden sind, soll uns das nicht abschrecken, von der Notwendigkeit eines Paradigmawechsels im Fache der Germanistik zu sprechen. Denn in unserem Fall liegt tatsächlich das Erfordernis einer Kehre der Zielsetzung der wissenschaftlichen Arbeit vor.

Wenn nun von ausländischer Seite der deutschen Germanistik vorgehalten wird, sich zu einer "innerdeutschen" Wissenschaft verengt zu haben[24], dann ist das freilich nur insoweit zutreffend und akzeptabel, als der deutschen Germanistik der natürliche Tatbestand, Muttersprachenphilologie zu sein, bislang kaum bewußt geworden ist und 'Binnenwissenschaft' insofern heißt, die ganze Welt aus binnenwissenschaftlichen Gesichtspunkten deutscher Germanistik zu sehen. Aber man darf von diesem grundsprachenphilologischen Fach nicht die Sehweise verlangen, die die Fremdsprachenphilologie der Auslandsgermanistik braucht. Bei aller Legitimität der Bemühungen um aktuelle und zutreffende Deutschlandbilder und Partnerschaften in der Welt, kann diese Sehweise nicht die Außenbetrachtung sein, die den Rückblick auf die eigenen Umfelder einbezieht. Ein literarischer Kanon ist damit notwendigerweise eine kulturvariante Größe.

Ich habe von Grundgesetzen des institutionalisierten *Lehrfaches* Deutsch als Fremdsprache gesprochen. Sie sind, idealtypisch gesehen, auch für die *Forschungs*planung des Faches konstitutiv. Denn erst, wenn davon ausgegangen wird, daß die Forschungsaufgaben Funktionen der

Lehraufgaben unseres Faches sind, trägt man dem schlichten Umstand Rechnung, daß Deutsch als Fremdsprache ein Vermittlungsfach ist sowohl in sprachlicher und literarischer als auch landeskundlicher Hinsicht. Diese Trias stellt aber, was ich betonen möchte, nur das Rückgrat des komplexen Faches dar; ferner ist zu sehen: die vielen Untergliederungen, von der Erwachsenenbildung der Volkshochschulen in der Bundesrepublik bis zu den Samstagsschulen Kanadas oder den Sonderformen der Evening-Courses in Südamerika lassen eine feinsäuberliche Trennung zwischen akademischem und nichtakademischem Deutschunterricht weder möglich oder nötig noch wünschenswert erscheinen; auch diese Einschätzung gehört zum Paradigmawechsel von internationaler zu kulturkontrastiver Germanistik.

Weil die Fremdsprachendisziplin Germanistik die Lernvoraussetzungen ihrer Adressaten ernst nimmt, erweitert sie sich nicht nur um Fragestellungen einer vergleichenden Kulturwissenschaft, sondern rückt im Maß, in dem sie ihr Eingebettetsein in den Handlungshorizont der interkulturellen Kommunikation erkennt, auch ihr oberstes Lehrziel aus dem bloß philologischen Horizont heraus und begreift es mit Robinsohn als "Kulturmündigkeit"[25], die natürlich Grenzen hat, wie jede Wissensaufnahme und Verhaltensfertigkeit[26]. Sie geht dabei von einem sozialgeographischen Kulturbegriff aus, unter den sie den traditionellen geisteswissenschaftlichen Begriff der Kultur subsumiert, ohne die Vielfalt der Kulturbegriffe zu mißachten[27]. Zum Selektionskriterium ihrer Inhaltsauswahl macht sie, vor allem in Hinsicht auf literarische Texte und landeskundliche Informationsplanungen, mit Robinsohn die "Leistung eines Gegenstandes für das Weltverstehen, das heißt für die Orientierung innerhalb einer Kultur und für die Interpretation ihrer Phänomene"[28]. Die Kategorie Fremde wird für sie ebenso wie die kulturelle Subjektivität des Lernenden zu einer produktiven Kategorie. Es geht ihr also sowohl um den Stellenwert von Inhalten im System der fremden Kultur als auch um die Relevanz dieser Inhalte für ihren Adressaten, für sein Weltverstehen, was immer auch heißt, für sein Selbstverstehen. Sie ist insofern eine Wissenschaft, in der kulturale Inhalte und die als solche fungierenden Formen eine zentrale Rolle als Lehr- und Forschungsgegenstände spielen.

Nicht mir, sondern dem ausländischen Fachvertreter steht es an, dies Konzept im Hinblick auf die faktischen Bedürfnisse zu würdigen und klar zu sagen, wie die Dinge stehen: "Die Germanistik kann für ausländische Studierende, sowie für nicht-deutsche Lehrer und Forscher, nur in dem Maße ein akademisches Fach bleiben, als sie beiträgt zur

Fremdkulturvermittlung und in der Rolle der Fremdsprachenphilologie zugleich das Verständnis von eigenkulturellen Bedürfnissen einer stets wachsenden akademischen Gemeinschaft erleichtert"[29].

III. Ausbildungsprobleme des Faches.

Ich gehe in meinem Beitrag: Deutsche Literatur als fremdkulturelle Literatur (im vorliegenden Band) auf die konstitutiven Detailfragen der Textauswahl, Problemstellung und historischen Dimensionierung der literarischen Komponente des Faches Deutsch als Fremdsprache ein; hier möchte ich daran erinnern, daß der beschriebene Paradigmawechsel auch Funktion der Dringlichkeit der Ausbildungsproblematik des Faches ist. Diese Erinnerung ist nötig, nachdem es zur Selbstverständlichkeit eines Hochschulfaches gehört, sich Gedanken auch darüber zu machen, wie und wo denn die Absolventen des Studiums ihre erworbenen Kenntnisse in eine gesellschaftliche Praxis einbringen können, die berufliche Tätigkeiten eröffnet. Es gibt Hochschullehrer, die mit Recht stolz darauf sind, etwa ihre Doktoranden "untergebracht" zu haben. Doch weder in den Seminaren der Industrieländer noch in jenen der Entwicklungsländer ist diese Frage zu einem natürlichen Teil der Tätigkeit des Fachs geworden. Zu den Hauptgründen dieses Defizits gehört selbstverständlich der Umstand, daß sich viele Hochschullehrer schlicht überfordert fühlen, wenn sie sich diesseits oder jenseits ihres Faches mit Fragen der Berufsmöglichkeit ihrer Absolventen zu befassen haben. Ich will nicht beschönigen, daß es auch Hochschullehrer gibt, die alle diese Fragen von vornherein mit dem schlichten Vermerk abtun, sie seien nicht an sie, sondern an den Berufsberater zu richten. Solcher Zynismus hat sich indessen in vielen Ländern bereits selber eingeholt, wo man sich nun am Telefon die letzten Kommilitonen abspenstig machen muß, um seinen Arbeitsplatz zu sichern. Zu den Hauptgründen gehört die – entsprechende – jahrzehntelange Selbstamputierung der internationalen Germanistik von ihrer kulturellen Funktion und Rolle im jeweiligen Land, Theodore Ziolkowski beklagt sie deutlich genug. Ich kann hier auf die Gesamtgeschichte dieser Selbst-Einschätzung nicht eingehen. Als eine Folge dieser Selbstverstümmelung ist auch die naive Vorstellung mancher Planer im In- und Ausland zu werten, das Fach ebenso wie die Muttersprachengermanistik zu einem reinen Lehrerausbildungsfach zu machen, als sei der Markt für diese Positionen nicht sehr eng. Es soll deshalb in diesem einleitenden Aufsatz klar zum Ausdruck gebracht werden, daß der Wissenschaftsbegriff im Zusammenhang mit dem Paradigmawechsel des Faches einer dringlichen Überprüfung bedarf. Es ist ja immer noch so, im Inland wie im Ausland, daß z. B. das Abfassen von didaktisch aufbereiteten Materialien weithin als wissenschaftliche Leistung zweiter Klasse angesehen und infolgedessen nicht geübt wird. Das Fach Deutsch als Fremdsprache aber kann sich solch Revierdenken nicht leisten. Und es muß selber berufsfeldproduktiv werden, wie es Ulrich Gaier in Bezug auf die Exploration neuer Möglichkeiten für deutsche Germanistikabsolventen versucht hat. Denn auch die Lehrziele des Faches lassen sich ja nicht, wie man geglaubt hat, aus einer bloßen Anforderungsanalyse der Berufsbilder ermitteln; ein solches Verfahren führt schlimmstenfalls zu einer bloßen Abrichtung des Studenten und ist bestenfalls als Einmischung in fremde gesellschaftliche Verhältnisse und unzulässige Stabilisierung von Berufsfeldern mißzuverstehen. Beides muß abgelehnt werden. Es kommt also darauf an, herauszufinden, welche Funktion in den Gesellschaften der differenten Kulturen das Fach Deutsch gewinnen kann. Das Ausbildungsproblem stellt sich mithin zugleich als ein Innovations- und Forschungsproblem dar. Mit anderen Worten: wie müssen einen Teil der Aufmerksamkeit in die Voraussetzungs- und Anwendungsforschung des Faches stecken. Daß Philologen selber mithelfen können, Neuland zu gewinnen, zeigt der Bericht von Margaret Stone über das Deutschstudium als Psychotherapie ebenso wie der von Wilfried Stölting über die Anforderungen der ausländischen Schüler und ihrer Deutschlehrer an das Fach Deutsch als Fremdsprache in der Bundesrepublik.[30] In Paris hat man inzwischen Studienvariationen eingeführt, um der Begrenzung des Marktes für Deutschlehrer entgegenzuwirken, mit dem Ziel, neue Arbeitsfelder zu erschließen.[31] In USA sucht man mithilfe der German Studies-Programme neue Funktionen innerhalb der amerikanischen Gesellschaft zu gewinnen. Von der Erweiterung der Angebotspalette in Brasilien (Sao Paulo) habe ich bereits gesprochen. Wie jede andere Institution der Gesellschaft ist auch die Wissenschaft bzw. das Fach Deutsch der Dialektik von Nachfrage und Angebot unterworfen; es wird dem Fach nichts genommen, wenn es diese Abhängigkeit berücksichtigt; es gewinnt höchstens an Freiheit, sie zu gestalten. Denn auch in einer lernerzugewandten Wissenschaft ist die Freiheit des Einzelnen Voraussetzung von Lehre und Forschung. Sie muß nur als qualitative Differenz zur Angebotswillkür begriffen, mit anderen Worten: sie muß im Sinne Kants als Selbstbindung ausgeübt werden. Eine dieser Selbstbindungen erscheint mir im Bereich der Organisation des fremdsprachlichen Deutsch-Studiums dringend nötig: da davon ausgegangen werden muß, daß die möglichen Berufsfelder der Lernenden in aller Regel keineswegs fest konturiert sind, also komplexe Kenntnisse vermittelt werden müssen, empfiehlt es sich nicht nur mit Rücksicht auf den interdisziplinären Charakter unseres Faches, sondern auch auf die späteren Möglichkeiten der Absolventen, das Ausbildungsfach sowohl in Kurz- sowie Langstudiengängen grundsätzlich im Rahmen von berufsfelderschließenden Fächerkombinationen als Haupt- oder als Komplementfach aufzubauen. Das wird hier und da enorme Umstellungen erfordern, aber ohne diese Umstellung wird es in der Regel nicht abgehen.

Ein anderes Ausbildungsproblem, das im Zusammenhang mit dem Paradigmawechsel des Faches größere Beachtung verdiente, ergibt sich aus einem Umstand, den man weithin vergessen hat: das Fach Deutsch als Fremdsprache lebt insonderheit in den deutschsprachigen Ländern und in Bezug auf die ausländischen Studenten von der Jahrtausende alten Hochschätzung der Auslandsausbildung. In diesem Tatbestand steckt vielleicht das größte Ausbildungsproblem, weil es bis in die Lektüreplanung der literarischen Komponente des Faches reicht. Sich im Rahmen der Aktivierung der interkulturellen Kommunikation der Hochschätzung der Auslandsausbildung wieder zu vergewissern und sie zu einer der Quellen zu machen, aus denen das Fach seine Lehrangebote und Forschungsaufgaben zieht, ist zwar eine Aufgabe, die sich insbesondere für das Fach Deutsch als Fremdsprache in Deutschland stellt; hier fehlt es überall an geeigneten, curricular hinreichend begründeten Angeboten. Es betrifft aber auch die Auslandsgermanistik selbst, die jährlich Tausende von Studenten in die deutschsprachigen Länder schickt. Die kategoriale Vorbereitung dieses Auslandsaufenthalts läßt vielfach außerordentlich zu wünschen übrig; umgekehrt ist die Mehrzahl der aufnehmenden Lehrkräfte auf diese Aufgabe so gut wie gar nicht vorbereitet. Es gehört zur vordringlichen Ausbildungs-Arbeit des Faches Deutsch, durch Fortbildungsveranstaltungen der Lehrenden entsprechende Kenntnisse und Einstellungen zu schaffen. Dabei darf freilich nicht verkannt werden, daß dieses Ausbildungsprogramm inhaltlich auch eine Funktion der Forschungsfragen ist, die die Theorie der Auslandsausbildung zu beantworten sucht.

Auf mehrere Ausbildungsprobleme kann ich nur hinweisen. Das erste steckt in dem Umstand, daß das Fach Deutsch wie alle neueren Philologien in der Mehrheit von weiblichen Studenten studiert wird, während die Lehrenden in der Mehrheit dem männlichen Geschlecht angehören.

Hieraus den Schluß zu ziehen, es sei an der Zeit, sich verstärkt in die Frauenliteratur einzuarbeiten, würde den einen als ziemlich verrücktes Ansinnen belustigen, empören den anderen, verunsichern den dritten – eben diese (erfahrene) Reaktionen indizieren aber eben das, was bagatellisiert wird: die geschlechterspezifische, über kulturelle Kodes, Rollenzwänge und andere soziale Faktoren vermittelte Leseeinstellung und Lektürebewertung, Lernbereitschaft und Funktionsbestimmung des Lerners bzw. Lesers.[32] Ein zweites Problem betrifft die grundsätzliche Frage nach der organisatorischen Folge eines interdisziplinären Faches. Die vielfach beklagte Defizienz des Faches ist nicht nur ein Kompetenz- sondern auch ein Phantasieproblem. Wer ernst machen will mit der Interdisziplinarität des Faches, muß sich der nicht auch die Frage stellen, warum man bislang so selten z. B. einen Verleger zu Gastvorlesungen gebeten habe? Wo wurde ein Außenhandelskaufmann, der sich für Wirtschaftssprache interessiert, beauftragt, kontextwissenschaftliche Gesichtspunkte in Lehre und Forschung einzubringen? Warum wird die Kulturanthropologie immer noch aus dem Studienbereich Deutsch ausgeschlossen? Man kann diese Defizite nicht alle auf organisatorische und institutionelle Zwänge zurückführen wollen. Wir wissen z. B., daß viele Musiker Deutsch lernen, weil sie die deutsche Musik hochschätzen. Ich habe aber noch kein Department gefunden, in dem man versucht hätte, ein Fachprogramm Deutsch für Musiker als Sonderprogramm einzurichten. Solche Teilcurricula wären aber möglich und sind im wesentlichen ein wissenschaftsorganisatorisches Problem. Ich kenne auch kein Department, das sich verstärkt der fremdsprachen- und fremdkulturdidaktischen Journalistenausbildung angenommen hätte, obwohl die immer intensivere interkulturelle Kommunikation medialer Art ein weites Arbeitsfeld ist. Und warum sollte sich, wie man immer wieder hört, das akademische Fach Deutsch als Fremdsprache prostituieren, wenn es fachfremde publica aus dem nichtakademischen Bereich zu seinen Adressaten machte? Könnte, nein müßte das Fach nicht beitragen zu einer Lehre von der Kulturtechnik des Lesens, die sich auf die mutter- und auch auf die fremdsprachliche Lektüre bezieht? Im Zeitalter der Informationsüberflutung durch Medien mit verschiedenstem Interesse wäre Hilfe zur Selbstverständigung und Abschirmung gegen die Überflutung der Manipulationen eine dringliche, auch politisch wichtige Aufgabe, die aus verschiedenen sachlichen, politischen, sozialhistorischen und sozialpsychologischen Gründen gerade das Fach der Nicht-Weltsprache Deutsch zu einer seiner Grundaufgaben machen könnte. Diese Frage führt uns zu einem weiteren Ausbildungsproblem: Ausge-

hend vom obersten Lernziel der Kulturmündigkeit und den Selektions-
prinzipien, von denen die Rede gewesen ist, obliegt es dem sich be-
gründenden Fach, auch einen neuen Bildungsbegriff zu erarbeiten, der
die Nützlichkeitsdimension des Faches nicht in der unmittelbaren An-
wendungsfähigkeit von Fertigkeiten erschöpft. Ohne in bürgerliche
Bildungsbegriffe zurückzufallen, ist es erforderlich, sich neu zu besinnen über die Funktionen von Fremdsprachen- und Fremdkulturstudien.
Das Fach muß also den Begriff des Nutzens neu definieren und diese
Neudefinition in das Gespräch der jeweiligen Öffentlichkeiten einführen. Dabei wird Bildung nicht im besitzbürgerlichen Sinne begriffen
werden können, sondern als Fähigkeit, sich über sich selbst Auskunft
geben zu können und damit auch über die eigene kulturelle Umgebung
und die sie tragende Welt. Die eigenkulturelle und fremdkulturelle
Kompetenz, die im obersten Lehrziel der Kulturmündigkeit festge-
macht worden ist, ist insofern, ethisch gewendet, als menschliche Kompetenz zu beschreiben, der Weltoffenheit entspricht, was nichts anderes
heißt als Offenheit für divergierende Ansichten, Formen, Interessen
ebenso wie für die eigenen. Insofern ist Bildung nicht nur ein Weg nach
innen, sondern immer auch ein Weg nach außen: zur politischen, zur
sozialen und wirtschaftlichen, zur ästhetischen Kultur.

Zu dieser Neubegründung des Bildungskonzepts gehört eine Aufgabe des Faches, die sich aus seinem Paradigmawechsel ebenso ergibt, wie
sie diesen Wechsel mitbegründet. Das Fach Deutsch als Fremdsprache
wird sich aus gegebenem Anlaß damit vertraut machen, auch einen Beitrag zu einem kategorialen und stofflichen Allgemeinwissen zu leisten.
Dieses Erfordernis resultiert erstens aus den Vorbildungsdifferenzen
der Lernenden; es betrifft insbesondere das mit multi-kulturellen Ler-
nergruppen arbeitende Fach, also bes. Deutsch als Fremdsprache in
deutschsprachigen Ländern. Es ergibt sich zweitens aus seinem Global-
lehrziel einer Kulturmündigkeit, die ohne dieses Wissen unerreichbar
ist. Es folgt drittens aus dem Erfordernis eines gewissen enzyklopädischen Wissens, das den produktiven Umgang mit Literatur erst möglich
macht. Damit komme ich zum letzten anzuschneidenden Ausbildungsproblem. Wenn oberstes Lehrziel der Aufbau einer Kulturmündigkeit
ist, die Eigen- und Fremdkultur umfaßt, wenn das Fach in den Handlungshorizont der interkulturellen Kommunikation hineingehört, wenn
schließlich die Kultur-Kontrastivität auch als Prinzip des literaturwissenschaftlichen Arbeitens sowie der kulturpolitischen Situierung des
Faches zu gelten hat, dann ist sein Absolvent als Landeskenner und zugleich als Mittler zwischen den Kulturen, als ein 'interpreter of cul-

ture', auszubilden, gleichgültig, ob sein späteres Praxisfeld der Lehrberuf, die Wirtschaft, der Tourismus, die Verwaltung o. a. sein wird. Und der Kategorie der Fremde wird als einer produktiven Kategorie der Selbsterfahrung via Literatur- und Kulturstudium wieder der Platz eingeräumt, den sie in Theorie und Praxis der Auslandsausbildung immer eingenommen hat. Mit dieser Wertschätzung der Kategorie Fremde ist zugleich ein wichtiges Differenzkriterium zwischen dem germanistischen Studium des Deutschen als Fremdsprache und dem auf Integration der Lernenden bedachten Studienprogramm Deutsch für ausländische Arbeitsmigranten z. B. in der Bundesrepublik genannt. Daß sich zukünftig Überschneidungen der beiden Adressatengruppen ergeben werden, ist allerdings abzusehen und würde in unserem Falle eine Differenzierung der Bewertung der Kategorie Fremde nötig machen.

IV. Zu den Beiträgen des vorliegenden Bandes.

Der vorliegende Band soll die wichtigsten Problemeinheiten und Grundbegriffe des Faches Deutsch als Fremdsprache, die in dieser Einleitung skizziert wurden, explizieren; Band 2 setzt die Erörterungen ergänzend und weiterführend fort. Auf eine nähere Beschreibung der Geltungs- und Ausbildungsprobleme des Faches Deutsch als Fremdsprache habe ich aus Raumgründen verzichten müssen. Der erste Teil des vorliegenden Bandes erläutert die Dimensionierung des Faches sowie die beiden Komponenten der Linguistik und Landeskunde; Teil 2 wendet sich den Problemstellungen der literarischen Komponente des Faches zu.

Es war oben dargelegt worden, daß sich das Fach Deutsch als Fremdsprachenphilologie um Fragestellungen einer vergleichenden (kontrastiven) Kulturwissenschaft erweitern müsse. Darum enthält der vorliegende Band einen Beitrag aus der Feder eines Kulturanthropologen (Heinz Göhring), der sich mit Fragen des Verhältnisses von Deutsch als Fremdsprache und interkultureller Kommunikationsfähigkeit beschäftigt, die so wichtig scheinen, daß man die Fremdsprachenwissenschaft bereits als Fremdverhaltenswissenschaft bezeichnet hat[33]. Dergleichen Fragen sind aber im Rahmen unseres Faches nur mit Gewinn zu stellen und zu verfolgen, wenn es sich freimacht von regulativen Ideen, die die Tradition der deutschen Germanistik in den letzten Jahren in immer engere Bahnen geleitet haben. Zu ihnen gehört nicht zuletzt der Kulturbegriff. Er wird in den Beiträgen von Hermann Bau-

singer und von Heinz Göhring thematisiert. Ein weiterer Grundbegriff des Faches ist die eingangs erwähnte Kategorie der Fremde, von
deren Neubewertung der Beitrag Alois Wierlachers: Deutsche Literatur als fremdkulturelle Literatur ausgeht. Ihr ist ein Beitrag Dietrich
Krusches gewidmet, den ich erbeten habe, weil Krusche bislang der
einzige Fachvertreter ist, der sich, sieht man von der Theorie der Auslandsausbildung ab, mit der Aufarbeitung von Erfahrungen konkreter
Fremde befaßt hat. Richtig erschien es mir auch, ein Situationsbild der
Rahmenbedingungen des Faches nicht aus europäischer, sondern aus der
Sicht eines großen 'Entwicklungslandes' beschreiben zu lassen. Die
wichtigsten Teile dieser Bedingungen erläutert, aus brasilianischer Perspektive, Erwin Theodor Rosenthal. Deutsch ist in vielen Bildungsein-
richtungen der Welt ja erst die zweite, wenn nicht dritte Fremdsprache;
Voraussetzungen kategorialer und wissenspsychologischer Art müssen
vom Studium oftmals erst geschaffen werden, das infolgedessen schon
qualitativ andere Lehrziele setzen muß als die Grundsprachenphilolo-
gie Germanistik. Deutlich macht Rosenthal auch ein weiteres Element
fremdkultureller Studien, den Vergleich zwischen den Ausgangs- und
Zielkulturen des Lernenden und ihrer Literatur. Dabei wird auf die
besondere Stellung der Landeskunde hingewiesen, die zu den konstitutiven Erweiterungsfaktoren des Faches Deutsch als Fremdsprache gehört. Wie die Landeskunde zu konzipieren sei, darüber gibt es noch
keinen Konsens. Zwei unterschiedliche Wege werden von den Beiträgern
Robert Picht und Siegfried J. Schmidt empfohlen. Die Forschungsaufgaben insbesondere der linguistischen Komponente des Faches – Sprachnormenforschung, Sprachlehrforschung, Fachsprachenforschung etc. –
resümiert in knapper Form der Beitrag Harald Weinrichs.

Dem schon erläuterten Forschungsbericht der Theorie der Auslandsausbildung wendet sich Diether Breitenbach zu. Götz Großklaus und
Alois Wierlacher thematisieren einen benachbarten Problemkomplex
des Faches Deutsch als Fremdsprache: seine Situierung durch das Be-
dingungsfeld auswärtige Kulturpolitik der Bundesrepublik insbesondere in den sogenannten Entwicklungsländern.

Wie dieser konzentrieren sich die weiteren Beiträge des vorliegenden
Bandes auf die literarische Komponente des Faches. Bei ihrer Zusam-
menstellung ging es mir darum, Grundstrukturen des Teilfachs zu erläutern sowie die wichtigsten methodischen Prinzipien klar zu stellen,
mit denen in der Folge gearbeitet werden kann und auf denen Überlegungen zu einer Literaturlehrforschung des Faches Deutsch als Fremdsprache aufzubauen sind. Alois Wierlacher beschreibt Gegenstand,

Textauswahl und Fragestellung einer Literaturwissenschaft des Faches Deutsch als Fremdsprache; Horst Steinmetz erläutert das für unser Fach konstitutive Verhältnis von Textverarbeitung und Interpretation; Siegfried J. Schmidt bringt die Aspekte einer (unerläßlichen) empirischen Literaturwissenschaft ein; Willi Michel erörtert den medien-wissenschaftlichen Problembereich einer fremdsprachlichen Literaturwissenschaft; Dietrich Harth expliziert Grundprinzipien des literarischen Lesens, die wir zu beachten haben – Akzentsetzungen, die sich überlappen, gegenseitig bedingen und auch relativieren; ich habe keinen Widerspruch geglättet. Franz Hebel schließlich konturiert in seinen Ausführungen zu 'Literatur als Institution und als Prozeß' die kategoriale Basis, die unserer Vorstellung vom Literaturstudium als einem Selbstverständigungsprozeß sowie einem landeskundlichen und ästhetischen Studium zugrundeliegt.

Anmerkungen

[1] Jahrbuch Deutsch als Fremdsprache 2, 1976, S. 1.
[2] vgl. zum folgenden Alois Wierlacher: Germanistik und Ausländerstudium. Zur Einrichtung von Studiengängen Deutsch als Fremdsprache in der Bundesrepublik Deutschland. In: Otmar Werner/Gerd Fritz: Deutsch als Fremdsprache und neuere Linguistik. München 1975, S. 287–297.
[3] vgl. Ursula Förster: Der Deutschunterricht für Ausländer im Dienste der Expansionsbestrebungen des westdeutschen Imperialismus. Leipzig 1961.
[4] vgl. Karl Hyldgaard-Jensen: Die Stellung des Fachs Deutsch im Curriculum der heutigen Schule. In: Rundbrief des Internationalen Deutschlehrerverbandes 16, 1976, S. 3.
[5] S. 70 f.
[6] Deutsch-Amerikanisches Expertenseminar Deutschlandstudien, hrsg. vom DAAD, Außenstelle New York, Dezember 1978, S. 18.
[7] Margaret Stone: Das Deutschstudium an britischen Schulen und Universitäten. München: Minerva Publikation 1978, S. 9.
[8] J. William Dyck: Germanistik und Deutschunterricht in Kanada. In: Jahrbuch Deutsch als Fremdsprache 2, 1976, S. 195.
[9] Hikaru Tsuji: Germanistik in Japan. In: Germanistik international, hrsg. von Richard Brinkmann et al. Tübingen 1978, S. 33.
[10] vgl. den Bericht von Shyamal Dasgupta: Deutsch als Fremdsprache in Indien. In: Jahrbuch Deutsch als Fremdsprache 4, 1978, S. 296–308.
[11] Gerhard Schulz: Deutsch in Australien. In: Jahrbuch Deutsch als Fremdsprache 2, 1976, S. 111.

[12] Hildegard Hamm-Brücher: Ziele und Schwerpunkte auswärtiger Kultur-politik im Schulwesen. In: Zeitschrift für Kulturaustausch 29, 1, 1979, S. 5.

[13] Stellungnahme der Bundesregierung zum Bericht der Enquête-Kommission Auswärtige Kulturpolitik [1977]. In: Zeitschrift für Kulturaustausch 28, 1, 1978, S. 51 (Artikel 18.2).

[14] Hamm-Brücher (Anm. 12), S. 4.

[15] Stellungnahme . . . (Anm. 13), S. 51 (Artikel 18.2).

[16] Kurt-Friedrich Bohrer (ed.): Dokumentation Jahrbuch Deutsch als Fremd-sprache 5, 1979, S. 239.

[17] vgl. Norbert Dittmar: Deutsch als Fremdsprache für erwachsene Arbeits-migranten. In: Jahrbuch Deutsch als Fremdsprache 5, 1979, S. 282 ff.

[18] Frankfurter Allgemeine Zeitung vom 11. 8. 1978 (Nr. 172).

[19] vgl. Erwin Theodor Rosenthal: Rahmenbedingungen einer fremdsprach-lichen Germanistik, in diesem Band S. 300 ff.

[20] Theodore Ziolkowski: Zur Unentbehrlichkeit einer vergleichenden Lite-raturwissenschaft für das Studium der deutschen Literatur. In Band 2 der vorliegenden Perspektivensammlung.

[21] Ansätze hierzu sind beschrieben in Alois Wierlacher (ed.): Entwicklungen im internationalen Studienbereich Deutsch. In: Jahrbuch Deutsch als Fremdsprache 2, 1976, S. 103–208.

[22] Walther Killy: Bildungsfragen. München 1971, S. 133.

[23] Die Bedeutungen, in denen T. S. Kuhn den Begriff verwandt hat, listet M. Mastermann auf: Die Natur eines Paradigmas. In: I. Lakatos/A. Musgrave (Hrsg.): Kritik und Erkenntnisfortschritt. Braunschweig 1974, S. 59–88.

[24] Hikaru Tsuji (Anm. 9), S. 29 f.

[25] Saul B. Robinsohn: Bildungsreform als Revision des Curriculum und Ein Strukturkonzept für Curriculumentwicklung. 4. Aufl. Darmstadt 1972, S. 29.

[26] Die entsprechende Limitation gilt für alle angestrebten Kompetenzen; man tut gut daran, diese Bedingungsbedingung gehörig einzuplanen.

[27] vgl. die Beiträge von Hermann Bausinger: Zur Problematik des Kultur-begriffs und Heinz Göhring: Deutsch als Fremdsprache und interkulturelle Kommunikation, in diesem Band S. 58 ff.; 71 ff.

[28] Saul B. Robinsohn (Anm. 25), S. 29.

[29] Erwin Theodor Rosenthal (Anm. 19), S. 300.

[30] Margaret Stone (Anm. 7); Wilfried Stölting: In: Jahrbuch Deutsch als Fremdsprache 5, 1979, S. 285 ff.

[31] vgl. Pierre P. Sagave/Frédéric Hartweg: Wirtschaft, Recht und Fremd-sprachen. Interdisziplinäre Studienangebote der Universität Paris X (Nanterre). In: Jahrbuch Deutsch als Fremdsprache 2, 1976, S. 171–178.

[32] vgl. als einen ersten Schritt zu solchen Überlegungen R. Freudenstein (ed.): The role of woman in foreign-language textbooks. Bruxelles 1978.

[33] Hans J. Vermeer: Sprache und Kulturanthropologie. Ein Plädoyer für interdisziplinäre Zusammenarbeit in der Fremdsprachendidaktik. In: Jahrbuch Deutsch als Fremdsprache 4, 1978, S. 1–21.

Literaturhinweise

Bertaux, Pierre: 'Germanistik' und 'germanisme'. In: Jahrbuch Deutsch als Fremdsprache 1, 1975, S. 1–6.

Brinkmann, Richard et al. (Hrsg.): Germanistik international. Vorträge und Diskussionen auf dem internationalen Symposium ‚Germanistik im Ausland' vom 23.–25. Mai 1977 in Tübingen. Tübingen: Niemeyer 1978.

Deutsche Lesegesellschaft (Hrsg.): Buch und Lesen. Bonn: Deutsche Lesegesellschaft 1978.

Engel, Ulrich et al.: Mannheimer Gutachten zu ausgewählten Lehrwerken Deutsch als Fremdsprache erstellt im Auftrag des Auswärtigen Amtes der Bundesrepublik Deutschland von der Kommission für Lehrwerke Deutsch als Fremdsprache. Heidelberg: Groos 1977.

Engel, Ulrich/Krumm, Hans Jürgen/Wierlacher, Alois, unter Mitarbeit von Wolf Dieter Ortmann: Mannheimer Gutachten zu ausgewählten Lehrwerken Deutsch als Fremdsprache II. Heidelberg: Groos 1979.

Hunfeld, Hans (Hrsg.): Neue Perspektiven der Fremdsprachendidaktik. Eichstätter Kolloquium zum Fremdsprachenunterricht 1977. Kronberg: Scriptor 1977.

Lohnes, Walter F./Nollendorfs, Valters (Hrsg.): German Studies in the United States. Assessment and Outlook. Madison 1976.

Picht, Robert (Hrsg.): Deutschlandstudien II. Fallstudien und didaktische Versuche. Bonn: DAAD 1975.

Plickat, Hans H. (Hrsg.): Pädagogik für die dritte Welt? Heft 3, Jahrgang 6 der Zeitschrift *Unterrichtswissenschaft*, München: Urban & Schwarzenberg 1978.

Weber, Horst (Hrsg.): Landeskunde im Fremdsprachenunterricht. Kultur und Kommunikation als didaktisches Konzept. München: Kösel 1976.

Wierlacher, Alois: Überlegungen zur Begründung eines Ausbildungsfaches Deutsch als Fremdsprache. In: Jahrbuch Deutsch als Fremdsprache 1, 1975, S. 119–136.

Harald Weinrich

Forschungsaufgaben des
Faches Deutsch als Fremdsprache

Von einem leichten, angenehmen Rückenwind bewegt, hat sich der Forschungs- und Lehrbereich Deutsch als Fremdsprache im letzten Jahrzehnt in das Gefüge der akademischen Disziplinen hineingeschoben. Nun haben wir ein neues Fach. Das scheint nicht viel zu besagen, wenn man daran denkt, daß ein neuerer Fächerkatalog des Deutschen Hochschulverbandes weit über 3000 wissenschaftliche Fächer kennt. Da wird es auf ein Fach mehr oder weniger nicht ankommen. Aber es bedeutet andererseits doch viel, wenn man berücksichtigt, daß dieses Fach sich in einem akademischen Bereich ansiedeln muß, der nach verschiedenen Gesichtspunkten bereits erschöpfend gegliedert ist. Unter dem philologischen Gesichtspunkt deckt sich nämlich der Aufgabenbereich des Faches Deutsch als Fremdsprache mit dem der Germanistik. Unter dem Gesichtspunkt der Methodologie ist das Fach indes den Fremdsprachenphilologien zuzurechnen. Wissenschaftstheoretisch gesehen, umfaßt es nach allgemeinem Konsens die durchaus heteronomen Disziplinen Linguistik und Literaturwissenschaft sowie den wissenschaftstheoretisch entweder gar nicht oder nur multidisziplinär greifbaren Bereich der Landeskunde. Wie soll ein so hybrides Fach seine Identität finden?

Ist dieses Identitätsbewußtsein vielleicht von der Praxis zu erwarten? Es steht außer Zweifel, daß dieses neue Fach ein Kind der Praxis ist. Jeder weiß, daß eine Menge von Personen, die nur nach Millionen zu zählen ist, die deutsche Sprache als Fremdsprache und im Medium dieser Sprache manches andere von Deutschland lernt. Und für diese Schüler des Deutschen in aller Welt sind Legionen von anderen Personen als Sprachlehrer, Literaturlehrer und in sonstigen vermittelnden Berufen am Werk. Einige Institutionen sind überdies, wie bekannt, ganz oder teilweise mit diesem Zweck gegründet, insbesondere das Goethe-Institut, der Deutsche Akademische Austauschdienst und die Zentralstelle für das Auslandsschulwesen. Von hierher stammen offenbar die Evidenzen, die das neue Fach Deutsch als Fremdsprache bei seinem Eintritt in die akademische Welt begünstigt haben. Nun ist freilich für die absehbare Zukunft zu erwarten, daß diese Bedingungen im wesentlichen bestehen bleiben, so daß sich das Fach Deutsch als Fremdsprache unter Bedarfsgesichtspunkten wohl nicht zu rechtfertigen braucht. Wenn soviel Deutsch als Fremdsprache und generell soviel Deutsches als Fremdes in der Welt gelehrt wird, dann muß dieser spezifische Vermittlungsprozeß selber zum Gegenstand der Lehre und folglich auch der Forschung gemacht werden.

Nun könnte jemand einwenden, das sei immer schon die Aufgabe der Germanistik gewesen, die sich eben nicht als deutsche Wissenschaft verstehen dürfe und also die Außenperspektive ebenso wie die Binnenperspektive pflegen müsse. Wir wissen aber, daß es allenfalls der Auslandsgermanistik außerhalb des deutschen Sprachraums gelungen ist, beide Perspektiven miteinander zu verbinden. Für die Germanistik innerhalb des deutschen Sprachraums ist die Binnenperspektive so natürlich, daß ihr nicht ohne weiteres zugemutet werden kann, ihren Gegenstand prinzipiell und methodisch zu verfremden. Das muß aber dennoch um der Praxis willen geschehen. Das Fach Deutsch als Fremdsprache will dazu den Anstoß geben und darf sich in diesem Sinne als eine "Xeno-Germanistik" verstehen. Der "Öko-Germanistik" wird damit nichts genommen, und es geht insgesamt um ein Mehr, nicht um ein Weniger an Germanistik.

Dieser Gesichtspunkt scheint mir für das wissenschaftliche Selbstverständnis des Faches Deutsch als Fremdsprache zentral zu sein. Wenn dieses Fach sich je an den Gedanken gewöhnen sollte, man könne durch ein Subtraktionsverfahren von der Germanistik zum Fach Deutsch als Fremdsprache gelangen, dergestalt daß man von der germanistischen Linguistik etwa die Sprachtheorie oder die Sprachgeschichte, von der germanistischen Literaturwissenschaft vielleicht diese oder jene Gattung, vielleicht diese oder jene Epoche wegläßt, dann wird sich dieses Fach in der wissenschaftlichen Welt niemals durchsetzen können, ganz gleich wie günstig ihm der Wind zur Zeit auch in den Rücken blasen mag. Ich will damit nicht sagen, daß bei der Konstitution dieses Faches und der Entwicklung seiner Curricula die Kunst des Weglassens gar nicht geübt werden sollte. Jede Änderung im Kanon der Wissenschaften bietet ja gerade die Chance des Weglassens. Aber aus solchen Negationen kann das Fach Deutsch als Fremdsprache sein Selbstverständnis nicht ableiten, wenn es sich im akademischen Bereich Geltung verschaffen will. Und vor allem: Rabatte können nicht gewährt werden. Mindestens so sorgfältig wie die bestehenden Fächer muß ein neues Fach allemal auf seine Methodenstrenge und wissenschaftliche Disziplin achten, ohne sich dabei jedoch in Selbstzweifeln zu verkrampfen. Das gelingt am leichtesten dann, und ich bin versucht zu sagen nur dann, wenn dieses Fach sich von den Aufgaben her versteht, die es – praxis-geleitet – durch seine wissenschaftlichen Initiativen dem bestehenden Kanon hinzufügt. Je konsistenter dieser Aufgabenbereich definiert ist, umso deutlicher wird sich das Fach Deutsch als Fremdsprache in das wissenschaftliche Bewußtsein einschreiben. Ich will im folgenden ver-suchen, diesen Aufgabenbereich nach sieben Gesichtspunkten zu cha-rakterisieren, und hoffe dabei gleichzeitig zeigen zu können, daß diese Gesichtspunkte, deren Abfolge keine Rangfolge widerspiegeln soll, in einem plausiblen Zusammenhang stehen.

1) Kontrastive Linguistik

Für das Fach Deutsch als Fremdsprache ist die deutsche Gegenwarts-sprache, sowohl als gesprochene wie als geschriebene Sprache, zentrales Forschungs- und Lehrgebiet. Sie muß in ihren phonologischen, morpho-logischen, syntaktischen und semantischen Problemen erschöpfend stu-diert werden. Es ist kein Grund einzusehen, warum bei dieser Aufgabe eine bestimmte Methode absoluten Vorrang beanspruchen dürfte. Einen relativen Vorrang darf man jedoch sicher denjenigen Methoden ein-räumen, die es erlauben, auch Einheiten oberhalb der Satzgrenze, also Texte, größere Sprechakte und alle anderen Arten von Sprachspielen adäquat zu beschreiben.

Die für das Fach Deutsch als Fremdsprache konstitutive Außenper-spektive gebietet es grundsätzlich, die Grammatik der deutschen Spra-che nicht als ein abgeschlossenes System zu betrachten, das unabhängig von anderen Systemen existiert. Die deutsche Sprache muß vielmehr im Kontrast zu anderen Sprachen gesehen werden. Denn die Personen, die Deutsch als Fremdsprache lernen wollen, bringen häufig von ihrer Herkunftssprache nicht nur einen unreflektierten Sprachgebrauch, son-dern auch ein bisweilen hochentwickeltes Sprachbewußtsein mit. Es hat sich als Illusion erwiesen, dieses Sprachbewußtsein unberücksichtigt lassen und es mit der Unbekümmertheit einer direkten Methode ein-fach überspringen zu wollen. Die Didaktik der deutschen Sprache als Fremdsprache beginnt mit der Erkenntnis, daß Sprachlernende mit unterschiedlicher muttersprachlicher Basis an die deutsche Sprache mit verschiedenen Voraussetzungen herantreten. Man kann folglich den Sprachunterricht im Bereich Deutsch als Fremdsprache nicht unter allen verschiedenen Bedingungen mit der gleichen Einheitsgrammatik bestreiten. Wir brauchen eine kontrastive Linguistik, und das Fach Deutsch als Fremdsprache kann in seinem linguistischen Zweig durchaus als kontrastive Linguistik mit Deutsch als Zielsprache angesehen werden.

Allerdings weckte die kontrastive Linguistik, als sie in den fünfziger Jahren aufkam, einige weiterreichende Hoffnungen, die nicht alle einzulösen waren. Man hoffte damals insbesondere, man könne aus einem Strukturvergleich zweier oder mehrerer Sprachen sichere Prognosen dafür ableiten, welche Interferenzfehler beim lernenden Übergang von der einen zur anderen Sprache zu erwarten seien. Die empirische Fehler-Linguistik hat uns inzwischen eines besseren belehrt und gezeigt, daß diese Prognosen recht unzuverlässig sein können. Die tatsächlichen Interferenzfehler treten nämlich bisweilen an ganz anderen als den erwarteten Stellen auf. So hat sich hier eine gewisse Ernüchterung ausgebreitet, und manche Linguisten haben überhaupt gefordert, die kontrastive Grammatik durch eine rein empirische Fehler-Linguistik zu ersetzen.

Ich bin nicht dieser Meinung. Ohne die Aussichten einer Fehler-Linguistik schmälern zu wollen, möchte ich doch an der kontrastiven Linguistik als einem zentralen Bereich des Faches Deutsch als Fremdsprache festhalten. Es geht hier nicht nur um Fehler-Prognosen und Fehler-Prophylaxen. Es ist im Rahmen des Faches Deutsch als Fremdsprache notwendig, die deutsche Sprache als ein System von Konventionen zu lehren, das in seinen Strukturmerkmalen auch anders gedacht werden könnte. Das nämlich ist die natürliche Ansicht der deutschen Sprache, wenn man sie aus der Außenperspektive sieht. Monoglotte Lehrer können daher die deutsche Sprache schlecht als Fremdsprache lehren. Man muß mehrere Sprachen kennen und sollte in der Regel auch von gerade denjenigen Sprachen einige Kenntnisse haben, deren Sprecher man als Sprachschüler vor sich hat. Ich weiß allerdings wohl, daß es die Situation oft nicht erlaubt, Unterrichtsgruppen mit homogener Ausgangssprache zu bilden. Aber eben weil oft Unterrichtsgruppen mit heterogener Ausgangssprache gebildet werden müssen, gehören zum Fach Deutsch als Fremdsprache Grundkenntnisse in der Sprachen-Typologie und in der Universalienforschung. Dies ist zugleich der Rahmen, in dem sich dann im Einzelfall eine kontrastive Linguistik in Forschung und Lehre entfalten kann. Insbesondere um ihres heuristischen Nutzens willen ist also diese kontrastive Linguistik unentbehrlich.

Wir haben inzwischen eine erste umfassend konzipierte kontrastive Grammatik vorliegen: die Vergleichende Grammatik Deutsch–Französisch von Jean-Marie Zemb (Mannheim 1978). Es ist hier nicht der Ort, diese Grammatik im einzelnen zu besprechen. Ich will nur soviel sagen, daß diese eigenwillige Grammatik keinen Zweifel daran läßt, daß die kontrastive Linguistik mehr dafür da ist, grammatische Problemfelder zu eröffnen und Linguistik interessant zu machen, als dafür, ein beliebiges Unterrichtsverfahren zu rationalisieren. Wenn wir uns also vorstellen, wir würden dereinst über viele und gute kontrastive Grammatiken mit Deutsch als Zielsprache verfügen, so dürfen wir uns aus ihnen wenn schon nicht unmittelbaren didaktischen Nutzen, so doch sicher einen Zuwachs an Einsicht in die deutsche Sprache versprechen, wie er durch das bloße Nachdenken monoglotter Linguisten nicht erreicht werden kann.

2) Sprachnormenforschung

Wer die deutsche Sprache als Fremdsprache lehrt, hat sich mit dem Problem der sprachlichen Normen auseinanderzusetzen. Die Linguistik hat die Sprachnormen in den letzten Jahren ziemlich vernachlässigt und dieses Thema vielfach der feuilletonistischen Sprachkritik überlassen. Für den Bereich Deutsch als Fremdsprache ist solche Abstinenz nicht statthaft. Denn die Sprachschüler, die mit der deutschen Sprache vertraut werden wollen, erleben diese Sprache als ein Normensystem. Soweit es sich nun um einen engen Kernbereich der Sprache handelt, haben diese Normen als grammatische, lexikalische, phonetische oder orthographische Regeln fraglose Gültigkeit, und es gibt nur die Alternative Richtig oder Falsch. Aber sobald diese Schüler (oder darf ich sagen Lerner?) etwas weiter in die deutsche Sprache eingedrungen sind, betreten sie Bereiche, in denen die Regelmäßigkeit und Regelhaftigkeit der sprachlichen Formen nicht so zweifelsfrei feststeht und wo dem Sprecher manche Entscheidungen offen stehen, die kommunikativ höchst interessant, ja prekär sein können. Durfte ich also soeben das Wort "Lerner" gebrauchen, das sich in der letzten Zeit in der didaktischen Literatur sehr ausgebreitet hat? Ist dieses Wort "in Deutsch" zulässig, oder ist es "auf deutsch" zu verwerfen? Werden wir "die" Schüler das Futur "lehren", oder brauchen wir "ihnen" nur das Präsens "beibringen" oder "beizubringen"?

Diesen und vielen anderen Normproblemen ähnlicher Art sollte der Linguist nicht ausweichen, am allerwenigsten derjenige, der seine eigene Sprache als Fremdsprache zu lehren hat. Er kann sich nämlich nicht auf den Standpunkt zurückziehen, daß sich in der Sprache alles schon von selber regelt. Gewiß, es ist weit und breit keine obrigkeitliche Instanz sichtbar, von der wir autoritative oder gar autoritäre Sprachnormentscheidungen zu erhoffen oder zu befürchten hätten. Die Akademien und Sprachgesellschaften, die in früheren Jahrhunderten, als sich die großen europäischen National- und Literatursprachen herausbildeten, bisweilen noch die Möglichkeiten zu regulierenden Eingriffen in das Sprachgeschehen hatten, haben sich heute fast überall auf Beobachterpositionen zurückgezogen und machen sich allenfalls mit milden Empfehlungen und liberalen Sprachberatungen bemerkbar. Denn die Kommunikationsbedingungen demokratischer Gesellschaften sind so beschaffen, daß keine einzelne Person und keine einzelne Institution mit Autorität den guten Sprachgebrauch vorschreiben kann.

Wenigstens in der Theorie ist es so. In der Praxis sind doch allenthalben Meinungsmacher und Meinungsvermittler am Werk, die mit ihren wohlpräparierten Informationen ständig auch Normangebote machen und ein bestimmtes Normverhalten suggerieren. Diesen Normen gegenüber muß der Einzelne sich entscheiden, wenn er von der Sprache wirksamen Gebrauch machen kann. Auch für den Widerstand gegen die großen oder kleinen Sprachverführungen der politischen und ökonomischen Gruppensprachen ist ein hochentwickeltes Sprachnormbewußtsein unerläßlich. Normprobleme dieser Art, die bis zu den Regeln einer "kommunikativen Ethik" reichen, sind nicht mehr durch einen bloßen Griff nach dem Duden lösbar, am allerwenigsten für den Ausländer.

Es geht also, wenn von Sprachnormen die Rede ist, nicht nur um einzelne Wörter, die als richtig oder falsch, als gut oder schlecht, als schön oder häßlich zu beurteilen wären. Normentscheidungen betreffen häufig ganze Paradigmen und Register der Sprache sowie die Regeln der politischen und moralischen Argumentation. Dabei geht es natürlich nicht ernsthaft um die Frage, ob der einzelne professionelle Sprachbeobachter eine bestimmte Form und Struktur oder eine Regel des Gesprächs und der Verständigung auf Grund seiner privaten Intuition billigt oder nicht billigt. Man darf sich keinen Illusionen hingeben: Linguisten können und sollen die allgemeine Sprache nicht im direkten Zugriff ändern, sondern können allenfalls indirekt über eine Verfeinerung des Sprachbewußtseins und Sprachgewissens bei möglichst vielen Personen auf das Sprachgeschehen einwirken. Was aber nun den Bereich Deutsch als Fremdsprache betrifft, so gehen solche Normentscheidungen natürlich in die Lehrwerke ein und haben dort weitreichende Auswirkungen. So ist beispielsweise die umfassende Privilegierung der schriftlichen vor den mündlichen Sprachnormen in der traditionellen Grammatik sicher eine solche Normentscheidung von großer Tragweite gewesen. Es wird eine wesentliche Aufgabe des Faches Deutsch als Fremdsprache sein, an der Ermittlung einer mündlichen Norm des deutschen Sprachgebrauchs wie auch konsensfähiger kommunikativer Umgangsformen mitzuarbeiten und diesen Normen in den Lehrwerken eine gebührende Geltung zu verschaffen. Auch dies ist ein Gebiet, auf dem die Forschung noch in den Anfängen steckt.

3) Sprachlehrforschung

Es besteht innerhalb des Faches Deutsch als Fremdsprache eine erkennbare Neigung, dieses Fach in seiner linguistischen Komponente als angewandte Linguistik zu deklarieren. Dagegen kann man in der Sache nichts einwenden. Tatsächlich wollen wir hoffen, daß alle Linguistik, die im Rahmen dieses Faches betrieben wird, anwendbar ist und angewandt wird. Wenn ich dennoch bisher immer gezögert habe, dieses Wort in den Mund zu nehmen, so hat mich dabei der Gedanke bewegt, welche schrecklich abgewandte Linguistik wohl übrig bleibt, wenn man von ihr alle angewandte oder anwendbare Linguistik als eigenen Bereich abzieht. Ja, ich weiß, die reine Theorie bleibt dann übrig. Sie hat natürlich ihre Berechtigung, auch im Rahmen eines Faches Deutsch als Fremdsprache. Es wäre tatsächlich eine unerträgliche Beengung der Forschung, wenn bei jedem Arbeitsschritt ein Anwendungsnachweis erbracht werden müßte. Auch in einem Fach, das als durchaus praxisorientiert aufzufassen ist, muß man bisweilen von der konkreten Unterrichtspraxis etwas Abstand nehmen, um die Konturen und Proportionen der zu lehrenden Sachen schärfer zu sehen. Aber auf der anderen Seite wissen wir alle, zu welch hemmungslosem Narzißmus die reinen Theoretiker fähig sind. Das Fach Deutsch als Fremdsprache, in dessen Rahmen die Wissenschaftler und die Praktiker zusammenarbeiten sollen, hat die doppelte Chance, die Wissenschaftler an die Lehrpraxis heranzuführen und den praktisch Lehrenden die häufig ungerechtfertigte Ehrfurcht vor dem ach so wissenschaftlichen Flair zu nehmen. Denn Forschung und Lehre sind nur zwei verschiedene Zustände des einen Systems Wissenschaft. Aber als solche gehören sie natürlich auch im Fach Deutsch als Fremdsprache aufs engste zusammen, so wie es Humboldt mit guten Gründen gewollt hat.

Die gleichen Überlegungen gelten auch für den Begriff Didaktik. Es kann nicht zweifelhaft sein, daß die Außenperspektive, die für das Fach Deutsch als Fremdsprache konstitutiv ist, eine Perspektive der Vermittlung ist. Wenn Didaktik in diesem Sinne verstanden wird, dann ist das Fach Deutsch als Fremdsprache ein didaktisches Fach. Aber wir haben auch gelernt, mit Konnotationen zu rechnen. Wenn also Didaktik im engsten und engherzigsten Sinne verstanden wird, so daß im Selbstverständnis dieses Faches nur soviel Linguistik oder Literaturwissenschaft zugelassen werden soll, wie in den begrenzten Erfahrungsraum eines Unterrichtszimmers paßt, dann ist dies eine nicht annehmbare Einengung. Es gibt übrigens ein recht zuverlässiges Erkennungssignal für diese Art kleingläubige Didaktik. Das ist die Haltung des mißgelaunten Abwartens, was die da in den Instituten und Seminaren sich mal wieder ausgedacht haben, mit dem Hintergedanken, daß diese ausgedachten Theorien, wenn sie überhaupt brauchbar sein sollten, jedenfalls erst einmal "didaktisiert" werden müssen. Ich wünsche mir statt dessen von der Praxis, gerade um der Didaktik willen, eine dynamischere und zuversichtlichere Einstellung. Die Praktiker der Didaktik sollten also so deutlich und so konkret wie möglich sagen, was ihnen fehlt, damit diese Desiderate dann in möglichst enger Zusammenarbeit mit ihnen zu Gegenständen der Forschung gemacht werden können, und vor allem: sie sollten mitforschen.

Unter den vielen Aufgaben, die das Fach Deutsch als Fremdsprache im Bereich der Sprachlehrforschung zu bewältigen hat, will ich drei herausgreifen. An erster Stelle nenne ich die Lehrwerkkritik und die hoffentlich von ihr zu erwartende verbesserte Lehrwerkproduktion. Das *Mannheimer Gutachten* hat dieses Problem ja deutlich genug in das allgemeine Bewußtsein gehoben. Es kann heute nicht mehr zweifelhaft sein, daß die Beschaffenheit unserer Lehrmaterialien die volle Aufmerksamkeit der Forschung verdient. Und selber ein Lehrwerk zu machen, muß als Forschungsleistung anerkannt werden. Wir wissen nämlich insgesamt immer noch zu wenig von dieser eigenartigen Textsorte und quasi-literarischen Gattung Lehrbuch oder Lehrwerk, und wir werden uns mit den Kriterien, mit deren Hilfe man gute von schlechten Lehrwerken unterscheiden kann, noch lange zu beschäftigen haben. Für die Studenten des Faches Deutsch als Fremdsprache ist die Lehrwerkkritik daher ein unerläßliches Curriculum-Element, und sie sollten im Verlauf ihres Studiums auch lernen, wie schwierig und, wenn es gelingt, wie befriedigend es ist, gutes Lehrmaterial zu schaffen. Sie werden dabei wahrscheinlich auch die Erfahrung machen müssen, daß ein gutes Lehrwerk noch nicht dadurch zustande kommt, daß

man Regeln aufstellt und sie mit Beispielen füllt oder daß man umgekehrt Beispiele gibt und aus ihnen Regeln herauszieht. Die Kunst, ein
Lehrwerk zu machen, scheint vielmehr mit der Erfahrung zu beginnen,
daß von dem Lehrwerkmacher eine Imaginationsleistung verlangt
wird, die an die Schwelle der ästhetischen Kreativität heranreicht.

Besondere Aufmerksamkeit verdient dabei zweitens das Problem der
didaktischen Progression. Wir verfügen seit langem über Lehrwerke
mit einer mehr oder weniger überzeugenden grammatischen Progression. In Konkurrenz mit Lehrwerken dieses Typus hat sich in den letzten Jahren, hauptsächlich im Gefolge der Pragma-Linguistik, die Überzeugung ausgebreitet, daß wir Lehrwerke mit einer einleuchtenden
Situations-Progression benötigen. Es versteht sich, daß man diese nur
dadurch gewinnen kann, daß man das wahrscheinliche Sprachhandeln
der Adressaten zu berechnen oder zu erraten versucht. Was bisher
jedoch, wenn ich recht sehe, noch nicht überzeugend gelungen ist –
außer in Ansätzen –, ist eine überzeugende Synchronisierung der grammatischen und der situativen Progression. Denn es muß als Postulat
einer kommunikativ orientierten Linguistik gelten, daß es zwischen gewissen Situationstypen und gewissen Kapiteln der Grammatik notwendige, zumindest aber plausible Übereinstimmungen gibt, die es didaktisch ratsam sein lassen, aus diesen beiden Progressionen *eine* zu machen.

Schließlich noch drittens ein Wort zu den audio-visuellen Hilfsmit-
teln. Wir können heute ihren Wert nicht mehr so hoch einschätzen, wie
es zur Zeit der unbeschränkt herrschenden direkten Methode die allgemeine Überzeugung war. Der Sprachunterricht erreicht nicht schon
dadurch sein Optimum, daß man die Augen mit Bildern und die Ohren
mit Geräusch füllt. Aber wir wollen auf diese technischen Hilfsmittel
natürlich auch nicht verzichten. Ich bin nun der Ansicht, daß wir uns
insgesamt noch zu wenig Gedanken über die semiotische Eigengesetzlichkeit dieser Medien gemacht haben. Was beispielsweise die stehenden
oder bewegten Bilder betrifft, die wir ohne große technische Mühe auf
irgendeine Leinwand projizieren können, so ist es wohl an der Zeit, das
unbedachte Realismus-Postulat anzuzweifeln, das noch immer fast
allen visuellen Produktionen zugrunde liegt. Wer nur die Außenwelt
abphotographiert, hilft damit dem Sprachunterricht nur zum Schein.
Ohne ein Minimum elementarer, vielleicht aber auch etwas raffinierte-
rer Bild-Semiotik in der "software" sollten wir die aufwendigen elek-
tronischen Geräte lieber bei den Herstellern lassen. Auch hier ist es an
der Zeit, daß die Didaktik ihre Berührungsängste gegenüber der Ästhetik verliert.

4) Fachsprachenforschung

Die Fachsprachen der verschiedenen Berufe, insbesondere der Wissenschaften und ihrer Technologien, bedrängen in wachsendem, vielleicht beängstigend wachsendem Maße die deutsche Gemeinsprache. Hier bildet sich ein zentrales Kommunikationsproblem heraus, das für unser Jahrhundert ebenso charakteristisch ist wie für das 19. Jahrhundert das Problem des Verhältnisses von Nationalsprache und Mundarten. Es gibt aber erst in Ansätzen eine Erforschung der Fachsprachen. Keine Universität der Bundesrepublik hat bisher einen Lehrstuhl für Fachsprachenforschung eingerichtet. Daher muß das Fach Deutsch als Fremdsprache dieses Forschungsgebiet als einen seiner wichtigsten Aufgabenbereiche ansehen. Denn es wollen verständlicherweise viele Ausländer die deutsche Sprache im Hinblick auf einen bestimmten Beruf erlernen. Es ist vernünftig, diesen Bedürfnissen mit adressatenspezifischen und insofern fachsprachlich orientierten Kursen entgegenzukommen, zumal bei Intensivkursen. Solches Kursmaterial zu entwickeln und zu prüfen, ist sehr schwierig und mühselig und sollte daher auf Dauer als Forschungsaufgabe dieses Faches angesehen werden.

Dabei ist zu beachten, daß Fachsprachenforschung sich nicht in der Kenntnis fachsprachlicher Nomenklaturen erschöpft. Die auf dem Buchmarkt in großer Zahl angebotenen fachsprachlichen Wörterbücher geben – mit wenigen Ausnahmen – deutlich zu erkennen, daß ihre Verfasser in den betreffenden Fachsprachen vor allem große Haufen von Substantiven sehen, mit denen die vielen neuen Sachen der industriellen Zivilisation etikettiert sind. Es fällt nicht schwer, in dieser Auffassung einige charakteristische Sünden der alten Wörter-und-Sachen-Semantik wiederzuerkennen. So können wir heute die Fachsprachen nicht mehr sehen. Wir müssen anerkennen, daß die Fachsprachen unter *allen* ihren Aspekten, nicht nur in ihrer nominalen Lexik, Varianten der Gemeinsprache sind und daß sie nicht nur eigene Lexika, sondern auch in Grenzen eigene Grammatiken haben. Es wird nicht schaden, wenn man die dringend zu intensivierende Fachsprachenforschung (die DDR ist uns hier ein gutes Stück voraus) auf einige Zeit mit pragma-linguistischer Orientierung betreibt. Viele Fachsprachen sind in ihren Charakteren nur dann erklärbar, wenn man den Arbeitsprozessen Rechnung trägt, in denen Objekte und Produkte hergestellt werden. Daß beispielsweise das Passiv (und zwar in der Regel ein Passiv ohne beigefügte Angabe des Urhebers) in den technischen Fachsprachen eine wesentlich höhere Frequenz hat als in der Gemeinsprache, sollte nicht ohne Folgen für die Berücksichtigung dieser Form im Lehrmaterial für Deutsch als Fremdsprache bleiben.

Im Zusammenhang mit den Fachsprachen taucht übrigens wieder das Normenproblem auf. Fachsprachen sind ja bis zu einem bestimmten Grad gemachte Sprachen. Sie sind daher in gewissen Grenzen planbar und werden auch teilweise, wie bekannt, von nationalen oder internationalen Normenausschüssen gesteuert und geregelt. Auf diesem Gebiet nun hat der Linguist erheblich größere Möglichkeiten, auf die tatsächliche Entwicklung des Sprachgebrauchs einzuwirken, und es ist zu hoffen, daß möglichst viele Personen in Industrie und Handel, die an der Namengebung für neue Produkte und ihre Herstellungsprozesse mitwirken, in Zusammenarbeit mit dafür ausgebildeten Linguisten ein genügend differenziertes Sprachbewußtsein entwickeln, um solche Namen im Einklang mit den Sprachstrukturen bilden zu können. Und wenn das nicht adäquat geschieht, hat hier die normative Sprachkritik ein geeignetes Anwendungsgebiet. Für Ausländer nun, die in der Bundesrepublik arbeiten und fachsprachlich intensive Tätigkeitsfelder haben, ist es wichtig, diese Fachsprachen nicht als willkürlich erdachte und in ihrer Komplexität monströse Gebilde zu erfahren, sondern als verstehbare Weiterbildungen der Gemeinsprache für bestimmte pragmatische oder operative Zwecke.

Zu den Fachsprachen gehören auch die Wissenschaftssprachen. Unter denen, die die deutsche Sprache als Fremdsprache lernen wollen, sind ja nicht wenige Wissenschaftler und Studenten. Ihnen sollten im Rahmen des Möglichen, wie es ja auch schon vielfach geschieht, wissenschaftsspezifische Kurse angeboten werden, und die Lehrenden ihrerseits sollten unbedingt lernen, wie man solche Kurse macht. Es ist unübersehbar, daß das nur in Zusammenarbeit mit den entsprechenden Fachwissenschaftlern geschehen kann: ein Stück praktischer Interdisziplinarität. Was aber schließlich die eigene Wissenschaftssprache der Linguistik betrifft, so dürfen wir sicher wünschen, daß es zum Ethos des Faches Deutsch als Fremdsprache gehören wird, alle terminologischen Exzesse zu vermeiden, welche die deutsche Wissenschaftssprache häufig zu einer nicht erlernbaren Fremdsprache machen. Auch hier dürfte die Gewohnheit der Außenperspektive eine Orientierungshilfe bieten.

5) Gastarbeiter-Linguistik

Wir wissen, daß zwei Millionen Gastarbeiter in der Bundesrepublik in der einen oder anderen Form die deutsche Sprache als Fremdsprache

– meistens rudimentär – sprechen lernen. Und es ist erst verhältnismäßig spät in unser Bewußtsein gedrungen, daß wir dabei nicht nur an die Arbeiter an ihrem Arbeitsplatz, sondern in vielen Fällen auch an ihre Familien zu denken haben. Besonders problematisch ist die Lage der Gastarbeiterkinder, von denen ja bekannt ist, welche Schulprobleme sie in der Gegenwart haben und welche Berufsprobleme sie zu ihrem und unserem Schaden in Zukunft haben werden. Es steht außer Frage, daß diese Gastarbeiter-Linguistik ein Teilbereich des Faches Deutsch als Fremdsprache ist, und mit diesem Selbstverständnis sind ja auch bisher schon verschiedene Arbeitsgruppen ans Werk gegangen. Linguistisch lassen sich hier zweifellos einige Forschungsziele formulieren, die für die Pragma-Linguistik von großem Interesse sind. So haben sich beispielsweise einige überraschende Annäherungen an die Kreolisierungs- und Pidginierungsforschung ergeben. Aber ich weiß wohl, daß solche Forschungsziele für viele Kollegen, die bislang auf diesem Gebiet gearbeitet haben, nicht vorrangig sind. Sie haben sich vielmehr gefragt, wie man mit den Kommunikationsbedingungen zugleich die allgemeine gesellschaftliche Lage dieser Gastarbeiter und ihrer Familien, einschließlich der Berufschancen in der zweiten Generation, verändern und verbessern kann. Es ist evident, daß diese Bedingungen verbessert werden müssen, aber es ist auch wohl klar, daß mit Linguistik allein dabei nicht viel zu bewirken ist. Das Problem der Gastarbeiter ist für die gesamte Wissenschaft ein interdisziplinäres Problem und insgesamt natürlich ein politisches Problem.

Vordringlich scheint mir das Problem der Gastarbeiterkinder zu sein. Es ist offensichtlich, daß diese Kinder nicht genügend gefördert werden, wenn sie einfach "normal" in Regelklassen zusammen mit deutschen Schulkindern und Gastarbeiterkindern anderer Nationalität unterrichtet werden. Gewisse Mängel dieses Zustandes werden zweifellos dadurch beseitigt, daß Gastarbeiterkinder einer Nation in besonderen Klassen zusammengefaßt und zusätzlich zum deutschen Curriculum in den Bedingungen ihrer eigenen Kultur unterrichtet werden. Aber dadurch entsteht ein neues Problem, nämlich ihre Absonderung und Überlastung durch ein doppeltes Curriculum. Und es bleibt allemal dabei, daß sie den deutschen Kindern sprachlich und kulturell unterlegen sind.

Wir sollten daher nach Möglichkeiten suchen, Gastarbeiterkinder zusammen mit deutschen Kindern in Situationen zu bringen, in denen *die Gäste* kompetenzüberlegen sind. Das ist an Schulorten von einer gewissen Größe vielleicht am einfachsten dadurch zu erreichen, daß man in grundsätzlich gemischten, jedoch nach Nationalitäten sortierten

Klassen die deutschen Schulkinder auch in den Anfangsgründen der jeweiligen Gastarbeitersprache unterrichtet, zugleich mit den Gastarbeiterkindern, die hier häufig ebenfalls erst den Schritt von ihrem Dialekt zu ihrer kulturellen Standardsprache zurückzulegen haben. Dieser Unterricht braucht also keineswegs bis zur vollen Sprachbeherrschung in der Gastarbeitersprache zu führen. Es genügt, daß die deutschen Schulkinder dieser Klassen für eine gewisse Zeit die Erfahrung machen, daß sie selber nicht unfehlbar diejenigen sind, die immer schon alles besser wissen und besser können.

6) Deutsche Literatur als fremde Literatur

Die Fachbezeichnung Deutsch als Fremdsprache ist insofern irreführend, als sie nicht zu erkennen gibt, daß es nach allgemeinem Konsens auch zu den Aufgaben dieses Faches gehört, die deutsche Literatur aus der Außenperspektive zu betrachten. Die Heidelberger Kollegen haben daher ihr Institut "Deutsch als Fremdsprachenphilologie" benannt – ein bedenkenswerter Vorschlag. Nun ist es aber sicher besonders sorgfältig zu überlegen, in welchem Sinne die literaturwissenschaftliche Komponente dieses Faches vernünftig zur Geltung gebracht werden kann. Mit einer bloßen Rabatt-Konzeption (zum Beispiel: die deutsche Literatur *ab* Goethe, *ab* Fontane, *ab* Brecht) ist es wiederum sicher nicht getan, und ich sehe nicht die wissenschaftlichen Gesprächspartner, die man sich mit einem solcherart begrenzten Horizont erhoffen dürfte. Am allerwenigsten wird man übrigens die Auslandsgermanistik von der Vernünftigkeit eines nach Jahreszahlen beschnittenen Literaturbegriffs überzeugen können.

Es kommt also auch bei der literaturwissenschaftlichen Komponente darauf an, ob es gelingt, für diesen Aufgabenbereich in Forschung und Lehre eine Konzeption zu finden, die nicht nur in sich konsistent ist, sondern auch in einem sinnvollen Zusammenhang mit den anderen Aufgaben des Faches steht. Hier liegt es nun nahe, daran zu denken, daß die deutsche Literatur, soweit sie außerhalb des deutschen Sprachraums gelesen wird, dort häufig mit ganz anderen Augen gelesen wird als hier. Heine in England und Frankreich ist – Gott sei's geklagt – ein ganz anderer als Heine in Deutschland. Ich will jedoch nicht behaupten, es bedürfe unbedingt eines neuen Faches, um darauf erstmalig aufmerksam zu machen. Der Germanistik, insbesondere der Auslandsgermanistik, sind diese Divergenzen und Diskrepanzen in der Rezeption unserer Literatur nicht unbekannt geblieben, und für die literarische Rezeptionstheorie sind solche Erscheinungen sogar methodologische Leckerbissen.

Ich bin daher der Ansicht, das Fach Deutsch als Fremdsprache sollte sich mit seiner literaturwissenschaftlichen Komponente auch noch auf andere Art bemerkbar machen, und zwar – wie überall – in der Forschung ebenso wie in der Lehre. Das kann auf verschiedene Weise geschehen. Ich will im folgenden nur zwei Möglichkeiten andeuten. Die erste ergibt sich aus dem Forschungsstand der formalen Literaturwissenschaft. Ich meine zwar nicht, es sei im Rahmen des Faches Deutsch als Fremdsprache notwendig, den Formalismus auf die äußerste Spitze zu treiben. Aber es ist den Formalisten und Strukturalisten der verschiedenen Schulen doch hoch anzurechnen, daß sie mit methodenstrengen Beschreibungen deutlich gemacht haben, wieviel Linguistik in der Poetik steckt. Wir wissen seitdem: je bewußter Sprachspiele gespielt werden, umso näher rücken sie der "poetischen Funktion" (Roman Jakobson), die für alle Literatur (mit-)konstitutiv ist. Diese Tatsache aber stellt den Sprachunterricht, der ja die Sprache möglichst bewußt, d. h. im Hinblick auf ihre (Spiel-)Regelhaftigkeit durchspielen muß, unter Bedingungen, die denen der Poesie strukturell verwandt sind. Diese Zusammenhänge können hier nur skizziert, die daraus zu ziehenden Folgerungen nur angedeutet werden; es scheint jedenfalls, daß der Sprachlehrer seinem Berufsschicksal, *ludi magister* zu sein, nicht entgehen kann.

Des weiteren könnte – komplementär zur formalen Forschungsaufgabe – von dem Fach Deutsch als Fremdsprache ein Impuls ausgehen, der darauf hinausläuft, die Literatur – und zwar komparativ – auf ihre Inhalte zu befragen, also thematische Literaturwissenschaft (*Thematics* sagen bisweilen die Engländer und Amerikaner) zu betreiben. Die thematische (und thematisch vergleichende) Literaturwissenschaft beginnt mit der Feststellung, daß es *viele* Bücher gibt und daß wir in ihnen bestimmte Inhalte – bald so und bald so geformt – von Epoche zu Epoche, von Gattung zu Gattung, von Nationalliteratur zu Nationalliteratur wiederfinden. Ich kann hier nicht im einzelnen darlegen, mit welchen verschiedenen Methoden eine thematisch orientierte Literaturwissenschaft arbeiten kann. Als Stichwort mag der Begriff der Topik genügen, sofern gesichert ist, daß dieser Begriff nicht vorschnell mit der historischen Toposforschung im Dienste der Curtius'schen Kontinuitätsthese gleichgesetzt wird. Es gibt, angefangen mit der aristotelischen Argumentationslehre und längst nicht aufgehört mit der Freudschen Psychoanalyse, sehr viele andere Formen der Topik, in denen über literarische und andere Inhalte des kollektiven und individuellen Gedächtnisses wissenschaftlich nachgedacht wird.

Es ist leicht einzusehen, daß eine thematisch orientierte Literaturwissenschaft, verstanden als komparative Topik, auch unter verhältnismäßig günstigen Bedingungen lehrbar ist, zumal wenn diese Lehre ohnehin immer mit knappen und knappsten Stundentafeln rechnen muß. Dabei fällt auch ins Gewicht, daß die literarischen Inhalte gleichzeitig die mannigfaltigsten sprachlichen, insbesondere fachsprachlichen Informationen übermitteln.

7) Deutsche Landeskunde

Die Landeskunde ist für alle Fremdsprachenphilologien aporetisch. Von dieser *crux* bleibt auch die Germanistik nicht verschont, wenn sie als Fremdsprachenphilologie betrieben werden soll. Denn es ist einerseits evident, daß die Deutschlernenden auch über das Land oder die Länder informiert werden müssen, in denen diese Sprache gesprochen wird. Andererseits gibt es keine Deutschland-Wissenschaft, ebensowenig wie es eine Österreich-Wissenschaft oder eine Schweiz-Wissenschaft gibt. Für das Problem der Landeskunde gibt es daher keine glatte und wissenschaftstheoretisch rundum befriedigende Lösung. Denn es ist ja evident, daß derjenige, der über eine wissenschaftliche Kompetenz als Linguist oder als Literaturwissenschaftler oder äußerstenfalls in beiden Disziplinen verfügt, nicht auch noch auf mirakulöse Weise die Kompetenzen eines deutschen Juristen, Politologen, Ökonomen, Geographen, Kunsthistorikers und Musikwissenschaftlers in sich vereinigt. Wer also meint, er könne im Rahmen des Faches Deutsch als Fremdsprache alles Mögliche reden, schreiben und lehren, ohne sich die entsprechenden Kompetenzen nach den wissenschaftlichen Spielregeln erworben zu haben, diskreditiert dieses Fach und die Wissenschaft insgesamt. Das Desiderat der Landeskunde ist keine Legitimation für Pfuscherei.

Indes: wenn auch keine Universallösung und schon gar nicht eine Patentlösung für das Problem Landeskunde in Sicht ist, so gibt es doch einige pragmatische Teillösungen. Was zunächst die Lehre betrifft, so findet man zumindest im akademischen Bereich und in seinem näheren und weiteren Umkreis verhältnismäßig leicht die verschiedenen Fachleute, die für eine breit gefächerte Lehre der Landeskunde erforderlich sind. Es ist manchmal fast nur eine Organisationsfrage, diese Kollegen zu geeigneten Lehrveranstaltungen zu bewegen. Außerhalb des akademischen Bereichs ist das natürlich schwerer. Da muß man dann in erheblichem Ausmaße auf die Lektüre von Fachbüchern zurückgreifen. An Fachbüchern, die auch oder gerade für Laien geschrieben sind, fehlt es heute in den meisten Fällen nicht mehr. Sie zu finden, ist eine Frage der bibliographischen Technik, also wiederum eine Organisationsfrage.

Auf die Forschung wird man hingegen wesentlich schwieriger Einfluß nehmen können; sie hat ihre eigenen Progressionen und schreitet gewöhnlich nicht länderweise voran. Ich habe auch meine Zweifel, ob man Wissenschaftler von Rang in nennenswertem Umfang dazu bewegen kann, sich zu interdisziplinären Projektgruppen von landeskundlicher Thematik zusammenzutun, anstatt an den wirklichen Fronten der Forschung tätig zu werden, die etwa Umweltforschung, Energieforschung, Konjunkturforschung, Migrationsforschung oder Fachsprachenforschung heißen mögen. Es steht zwar außer Frage, daß man Landeskunde wissenschaftlich immer nur multidisziplinär betreiben kann, aber von der Multidisziplinarität zur Interdisziplinarität ist ein weiter und unbequemer Weg. Wohl bekommt es uns allen gut, auf diesem Weg einige Gehversuche zu machen, Flügelschuhe hat jedoch niemand zur Verfügung.

Wir sollten jedoch im Bereich der Landeskunde zuerst und zumeist die Chancen wahrnehmen, die wir als Linguisten und Literaturwissenschaftler selber haben. Zwar ist die Linguistik im wesentlichen eine Wissenschaft von Formen und Funktionen. Wenn wir diese Disziplin aber nicht im engsten Sinne als eine Laut-, Wort- und Satzlehre definieren, sondern ihr als Text-, Situations- und Interaktions-Linguistik einen generöseren Sinn geben, dann kann die solcherart definierte Linguistik auch reichere und differenziertere Auskünfte über das Land oder die Länder geben, in denen die deutsche Sprache gesprochen wird. Allerdings: die Sprachlehre kann niemals vollständig, wenn sie ihre Aufgaben nicht verfehlen will, zur Sachlehre werden. Daher bleiben auch die deutschlandkundlichen Informationen, die mit dem Sprachunterricht verbunden werden mögen, der *conditio ludrica* unterworfen und müssen so sorgfältig dosiert werden, daß sie das didaktische Sprachspiel nicht erdrücken. Das gleiche gilt für die literaturwissenschaftliche Komponente des Faches Deutsch als Fremdsprache. Im Maße wie diese Komponente sich mit Überzeugung als thematisch vergleichende Literaturwissenschaft versteht, können zwar im Rahmen ihrer Topik auch solche Themen bevorzugt behandelt werden, die ein realistisches und differenziertes Bild unseres Landes vermitteln. Aber

vergessen wir auch hier nicht: die Literatur bleibt Literatur, auch dort,
wo sie sich den Anschein gibt, als habe sie nichts anderes im Sinn, als
über die deutsche oder irgend eine andere Realität zu informieren.

Ich fasse zusammen. Das Fach Deutsch als Fremdsprache hat die drei
Komponenten Linguistik, Literaturwissenschaft und deutsche Landeskunde. Mit allen drei Komponenten ist es ein Fach der Forschung und
der Lehre. Es definiert sich nicht negativ durch seine Subtraktionen und
schon gar nicht durch leichtfertige Rabatte, sondern positiv durch die
Forschungs- und Lehrbereiche, die es – praxisgeleitet – dem Kanon der
Germanistik hinzufügt. Es sind dies in der linguistischen Komponente,
die für das Fach Schwerpunktcharakter hat, insbesondere die Aufgaben
der kontrastiven Linguistik, der Sprachnormenforschung, der Sprachlehrforschung, der Fachsprachenforschung sowie der Gastarbeiter-Linguistik. Für die literarische Komponente wird einerseits eine methodische Annäherung von Ästhetik und Didaktik, andererseits eine thematische und zugleich thematisch vergleichende Literaturwissenschaft
empfohlen; Stichwort: literarische Topik. Für die landeskundliche
Komponente gibt es keine Ideallösung, sondern nur pragmatische Teillösungen, wie sie insbesondere sichtbar werden, wenn man die Landeskunde möglichst eng einerseits mit der Textlinguistik, andererseits mit
der Literaturwissenschaft verknüpft.

Anmerkung

* *Bibliographische Anmerkung:* Dieser Aufsatz, der die überarbeitete Fassung eines im Mai 1978 vor dem Arbeitskreis Deutsch als Fremdsprache
in Bonn gehaltenen Vortrages darstellt, ist kein Forschungsbericht, sondern
eine Programmschrift. Ich verzichte daher auf bibliographische Hinweise
zu den verschiedenen Forschungsbereichen. Ich verweise statt dessen generell
auf die Aufsätze und Berichte im *Jahrbuch Deutsch als Fremdsprache* (vgl.
besonders die programmatischen Aufsätze des Jahrbuchs 1/1975), in der
Zeitschrift *Zielsprache Deutsch* und in der DDR-Zeitschrift *Deutsch als
Fremdsprache.* Für alle linguistischen Fragen orientiert man sich jetzt,
neben der *Linguistic Bibliography,* in der *Bibliographie Unselbständiger
Literatur – Linguistik* (BUL-L), Frankfurt 1971 ff., sowie, ebenfalls für
die unselbständigen Publikationen, in dem von der Stadt- und Universi-
tätsbibliothek Frankfurt, Sondersammelgebiet Linguistik, herausgegebenen
Informationsdienst *Current Contents Linguistik, Inhaltsverzeichnisse linguistischer Fachzeitschriften* (CCL). Für die Literaturwissenschaft nenne ich

das *Bibliographische Handbuch der deutschen Literaturwissenschaft*, hg. von Clemens Köttelwesch, Frankfurt 1972 ff., sowie die *Bibliographie Deutschunterricht*, hg. von D. Boueke et al., Paderborn 1973, 3., ergänzte Auflage 1978 (UTB 230). Für die Deutschlandkunde benutzt man mit Gewinn die *Deutschlandstudien I/II* des Deutschen Akademischen Austauschdienstes. Eine erste Auswahl von Neuerscheinungen (des jeweils vergangenen Jahres) bringt die *Jahresbibliographie Deutsch als Fremdsprache* des Jahrbuchs Deutsch als Fremdsprache.

Dietrich Krusche

Die Kategorie der Fremde

Eine Problemskizze

1 Einengung: Der Begriff der kulturhistorischen "Fremde"

Erst die Literaturwissenschaft der letzten zehn Jahre hat einen Begriff
davon erbracht, unter welchen Bedingungen sich der Leseakt vollzieht,
wo die Möglichkeiten und wo die Grenzen der "Vereindeutigung"
eines literarischen, zumal eines fiktionalen Textes liegen.[1] Diese Problemstellung ist immer dann in den Vordergrund gerückt worden, wenn
Erkenntnisse angrenzender Wissenschaften, der philosophischen Hermeneutik, der Kommunikationstheorie, der Linguistik, aufgegriffen
wurden.[2] Mit dem Verständnis für die historische Positionalität des
literarischen Textes einerseits, des Lesers andererseits ist auch die Einsicht in die *historische Distanz* zwischen Text und Leser gewachsen.
Diese Distanz ist nicht nur eine der (Geschichts-)Zeit, sondern auch
eine des (Kultur-)Raums. Über sie hinweg wird Text-Sinn nicht einfach
als Reaktivierung von Bedeutung erzeugt, sondern in einem Dialog
zwischen selbständigen Subjekts-Positionen.[3] Die vom Rezipienten am
Text erfahrene Andersheit ist dabei nicht nur Widerstand, Verständ-
nishindernis, Verundeutlichungskomponente, sondern auch und vor allem die Voraussetzung dafür, daß das rezipierende Subjekt sich seiner
Besonderheit bewußt werden kann, indem es die Chance wahrnimmt,
sich gegenüber dem lesend erlebten Anderen als Selbst zu formulieren.
Historische "Fremde" ist also in diesem Zusammenhang als Kategorie
einer konstruktiven Dialektik zu verstehen.[4]

    Germanistik als Fremdsprachen- (und damit auch als Fremdlitera-
tur-)Philologie ist, indem sie deutsche Literatur verschiedener Epochen
an Studierende anderer Sprach- und Kulturbereiche zu vermitteln sucht,
auf die Kategorie der Fremde besonders verwiesen, – selbst wenn es
so aussehen sollte, als sei gerade das Literaturgespräch mit Ausländern
fremder Muttersprache kein geeigneter Rahmen für komplexe Metho-
denerwägungen. Denn die Komplexität ist, ob man es sehen will oder
nicht, eine der realen Vermittlungsbedingungen in der Fremdsprachen-

philologie, so daß ihre Aufhellung nur eine Klärung der konkreten Arbeitsbedingungen dieses Wissenschaftsbereichs bedeutet. Die hermeneutische Reflexion ist hier also in besonderem Maße Selbstreflexion einer Wissenschaft.

2 Differenzierung: Lesen und Interpretieren

Lesen wir in Europa literarische Monumente der europäischen Vergangenheit, etwa des Mittelalters, haben wir doch, wenn wir für ein historisch rückgreifendes Lesen einigermaßen qualifiziert sind, eine hinreichende Menge solchen Wissens bei der Hand, das unserem hermeneutischen Vorgehen eine gewisse Sicherheit und Konsistenz verleiht. Nicht darin freilich, daß wir hinreichend wissen, *wie* die Umstände der Textentstehung waren, daß wir kraft irgendeiner Identifikation in diesen entfernten Geschichtsraum zurücktauchen, liegt diese Sicherheit, sondern in dem hinreichenden Wissen davon, *wie anders,* verglichen mit dem zeitgenössischen Problemhorizont, jene damaligen Umstände waren, auf die hinzielend die alte Literatur sich äußerte. In einer gewissermaßen durch gewußte faktische Details der damaligen Zeit, gesicherten *Anschaulichkeit der Fremde* liegt diese Sicherheit, die vor dem Irrtum bewahrt, zu meinen, "grenzenlos" lesen zu können. Diese Verfremdungspotentiale fehlen oft, wenn über die Grenzen von Kulturbereichen hinweggelesen wird.

Der Gedanke läßt sich noch etwas zuspitzen: Indem wir, wie zuerst Dilthey es sehen wollte,[5] die frühe Literatur unseres eigenen Kulturbereichs als eine Art frühes Kapitel unserer eigenen Traditionsbiographie zu lesen vermögen, stellt gerade das Bewußtsein der Kontinuität der Tradition, die von jener frühen Literatur herreicht bis in unsere Lektüre ihrer Texte heute, eine Art Sicherung dar gegen allzu billige, vereinnahmende Identifizierung, da die Erwartung möglicher Identifikationspotentiale uns Anstoß nehmen läßt an all den in die Texte eingegangenen irritierenden Fremdheitspartikeln (etwa die Bezugnahmen auf Details einer uns heute ganz unvorstellbaren Lebens*praxis*). Umgekehrt sehen wir uns bei der Lektüre von Texten aus Fremdkulturen leicht zu einer Unterlaufung dieser Distanzerfahrung verführt: Da wir nämlich "Fremde" hier gleichsam routinehaft vorzugeben bereit sind, lösen bereits Minimalangebote möglicher Identifikation (das vermeintliche "Wiedererkennen" eines "Allgemeinmenschlichen") umfassende Aha-Reaktionen aus, während die Masse der textlichen Details, die sich einer Aneignung, ja bereits einer vagen Zuordnung widersetzt, bedenkenlos überlesen wird.

Die Schlußfolgerung, die sich aus dem Gesagten ziehen läßt, ist folgende: Lektüre von über kulturelle Grenzen hergeholter Fremdliteratur bietet die Möglichkeit einer exemplarischen Lese-Erfahrung; sie legt es nahe, eine extrem weite Distanz zwischen den historischen Bedingungen der Textproduktion einerseits und der Textrezeption andererseits als überbrückbar zu erproben; die Chance der lesenden Überbrückung liegt in der Einleitung eines dialektischen Prozesses, der sowohl die Textfremde in ihrer historischen Genese als auch die Bildungsgeschichte und damit die gesellschaftlich-institutionalen Interessen des lesenden Subjekts in sich aufnimmt.[6]

Darin, daß dieser hermeneutischen Problematik in modellhafter Weise Rechnung getragen wird, liegt die Chance der *Fremdliteraturphilologie*, die Literaturwissenschaft allgemein um spezifische Erkenntnisse zu bereichern.

Liest man *für sich*, dann gewinnt der Leseakt ganz unbegrenzt die Faszination, daß man erlebt, wie Text und eigene Subjektivität sich gegenseitig zur Konkretisierung verhelfen, wie man, auf die Figuren, die der Text der eigenen Vorstellung einzeichnet, antwortend, sich selbst formuliert.[7] Und gerade das extrem "Unwahrscheinliche", das exotisch Fremde im Leseerlebnis stimuliert unsere Subjektivität zu besonders lebhafter Reaktion – wenn nicht der Grad an "Unverständlichkeit", an Nichtverknüpfbarkeit mit unserer eigenen Vorerfahrung, einen gewissen Schwellenwert überschreitet und wir das Lesen abbrechen.[8] Eine solch exemplarische Anregung kraft Widerständigkeit ging von der extremen Hermetik des Kafkaschen Werkes aus – zumal auf solche Leser, die selbst Autoren literarischer Werke waren oder wurden.[9] Und von einer externen Exotik haben sich Autoren als Leser immer wieder selbst "in Schwung bringen lassen". Besonders gut belegt ist für unser Jahrhundert der Einfluß fernöstlicher Literatur.[10] Dabei hat ein ganz eigenwilliges, das Fremde "unvermittelt" zu Eigenem machendes Lesen und "Verstehen" die literarische Eigenproduktion noch immer gefördert. Hier ist sogar das "Mißverständnis" als eine fruchtbare Form des Rezipierens anzusprechen.

Ein besonders gut analysierbares Beispiel eines solchen Rezeptionsprozesses, der literarisch fruchtbar wurde, obgleich er durch konsequentes Mißverstehen bestimmt war, ist die Übernahme (Verarbeitung) eines japanischen Nō-Spiels durch Bertolt Brecht und die direkte Überführung dieses mythischen Kultspiels in eine als materialistisch-dialektisches Lehrstück angelegte "Schuloper".[11] Über verschiedene Fassungen hin wird die Widerständigkeit des fernöstlichen Mythos und der Gattung des Kultspiels als Anlaß genommen, um in der eigenen Vorstellungswelt liegende, auf eine Zündung wartende Interessenskerne gleichsam explodieren zu lassen. Freilich scheint in solchen "Bearbeitungen" bzw. "Nachdichtungen" das konkret Fremde in seinem Widerstand nicht kraft Verstehen verarbeitet, sondern gebrochen. Aber es wäre ein positivistisches Bestehen auf der Konsistenz des subjektiven Aneignungsvorgangs und ein Falschverstehen des Zustandekommens von Produktionseinfällen, wenn man die Freiheit zur Willkür, zum Chaos, bei Aneignungen dieser Art beklagen wollte.

Ganz anders ist der *wissenschaftliche Umgang* mit kulturhistorisch fremden Texten bestimmt. Da hier ein *methodisch gesicherter* Dialog *zwischen* Lesern stattfindet, die Ergebnisse ihres Lesens systematisch zum Gesprächsgegenstand machen, ist der jeweilige Partner im wissenschaftlichen Kommunikationsspiel vor der Willkür der eigenen Subjektivität zu schützen. Der einzelne Wissenschaftler leistet diese Rücksichtnahme gegenüber seinen Partnern, indem er nicht nur den Leseakt und die dabei erzeugten "Verstehens-Ergebnisse", den realisierten Text-Sinn, reflektiert, sondern auch die eigene Bildungsgeschichte, die daraus erwachsene Interessenlage und die Bedingungen der diskursiven Vermittlung von all dem.[12]

Fremdsprachen-, hier im engeren Sinne Fremdliteraturwissenschaft hat sich somit in mindestens drei Dimensionen zu entfalten (dabei ist insbesondere an die wissenschaftlichen Versuche der Überbrückung der historischen Distanz zwischen Europa und Nichteuropa gedacht):

(1) der Rekonstruktion und Analyse der "Werk-Welt", d. h. hier der Welt, worin der jeweilige Text entstanden ist und worauf er reagiert;

(2) der Rekonstruktion und Analyse der "Rezipienten-Welt", d. h. hier der Welt, in die hinein – über eine beträchtliche kulturhistorische Distanz hinweg – der jeweilige Text realisiert wird, wobei neben den allgemeinen Rezeptionsbedingungen insbesondere die institutionalisierten Interessen an der Literatur fremder Kulturen zu reflektieren sind;

(3) der Analyse der Bedingungen und Möglichkeiten des Vermittlungsprozesses, innerhalb dessen Wissenschaftler (Studenten, Lektoren, Professoren) verschiedener Muttersprachen aus Anlaß der Deutung eines literarischen Textes in einem methodisch organisierten Kommunikationsspiel sich aufeinander zu beziehen haben.

Zur Vermeidung von Mißverständnissen sei hier ausdrücklich angemerkt, daß das hier skizzierte Problem der kulturhistorischen "Fremde" sowohl bei Vermittlungsprozessen im Mutterland des Werkes, also
etwa bei Studien ausländischer Deutschstudenten in Deutschland, als
auch im Fremdland, also etwa bei der Unterrichtung ausländischer
Deutschstudenten durch einen deutschen Lektor im Ausland, seine Rolle
spielt.

3 Konkretisierung: Goethe in Sri Lanka, Brecht in Japan[13]

Ein Beispiel dafür, wie "fremd" ein so "allgemeinmenschliches" Lite-
raturwerk wie (zum Beispiel) Goethes Lyrik wirken kann, wenn man
sie nur weit genug von ihrem Ursprung entfernt, kann folgende Erfahrung von der Lektüre des Gedichts "Auf dem See" mit Studenten in
einem Tropenland, in Sri Lanka, abgeben.

Während einer Seminarübung ergaben sich – nach anfänglicher
gleichsam selbstverständlicher Zustimmung und Kooperation – beim
Deuten des Gedichts unterschwellige Mißverständnisse bei der Auswertung der Symbolik und der Analyse des zentralen Begriffs der "Natur". Mißverstehen und tastendes Gegenfragen, ja erste Skepsis und
Distanzierung gingen vor allem von den Studenten aus, die nicht in
christlicher, sondern in buddhistischer Tradition aufgewachsen waren.
Die Vorbehalte der anfangs "gemeinsamen" Deutung gegenüber stei-
gerten sich, je weiter von den biographischen Implikationen, den le-
bensgeschichtlichen Zusammenhängen Goethes, die an den Versen ablesbar sind, abgegangen und zur Entfaltung Goetheschen Welteinheits-
erlebens, Goetheschen Pantheismus' fortgeschritten wurde. Ansatzpunkt der Distanzierung: die ersten Gedichtzeilen – das Bild der "müt-
terlichen" Natur, der Kraftspenderin, der Ruhe und Seelenfrieden
Spendenden. Daß Natur das alles dem Menschen, dem Menschen als
Existenz sein kann! Daß Natur dem Menschen in seiner tiefsten Individualität Verständnis bieten, daß sie in seine zentrale Selbsterfahrung,
in Traum und Bewußtsein des Traums einreden kann! Spinoza. Die
immer tiefere Verfolgung jener abendländischen philosophisch-speku-
lativen Tradition, ihrer Verschmelzung mit den Bewegungen der Emp-
findsamkeit, des Pietismus, der Mystik, rief zugleich, in einer Art sym-
metrischer Gegenbewegung all die entsprechenden buddhistischen Spe-
kulationsinhalte, als Gegenwurf formuliert, auf den Plan. Getragen
wurde die Herausstellung des buddhistischen Naturbegriffs von der

Emphase des Bewußtwerdens der "heimischen Natur" angesichts einer sich als "Natur an sich" darbietenden "fremdländischen". "Natur" in einem Tropenland mit jahrtausendealter buddhistischer Tradition in ihrer strengsten (hinayana) Form – das ist eben keine Erlösungsmacht, kein Quell des Guten und Schönen, sondern viel eher: wesenloser Schein, Anlaß zu Verführung, Täuschung, Ablenkung von dem Wege der Befreiung des Ich, geeignet, die Auflösung des individuellen Schicksals in das reine Nichtsein zu verhindern. Die weiteren inhaltlichen Implikationen dieses Gegenbildes von Natur, das auf Goethe hin formuliert wurde, brauchen hier nicht ausgeführt zu werden. Der Verlauf des Deutungsgesprächs ist von Interesse: Nachdem sich eine sachlich-fachliche Analyse von lyrischem Formenbestand und Funktionalität der Symbolik in eine transkulturelle Diskussion des Naturbegriffs und damit des Welt- und Menschenbilds insgesamt entgrenzt hatte, sah es eine Weile so aus, als sei das Gedicht verlorengegangen, als sei daran vorbei und darüber hinweg gelesen worden, als läge es, in seinen Wirkungsmöglichkeiten verfehlt, zwischen Begriffsmauern. Dieser unbefriedigende Zustand wurde aber überwunden, sobald einmal das Selbstformulierungsbedürfnis der "Fremdleser" sich gesättigt hatte. Das Wiederaufgreifen einzelner Sprachdetails der Verse, die nun – auch von dem Lehrer aus Europa, dem seine "selbstverständliche Identifikation" mit Goethe zum Problem geworden war – gleichsam als Kuriosa, aber auch verstärkt als Spezifika für etwas in seiner Andersheit Gesuchtes in die Hand genommen wurden, ergab eine ganz neue Wirkdimension des Gedichts: es markierte nun keine Menschlichkeit allgemein, kein Vereinigungsangebot, keinen Identifikationstopf, sondern die Kontur eines Unterschieds. Es bot den Studenten eines anderen Kulturorts die Möglichkeit, sich einer bestimmten europäischen Tradition gegenüber in ihrer Andersheit zu spezifizieren, das eigene Selbst dabei gleichsam als Konkavform zum Gegenbild zu entwickeln, diesem auf das exakteste nachtastend. Sie mobilisierten bei der Lektüre eines Goethegedichts ihre eigene Existenzerfahrung und ihre Bildungsgeschichte. (Die Brisanz dieser Nachzeichnung von Naturbild Goethes und Gegenbild aus buddhistischer Welterfahrung ergab sich aus dem Bewußtsein, daß in einem Tropenland, das sich gerade anschickt, eine aus europäischem Naturverstehen und Naturbehandeln erwachsene Wissenschaft und Technik zu übernehmen, die heimische Kultur tatsächlich durch die Zwänge einer globalen geschichtlichen Entwicklung europäisch "in Frage gestellt" wird.)

Auf ähnliche Vermittlungsprobleme stößt man, wenn man etwa mit japanischen Studenten die Brecht-Stücke der zwanziger und frühen dreißiger Jahre liest und dabei unweigerlich auf die Spannung zwischen dem Individuum und der menschlichen Gemeinschaft (Gesellschaft) zu sprechen kommt: die menschlichen Konfliktsituationen, die in diesen Stücken entfaltet (und ganz verschieden gewertet bzw. gelöst) werden, sind in ihren dramatischen Implikationen für japanische Studenten nicht unmittelbar nachvollziehbar, nicht "direkt" (d. h. in der Präsentation eines Kunstwerks, das Kenntnis und Erfahrung eines Problems samt seiner Geschichte voraussetzt) verstehbar. Das Verhältnis des Individuums zur menschlichen Mitwelt (der Familie und Wohngemeinschaft, der Arbeitsgemeinschaft des Berufs und schließlich zur Nation als Ganzem) hat in der japanischen Sozialgeschichte eine Ausprägung erfahren, die kein mit europäischen Phänomenen vergleichbares Bewußtsein eines Antagonismus, einer Polarität hat entstehen lassen.[14] (Japan ist in dieser Unvergleichlichkeit deshalb ein Extremfall, weil es sich so lange wie keine andere Großkultur dieser Welt allem europäischen Einfluß, ja sogar der exakten Beobachtung durch Europa/Amerika hat entziehen können, so daß das "japanische Modell" erst ganz spät und bruchstückhaft in europäisch-amerikanische anthropologische Konzepte einbezogen wurde.)[15] Will man etwa Brechts "Badener Lehrstück vom Einverständnis" oder "Die Maßnahme" in Japan anschaulich interpretieren, muß man vorher eine hinreichende Masse geschichtlicher Objektivationen des Verhältnisses Individuum – Gesellschaft europäischer Tradition vorausbieten und sich als Europäer seinerseits auf sozialgeschichtliche Details japanischer Vergangenheit einlassen – das schon, um die Versuchung zu irreführenden Vergleichen zu vermeiden. Nur nach einer derartigen Sicherung der Begriffe, die man interpretierend benutzen will, läßt sich ein Kommunikationsrahmen schaffen, dessen Begriffe relative, d. h. auf den Bereich der gemeinsamen transkulturellen Deutungsarbeit bezogene Eindeutigkeit besitzen. Geschichtliche Distanz ist durch kein noch so geschickt gewähltes tertium comparationis aus dem Begriffsarsenal einer sich als systematisch begreifenden "absoluten" Wissenschaft zu überbrücken.[16]

Es liegt auf der Hand, daß eine Literatur, deren Thematik sich als eine wesentlich "geistige" darbietet, auch noch in großer kultur-historischer Entfernung von der Zeit und dem Ort ihres Entstehens den Anschein des Unmittelbar-Verstehbaren erweckt: die größere Abstraktheit der Begriffe bietet bessere Möglichkeiten für die Konstatierung von Identität hüben und drüben, bessere Beweise für die Behauptung eines Zeit und Raum konkreter Geschichtlichkeit transzendierenden

"Allgemeinmenschlichen" – freiere Entfaltungsräume für Mißverständnisse. So läßt sich die verblüffende Erfahrung machen, daß japanische Studenten die wahrhaftig schwer lesbaren Tagebuchnotizen Hugo von Hofmannsthals von seiner Griechenlandreise besser, "leichter" zu verstehen glauben als sprachlich-begrifflich ganz einfache, aber mit aktueller Zeitgeschichtlichkeit angereicherte Texte etwa von Brecht, und es ist nur in Konsequenz solcher Unterlaufung geschichtlicher Fremde, wenn japanische Germanisten gestehen: Die konkreten Texte geben uns am wenigsten. (Aus dieser Problemlage erklärt sich die besondere Beliebtheit der Literatur des deutschen Idealismus) bis hin zu Hesse) und solcher hermeneutischer Ansätze wie des Gundolfschen in Japan, wobei dann ein Begriff der Kunst als eines menschlichen "Urerlebnisses" den archimedischen Punkt für Vergleiche von Menschlichem aller Zeiten und Orte abgibt.)

4 Tendenzen der Problemabweisung

Diese Problemlage der Hermeneutik der transkulturellen Literaturvermittlung, insbesondere der Vermittlung in ein nichteuropäisches und europafernes Land,[17] ist längst gesehen und "theoretisch" bekannt. Daß sie in der Praxis der Fremdsprachenphilologie immer wieder bagatellisiert oder gar beiseitegeschoben wird, ergibt sich aus zwei Tendenzen im Vollzug interkulturell vermittelnder Philologie, die sich gegenseitig ergänzen:

(a) Wo, wie zum Beispiel in Indien oder – dort besonders – in Japan eine etablierte Fremdsprachen- und Fremdliteraturphilologie besteht, liegt die Neigung nahe, die gesamtgeschichtlichen Bedingungen der Entstehung und Rezeption von Literatur unbeachtet zu lassen oder, wenn möglich, abzuschatten. Dafür lassen sich verschiedene Motivationen erkennen: (aa) Neuere, literatursoziologische bzw. wirkungsästhetische Methoden der Literaturbetrachtung, die eine Sichtung der hermeneutischen Problematik unabweisbar machen, werden als "anspruchsvoll", als "überzogen" und für die Anwendung in der Fremdsprachenphilologie "nicht lohnend" erachtet; stößt es doch auf Schwierigkeiten der Literaturbeschaffung und verkompliziert die Arbeitsweise in hohem Maße, wenn der Versuch unternommen wird, in einem "Ausland" so etwas wie den historischen Problemhorizont zu rekonstruieren, auf den die betreffende Literatur in ihrem eigenen Lande und zu ihrer Zeit reagiert hat; bei literarischen Werken der jüngeren Vergangenheit und der Gegenwart wäre womöglich die Rezeptionslage im Lande der Entstehung von der in dem betreffenden Fremdland zu unterscheiden und die eine mit Hilfe des Blicks auf die andere zu spezifizieren; (bb) in manchen europafernen Ländern besteht unter den Vertretern der kulturtradierenden Institutionen die ausgeprägte Tendenz, alle historischen Phänomene des eigenen Landes, soweit sie in den Bereich des "Geistigen" fallen, *als europa-analog zu proklamieren;* hier wird oft ungeachtet ganz anderer Einsichten, wie sie etwa im Bereich praktischer Politik gewonnen werden, die Berechtigung eines europa-zentrischen Weltbilds bestätigt; dabei ist es schwer zu unterscheiden, ob das hier wirkende Interesse darin besteht, ein eigenes Unterlegenheitsgefühl zu kaschieren, oder ob tatsächlich ein idealistisch-positivistischer Begriff von "geistig-kulturellen" Phänomenen vorliegt, der sozialgeschichtlich bedingte Merkmale von Literatur als unerheblich abweist. In jedem Fall wird auch für das betreffende "Ausland" eine "kongeniale" Rezeptionslage im Hinblick auf die Fremdliteratur angenommen. (Auf eine eigenartige Haltung dieser Problematik gegenüber stößt man zuweilen in Japan: Da die Japaner sich letztlich für "ganz und gar einmalig", für Europäer "ganz und gar unverständlich" halten, erscheint es ihnen Europäern gegenüber lohnender, d. h. zweckrationaler, die hermeneutische Problematik mit dem gleichsam selbstverständlich vorgetragenen Prinzip der "Analogie" einfach zu unterlaufen.)

(b) Was die europäische Seite der Fremdsprachen-Philologie angeht, so kommt zu einem fachspezifischen Wissenschaftspositivismus (Man solle doch ausländische Studenten nur die "Grundlagen" z. B. der Germanistik lehren, nur "Handfestes", "Eindeutiges" und "Methodisch-Gesichertes!") eine latente Neigung zu einem umfassenden Europa-Zentrismus hinzu. Angesichts der Tatsache, daß in Europa (und Nordamerika) gewachsene Formen der Naturwissenschaft und Technologie die heutige Weltzivilisation bestimmen, wird bereitwillig eine materialistische, aber oft undialektisch vorgetragene "Konvergenz-Theorie" übernommen, derzufolge die Vereinheitlichung der Produktionsbedingungen eine globale Vereinheitlichung auch der Kultur zur Folge habe. Dann erscheint es auch nicht mehr lohnend, die eigene, europa-geprägte Vermittler-Rolle in ihren praktischen Implikationen zu analysieren (Worin findet sich das Selbstverständnis des Vermittlers? Innerhalb welcher Institutionen vollzieht sich die Vermittlung? Wie wird Auswahl und Anwendung der vermittelten Objekte durch die Institutionen bestimmt? Welche Funktionen versieht der Vermittlungsprozeß im

"Fremdland"? – z. B.: Welche standespolitischen Interessen fördert er? usf.).

Aus welchen Motiven auch immer die Beachtung der historischen Distanz, über die hinweg Fremdsprachen- (Fremdliteratur-)Philologie zu vermitteln versucht, vernachlässigt wird: stets geht ein beträchtlicher möglicher Erkenntnisgewinn verloren. *Denn das Rechnen mit (kultur-) historischer "Fremde" als einer distanten, aber zeitgenössisch bezugsfähigen Position unterzieht die Wirkungsmöglichkeiten der Literatur insgesamt und des jeweiligen Einzeltextes im Besonderen einer unersetzlichen Überprüfung:*

Indem Literatur, die an einem bestimmten historischen Ort entstanden ist, Fremdbedingungen der Aufnahme ausgesetzt wird, wird ihr die Möglichkeit einer größeren Spezifizierung ihres Wirkpotentials eingeräumt. Die Lektüre (zum Beispiel) Kafkas in Indien, Hesses und Brechts in Japan oder Südamerika läßt – zumal im Nebeneinanderstellen gleichzeitiger Texte – den "Spielraum" dieser Werke in größerer Weite überschaubar werden: die Möglichkeiten des Aufgriffs verschiedenster Ausschnitte von Erfahrung und den Entscheidungscharakter der Auswahl, die Möglichkeiten der Brechung des thematisierten Erfahrungsausschnitts im Medium der Sprache, den Grad der Anknüpfbarkeit oder Hermetik des Sprachsymbols gegenüber der Welterfahrung des Rezipienten, die relative Eindeutigkeit oder Vieldeutigkeit der Sinnkorrelate im Bewußtsein des Lesers, den Grad der Kommunizierbarkeit oder Selbstmystifikation der charakteristischen Lese-Erfahrung usf.

Insofern kann Fremdliteratur-Philologie ein Korrigens und zunehmend ein integraler Bestandteil innerhalb der Literaturwissenschaft insgesamt werden, wenn sie ihr Spezifikum in der Beobachtung von Literatur unter Extrembedingungen ihrer möglichen Wirkung begreift.

Anmerkungen

[1] Siehe dazu vor allem: W. Iser: Der Akt des Lesens, München 1976; R. Warning (Hg.): Rezeptionsästhetik, München 1975; außerdem die Arbeiten von H. R. Jauß und H. Weinrich.

[2] Eine besondere Rolle spielt in diesem Zusammenhang: J. Habermas: Erkenntnis und Interesse, Frankfurt 1968; außerdem die Arbeiten von J. Mukařovský, S. J. Schmidt, H. D. Zimmermann (u. a.).

[3] Vgl. H. R. Jauß: Racines und Goethes Iphigenie, in: Neue Hefte für

Philosophie. H. 4, S. 1 ff.; D. Krusche: Kommunikation im Erzähltext, Bd. 1 (Analysen), München 1978, S. 15 ff.

[4] Vgl. H. D. Zimmermann: Vom Nutzen der Literatur, Frankfurt 1977.

[5] W. Dilthey: Gesammelte Schriften, Bd. VII, Der Aufbau der geschichtlichen Welt in den Geisteswissenschaften, SS. 74, 154 (bes.), 177 f., 186, 204.

[6] J. Habermas: Erkenntnis und Interesse (Anm. 2), S. 227 f.

[7] W. Iser: Der Akt des Lesens (Anm. 1), S. 255.

[8] Vgl. J. Mukařovský: Kapitel aus der Ästhetik, Frankfurt 1970, S. 100 f., Anm. 23.

[9] Vgl. D. Krusche: Kafkas Einfluß auf die deutschsprachige Literatur, in: H. Binder (Hg.): Kröners Kafka-Handbuch, Stuttgart 1979.

[10] Hier sind (z. B.) folgende Namen zu nennen: M. Dauthendey, H. Hesse, K. Edschmid, A. Döblin, B. Brecht.

[11] D. Krusche: Brecht und das Nō-Spiel Tanikō, in: Jahrbuch Deutsch als Fremdsprache 2 (1976), S. 78–90. (Der Aufsatz findet sich in dem vorliegenden Reader, Band 2.)

[12] vgl. J. Habermas: Erkenntnis und Interesse (Anm. 2), S. 221.

[13] vgl. D. Krusche: Der deutsche Lektor in Asien, in: Internationales Asienforum 2. Jg., Heft 2, April 1971, S. 242–254.

[14] vgl. z. B. Nakane Chie: Japanese Society, University of California Press, Berkeley and Los Angeles 1970; siehe dazu auch die Arbeiten von L. Abegg und H. Erlinghagen.

[15] Bahnbrechend war hier das Buch von Ruth Benedict: The Chrysanthemum and the Sword, Rutland, Vermont/Tokyo 1946.

[16] Siehe dazu D. Krusche: Japan – konkrete Fremde. Eine Kritik der Modalitäten europäischer Erfahrung von Fremde, München 1973.

[17] ebenda, S. 97 ff. ("Ferne" ist hier nicht als ein geographischer Begriff zu verstehen; sie ergibt sich, wie am Beispiel Japans exemplarisch nachweisbar, aus einem Fehlen aller Bezüge zu Europa, wie es etwa in Japan während der Jahrhunderte der Abschließung vom Rest der Welt erzwungen wurde.)

Hermann Bausinger

Zur Problematik des Kulturbegriffs

Das Konzept einer kulturwissenschaftlichen Germanistik sprengt die Begrenzung auf Grammatik und Belletristik, die sich in unseren Philologien etabliert hat, und öffnet die Tür zu einer weiteren Landschaft in ihrer bunten Vielfalt. Droht aber nicht auch sie sich drastisch zu verengen, wenn sie mit dem Begriff *Kultur* etikettiert wird? Kultur – das galt lange Zeit als abgeschirmtes Mysterium, und ich bin nicht sicher, ob es gerechtfertigt ist, dies in Vergangenheitsform zu schreiben. Aber selbst wo dem Begriff nicht mehr das Feierlich-Exklusive anhaftet, ist er doch meist Element einer Spartenteilung. Die Zeitungen haben ihren Kulturteil, in den bezeichnenderweise lange nicht einmal die Funksendungen Eingang fanden. In den Funkhäusern gibt es die Abteilung Kultur neben anderen, gewichtigeren Abteilungen wie Sport oder Unterhaltung. Die Städte leisten sich einen Kulturreferenten, der Bibliotheken, Museen und Vortragswesen betreut. Und selbst Touristikunternehmen garnieren ihre Auswahl mit "kulturellen Angeboten" – Kultur als dosierte Zutat zum Freizeitvergnügen. Der Begriff, der die Abschließung durchbrechen soll, richtet gleichzeitig – so scheint es – neue Barrieren auf.

Das Problem ist ein eigentümlich deutsches: "Der Deutsche kann dem Franzosen und Engländer allenfalls zu erklären versuchen, was er mit dem Begriff 'Kultur' meint. Aber er kann kaum etwas von der spezifisch nationalen Erfahrungstradition, von dem selbstverständlichen Gefühlswert vermitteln, der für ihn das Wort umgibt." Dies sagt Norbert Elias[1], von dem einer der wichtigsten Versuche stammt, jene Erfahrungstradition faßbar zu machen. Seine Erörterung steht im Zusammenhang mit der Darstellung des Prozesses der *Zivilisation*, und dies ist zugleich das Wort, das zumindest in unseren westlichen Nachbarsprachen die Gesamtheit aller Lebensformen (also nach deutschem Sprachgebrauch die Kultur *und* die Zivilisation zusammen und vielleicht noch etwas mehr) meint.[2] Der Gegensatz zwischen Zivilisation und Kultur gehört zur deutschen Tradition der Innerlichkeit, die ihrerseits in bestimmten sozialen und politischen Voraussetzungen wurzelt[3]; in der "verspäteten Nation"[4] hat sich kein positives Verhältnis zur

Öffentlichkeit und zur Gesellschaft herausgebildet, und Kultur wurde zum Ausdruck der inneren Werte, die man durch den äußeren, den technischen Fortschritt gefährdet sah, zum "schlechten Gewissen von Zivilisation".[5] Zivilisation andererseits wurde zum Nur-Äußerlichen – sei es daß man sie in biologistischer Genetik als "Altersstufe" und Entartungsform der Kultur verstand[6], sei es daß man sie einfach typologisierend der Kultur gegenüberstellte: Zivilisation als das Nützliche, Kultur als das Schöne; Zivilisation als verwaschene Allgemeinheit, Kultur als nationale Prägung; Zivilisation als materiell, Kultur als immateriell; Zivilisation als quasi physische Erscheinung, Kultur als Produkt des Geistes; Zivilisation als das Niedrige, Kultur als das Hohe.

Diese Opposition ist nicht ohne *kritisches* Moment. Selbst in den kulturpessimistischen Klagen – die genau genommen meist zivilisationspessimistisch sind – steckt insofern etwas Richtiges, als sie die Verselbständigung und Veräußerlichung des zivilisatorischen Fortschritts attackieren. Nur fehlt ihnen die Operations-Basis: da sie von einer spirituell verstandenen Kultur her argumentieren, wirkt diese noch als Kritik "affirmativ"[7] – Kultur bleibt Garnierung oder wird zur Kompensation von zivilisatorischen und gesellschaftlichen Fehlentwicklungen. Völlig verspielt ist das kritische Moment, das bei der Herausbildung des Kulturbegriffs eine wichtige Rolle spielte, jedoch noch nicht; dies zeigt sich insbesondere bei den Vertretern der Kritischen Theorie, der sogenannten Frankfurter Schule. Adorno hat zwar zusammen mit Max Horkheimer in seinem Entwurf der "Kulturindustrie"[8] gezeigt, wie Kultur in der Gegenwart vereinnahmt und den Gesetzlichkeiten der Warenwelt unterstellt wird; aber indem er diesen Vorgang als Fesselung, als Entartung versteht, beharrt er gleichzeitig auf dem – utopisch gewordenen – Begriff einer Kultur, die sich jenen Gesetzlichkeiten nicht unterwirft: "Kultur ist der Zustand, welcher Versuche, ihn zu messen, ausschließt."[9] Und wenn, im Zeichen der gleichen Denktradition, Jürgen Habermas die Begriffe Kultur und Konsum (zu Kulturkonsum und Konsumkultur) zusammenschweißt, so kommt es ihm auf das Widerständige in diesen Begriffen an, auf ihre Paradoxie, die ebenfalls einen unversehrten Begriff von Kultur voraussetzt.[10] Hier ist der deutsche Kulturbegriff also eine kritische Vorgabe; er immunisiert gegen die Auslieferung an das empirisch Gegebene – anders gesagt: die Wendung von Habermas und anderen gegen Wesen und Erscheinungen der gegenwärtigen Massenkultur aktiviert etwas vom kritischen Potential, das neben und vor Fluchtmotiven zur Entstehung des deutschen Kulturbegriffs beitrug.

So wichtig es aber ist, diesem Potential sein Recht widerfahren zu lassen, die gängige Vorstellung von Kultur ist doch eher dem Gegenbild verpflichtet, und sie ist zudem in mannigfacher Weise institutionell abgesichert – so daß die Realität die Vorstellung bestätigt, wie diese ihrerseits die Realität prägt. Bert Brecht hat dies in seinem berühmtumstrittenen Vortrag "Der Rundfunk als Kommunikationsapparat"[11] pointiert festgestellt, als er von den "folgenlosen Bildungsinstituten" in Deutschland sprach. "Alle unsere ideologiebildenden Institutionen sehen ihre Hauptaufgrabe darin, die Rolle der Ideologie folgenlos zu halten, entsprechend einem Kulturbegriff, nach dem die Bildung der Kultur bereits abgeschlossen ist und Kultur keiner fortgesetzten schöpferischen Bemühung bedarf."[12] In der Tat: Kultur, wie sie normalerweise im Deutschen verstanden wird, ist immer schon da; sie bildet das *Reservoir*, aus dem zu schöpfen vermag, wer die Zugänge kennt und beherrscht. Diesem statischen Konzept entspricht es, daß dem Gedanken an Kultur eine Art Rückdrall eigen ist, eine Wendung ins Vergangene. Es läßt sich feststellen, daß die historische Orientierung in den Kulturwerken umso eindeutiger und intensiver war, je rascher sich das zivilisatorische Tempo beschleunigte – an der Kunst der Gründerzeit kann man dies beispielsweise ablesen.[13] Und dieser Rück-Blick hat sich bis zu einem gewissen Grade dem Kulturbegriff amalgamiert und dem "Kultur-Interessierten" vermittelt.

Aber selbst wo Modernitätsschübe die Künste und andere kulturelle Äußerungen drastisch verändert haben – Kultur ist doch fast immer ein *Angebot*. Das Wort Kultur bezieht sich entweder auf Artefakte, auf vorhandene künstlerische Objektivationen, oder auf mehr oder weniger freischwebende "kulturelle Werte"; der Bereich des Verhaltens dagegen wird vom deutschen Kulturbegriff nur zum kleinsten Teil abgedeckt. Die Feststellung, jemand *habe* Kultur, klingt selbst in Festreden noch preziös. Und die Wendung, jemand sei kultiviert, zielt entweder auf dessen dezentes Verhalten in einem ganz allgemeinen Sinn, oder aber sie charakterisiert wieder die bemühte Orientierung an "Kulturgütern", das Verfügen über das kulturelle Angebot. Kultiviert ist einer, so könnte man kalauernd mit einem Marx-Zitat[14] umspringen, der in der Lage ist, den "Alp" der "Tradition aller toten Geschlechter" zu besteigen.

Der deutsche Kulturbegriff verfehlt die Tatsache, daß wir hinsichtlich unserer Sprache wie unserer Kultur, so hat es Manes Sperber einmal ausgedrückt, "Reiter und Tragende zugleich" sind. Kultur ist ja nicht nur eine Vorgegebenheit, sondern auch das Ergebnis von gesellschaftlichen Akten eines jeden Einzelnen, die ihrerseits kulturbestimmt sind.[15] Nun trägt zweifellos die analytische Trennung zwischen sozialen Beziehungen auf der einen und dem Kulturgefüge auf der anderen Seite mit dazu bei, daß Kultur oft von gesellschaftlichen Realitäten abgehoben wird, zumal diese Trennung wissenschaftssystematische oder doch institutionelle Folgen hat in der Gegenüberstellung von Soziologie und Kulturanthropologie.[16] Aber es hat doch den Anschein, daß die Trennung im deutschen Verständnis eine besonders entschiedene ist. Selbst der Ausdruck "Kulturträger", der an sich darauf zielen könnte, daß Kultur zu ihrer Existenz und Verlebendigung individuell-gesellschaftlicher Akte bedarf, klingt eigentümlich distanziert und exklusiv; der Akt der ständigen und notwendigen Verwirklichung und damit der faktischen Änderung von Kultur tritt auch darin zurück.

Ein weiteres Merkmal des deutschen Kulturbegriffs ist die organisch, gestalthaft verstandene *Ganzheit*. Auch dieses Merkmal findet seine Entsprechung im Bereich der angelsächsisch geprägten Kulturanthropologie, wo seit Ruth Benedicts Buch "Patterns of Culture" von 1934[17] immer wieder der Versuch gemacht wird, einzelne Kulturen auf einen einleuchtenden Generalnenner zu bringen. In jenem Pionierstück sind es "primitive" amerikanische Kulturen, die durch Attribute wie apollinisch und dionysisch charakterisiert werden; später hat Ruth Benedict den Versuch gemacht, auch eine differenzierte und komplexe Kultur wie die japanische so auf den Begriff – genauer: auf die Begriffe "Chrysantheme und Schwert" – zu bringen. Gewiß handelt es sich dabei nur noch um exponierte Symbole, hinter denen sich eine große Vielfalt keineswegs völlig homogener kultureller Erscheinungen verbirgt; aber die Suche gilt doch immer wieder dominierenden Werten, leitenden "Kulturthemen"[18], wie man auch gesagt hat.

Es kann hier nicht untersucht werden, inwieweit deutsche Gestaltphilosophie für solche Konzeptionen bestimmend war; jedenfalls gab es den "faustischen Menschen" Spenglers und ähnliche Chiffren schon vor den Ansätzen Ruth Benedicts, und zur angloamerikanischen Kulturanthropologie gibt es – beispielsweise über Dilthey – manche Vermittlungsbahnen. In unserem Zusammenhang ist wichtig, daß der deutsche Kulturbegriff auch dort, wo er gar nicht den Versuch einer vereinheitlichenden Charakteristik unternimmt, auf Einheit und Ganzheit zielt, anders gesagt, dem Begriff haftet – wiederum im scharfen Gegensatz zum Zivilisationsbegriff – eine *nationale* Definition an. Dies ist erklärbar aus der politischen Verspätung und der politischen Isolierung Deutschlands. Obwohl – nein *weil* die territoriale politische Struktur, die bis in die napoleonische Zeit kaum durchbrochen war, bis heute die konkrete "Kulturplastik" prägt, zeichnet das abstraktere Bild von Kultur eine Einheit, eine nationale Einheit. Wäre dies nur durch chauvinistische Proklamationen zu belegen, so wäre es verhältnismäßig uninteressant; aber es hat den Anschein, daß der Begriff Kultur selbst beim kritisch differenzierenden Betrachter solche Einheitlichkeit evoziert. Dieter Claessens vertritt die Ansicht, daß in der Sozialisation eine "kulturelle Rolle" der sozialen vorausgeht.[19] Dies ist ein diskutabler Gedanke, selbst wenn er die analytische Trennung zwischen sozialen Interaktionen und kultureller Organisation vorgegebener Werte und Normen in problematischer Weise in eine Abfolge der Sozialisationsentwicklung überträgt. Die Erläuterung aber, daß ein Kind "zuerst vorwiegend Deutscher, Japaner, Indonesier" wird und dann erst "zum Angehörigen einer bestimmten Schicht oder Gruppe", daß also die kulturelle Rolle Deutscher oder Franzose vor der "Rolle" Bauer oder Fischer stehe, ist ein Beispiel für die allzu ungebrochene Beziehung, die zwischen Kultur und Nation gesehen wird.

In Frage gestellt wird diese Gleichsetzung von verschiedenen Seiten. Von den regionalen Besonderheiten war schon die Rede. Immerhin könnte man sie als bloße Subsysteme eines einheitlichen Kultursystems verstehen; der enge Zusammenhang zwischen Kultur und Sprache und die sich damit nahelegende Analogie zum System Einheitssprache und den Subsystemen der Dialekte gibt manches Argument für eine solche Auffassung her. Aber die sprachliche Analogie wird dann eben doch deutlich durchbrochen, wenn etwa an Gebiete wie das Elsaß und die Schweiz oder noch drastischer an die verschiedenen "Kulturen" in BRD und DDR erinnert wird.

Dazu kommt ein gegenläufiger Befund: die Tatsache nämlich, daß wesentliche Muster und wesentliche Themen der Kultur längst übernational geworden sind. Wenn selbst Kulturanthropologen für ihre peripheren und oft allein schon geographisch isolierten Kulturen feststellen, die Ära der Weltgeschichte habe begonnen und jede Gesellschaft werde zur "Umwelt" jeder anderen[20], so hat dieser Gesichtspunkt sicherlich noch sehr viel mehr Bedeutung für die *komplexen Kulturen*, die sich so freilich auflösen in *kulturale Komplexität*. Wo größere Einheiten gefaßt werden – etwa die "westliche" Kultur oder die "kapitalistische" Kultur[21] –, da ist auch dies nur eine Abstraktion aus einem heterogenen Zusammen- und Gegeneinanderspiel.

Gegenüber dieser Relativierung des nationalen Kulturbegriffs durch das Ansetzen verschiedener Radien ließe sich allerdings einwenden, daß dieser Begriff ja doch nicht absolut gesetzt wird, daß es sich lediglich um eine modellhafte Abstraktion handelt, die das sonst Unübersehbare einigermaßen einleuchtend strukturiert. Der entscheidende Einwand operiert jedoch nicht mit dem verschiedenen horizontalen Radius verschiedener kultureller Erscheinungen, sondern mit den einschneidenden *vertikalen* Unterschieden. Kultur ist im Deutschen, werden nicht ausdrücklich Anstrengungen zur Durchbrechung des geläufigen Begriffs gemacht, zunächst etwas durchaus Elitäres; der Kulturbegriff gibt aber gleichzeitig vor, er umfasse das Ganze. Deutsche Kultur: das schließt im immer noch verbreiteten Sprachgebrauch Kioskromane und Schlager und Grußformeln und Schimpfworte nicht ein, bleibt vielmehr auf jene erhabenen Regionen beschränkt, denen sich bis vor kurzem auch fast ausschließlich die Kulturwissenschaften einschließlich der Philologien zuwandten – gleichzeitig aber suggeriert der Begriff, es handle sich um eine Einheit, die für alle da sei, zumindest (so wird konzediert) partiell und potentiell.

Das Problem der nur relativen Gültigkeit kultureller Einheit taucht selbstverständlich auch schon bei einfacheren Kulturen auf. Die oft zitierte Kulturdefinition von Clyde Kluckhohn und William H. Kelly spricht von einem "historisch abgeleiteten System von expliziten und impliziten Leitvorstellungen für das Leben, das zumeist von allen oder von besonders berufenen Mitgliedern einer Gruppe geteilt wird."[22] Schon hier stellt sich die Frage der Repräsentanz, die Frage also, ob aus den Einstellungen und Normen der "besonders Berufenen" das jeweilige Kulturganze abstrahiert werden kann. Die Frage spitzt sich zu bei komplexen Kulturen; und auch diejenigen Ethnologen und Kulturanthropologen, welche die an einfachen Kulturen erprobten Methoden und Prinzipien gelegentlich auf sehr differenzierte Gesellschaften zu übertragen suchten, haben das gesehen. Ruth Benedict beispielsweise stellte fest, daß "sich die westliche Zivilisation in Schichten aufbaut und verschiedene Gesellschaftsgruppen gleichzeitig am gleichen Ort nach vollkommen verschiedenen Standardbegriffen leben und sich von verschiedenen Antrieben leiten lassen."[23] Dennoch wird immer wieder versucht, die Verschiedenheiten zusammenzubinden in einem oder wenigen dominierenden Bezugspunkten. Man hat diese Versuche als *Konsenstheorie* bezeichnet; nach dieser Theorie stimmen auch in sehr komplexen Gesellschaften alle Mitglieder, unabhängig von ihrer spezifischen Soziallage, in wesentlichen Grundhaltungen, Normen und Werten überein. Diese Theorie funktioniert jedoch nur, solange diese gemeinsamen Werte entweder sehr abstrakt und allgemein gefaßt oder irgendwelche Gemeinsamkeiten ohne Rücksicht auf ihren tatsächlichen (oft eher peripheren) Stellenwert in den Mittelpunkt gerückt werden.[24]

Ein anderer theoretischer Ansatz, mit dem man der Verschiedenheiten Herr zu werden sucht, ohne den Gedanken übergreifender Kultur preiszugeben, ist die Unterscheidung zwischen *"objektiver" und "subjektiver Kultur"*. Objektive Kultur gilt dabei als die "Gesamtheit schöpferischer Möglichkeiten", die in einer Gesellschaft verfügbar sind, subjektive Kultur bezeichnet die "Fähigkeit der Aneignung und Weiterbildung".[25] Diese Bestimmung der objektiven Kultur – nicht nur am Verfügbaren, sondern auch am Möglichen orientiert – führt weg von der Statik eines vorgegebenen Kulturarsenals. Sie steht im Zusammenhang mit dem Begriff der Produktivkräfte, ist aber einer umfassenden Kulturvorstellung verpflichtet, die keineswegs nur marxistisch ist: in ihr wird menschliche Kultur insgesamt verstanden als der Prozeß der fortschreitenden Selbstbefreiung des Menschen[26]. Der Gegenbegriff der subjektiven Kultur scheint die Wirklichkeit zu atomisieren, indem er ein je individuelles Verhältnis zur objektiven Kultur, ein je individuelles Maß ihrer Eroberung und Aneignung anzeigt. In der marxistischen Kulturphilosophie wird diese Aufsplitterung jedoch dadurch zurückgenommen, daß das Ausmaß der Teilhabe an der objektiven Kultur als klassenspezifisch definiert wird: dann gibt es nicht unendlich viele Spielarten subjektiver Kultur, sondern im wesentlichen "zwei Kulturen", wie sie Lenin beschrieben hat[27] – die herrschende bürgerliche Kultur und Elemente einer sozialistischen, demokratischen Kultur.

Das Modell einer antagonistischen Kultur hat sich insofern als fruchtbar erwiesen, als es "abweichenden" Kulturmustern ihr eigenes Recht zuerkennt und sich von den dominierenden Kulturformen nicht blenden läßt. Aber eine genauere Erfassung und Beschreibung setzt fast immer voraus, daß der bloße Antagonismus übersprungen wird. Die neuerdings auch in Deutschland viel diskutierten Sprachbarrieren[28] sind beispielsweise keine klassenspezifische, sondern eine schichtspezifische Erscheinung[29], und die subjektiven Sozialisationsmuster, welche den sprachlichen Verschiedenheiten zugrundeliegen, lassen sich nur modellhaft auf zwei reduzieren. Vollends stumpf erscheint der antagonistische Ansatz, wenn angenommen wird, daß im sozialistischen Staat der Gegensatz zwischen objektiver und subjektiver Kultur völlig überwunden ist[30].

Tatsächlich gibt es mit fortschreitender Arbeitsteilung und institutioneller Differenzierung zahlreiche "Kulturen in der Kultur"[31]. Der terminus technicus für diese Teilkulturen ist *Subkultur* – ein Begriff,

der freilich eigene Probleme mit sich bringt. Zunächst einmal erweckt
auch er die Vorstellung einer zwar nur relativen, aber doch relativ geschlossenen Einheit, während es oft auch darauf ankommt, ähnliche
kulturelle Äußerungen vergleichbarer, aber nicht zusammenhängender
Umgebung zu klassifizieren; in die Diskussion um die Sprachbarrieren
wurde in diesem Sinne der Begriff des "subkulturellen Milieus" eingeführt[32]. Zum anderen bleibt bei der Bezeichnung Subkultur offen, welches Maß an Übereinstimmung mit der "Bezugskultur" und wieviel
Autonomie und Eigenheit vorhanden sind. Eine grundsätzliche Unterscheidung erlaubt der Begriff der *Kontrakultur*[33], der solche Teilkulturen bezeichnet, die in ihren zentralen und wesentlichen Bewertungs-
mustern von der Bezugskultur abweichen, während diese Abweichung
bei anderen Subkulturen nur die peripheren Bewertungsmuster[34] betrifft. Daß es im konkreten Fall meistens schwierig ist, die Trennungs-
linie eindeutig zu ziehen, liegt auf der Hand: "Jugendkultur" kann
zum Beispiel aufgrund des Selbstverständnisses der meisten Jugendli-
chen und aufgrund betonter Abweichungen und Oppositionen als Kontrakultur gefaßt werden; diese Etikettierung wird aber fragwürdig unter dem Aspekt, daß ein nicht ganz kleiner Teil der Normabweichun-
gen und Verstöße – man denke an Alkoholgenuß, Rauchen u. ä. – auf
eine Kopie und sogar Übertreibung von Erwachsenen-Normen zielt.

Im nichtwissenschaftlichen Sprachgebrauch – einschließlich dem der
Journalisten – bleibt das Wort Subkultur im Deutschen meistens beschränkt auf verschiedene Underground-Phänomene. Es ist wohl nicht
überpointiert, wenn man auch dies mit der spezifischen Färbung des
Begriffes Kultur, mit ihrer Lokalisierung in gehobenen Regionen in Zusammenhang bringt. Da Kultur einen zwar selten genau konkretisierten, aber doch gewissermaßen kanonischen Fundus kultureller Güter
bezeichnet, ist es schwer denkbar, daß Teile daraus ausgegrenzt werden als Subkulturen; Subkultur bedeutet vielmehr ein Rumoren im
Keller, das zwar manchmal bis zur bel etage empordringt, das aber die
dort vertretenen Werte und die dort gepflegten Güter letztlich nicht
erschüttert.

Die deutsche Kulturauffassung – falls es erlaubt ist, so verallge-
meinernd zu sprechen – ist begründet in einem eigentümlich geschichteten Menschenbild, auf das sie ihrerseits zurückwirkt. Die breite
Grundlage in diesem Bild ist die biologische Natur des Menschen, die
dünne Spitze seine Kultur. Dazwischen liegt ein großer Bereich des
Verhaltens, der entweder ganz im Blindfeld bleibt oder aber der Natur
zugeschlagen wird – nicht in der Weise, in der alles kulturell Übliche

als natürlich erscheint, sondern elementarer, eben ohne Bezug zur Kultur. Es hat den Anschein, daß Spuren dieser deutschen Bildungstradition, die Kultur weit abrückt vom Bereich des Alltäglichen, des physischen Lebens, der banalen Existenz, an recht unerwarteten Stellen auftauchen. Engels' vielleicht meistzitiertes Wort, "daß die Menschen vor allen Dingen zuerst essen, trinken, wohnen und sich kleiden müssen, ehe sie Politik, Wissenschaft, Kunst, Religion usw. treiben können"[35], muß zwar fairerweise als abkürzende Attacke gegen idealistische Gespinste verstanden werden; gleichwohl kann der fehlerhafte Ansatz kritisiert werden, da es für den Menschen eine Deckung elementarer Bedürfnisse ohne kulturelle Überformung (also gewissermaßen ohne "Politik, Wissenschaft, Kunst, Religion usw.") schlechterdings nicht gibt[36]. Und es fragt sich, ob dieser Ansatz nicht fortwirkt bis in die geläufigen Konzeptionen hinein, in denen Kultur lediglich als "Überbau" verstanden und die Dialektik zwischen Basis und Überbau[37] zudem stillgestellt wird, indem die Wirkungsrichtung ganz und gar einseitig vor der Basis auf den Überbau gesehen wird. In ähnlicher, sicherlich wiederum drastisch zuspitzender Weise könnte man fragen, ob nicht auch Sigmund Freuds These vom "Unbehagen in der Kultur"[38] damit zusammenhängt, daß Kultur in deutscher Sicht von der Natur allzu weit abgerückt erscheint, allzu sehr den Stempel des "Höheren" trägt[39]. Und man könnte endlich die Frage stellen, ob nicht die deutsche Vorliebe für Ethologie – die sich nicht nur in besonderen wissenschaftlichen Leistungen auf diesem Gebiet, sondern auch in einer großen Popularität der Verhaltensforschung ausdrückt – wiederum daraus erklärbar ist, daß weite Bereiche des Verhaltens von der Kultur her nicht verständlich und nicht leicht beeinflußbar erscheinen, weil eben Kultur in der allgemeinen Auffassung mit den Selbstverständlichkeiten des Lebens nichts oder wenig zu tun hat.

Dies sind hypothetische Fragen. Fest steht jedoch, daß in den Kulturwissenschaften die Grenze zum Teil erst in der jüngsten Zeit verlegt wurde. In der Germanistik zeigt sich das in zunächst manchmal kokettaggressiven Grenzüberschreitungen in Richtung auf das weniger Gehobene, auf den Bereich der Unterhaltung, ja des *Trivialen*. Die Volkskunde, die vorher in der Form einer besonderen, organisch verstandenen "Volkskultur" das Komplement zur gehobenen Kultur sah, rückt von dieser Fiktion mehr und mehr ab und wendet sich der *Alltagskultur* zu[40]. Und auch Wissenschaften, die sich bisher überwiegend im Bereich der Ideen und Institutionen bewegten, wenden ihre Aufmerksamkeit nun dem großen Zwischenfeld des Verhaltens und der Attitüden zu, wie die Diskussion der "politischen Kultur" im Bereich der Politikwissenschaft beweist[41]. Damit zeichnet sich eine Entwicklung ab, die allmählich den deutschen Kulturbegriff verändern und das Bewußtsein dafür schärfen dürfte, daß Kultur auch und gerade all jene Selbstverständlichkeiten des Denkens und des Sich-verhaltens sind, die sich weder durch besondere Feierlichkeit noch durch Exklusivität auszeichnen, die aber das Leben ganz wesentlich konstituieren[42].

Es versteht sich, daß ein "Kultur-Curriculum"[43] für Ausländer zwar die Besonderheiten herkömmlichen deutschen Kulturverständnisses zu reflektieren, daß es aber von jenem weiteren Kulturbegriff auszugehen hat. Und es hat den Anschein, daß der Weg dahin geebnet, daß dieser Begriff hier sehr viel näherliegend ist als im Umkreis der deutschen Kulturwissenschaften. Zweierlei ist dafür maßgebend: einmal die Tradition weiter Teile des Auslands, die den eng-sublimen Kulturbegriff nicht kennt[44], zum andern aber auch der natürliche Verfremdungseffekt, der das scheinbar Selbstverständliche in die Optik des Ungewohnten rückt. Ein Amerikaner, der sich mit dem sich täglich wiederholenden Händedruck seiner Gastgeber herumschlagen und darüber alle hygienischen Bedenken vergessen muß, die zu seiner Kultur gehören, wird diesen Händedruck als kulturelles Signal verstehen. Es ist zumindest nicht unwahrscheinlich, daß mit der Zeit auch seine Gastgeber einen Blick für ihre eigenen kulturellen Selbstverständlichkeiten entwickeln. Übertragen wir das Beispiel: die Bemühung um eine kulturwissenschaftliche Germanistik, die nicht zuletzt durch die Lehrtätigkeit für Ausländer und mit Ausländern motiviert ist, wird gewiß auch für die "inländische" Germanistik nicht folgenlos bleiben.

Anmerkungen

[1] Über den Prozeß der Zivilisation. Soziogenetische und psychogenetische Untersuchungen. 1. Band, Bern und München ²1969, S. 5.

[2] vgl. Kultur und Zivilisation (= Europäische Schlüsselwörter. Wortvergleichende und wortgeschichtliche Studien Band III). München 1967.

[3] Hierzu Ralf Dahrendorf: Demokratie und Sozialstruktur in Deutschland. In: Gesellschaft und Freiheit. Zur soziologischen Analyse der Gegenwart. München 1961, S. 260–299.

[4] So die Prägung von Helmuth Plessner: Die verspätete Nation. Über die politische Verführbarkeit bürgerlichen Geistes. Stuttgart 1959.

[5] Wolf D. Hund, Dieter Kramer: Materialien und Texte zur Kulturtheorie und Kultursoziologie. Hektogramm Marburg 1972, S. A 13. Vgl. jetzt

auch W. D. Hund, D. Kramer (Hg.): Beiträge zur materialistischen Kulturtheorie. Köln 1978.

[6] Diese Auffassung findet sich am ausgeprägtesten bei Oswald Spengler, der darin Nietzsches Lebensphilosophie verflacht.

[7] vgl. Herbert Marcuse: Über den affirmativen Charakter der Kultur. In: Kultur und Gesellschaft 1. Frankfurt a. Main 1965, S. 56–101 (zuerst in Zs. f. Sozialforschung 6/1937). Marcuse sucht die Dichotomie zu überwinden durch einen „weiteren Kulturbegriff", der „das jeweilige Ganze des gesellschaftlichen Lebens" meint.

[8] Max Horkheimer und Theodor W. Adorno: Dialektik der Aufklärung. Amsterdam 1944.

[9] Thesen zur Kunstsoziologie. In: Kölner Zs. f. Soziologie und Sozialpsychologie 19/1967, S. 87–93; hier S. 91. Vgl. auch die noble konservative Kulturauffassung von Eugen Gürster: Kultur als Illusion. In: Unser verlorenes Ich. Eine kritische Umschau an der Schwelle der Neuzeit. Zürich 1969, S. 139–176.

[10] Zum Mißverhältnis von Kultur und Konsum. In: Arbeit – Erkenntnis – Fortschritt. Amsterdam 1970, S. 31–46.

[11] Der Vortrag ist jetzt außer in Brecht-Ausgaben auch greifbar in: Dieter Prokop (Hg.): Massenkommunikationsforschung 1: Produktion. Frankfurt a. Main 1972, S. 31–35.

[12] ebenda, S. 33.

[13] vgl. Günther Mahal (Hg.): Lyrik der Gründerzeit (= Deutsche Texte 26). Tübingen 1973, S. 30.

[14] vgl. den Eingang von: Der achtzehnte Brumaire des Louis Bonaparte.

[15] Hierzu Hans Dietschy: Von zwei Aspekten der Kultur. In: Carl August Schmitz (Hg.): Kultur. Frankfurt a. Main 1963, S. 77–94.

[16] vgl. hierzu die kurze Skizze von A. L. Kroeber und Talcott Parsons: The Concepts of Culture and of Social System. In: American Sociological Review 23/1968, S. 582 f., in der ein „Waffenstillstand" zwischen Soziologen und Kulturanthropologen vorgeschlagen wird.

[17] Deutsche Ausgabe: Urformen der Kultur. Hamburg 1955.

[18] Ein Beispiel für die Anwendung der Theorie der Kulturthemen bietet Ina-Maria Greverus: Kulturbegriffe und ihre Implikationen. Dargestellt am Beispiel Süditalien. In: Kölner Zs. f. Soziologie und Sozialpsychologie 23/1971, S. 283–303; darin wird die süditalienische und insbesondere sizilianische Kultur fast ausschließlich unter dem Aspekt des Leitthemas „Würde" interpretiert.

[19] Rolle und Macht. München 1968, S. 41 f. Zur näheren Bestimmung von Kultur durch Dieter Claessens vgl. auch: Instinkt, Psyche, Geltung. Bestimmungsfaktoren menschlichen Verhaltens. Eine soziologische Anthropologie. Köln und Opladen 1968, S. 167 ff.

[20] Marshall D. Sahlins: Culture and Environment: The Study of Cultural Ecology. In: Sol Tax (Hg.): Horizons of Anthropology. London 1964,

S. 132–147; vgl. S. 146: „each society becomes an environment of every other."

[21] vgl. Dieter und Karin Claessens: Kapitalismus als Kultur. Düsseldorf und Köln 1973.

[22] The Concept of Culture. In: R. Linton (Hg.): The Science of Man in the World Crisis. New York 1945, S. 78–105; hier S. 98: „A culture is a historically derived system of explicit or implicit designs for living, which tends to be shared by all or specially designated members of a group." Übersetzung bei René König: Kultur. In: Soziologie. Frankfurt a. Main 1967, S. 159–164; hier S. 163.

[23] Urformen der Kultur, S. 176.

[24] vgl. die kritische Analyse von Michael Mann: The Social Cohesion of Liberal Democracy. In: American Political Science Review 64/1970, S. 423–439.

[25] Dietrich Mühlberg: Zur marxistischen Auffassung der Kulturgeschichte. In: Deutsche Zs. f. Philosophie 12/1964, S. 1037–1054; hier S. 1042. Vgl. auch Erhard John: Probleme der Kultur und der Kulturarbeit. Berlin 1967, S. 33 f.; Dietrich Mühlberg: Zur weiteren Ausarbeitung unserer wissenschaftlichen Kulturauffassung. In: Weimarer Beiträge, 23/1977, S. 151–163.

[26] vgl. Ernst Cassirer: An Essay on Man. New Haven 1944, S. 228: „Human culture as a whole may be described as the process of man's progressive self-liberation."

[27] W. I. Lenin: Kritische Bemerkungen zur nationalen Frage. In: Werke 20. Band S. 8 f.

[28] Die insbesondere von Basil Bernstein entwickelte Theorie zweier verschieden differenzierter Sprachkodes wurde erst mit einiger Verspätung in Deutschland aufgenommen, ist seither aber zentraler Bestandteil der Soziolinguistik.

[29] vgl. Wulf Niepold: Sprache und soziale Schicht. Berlin 1970. Die für ein Klassenmodell höchst relevante Oberschicht bleibt in den Diskussionen um die Sprachbarrieren meist ausgeblendet.

[30] Helmut Hanke: Kultur und Lebensweise im sozialistischen Dorf. Berlin 1967, S. 17.

[31] Dieter und Karin Claessens: Kapitalismus als Kultur, S. 33.

[32] vgl. Ulrich Oevermann: Sprache und soziale Herkunft. Ein Beitrag zur Analyse schichtspezifischer Sozialisationsprozesse und ihrer Bedeutung für den Schulerfolg. Berlin 1970.

[33] vgl. J. Milton Yinger: Contraculture and Subculture. In: American Sociological Review 25/1960, S. 625–635; Martin Scharfe: Kontrakulturale Aspekte in der empirischen Religionsforschung. In: Zs. f. Volkskunde 67/1971, S. 173–202, insbesondere S. 199 ff.

[34] vgl. Christian Graf Krockow: Zentrale und periphere Bewertungsmuster. In: Hans Peter Dreitzel (Hg.): Sozialer Wandel. Neuwied und Berlin 1967, S. 339–350.

[35] Das Begräbnis von Karl Marx. In: NEW Band 19, S. 335 f.

[36] Die gleiche falsche Antithetik von Natur und Kultur drückt sich möglicherweise auch in Marx' Bemerkung aus, daß der Mensch "nurmehr in seinen tierischen Funktionen ... sich als frei tätig fühlt und in seinen menschlichen Funktionen nurmehr als Tier." Marx/Engels: Kleine ökonomische Schriften. Berlin 1955, S. 102.

[37] vgl. hierzu vor allem Friedrich Tomberg: Basis und Überbau. Sozialphilosophische Studien. Neuwied und Berlin 1969; sowie Alfred Schmidt: Geschichte und Struktur. Fragen einer marxistischen Historik. München 1971, der Antonio Gramscis Betonung der politischen Initiative als "letzter Instanz" hervorhebt.

[38] Abriß der Psychoanalyse. Das Unbehagen in der Kultur. Frankfurt a. Main, Hamburg 1953, S. 89–191.

[39] Der Vorgang wäre freilich, sollte man die Frage bejahen können, ein heteronomer, ja paradoxer, da Freud ja gerade bestrebt war zu zeigen, wie wenig "autark" jenes "Höhere" ist.

[40] vgl. Hermann Bausinger: Volkskunde. Von der Altertumsforschung zur Kulturanalyse. Darmstadt ²1979; H. Bausinger, U. Jeggle, G. Korff, M. Scharfe: Grundzüge der Volkskunde. Darmstadt 1978.

[41] Zur Übernahme des von Almond und Verba eingeführten Konzepts der "Civic Culture" (so der Titel ihres Buches von 1963) vgl. Klaus von Beyme: "Politische Kultur" und "Politischer Stil". Zur Rezeption zweier Begriffe aus den Kulturwissenschaften. In: Theory and Politics. Theorie und Politik. Festschrift zum 70. Geburtstag für Carl Joachim Friedrich. Haag 1971, S. 352–374; Hermann Bausinger: Zur politischen Kultur Baden-Württembergs. In: H. Bausinger, Th. Eschenburg u. a.: Baden-Württemberg. Eine politische Landeskunde. Stuttgart 1975, S. 13–40.

[42] vgl. die Definition von Culture durch Edward T. Hall: The Silent Language. New York ²1973, S. 30: "that part of man's behavior which he takes for granted."

[43] Der Begriff wird – auf "urbane Projektgruppen" zielend – verwendet von Olaf Schwencke: Politische Ästhetik – Kulturpolitik als Systemkritik? In: Olaf Schwencke, Klaus H. Revermann, Alfons Spielhoff (Hgg.): Plädoyers für eine neue Kulturpolitik. München 1974, S. 87–93; hier S. 91.

[44] vgl. Louis Schneider, Charles M. Beaujean (Hgg.): The Idea of Culture in the Social Sciences. Cambridge 1973.

Heinz Göhring

Deutsch als Fremdsprache
und interkulturelle Kommunikation[1]

Dieser Artikel wendet sich sowohl an Lehrende des Faches Deutsch als Fremdsprache (= Deutsch-Lehrer) als auch an diejenigen, die Deutsch als Fremdsprache lernen oder studieren (= Deutsch-Lerner). Ich will mir daher Mühe geben, mich verhältnismäßig einfach auszudrücken,[2] "lernerzugewandt"[3] zu schreiben. Das Bestreben deutscher Wissenschaftler, sich durch komplizierte Ausdrucksweise abzuheben von den Nichtgebildeten und auch über die sprachliche Form untereinander um soziales Ansehen zu konkurrieren, läßt sich zumindest vom Zeitalter des Barock (17./18. Jahrhundert) bis hin zum Neomarxismus der Gegenwart nachweisen. Dem Deutsch-Lerner wird es nicht erspart bleiben, sich mit der deutschen Wissenschaftssprache unter Leiden vertraut zu machen. Hier jedoch soll er seine Energien darauf konzentrieren können, den Inhalt zu erfassen und sich damit kritisch[4] auseinanderzusetzen.

"Sprache ist ... integraler und integrierter Teil einer Kultur: Fremdsprachenunterricht bedeutet Unterricht in hetero-kulturellem Verhalten" (Vermeer 1978:2). Wo Deutsch als Fremdsprache gelernt und gelehrt wird, geht es um interkulturelle Begegnung, um interkulturelle Kommunikation und um die "Emanzipation von den 'Selbstverständlichkeiten' des eigenen Kulturhorizontes" (Mühlmann 1966:22).

Wenn Ausländer, die sich um die deutsche Sprache bemühen, mit Deutschsprachigen zu tun haben, ist dies offensichtlich: Sie kommunizieren als Personen, die von ihrer Ausgangskultur geprägt sind, mit Personen, die unter dem Einfluß ihrer deutschen Zielkultur stehen. Interkulturelle Begegnung ist jedoch auch im Spiel, wenn ausländische Deutsch-Lehrer[5] und ausländische Deutsch-Lerner miteinander umgehen. Aufgabe der Lehrer ist es, die Lerner vorzubereiten auf die Begegnung mit

a) Deutschsprachigen: Sprechern der deutschen Sprache,
b) Deutschsprachigem: schriftlich sowie in Ton oder in Ton und Bild aufgezeichneten Texten, und
c) all dem, was sonst noch in Bezug auf den deutschsprachigen Raum von Interesse sein mag: z. B. Landschaften, Klima, nichtverbale

Entäußerungen oder *Werke* von Deutschsprachigen oder für Deutschsprachige (Musik, Technik, Getränke, Tanz, Architektur, Malerei, Kulinarik[6], Plastik).

Für die weitere Erörterung fasse ich die Punkte b und c unter dem Begriff 'Werke' zusammen. Er gilt somit sowohl für ein Stück Literatur, wie für die Tonbandaufnahme von einer Blödelei zwischen zwei Schülern, ein Bild von Beckmann oder die Videoaufnahme einer beliebigen Alltagszene. Selbst die Mosellandschaft oder das Klima im Ruhrgebiet gelten als Werk, sind sie doch Ergebnis einer Wechselwirkung von natürlicher Vorgegebenheit und menschlichem Tun.

Ich nenne die Deutschsprachigen mit a) an erster Stelle, weil sich die Werke jeweils auf Deutschsprachige zurückführen lassen. Der einzelne Deutsch-Lerner mag gleichwohl vorrangig an deutschsprachigen Werken interessiert sein. Zu ihrem Verständnis ist er jedoch auf die kulturelle Matrix verwiesen, aus der heraus Deutschsprachige diese Werke geschaffen haben oder sie beurteilen.

Neben das Element Zielsprache und Zielkultur gehört, wenn wir von Begegnung sprechen, gleichwertig der Faktor Ausgangssprache und Ausgangskultur. Der Deutsch-Lehrer ist somit unabhängig von seiner Nationalität stets interkultureller Mittler. Seine Tätigkeit besitzt dadurch eine bedeutende kulturanthropologische Dimension.

Es mag nützlich sein, nunmehr den Inhalt des Begriffs 'Kultur' zu erörtern, wie er im vorliegenden Artikel verwendet wird. Zur Tradition des Kulturbegriffs im deutschsprachigen Raum verweise ich auf Bausinger (1975). Unser historischer Ausgangspunkt ist die klassische Definition, die der englische Sozialanthropologe B. Tylor 1871 vorgelegt hat:

"Cultur oder Civilisation im weitesten ethnographischen Sinne ist jener Inbegriff von Wissen, Glauben, Kunst, Moral, Gesetz, Sitte und allen übrigen Fähigkeiten und Gewohnheiten, welche der Mensch als Glied der Gesellschaft sich angeeignet hat."   (Tylor 1963:33)

Danach folgten in der Kulturanthropologie[7] buchstäblich hunderte von Definitionsversuchen (vgl. z. B. Kroeber und Kluckhohn 1952). Ich will einige davon auswählen und mich fragen, was sie Deutsch-Lernern und Deutsch-Lehrern bedeuten können.

Zunächst ist es wichtig, den "empirischen Pluralismus der Kulturen" (Mühlmann 1966:17) hervorzuheben. Wer von Kultur redet, sollte die

Mehrzahl jeweils mithinzudenken. Kulturen sind "typische Chancen menschenmöglichen Verhaltens" (Mühlmann 1966:17).

Wir werden kulturenfähig geboren, d. h. wir kommen mit der Fähigkeit zur Welt, grundsätzlich[8] in jede der Lebensformen hineinzuwachsen, die von den zahllosen menschlichen Gruppen in Vergangenheit und Gegenwart entwickelt worden sind (vgl. Mühlmann 1966:17f.) bzw. in Zukunft noch entwickelt werden. *Jede* Kultur lehrt mich daher, daß auch ich hätte so leben können, wenn ich in sie hineingeboren worden wäre. "So leben", das heißt: sehen, riechen, schmecken, denken, wahrnehmen, sprechen, fühlen, mich bewegen, lieben, hassen, streiten und Frieden machen, als schön oder häßlich, gut oder böse bewerten,[9] kurzum mich verhalten wie ein beliebiger Einheimischer – und dies alles als so selbstverständlich, als so 'natürlich' empfinden wie er. Das Adjektiv "beliebiger" vor "Einheimischer" soll hervorheben, daß Einheimische sich in ihren Reaktionen voreinander unterscheiden, denn in jeder Gesellschaft gibt es eine *Fülle von Variation*.

Gesellschaftsmitglieder unterscheiden sich in ihrem Verhalten, weil sie in ihren Persönlichkeiten aufgrund von Unterschieden in Anlagen und Lebensweg unterschiedlich sind. Selbst eineiige Zwillinge, die die gleichen Erbanlagen haben, werden durch die Verschiedenartigkeit ihres Lebensweges unterschiedlich. Und das mag seinen Beginn z. B. schon darin haben, daß die Eltern den Erstgeborenen anders behandeln als den Zweitgeborenen. Kulturanthropologische Forschung hat deutlich gemacht, wie groß die Unterschiedlichkeit von Persönlichkeiten auch in Stammesgesellschaften ist, die als einfach und geschlossen erscheinen. In westlichen Gesellschaften wird jedoch die Unterschiedlichkeit der Persönlichkeiten, ihre Individualität, vielleicht stärker betont und höher bewertet als anderswo.

Gesellschaftsmitglieder unterscheiden sich in ihrem Verhalten ferner, weil sie verschiedene Rollen innehaben, unterschiedlichen Gruppen angehören. Es macht einen Unterschied, ob ich ein Mann bin oder eine Frau, ein Kind oder ein Erwachsener, ob ich einer gehobenen oder einer niedrigen sozialen Schicht angehöre, ob ich aus dem Süden oder dem Norden meines Landes komme, ob ich aus einer Großstadt oder einem kleinen Dorf stamme. Wenn ich mir darüber klar werde, wieviel Unterschiede es in meiner Ausgangsgesellschaft gibt, wird es mich nicht überraschen, auch in meiner Zielgesellschaft eine große Vielfalt des Verhaltens vorzufinden.

Und doch besitzt jede Gesellschaft auch ihre charakteristische Variationsbreite, d. h. einen Bereich, innerhalb dessen Unterschiedlichkeit des

Verhaltens zulässig ist, als normal gilt. Verhalten, das außerhalb dieses Bereichs liegt, wird als abweichend betrachtet und, wie die Soziologen sagen, mit Sanktionen belegt, d. h. bestraft – sei es durch einen bösen Blick, ein verächtliches Lächeln, Verweigerung des gesellschaftlichen Umgangs oder durch Geld- bzw. Gefängnisstrafen. Die Grenze zwischen Erlaubtem und Verbotenem ist allerdings bei weitem nicht immer klar. Kultur läßt sich unter anderem als eine Gesamtheit[10] von Regeln verstehen. Man muß jedoch hinzufügen: Es gehören auch Regeln über das Brechen von Regeln dazu, in anderen Worten: das Wissen darüber, wie weit ich die Regeln ungestraft übertreten darf, und das Wissen über die Abstufung der Strafen – damit ich mein Risiko richtig einschätzen kann, wenn ich eine Regel übertreten will oder sie versehentlich übertreten habe.

Für Kulturanthropologen ist ethnographische Feldforschung ein wichtiger Bestandteil ihrer Ausbildung: Sie begeben sich für eine längere Zeit (möglichst zwei Jahre lang) in eine Gemeinde ihrer Zielgesellschaft, lernen deren Sprache und versuchen, sich in teilnehmender Beobachtung ein möglichst umfassendes Bild von Kultur und Gesellschaft ihrer Zielgruppe zu verschaffen. Deutsch-Lerner werden erkennen, daß ihr Ziel mit dem des Ethnographen in wesentlichen Punkten übereinstimmt – unabhängig davon, ob sie Deutsch in der Heimat oder in einem deutschsprachigen Land betreiben, geht es ihnen in letzter Konsequenz um den Erwerb *interkultureller Kommunikationsfähigkeit*, bezogen auf den deutschsprachigen Raum. Ich will daher eine Kulturdefinition erörtern, die aus der Perspektive des ethnographischen Feldforschers formuliert ist. Nach Goodenough (1964:36) besteht Kultur aus all dem, was man wissen[11] und woran man glauben muß, damit man sich in der Zielgesellschaft unauffällig wie ein Einheimischer bewegen kann, und zwar in jeder Rolle, welche von dieser Gesellschaft akzeptiert ist.

Nun ist allerdings niemandem gegeben, sich auch nur in seiner Ausgangsgesellschaft in *allen* Rollen unauffällig zu bewegen. Bereits natürliche Gegebenheiten wie Alter und Geschlecht machen dies unmöglich. Ich schlage daher – wie auch aus anderen Gründen – vor, die Definition von Goodenough folgendermaßen abzuwandeln:

Kultur ist all das, was das Individuum wissen und empfinden können muß,

1) damit es beurteilen kann, wo sich Einheimische in ihren verschiedenen Rollen so verhalten, wie man es von ihnen erwartet (Erwartungskonformität), und wo sie von den Erwartungen[12] abweichen;

2) damit es sich in Rollen der Zielgesellschaft, die ihm offen stehen, erwartungskonform verhalten kann, sofern es dies will und nicht etwa bereit ist, die Konsequenzen aus erwartungswidrigem Verhalten zu tragen[13],

3) zur Kultur gehört auch all das, was das Individuum wissen und empfinden können muß, damit es die natürliche und die vom Menschen geprägte oder geschaffene Welt wie ein Einheimischer wahrnehmen kann.

Diese Kulturdefinition sagt wohlgemerkt nichts darüber aus, in welchem Umfang der fremdkulturelle Lerner seine Zielkultur erwerben kann oder soll. Die Fähigkeiten und Bedürfnisse von Lernern variieren in dieser Hinsicht erheblich. Als pädagogisches Ziel wäre die Entwicklung eines Lehrangebots anzusehen, das es dem Lerner gestattet, sich der vollständigen Beherrschung von Zielsprache und Zielkultur in dem von ihm gewünschten Umfang anzunähern.

Angesichts der Unmöglichkeit, *alles* zu lehren[14], sollte sich der Unterricht darauf konzentrieren,

a) den Lerner so weit vorzubereiten, daß er in lebendiger Begegnung mit Angehörigen der Zielkultur seine *interkulturelle Kommunikationsfähigkeit* (vgl. Göhring 1976b) eigenständig vertiefen kann, und

b) ihm ein Forum zu bieten, auf dem er mit Kommilitonen und Lehrern seine Beobachtungen, seine Hypothesen über Verhaltensregelmäßigkeiten und auch seine eigenen emotionalen Reaktionen mit ihren kulturellen Bedingtheiten klären und kritisch hinterfragen kann.

In Analogie zur Unterscheidung zwischen passiver und aktiver Sprachbeherrschung unterscheiden Punkt 1 und 2 der Kulturdefinition zwischen passiver und aktiver Rollenkompetenz.

Zum Rollenrepertoire einer Gesellschaft gehört auch die *Fremdenrolle*. Dem Fremden, dem Ausländer wird häufig vieles nachgesehen, was man bei einem Einheimischen tadelnswert fände. Andererseits gilt es in manchen Gesellschaften als unpassend, wenn ein Ausländer 'akzentfrei' spricht und handelt wie ein Einheimischer[15]. Ein Ausländer, der dies könnte, würde bei aktiver Rollenkompetenz in diesem Fall trotzdem mit dem Akzent seiner Ausgangssprache sprechen und – von der Zielkultur her gesehen – etwas linkisch handeln. In Japan z. B. wäre dies angemessen. In der Bundesrepublik löst ein akzentfreies Auftreten von Ausländern wohl eher Bewunderung aus, in die sich allerdings z. B. beim Kontakt mit Franzosen eine leichte Enttäuschung mischen mag, weil man den französischen Akzent doch "so charmant" findet.

Zur *Weltwahrnehmung* (Punkt 3 der obigen Kulturdefinition) sei z. B. erwähnt, daß die Vorstellung vom *Wald* je nach kultureller Überlieferung und klimatischen Gegebenheiten sehr unterschiedlich ausfallen kann. In tropischen und subtropischen Gebieten etwa Hispanoamerikas wird Wald, der hier Urwald ist, eher als etwas Unheimliches und Gefährliches empfunden, das man möglichst meidet. Ein Lerner aus solchen Gebieten müßte im Sinne der Definition nicht nur mit dem Verstande registrieren, daß 'Wald' im deutschsprachigen Raum emotional eher positiv besetzt ist, Assoziationen an geruhsame Wanderungen und den Genuß von Naturschönheit weckt und in der deutschen Literatur eine bedeutende Rolle spielt, sondern er müßte auch lernen, sich in diesem Sinne gemüthaft anmuten zu lassen – wenn ihm an der Beherrschung der Kultur des deutschsprachigen Raumes gelegen ist.

Insgesamt läßt sich Kultur als eine Sammlung von Rezepten zur Lösung von Problemen verstehen, von Entwürfen für den Umgang mit Mitmenschen, mit Sachen, mit Gedanken und Gefühlen, für die Organisation der Wahrnehmung. Der Entwurf, den der Architekt von einem Hause macht, enthält die grundlegenden Daten. Für die Bauausführung werden sehr viel detaillierte Pläne ausgearbeitet. Ein Problemlösungsentwurf zeichnet die Umrisse des Handelns vor, die der Handelnde im einzelnen ausgestaltet, wenn er sich des Entwurfs bedienen will – doch im allgemeinen wird er gern auf einen Entwurf zurückgreifen, um sich die Mühe zu ersparen, eigenständig einen Lösungsweg zu finden. "Handeln" ist hier übrigens im weitesten Sinne zu verstehen – es umfaßt neben dem äußeren Handeln auch das innere Handeln, das Wahrnehmen, Denken, Fühlen. Ich hoffe, es ist unmißverständlich, wenn ich nachstehend die Kurzformel von der Kultur als einer Gesamtheit von Problemlösungsentwürfen verwende.

'Kultur' ist ein Begriff, der eigentlich immer durch einen *Indikator* gekennzeichnet sein müßte, welcher auf die jeweils gemeinte Abstraktionsebene verweist. Des weiteren wäre auf der jeweiligen Abstraktionsebene neben dem angezielten Zeitraum noch zu markieren, ob die Summe der Problemlösungsentwürfe ("S") oder die Gemeinsamkeit der Problemlösungsentwürfe ("G") gemeint ist.

Wenn ich auf die *Summe* abstelle, beziehe ich mich auf alle Problemlösungsentwürfe, die in der betreffenden Gruppe oder in den betreffenden Gruppen vorhanden sind, i. a. W. ich betrachte sowohl die dominanten als auch die davon abweichenden Wertorientierungen ("dominant and variant value orientations", vgl. Kluckhohn und Strodtbeck 1961: 1–48). Salopp ausgedrückt: Es geht um die Summe des

Warenangebots im Supermarkt der betreffenden Kulturebene. Wenn
ich die *Gemeinsamkeit* der Problemlösungsentwürfe ins Auge fasse, beziehe ich mich auf die Aspekte, die als gemeinsame Nenner innerhalb
des Gesamtangebots feststellbar sind.

"Menschheitskultur S, 0–1980" wäre demnach die Summe aller
Problemlösungsentwürfe, die während der gesamten bisherigen Mensch-
heitsgeschichte in menschlichen Gruppen soziale Geltung erhalten haben; "Menschheitskultur G, 0–1980" bezöge sich auf die darin enthaltenen Gemeinsamkeiten, die auf dieser Ebene als Universalien oder
"transkulturelle Konstanten" (Mühlmann 1966: 19–21) bezeichnet
werden.

Analog läßt sich mit Angabe des Zeitraums, der Perspektive "Summe" oder "Gemeinsamkeit" sowie ggf. des geographischen Bereichs
sprechen von: okzidentaler oder orientalischer Kultur, weltanschauli-
cher Kultur (Katholizismus, Marxismus, Protestantismus, Kapitalismus usw.), schichtenspezifischer Kultur, Berufskultur, der Kultur des
deutschsprachigen Raums, süddeutscher Kultur, bayerischer Kultur, der
Kultur der Kleinstadt X, des Dorfes Y, der Familie Schmidt.

Es scheint mir sogar sinnvoll, bis auf die Ebene des Individuums
herunterzugehen und in Analogie zur Verwendung des Begriffs "Idiolekt"[16] in der Sprachwissenschaft – unschön – von "Idiokultur"
zu sprechen.

"Idiolekt S, 1959–1979" wäre dann die Summation der Problemlösungsentwürfe, die das betreffende Individuum im Zeitraum von 1959–
1979 aus dem kulturellen Angebot seiner Umgebung ausgewählt und
für seine spezifischen Zwecke abgewandelt und mehr oder weniger integriert hat. "Idiokultur G, 1959–1979" bezöge sich auf den roten Fa-
den der Gemeinsamkeiten darin. Der Ausdruck "kulturelles Angebot
seiner Umgebung" gestattet uns in seiner Vagheit, z. B. unter Idiokultur zu verstehen: a) Die Auswahl eines monokulturellen Individuums
aus dem Angebot seiner nationalen Kultur und
b) die Auswahl eines bikulturellen oder plurikulturellen Individuums
aus dem Angebot zweier oder mehrerer nationaler Kulturen.

Aus den Ausführungen über die Abstraktionsebenen läßt sich ableiten, daß auch bei der Verwendung von Ausdrücken wie "monokulturell", "bikulturell", "plurikulturell" ein Indikator hinzuzudenken
ist – im vorliegenden Zusammenhang der für nationale Kultur. Es
versteht sich, daß ein Individuum aus der Perspektive seiner nationalen
Kultur monokulturell, aus der Perspektive seiner sozialen Schicht z. B.
hingegen plurikulturell sein kann, wenn es Problemlösungsentwürfe

anderer sozialer Schichten seiner Nationalgesellschaft in seine Idiokultur integriert hat.

Für das Fach DaF ist daran bedeutsam: Der Lerner verfügt bereits von seiner Ausgangsgesellschaft her über eine pluri-kulturelle Erfahrung, auf die man zurückgreifen kann, wenn man ihm den Zugang zur Kultur des deutschsprachigen Raumes erleichtern will; zwischen dem Fremdkulturellen innerhalb der eigenen Ausgangskultur und dem Fremdkulturellen der Zielkultur besteht kein prinzipieller Unterschied, sondern nur ein Unterschied des Grades[17].

Inder z. B. gebrauchen zur Charakterisierung der Verhältnisse in der Bundesrepublik Deutschland häufig das Adjektiv "materialistisch". In ihrer eigenen Gesellschaft gibt es Händlerkasten, die auf die Maximierung materiellen Gewinns spezialisiert sind. Aus der Sicht des Faches DaF wäre es lohnend zu klären, inwieweit charakteristische Unterschiede und Gemeinsamkeiten zwischen "Materialismus" in Ausgangs- und Zielgesellschaft bestehen und ob nicht u. a. der relativ niedrige soziale Status der indischen Händlerkasten die Bewertung des in der Bundesrepublik empfundenen Materialismus mit beeinflußt.

Die *Fülle der Varianten* des Verhaltens in der Zielgesellschaft ist für den Ausländer zunächst einmal verwirrend und häufig ängstigend. Im Bereich meiner Gesellschaft habe ich eine ungefähre Vorstellung davon, wie ich mich beim Einkaufen zu verhalten habe; wie ich meinem Lehrer ein günstiges Bild von mir mitteile; wie ich einem anderen zeigen kann, daß ich ihn mag und mit ihm Kontakt aufnehmen möchte; wie ich tiefergehende zwischenmenschliche Beziehungen aufbaue; ich weiß zwischen normalem und abweichendem Verhalten zu unterscheiden, und wenn mein Gegenüber sich ungewöhnlich verhält, gestatten es mir meine Deutungsschemata, seinen Charakter, seine Gruppenzugehörigkeit, Besonderheiten der Situation oder mein eigenes Verhalten dafür verantwortlich zu machen. Gewiß, Mißverständnisse, Zweifel darüber, wie ich mich verhalten oder das Verhalten anderer deuten soll, ergeben sich genügend oft auch in meiner heimatlichen Umgebung. Sie erschüttern aber nur selten die Welt der Selbstverständlichkeiten, in der ich mich mit fast traumwandlerischer Sicherheit bewege.

Im Ausland, in fremdkultureller Umgebung führen plötzlich viele meiner Problemlösungsentwürfe nicht mehr zum Erfolg. Statt dessen ernte ich gehäuft Mißerfolge, spüre Mißbilligung, merke, daß etwas 'schief läuft', wo ich in bester Absicht handelte. Der Wert meiner Sammlung von Problemlösungsentwürfen insgesamt wird zweifelhaft und mein Selbstbewußtsein nimmt deutlich ab, denn es fehlt ihm die Stützung durch die zahllosen kleinen und großen Bestätigungen, die das Leben in einer Welt der Selbstverständlichkeiten mit sich bringt. In der Fachliteratur heißt dieser Zustand "Kulturschock"[18]. Zu seinen Äußerungsformen zählen etwa: ein Gefühl der Hilflosigkeit, Verlorenheit und Orientierungslosigkeit, Niedergeschlagenheit und Apathie, Gereiztheit, Wut und Ärger gegen die Angehörigen und Einrichtungen der Zielgesellschaft, Abneigung gegen die Zielsprache, übertriebener Ordnungssinn, Mißtrauen, ungewöhnliche Kleinigkeiten in finanziellen Dingen, verbunden mit der fixen Idee, überall betrogen zu werden, ferner hypochondrische Tendenzen und psychosomatische Beschwerden[19].

Nach Heiss und Nash (1967) handelt es sich um eine "situative Neurose", die sich u. a. in einem Rückgang des Erfindungsreichtums, der Spontaneität und der Flexibilität ausdrückt. Je nach Persönlichkeitsstruktur und Besonderheiten der Situation variiert die Symptomatik des Kulturschocks zwischen leichten Verstimmungszuständen und ernsthaften suizidalen Tendenzen.

Der Kulturschock ist bislang fast ausschließlich in seinen negativen Aspekten beschrieben worden. Eine ausgeglichenere Position vertritt als erster Peter S. Adler (1974, 1975). Der Terminus "Kulturschock" weckt mit seinem zweiten Bestandteil negative Assoziationen – in der Medizin z. B. ist Schock ein lebensbedrohlicher Zustand. Laut Adler (1975: 14) hingegen ist der Kulturschock als *eine* Form von Übergangserfahrungen ("transitional experiences") Bedrohung und Chance zugleich – Chance zur Bereicherung und Entfaltung der Persönlichkeit durch Lernen an einer fremden Kultur. Innerhalb der 5 Phasen seines Modells der Übergangserfahrung unterscheidet Adler (1975: 19) nach der Kontaktphase zunächst die Desintegration (Phase Nr. 2) und die Reintegration (Phase Nr. 3). Während Phase Nr. 2 durch depressiven Rückzug gekennzeichnet ist, ist Phase 3 durch Rebellion, Mißtrauen, Feindseligkeit und Verbohrtheit geprägt. Das negativistische Verhalten ist jedoch eine Form der Selbstbehauptung und kann der Weg freimachen für einen Rückgewinn des Selbstbewußtseins. In Phase 4 (Autonomie) entwickelt das Individuum auf dieser Basis zunehmend Flexibilität, interkulturelle Sensibilität und die Fähigkeit, in der Zielgesellschaft erfolgreich zu kommunizieren und zu handeln. Oft beginnt es, sich als Experte für die Zielkultur zu betrachten. In Phase 5 (Unabhängigkeit) ist das Individuum in der Lage, kulturelle Unterschiede und Ähnlichkeiten voll zu akzeptieren und sie zu genießen; es entwickelt Vertrauen und Sensibilität in einem hohen Grade wie auch die Fähigkeit, diese Zustände bei anderen auszulösen (Adler 1975: 18).

Mit dem Phänomen des Kulturschocks vertraut zu sein, ist für Lerner und Lehrer des Faches Deutsch gleichermaßen wichtig. Lerner können dann eigene Zustände des Kulturschocks einordnen, sie verstehen als Bestandteil des Prozesses der Anpassung an eine fremde Kultur. Sie mögen einen gewissen Halt in dem Gedanken finden, daß Abertausende vor ihnen in ähnlichen Situationen Ähnliches durchgemacht und überstanden haben. Lehrer werden den Lernern eher gerecht, wenn sie deren Kulturschocksymptome erkennen und berücksichtigen sowie ggf. die Problematik mit dem Betroffenen privat oder im Unterricht erörtern.

Im Sprachunterricht sollten so früh wie irgend möglich Formen des Feedback-Suchens eingeübt werden – z. B.: "Entschuldigen Sie, vielleicht habe ich gerade etwas getan, was man in Deutschland nicht so tun sollte. Können Sie mir helfen und mir sagen, wie man sich in dieser Situation hier verhält? oder "Als Ausländer sind mir viele der deutschen Sitten und Gewohnheiten unbekannt. Ich werde daher aus Unkenntnis ohne bösen Willen manches falsch machen. Bitte sprechen Sie mit mir darüber, wenn Sie bemerken, daß ich mich anders verhalte, als man es von einem Deutschen erwarten würde".

Lerner im Zustand des Kulturschocks befinden sich in einer kritischen Phase verringerter Lernfähigkeit und -motivation. Unerfreuliche Zusammenstöße mit Angehörigen der Zielgesellschaft können entscheidende Auswirkungen auf den weiteren Verlauf des Anpassungsprozesses haben, eventuell nachhaltige Blockierungen schaffen.

Der Lehrer kann dazu beitragen, daß der Lerner nicht in der Phase des Rückzugs oder der Rebellion stecken bleibt – durch Verständnis, Behutsamkeit, Umsicht, Taktgefühl und ein der Situation angemessenes Verhalten. Je nach der unmittelbaren Situation, der Persönlichkeit des Lerners und seiner kulturellen Herkunft kann sehr verschiedenartiges Verhalten angemessen sein – so etwa durchaus auch Bestimmtheit, wenn der Lerner von seiner Ausgangskultur her an eher autoritär geprägte Lehrer-Lerner-Verhältnisse gewöhnt ist oder wenn sein negativistisches Verhalten die Grenzen des Zumutbaren überschreitet[20].

Das emotional positive Interesse an der Zielgesellschaft und -kultur ist für den Erfolg beim Fremdsprachenlernen ebenso wichtig wie die Sprachbegabung (vgl. Lambert u. a., 1968). Für das Fremdkulturlernen dürfte analog dasselbe gelten. Es wäre daher vom Studienziel her sachlich gerechtfertigt, wenn Deutsch-Lehrer, die Lerner in zielkultureller Umgebung unterrichten, einen – im Vergleich zu anderen Fächern – überproportionalen Teil ihres Stundendeputats für die intensive Beratung verwendeten, auch wenn dies auf Kosten der Stoffvermittlung im konventionellen Unterricht geht. Diese Beratung – individuell und in kleinen Gruppen – sollte folgende Zielsetzungen verfolgen:

a) Kulturschockprophylaxe in der Kontaktphase. Denkbar wäre etwa die Veranstaltung von Gruppendiskussionen, an denen neben Neuankömmlingen auch Lerner teilnehmen, die die Autonomie- oder Unabhängigkeitsphase der Übergangserfahrung im Sinne von Peter Adler erreicht haben und exemplarisch den Prozeß ihrer Reaktion auf die Zielkultur verdeutlichen. Es wäre auch zu erproben, wie sich der Einsatz von fortgeschritteneren ausländischen Studenten-Tutoren in eigenständigen Kulturschockprophylaxegruppen auswirkt[21].

b) Beratung während der Desintegrations- und der Reintegrationsphase. Hier ist wohl neben der Kleingruppenarbeit verstärkt auch an individuelle Beratung zu denken. Es wäre zu prüfen, ob und gegebenenfalls bei welchen Lernern hier im Durchschnitt der deutschsprachige Lehrer, der studentische Tutor gleicher oder unterschiedlicher Ausgangskultur oder ein Lehrer gleicher oder unterschiedlicher Ausgangskultur die besseren Ergebnisse erzielt. Der reflektierten fremdkulturellen Erfahrung der Kontaktperson kommt hier vermutlich eine besondere Bedeutung zu.

Über den Prozentsatz der deutschsprachigen Deutsch-Lehrer, die – etwa als Lektoren – intensive fremdkulturelle Erfahrungen im Ausland gesammelt haben, wie auch über das Ausmaß, in dem nichtdeutschsprachige Lehrer auf längerfristige Aufenthalte im deutschsprachigen Raum zurückblicken können, scheint wenig Konkretes bekannt zu sein. Für die Weiterentwicklung von DaF als *interkultureller Disziplin* wäre eine detaillierte Bestandsaufnahme in dieser Hinsicht von Bedeutung. Sollte sich herausstellen, daß der regelmäßige, intensivere Zielkulturaufenthalt nicht selbstverständlicher Teil der Biographie des Deutsch-Lehrers ist, wären Überlegungen darüber anzustellen, wie es zu bewerkstelligen ist, daß er es wird.

Während "Zielkulturaufenthalt" für den nichtdeutschsprachigen Deutsch-Lehrer selbstverständlich den Aufenthalt im deutschsprachigen Raum bedeutet – wenn möglich, abwechselnd in der Bundesrepublik Deutschland, der Deutschen Demokratischen Republik, in Österreich und in der Schweiz –, bezieht sich dieser Begriff für den deutschsprachigen Deutsch-Lehrer auf Herkunftstaaten seiner ausländischen Deutsch-Lerner. Aus dieser Feststellung ergibt sich ein charakteristischer Unterschied zwischen dem deutschsprachigen und dem nichtdeutschsprachigen Deutsch-Lehrer: Ersterer muß grundsätzlich plurikulturell orientiert sein. Die Reaktionen des Inders, des Ghanesen, des Bolivianers, des US-Amerikaners, des Franzosen auf deutsche Sprache und Kultur sind für ihn von gleicher Wichtigkeit. Das Studium der allgemeinen Ethnologie mit schwerpunktmäßiger Behandlung moderner komplexer Gesellschaften aller Erdteile und der Beziehungen zwischen Industriestaaten und der sogenannten Dritten Welt wäre für ihn das gebotene Nebenfach.

Ähnlich wie Angehörige des Diplomatischen Dienstes zwischen Heimatdienst und der Tätigkeit in unterschiedlichen anderen Ländern abwechseln, müßte eigentlich auch die Karriere eines Deutsch-Lehrers das regelmäßige kulturelle Wechselbad beinhalten. Die Realität ist anders. So wird man vorläufig weniger aufwendige Wege suchen müssen, um dem deutschsprachigen Deutsch-Lehrer den Zugang zu den zahlreichen Kulturen seiner Lerner zu erleichtern.

Den nächstliegenden Zugang bietet der Kontakt mit diesen Lernern selbst, und zwar nicht in der Rolle des Lehrenden, sondern in der des ebenfalls Lernenden. Die meisten Lehrer werden diesen Kontakt pflegen und daraus einen wichtigen Teil ihres Interesses an der interkulturellen Ausrichtung ihres Faches gewinnen, andererseits auch bedauern, daß ihr Germanistikstudium sie auf diesen Aspekt recht wenig vorbereitet hat. Diese Motivation und dieses Ungenügen könnten einen fruchtbaren Boden abgeben für gezielte Weiterbildungsmaßnahmen.

Es wäre dabei etwa zu denken an Kurse in: *kontrastiver Kulturanalyse im engeren Sinne*[22]. Dabei würde es sich im vorliegenden Zusammenhang handeln um die Analyse einer beliebigen nichtdeutschen Kultur im Hinblick auf die besonderen Schwierigkeiten, die Lerner dieser Herkunft beim Erlernen der deutschen Kultur haben, wie auch im Hinblick auf die Schwierigkeiten deutschsprachiger Deutsch-Lehrer beim Umgang mit Lernern dieser Herkunft. Neben den Unterschieden und den daraus sich ergebenden Schwierigkeiten wären auch die Dimensionen herauszuarbeiten, in denen die Regelungen der kontrastierten Kulturen miteinander übereinstimmen und somit einen festen und unproblematischen Boden für den Umgang miteinander abgeben. Da in der interkulturellen Begegnung durch die Generalisierung von "Fettnäpfchenerlebnissen" (Erlebnissen mit Umständen, in denen man unwillentlich in ein interkulturelles Fettnäpfchen getreten ist) zunächst einmal alle Regelungen zweifelhaft werden, bildet Wissen über Gemeinsamkeiten der Regelungen einen wichtigen Ausgangspunkt für weitere tastende Orientierung.

Kurse in kontrastiver Kulturanalyse im engeren Sinne könnten bestritten werden von auf Regionen oder Länder spezialisierten Ethnologen, Volkskundlern, Soziologen, Psychologen, Politologen, von Vertretern der einschlägigen Philologie sowie von all denen, die etwa in Institutionen der Entwicklungshilfe bereits länder- oder regionenspezifische Vorbereitungskurse für Experten anbieten. Auch Personen, die sich mit Gastarbeitern und der Kultur ihrer Herkunftsländer beschäftigen, sind hier zu nennen. Unerläßlich wäre die Teilnahme von Angehörigen der behandelten nichtdeutschen Kultur – z. B. von Wissenschaftlern, Technikern, Kaufleuten, Deutsch-Lernern.

Bei der Vorbereitung solcher Kurse dürfte deutlich werden, daß die Materiallage nicht sonderlich günstig ist, daß wir über die spezifischen Schwierigkeiten und Erleichterungen bei Begegnungen zwischen Angehörigen der kontrastierten Kulturen wenig gesichertes Wissen haben. Andererseits wird sich im Verlauf solcher Kurse vermutlich herausstellen, daß insbesondere die teilnehmenden Deutsch-Lehrer und Deutsch-Lerner über eine Fülle an wertvollen Einzelbeobachtungen über kulturspezifische Unterschiede und über kritische Zwischenfälle verfügen, die solche Unterschiede als Quellen interkultureller Mißverständnisse schlaglichtartig beleuchten – Einzelbeobachtungen, die systematisch gesammelt und analysiert werden sollten. Es stünden dem Fache DaF wohl an, die Auswertung, theoretische Durchdringung und pädagogische Umsetzung dieses Erfahrungsschatzes als konstituierenden Bestandteil seines Gegenstandsbereichs zu betreiben und dafür die Mitarbeit der einschlägigen Nachbarwissenschaften zu gewinnen. Das Fach DaF könnte auf dem Umweg über das Fremdkulturelle das Eigenkulturelle erhellen, dadurch zu einer Germanistik beitragen, die sich auch als regionspezifische Sozialwissenschaft versteht, und somit der Mutterdisziplin gegenüber seine Kindesschuld einlösen. Neben den Erfahrungen von Deutsch-Lehrern und -Lernern könnten z. B. auch die Erfahrungen von Deutschen, die in der Entwicklungshilfe tätig waren und sind, systematisch ausgewertet werden. Dieser Blick von innen nach außen wäre dem Blick von außen nach innen komplementär.

Kurse und ganz allgemeine Untersuchungen zur kontrastiven Analyse von Kulturenpaaren wie z. B. Indonesien – Bundesrepublik Deutschland eröffnen dem deutschsprachigen Deutsch-Lehrer in der BRD *exemplarisch* den Zugang zu *einer* der Herkunftskulturen seiner Lerner. Für den indonesischen Deutsch-Lehrer, wie auch für seine Lerner, bildet dieses Kulturenpaar den grundlegenden Gegenstand seiner Beschäftigung.

Zur systematischen Förderung von kontrastiven Kulturanalysen im geschilderten Sinne bedürfte es eines geeigneten institutionellen Rahmens, wie er in den USA für die Beschäftigung mit asiatischen Kulturen in Form des Culture Learning Institute am East-West Center in Honolulu, Hawaii, besteht.

Ebenfalls zur Weiterbildung könnten Kurse in *kontrastiver Kulturanalyse im weiteren Sinn* dienen, die sich ganz allgemein mit dem beschäftigen, was wir über Unterschiede zwischen Kulturen wissen. Zur Illustration dienen hier Daten über Kulturenpaare oder -mehrfachkombinationen, die nicht auf den deutschsprachigen Raum bezogen sein müssen. Sie werden vielmehr nach ihrer Eignung ausgewählt, generell Sensibilität für Unterschiede zwischen Kulturen zu wecken, wie dies für den deutschsprachigen Deutsch-Lehrer so wichtig ist. Doch für den Deutsch-Lerner, der sich in einem deutschsprachigen Land befindet, fördert ein Unterricht im geschilderten Sinne ebenfalls das Gespür für die Bedeutung kultureller Faktoren, und das wirkt sich auch positiv auf das Verständnis für die Zielkultur aus.

Aus den hier dargelegten Überlegungen ergibt sich insgesamt: ein Fach DaF, das sich als interkulturelle Disziplin versteht, kann sich nicht darauf beschränken, neben Sprachlehre und Literaturvermittlung eine Landeskunde[24] zu betreiben, die sich etwa in der Vermittlung von Wissen über Geographie, Geschichte und politische Institutionen des Zielgebietes erschöpft. Das Ziel der interkulturellen Kommunikationsfähigkeit – Alois Wierlacher meint ähnliches mit seinem Begriff der "Kulturmündigkeit"[25] – macht DaF zu einem auch kulturanthropologisch orientierten Fach[26].

Anmerkungen

[1] Wilhelm E. Mühlmann zu seinem 75. Geburtstag am 1. 10. 1979 gewidmet.
[2] Ralf Wesenfelder sei an dieser Stelle für die Kritik an der komplizierten Ausdrucksweise meiner bisherigen Publikationen gedankt.
[3] Alois Wierlacher beschreibt in diesem Band einen Umdenkungsprozeß, der das Fach DaF in eine "soziale, d. h. adressatenorientierte und das meint: lernerzugewandte Wissenschaft" wandelt. Dazu gehört meines Erachtens auch eine lernerzugewandte Ausdrucksweise. Ich möchte hiermit keineswegs der Schöpfung eines "Gastarbeiterdeutschs" auf höhere Ebene das Wort reden. Texte von Deutsch-Lehrern sollten jedoch von der sprachlichen Ausformung her dem durchschnittlichen deutschen Abiturienten leicht verständlich sein. Wenn ein Miteinander von Lehrern und Lernern bei der

Lektüreplanung befürwortet wird (vgl. Wierlacher 1980a: MS 11a), läge
es nahe, ein solches Miteinander auch bei der Produktion von Texten über
DaF zu verwirklichen.

4 Durch wenig verständliche Wissenschaftssprache bringt sich der Autor in
den Verdacht, daß er nicht nur vor allem Statusbedürfnisse mitteilen, sondern darüber hinaus auch noch seine Position gegen Kritik immun machen
möchte.

Zum Lernziel "kritische Auseinandersetzung" sei erwähnt: Es entspringt
einer spezifisch westlichen Tradition. Seine Vermittlung an Deutsch-Lerner,
die zum Teil durch andersartige Lerntraditionen geprägt sind, wirft daher
besondere Probleme auf.

5 Als zusammenfassender Begriff für Schüler, Studenten und sonstige Lernende hat sich in Fachkreisen der Terminus 'Lerner' eingebürgert. Analog
dazu soll hier 'Lehrer' Lehrende ganz allgemein bezeichnen, seien sie an
Schulen, Volkshochschulen, Universitäten oder sonstwo tätig.

6 Hierzu gehört nicht nur das sattsam bekannte Eisbein mit Sauerkraut,
sondern auch etwa das Angebot des italienischen Pizzabäckers, chinesischer,
griechischer, jugoslawischer, spanischer und bald wohl vietnamesischer Re-
staurants und zahlreicher ausländischer Spezialitätengeschäfte. Alois Wierlachers laufende Untersuchung über die literarische Mahlzeit der neueren
deutschen Erzählliteratur macht übrigens deutlich, daß sich die verhältnismäßig weltoffene kulinarische Kultur der bundesrepublikanischen Mittel-
und Oberschicht in der zeitgenössischen Literatur praktisch überhaupt nicht
spiegelt.

7 "Kulturanthropologie" ist hier zu verstehen als "eine Disziplin, die aus dem
empirischen Pluralismus und der Formenmannigfaltigkeit der Kulturen
typische Chancen menschenmöglichen Verhaltens abzulesen sucht" (Mühlmann und Müller 1966a: 11). Für unsere Zwecke genügt der Hinweis, daß
"Kulturanthropologie" weitgehend identisch ist mit dem Gegenstandsbereich folgender Fachbezeichnungen: Ethnologie bzw. Völkerkunde und
Volkskunde bzw. Europäische Ethnologie in deutschsprachigen Ländern,
"social anthropology" in Großbritannien, "cultural anthropology" in den
USA (vgl. jedoch Mühlmann 1966: 16 f.). Mühlmanns "Geschichte der
Anthropologie" (1968) beeindruckt durch die fächerübergreifende Breite
des Ansatzes, ist aber wegen der dichten Argumentationsführung dem ausländischen Lerner als einführende Lektüre nicht zu empfehlen. In deutscher
Sprache findet er den leichtesten Zugang zum Fach charakteristischerweise
durch Übersetzungen angelsächsischer Kulturanthropologen (z. B. Brown
1968, Kluckhohn 1951). Und wer des Englischen mächtig ist, kann sich
durch Einlesen in einführende Literatur über Kulturanthropologie (z. B.
Bock 1969 und 1970) und über interkulturelle Kommunikation (z. B.
Brislin u. a. 1975, Condon and Saito 1974, 1976, Condon and Yousef
1975, Hoopes u. a. 1977, 1978a, 1978b, Oliver 1962, Samovar und Porter
1976, Wedge 1965) auf fremdkulturelle Begegnungen ganz allgemein vor-

bereiten. Das wird ihm bei der Beschäftigung mit der Kultur der deutschsprachigen Länder ohne Zweifel zugute kommen. Deshalb findet der Leser in diesem Artikel auch eine Reihe von Hinweisen auf Literatur in englischer Sprache. An Sammelbänden deutscher Herausgeber seien empfohlen: Schmitz (1963), Mühlmann und Müller (1966b), König und Schmalfuss (1972). Hirschbergs "Wörterbuch der Völkerkunde" (1965) sollte bei der Lektüre zur Hand sein.

8 Es ist allerdings eine andere Frage, ob ein neugeborenes Kind z. B. deutscher Eltern von seiner biologischen Mitgift her in jeglicher fremden Gesellschaft die gleichen Chancen hätte wie einheimische Neugeborene, zu überleben und den kulturellen Anforderungen zu entsprechen.

9 Bei der Formulierung dieses Satzes habe ich mich der Darstellung in Gegensatzpaaren bedient. Dahinter steht eine dichotome Denkweise, die in westlichen Ländern eine lange Tradition hat, aber für Angehörige gewisser orientalischer Kulturen durchaus befremdend wirken mag, da sie daran gewohnt sind, auch die nuancenreichen Möglichkeiten zwischen den Extrempolen stärker zu betonen.

10 Ich scheue mich heute, von einem "System" von Regeln zu sprechen, wie ich es früher getan habe. 'System' beinhaltet den Gedanken eines Zusammenhangs aller Teile, einer Kohärenz, die für die Kulturen komplexer Gesellschaften, welche zudem noch in raschem sozialen Wandel begriffen sind, nicht einfach vorausgesetzt werden darf.

11 Es handelt sich hierbei um eine *kognitive* Kulturdefinition, die abstellt auf das implizite und explizite, auf das bewußte und unbewußte Wissen des Gesellschaftsmitgliedes. Das Verhalten liegt auf einer anderen Ebene, die von der des Wissens deutlich zu trennen ist (vgl. Keesing 1979: 16, 27). Es sei in diesem Zusammenhang auch auf die analoge Unterscheidung von Kompetenz und Performanz in der generativen Grammatik verwiesen (Chomsky 1966: 12; Göhring 1967).

12 Diese Formulierung beinhaltet die eigentlich unzulässige Vereinfachung, die Erwartungen an die Rollenspieler seien in sich einheitlich. In Wirklichkeit muß der Rollenspieler bei seinem Handeln Erwartungen berücksichtigen, die vielfältig miteinander im Konflikt liegen. Das gilt besonders stark in Zeiten raschen sozialen Wandels.

13 Diese Unterscheidung scheint mir notwendig, um das soziologistische Mißverständnis zu vermeiden, das Individuum handele ohne Option als Art Marionette, bewegt von den gesellschaftlichen Rollenerwartungen. Soziologismus ist die Übertreibung der soziologischen Perspektive.

14 Wir sind weit davon entfernt, auch nur einen wesentlichen Teil der Regeln angeben zu können, die dem Alltagsverhalten zugrundeliegen. Doch selbst wenn wir alle Regeln formulieren könnten, wäre zweifelhaft, ob ihre didaktische Vermittlung der Königsweg zum Erwerb interkultureller Kommunikationsfähigkeit wäre.

15 Den Hinweis auf dieses Phänomen verdanke ich Hermann Kusterer. Dis-

kussionen mit Hans J. Vermeer haben zur Klärung meiner Gedanken beigetragen, wie überhaupt vieles im vorliegenden Artikel durch den ständigen Gedankenaustausch mit H. J. Vermeer beeinflußt ist.

[16] nach H. Glinz "Die Gesamtheit von Sprachbesitz und Sprach-Verhalten eines gegebenen Individuums" (Heupel 1973: 94 f.). In dieser Definition sind die Bereiche von Kompetenz und Performanz, von Wissen und Verhalten in einem Atemzug genannt. Ich ziehe es vor, den Begriff "Idiokultur" lediglich auf den kognitiven Aspekt der Problemlösungsentwürfe zu beziehen.

[17] Pierre Casse ging bei dem ersten europäischen SIETAR Workshop über "Communication and Negotiation", 18.–20. 4. 1979 in Brüssel von dem Grundsatz aus, jedes Individuum sei eine Kultur, Kommunikation sei daher grundsätzlich interkulturelle Kommunikation und man könne ein Training für Begegnungen mit Angehörigen anderer Nationalkulturen weitgehend mit Material bestreiten, das Unterschiede zwischen Idiokulturen bzw. Gruppenkulturen innerhalb einer Nationalkultur behandele.
Das Individuum sei fähig, seine bei einem solchen Training gewonnenen Einsichten und Fertigkeiten vom intra-nationalen auf den inter-nationalen Bereich zu übertragen.
Ein monokulturelles Kommunikationstraining kann gewiß dazu beitragen, zwischenmenschliches Einfühlungsvermögen zu fördern wie auch die Fähigkeit, Unterschiede zu akzeptieren und gleichzeitig zugrundeliegende Gemeinsamkeiten zu sehen. Ich zweifle jedoch daran, daß es ausreichend auf die zahlreichen "Fettnäpfchensituationen" bei Begegnungen mit Ausländern vorbereitet.

[18] vgl. zu diesem Begriff Arensberg und Niehoff (1971: 223–237); Panoff und Panoff (1968: 165 f.); Bock (1970); Wallace (1970: 203 f.); Oberg (1954, 1972).

[19] "Entwurzelungsdepressionen, Neurosen und psychosomatische Reaktionen stehen bei Deutschen und Gastarbeitern in der Relation von 20,2 % : 36,5 %" (Süttinger 1973: 4652).

[20] Den Hinweis darauf, daß auch bestimmtes Verhalten in gewissen Situationen angezeigt sein kann, verdanke ich Robert Picht.

[21] Über einen bedenkenswerten Versuch mit studentischen Tutoren der Zielkultur hat mir Elijah Lovejoy berichtet (persönliche Mitteilung). Einer Gruppe von 20 amerikanischen Studenten, die zu einem Studienaufenthalt nach Paris gekommen waren, standen von ihrer Ankunft an fünf französische Studenten als Sprach- und Kulturberater zur Verfügung. Eine spätere Untersuchung ergab, daß die Amerikaner mit der Zielsprache und -kultur überdurchschnittlich gut zurechtkamen, über eine ungewöhnlich hohe Zahl von Sozialkontakten verfügten und daß fast alle diese Sozialkontakte auf die Initialkontakte mit den Tutoren zurückzuführen waren.

[22] vgl. die Literaturangaben in Göhring 1975: 85 f.; s. zusätzlich z. B. Barnlund 1974; Clark 1979; Diaz-Guerrero 1975; Farberow 1975; Graf und

Plaizier 1979; Guttentag und Sayeki 1975; Heath 1977; Holtzman u. a. 1975; Reiss 1977; Roe 1977.

In gewissem Umfang wurde der hier gemeinte Ansatz bereits verwirklicht im Fortbildungskurs Deutsch als Fremdsprache "Probleme des Deutschunterrichts für Lernende mit außereuropäischen Ausgangssprachen in heterogenen Gruppen", der 1977 in Freiburg stattfand und über den Helmut Rössler und Klaus Vorderwülbecke (1978: 318–320) berichteten, wie auch in der Fortbildungsveranstaltung des Arbeitskreises Deutsch als Fremdsprache über "Landeskunde der Herkunftsländer und ihre Bedeutung für den Lehr- und Integrationsprozeß" (Königstein i. T., Mai 1979). Für Informationen über die zweite dieser Veranstaltungen danke ich Klaus Vorderwühlbecke.

[23] vgl. Göhring 1975: 86 f.

[24] Aus Unbehagen an dem Termin 'Landeskunde' habe ich seinerzeit eher polemisch-ironisierend den Gegenterminus 'Leutekunde' verwendet (Göhring 1976b).

[25] Alois Wierlacher 1980b: ...

[26] Zum Abschluß noch ein Geständnis: es ist schwer, einfach zu schreiben. Ich habe das ungute Gefühl, auch bei der Lektüre dieses Artikels bleibt dem Deutsch-Lerner das Leiden nicht erspart.

Literaturverzeichnis

Adler, Peter Stephen: Beyond cultural identity: Reflections on cultural and multicultural man. In: Topics in Culture Learning, Vol. 2, 1974: 23–40 [Honolulu, Hawaii: East-West Center, Culture Learning Institute]. Abgedruckt auch in Samovar und Porter 1976: 362–378.

–: The transitional ecxperience: An alternative view of culture shock. in: Journal of Humanistic Psychology 15, 4, 1975: 13–23.

Arensberg, Conrad M., und Niehoff, Arthur H.: Introducing social change: A manual for community development. 2nd edition. Chicago: Aldine, 1971.

Barnlund, Dean C.: The public and private self in Japan and the U. S. Tokyo: The Simul Press, 1974.

Bausinger, Hermann: Zur Problematik des Kulturbegriffs. In: Jahrbuch Deutsch als Fremdsprache 1, 1975: 7–16; jetzt auch im vorliegenden Band, S. 57–69.

Bock, Philip K.: Modern cultural anthropology. New York: Knopf, 1969.

– (ed.): Culture shock: A reader in modern cultural anthropology. New York: Knopf, 1970.

Brislin, Richard W., Bochner, Stephen, and Lonner, Walter J., (ed.): Cross-cultural perspectives on learning. New York: John Wiley & Sons, 1975.

Brown, Ina Corinna: Verstehen fremder Kulturen. Ein Beitrag zur Völker-

kunde ("Understanding other cultures", a. d. Engl. übertragen von Inge
Teichmann). Frankfurt/M.: Umschau-Verlag, 1968.

Chomsky, Noam: Topics in the theory of generative grammar. (Janua
Linguarum, Series Minor, 56). Den Haag: Mouton, 1966.

Clark, Priscilla P.: Literary culture in France and the United States. In:
American Journal of Sociology 84, 5, 1979: 1057–1077.

Condon, John C., and Saito, Mitsuko, (ed.): Intercultural encounters with
Japan. Communication – contact and conflict. Tokyo: The Simul Press, 1974.

–: Communicating across cultures for what? A symposium on humane
responsibility in intercultural communication. Tokyo: The Simul Press,
1976.

Condon, John C. and Yousef, Fathi: An Introduction to intercultural communication. Indianapolis/New York: Bobbs-Merrill, 1975.

Diaz-Guerrero, Rogelio: Psychology of the Mexican culture and personality.
[Kapitel 5: Mexiko, USA]. Austin: University of Texas Press, 1975.

Farberow, Norman L., (ed.): Suicide in different cultures. Baltimore: University Park Press, 1975.

Glenn, Edmund S.: Meaning and behavior; communication and culture. In:
Journal of Communication 16, 1966: 248–272.

Göhring, Heinz: Generative Grammatik und Kulturanthropologie. In:
Anthropos 62, 1967: 802–814.

–: Kontrastive Kulturanalyse und Deutsch als Fremdsprache. In: Jahrbuch
Deutsch als Fremdsprache 1, 1975: 80–92.

–: Interaktionelle 'Leutekunde'. In: Drescher, Horst W., und Scheffzek, Signe,
(ed.): Theorie und Praxis des Übersetzens und Dolmetschens. Bern: Herbert Lang und Frankfurt/M.: Peter Lang, 1976a: 146–158.

–: Interkulturelle Kommunikationsfähigkeit. In: Weber, Horst, (ed.): Landeskunde im Fremdsprachenunterricht. Kultur und Kommunikation als didaktisches Konzept. München: Kösel, 1976b: 181–193, 240–242, 256–260.

Goodenough, Ward H.: Cultural anthropolgy and linguistics. In: Hymes,
Dell, (ed.): Language in culture and society. New York: Harper & Row,
1964: 36–39.

Graf, Richard G., and Plaizier, Paul C.: Interpersonal perception as a func-
tion of help-seeking: A United States-Netherlands contrast. In: Journal
of Cross-Cultural Psychology 10, 1, 1979: 101–110.

Guttentag, Marcia, and Sayeki, Yutaka: A decision-theoretic technique for
the illumination of cultural differences. [Japan, USA]. In: Journal of
Cross-Cultural Psychology 6, 2, 1975: 203–217.

Heath, Douglas H.: Maturity and competense. [USA, Italien, Türkei].
New York: Gardner Press, 1977.

Heiss, Jerold, and Nash, Dennison: The stranger in laboratory culture
revisited. In: Human Organization 26, 1967: 47–51.

Heupel, Carl: Taschenwörterbuch der Linguistik. München: List, 1973.

Hirschberg, Walter, (ed.): Wörterbuch der Völkerkunde. Stuttgart: Kröner, 1965.

Holtzman, Wayne H., Diaz-Guerrero, Rogelio and Swartz, John D.: Personaliy developement in two cultures. A cross-cultural longitudinal study of school children in Mexico and the United States. Austin: University of Texas Press, 1975.

Hoopes, David S., Pedersen, Paul B., and Renwick, George W., (ed.): Overview of intercultural education, training and research. Washington, D. C. 20057: Society for Intercultural Education, Training and Research, Georgetown University [zu beziehen über diese Anschrift].
Vol. 1: Theory. 1977.
Vol. 2: Education and Training. 1978a.
Vol. 3: Special Research Areas. 1978b.

Keesing, Roger M.: Linguistic knowledge and cultural knowledge: some doubts and speculations. In: American Anthropologist 81, 1, 1979: 14–36.

Kluckhohn, Clyde: Spiegel der Menschheit. ("Mirror for Man", Übers. a. d. Amerikanischen). Zürich: Pan-Verlag, 1951.

Kluckhohn, Florence R., and Strodtbeck, Fred L.: Variations in value orientations. Evanston, Ill.: Row, Peterson and Co., 1961.

König, René und Schmalfuss, Axel, (ed.): Kulturanthropologie. Düsseldorf/Wien: Econ, 1972.

Kroeber, Alfred L., and Kluckhohn, Clyde: Culture. A critical review of concepts and definitions. (Papers of the Peabody Museum of Archaeology and Ethnology, Vol. 47, 1). Cambridge: Harvard University, 1952.

Lambert, W. E., Gardener, R. C., Olton, R., and Tunstall, K.: A study of the roles of attitudes and motivation in second language learning. In: Fishman, Joshua, (ed.): Readings in the sociolgy of language. Den Haag: Mouton, 1968: 473–491.

Mühlmann, Wilhelm Emil: Umrisse und Probleme einer Kulturanthropologie. (1966). In: Mühlmann und Müller 1966b: 15–49.

–: Geschichte der Anthropologie. 2. verb. u. erw. Arfl. Frankfurt/M.: Athenäum, 1968.

Mühlmann, Wilhelm E., und Müller, Ernst W.: Einführung. (1966a). In: Mühlman und Müller 1966b: 9–13.

–: (ed.): Kulturanthropologie. Köln/Berlin: Kiepenheuer & Witch, 1966b.

Oberg, Kalervo: Culture shock. Indianapolis: Bobbs-Merrill Reprint Series in the Social Sciences, No. A–329, 1954.

–: Contrasts in field work on three continent. In: Kimball, Solon T., and Watson, James B.: Crossing cultural boundaries. The anthropological experience. San Francisco: Chandler, 1972: 74–86.

Oliver, Robert T.: Culture and communication: The problem of penetrating national and cultural boundaries. Springfield: Charles C. Thomas, 1962.

Panoff, Michel, et Panoff, Françoise: L'Ethnologue et son ombre. Paris: Payot, 1968.

Reiss, Katharina: Textsortenkonventionen. Vergleichende Untersuchung zur Todesanzeige. [Ägypten, Belgien, BRD, Frankreich, Großbritannien, Spanien]. In: Le Language et l'Homme No. 35, Octobre 1977: 46–54 und No 36, Janvier 1978: 60–68.

Roe, Kiki Vlachouli: A study of empathy in young Greek and U. S. children. In: Journal of Cross-Cultural Psychology 8, 4, 1977: 493–502.

Rössler, Helmut, und Vorderwülbecke, Klaus: Fortbildungskurs Deutsch als Fremdsprache in Freiburg. In: Jahrbuch Deutsch als Fremdsprache 4, 1978: 318–320.

Samovar, Larry A., and Porter, Richard E., (ed.): Intercultural communication: A reader. Belmont, Ca.: Wadsworth Publication, 2nd edition, 1976 [Vertrieb über Prentice Hall].

Schmitz, Carl August, (ed.): Kultur. Frankfurt/M.: Akademische Verlagsgesellschaft, 1963.

Süttinger, H.: Erkrankungshäufigkeit der Gastarbeiter. In: Ärztliche Praxis 25, 101, 18. 12. 1973: 4651–4653.

Tylor, Edward B.: Die Culturwissenschaft. In: Schmitz 1963: 33–53 (= Auszug aus: Die Anfänge der Cultur. Leipzig, 1973, dt. Übersetzung von: Primitive culture, London, 1871].

Vermeer, Hans J.: Sprache und Kulturanthropologie. Ein Plädoyer für interdisziplinäre Zusammenarbeit in der Fremdsprachendidaktik. In: Jahrbuch Deutsch als Fremdsprache 4, 1978: 1–21.

Wallace, Anthony F. C.: Culture and personality. 2nd. edition. New York: Random House, 1970.

Wedge, Bryant M.: Visitors to the United States and how they see us. Princeton, New Jersey: Van Nostrand, 1965.

Wierlacher, Alois: Deutsche Literatur als fremdkulturelle Literatur. (1980a). In: Wierlacher 1980c: 147–166.

–: Deutsch als Fremdsprache. Zum Paradigmawechsel internationaler Germanistik. (1980b). In: Wierlacher 1980c: 9–28.

–: (ed.): Fremdsprache Deutsch. Grundlagen und Verfahren der Germanistik als Fremdsprachenphilologie. München (UTB), 2 Bände 1980c.

Götz Großklaus / Alois Wierlacher

Zur kulturpolitischen Situierung fremdsprachlicher Germanistik, insbesondere in Entwicklungsländern

Vorbemerkungen

Die folgenden Überlegungen können aus Raumgründen nur einen kleinen Teil des Fragehorizontes abschreiten, der mit dem gestellten Thema verbunden ist. Vollständigkeit der Aspekte wäre auch, falls überhaupt erreichbar, ein methodisches Ziel, das um so problematischer wird, je schneller die Wissensbestände um die verschiedenen Aspekte anwachsen und bloß quantitativem Denken Vorschuß leisten – wofür 'technokratisch' konzipierte Bildungsprogramme inzwischen reichlich Zeugnis ablegen. Es hat an gutem Willen sicher nicht gefehlt; doch die Problematik, die mit dem Begriff einer kulturwissenschaftlichen und "pädagogischen" Entwicklungshilfe umschrieben werden kann, ist im Gegensatz zur ökonomischen und technischen Entwicklungshilfe noch kaum ins öffentliche Bewußtsein gedrungen.[1] Das gilt auch für das Fach Deutsch.

Die Verfasser waren beide, gefördert vom DAAD, an der Ausformung von Studienprogrammen für dieses Fach beteiligt, der eine in Ägypten, der andere in Indonesien. Die im folgenden vorgetragenen Überlegungen beruhen zum einen auf diesen einschlägigen Erfahrungen; sie gehen zum anderen von drei kultur- und wissenschaftspolitischen sowie wissenschaftsdidaktischen Prinzipien[2] aus:

– Germanistik ist insbesondere in Entwicklungsländern als adressatenorientierte Wissenschaft zu begründen und zu entfalten, die der Selbstfindung des Lernenden dienen kann.

– Germanistik ist insbesondere in Entwicklungsländern dezidiert einzubetten in Fragestellungen einer interkulturellen Kommunikation, die hierarchische Relationsbilder durch die Einsicht in die Eigengesetzlichkeit jeder Kultur ablöst und von der Unterschiedlichkeit gesellschaftlicher und kultureller Ordnungen ausgeht.

– Die Inhalte des Faches sind direkte Funktionen dieser Prinzipien, d. h. pädagogisches und wissenschaftliches Ausbildungsziel ist die Fähigkeit zur Analyse einer fremden Wirklichkeit – wie sie sich in fremdkulturellen Texten objektiviert – und die Fähigkeit, die Ergebnisse dieser Analyse vergleichend in die Bestimmung eigenkultureller Wirklichkeit einzubringen, andererseits werden die Lehrziele nicht zu Ausschlußzielen, es bleiben Spielräume gewahrt.

I.

Die Bundesregierung hält es in ihrer Stellungnahme zu dem Bericht der Enquete-Kommission "Auswärtige Kulturpolitik" mit Recht für wichtig, neue Germanistik-Lehrstühle im Ausland zu errichten und bestehende Lehrstühle zu fördern.[3] Mit Förderung und Aufbau von germanistischen Instituten in sogenannten Entwicklungsländern ist – wohl notwendig – die Beteiligung deutscher Germanisten auf Zeit verbunden. Dies ist dem Text der Stellungnahme zwar nicht wörtlich, so doch sinngemäß zu entnehmen. Die Frage, wo gefördert, wo neu errichtet und wohin – vornehmlich – entsandt werden soll, erörtert die Stellungnahme, verständlicherweise, nicht. Die Richtung aber scheint bestimmt zu sein: Für den Bereich etwa des Nahen und Mittleren Ostens gibt die Stellungnahme nach den allgemeinen (kultur)politischen Voraussetzungen zur Abfassungszeit (1978) einen Hinweis: Schwerpunkte traditionell intensiver kultureller Beziehungen seien hier besonders *Ägypten* und der *Iran* – jedoch vornehmlich getragen durch die Auslandsschulen; die Erweiterung dieser bestehenden Beziehungen auf das Gebiet der Wissenschaften sei anzustreben.[4]

Welche Konsequenzen ergeben sich daraus für die Wissenschaft von der deutschen Literatur? Welche Kriterien gelten, wenn man der Germanistik als fremdkultureller Literaturwissenschaft konkrete Aufgaben im Rahmen der auswärtigen Kulturpolitik zutraut? "Germanistische Lehrstühle an ausländischen Universitäten", – heißt es im Bericht der Enquete-Kommission Auswärtige Kulturpolitik – "wissenschaftliche Einrichtungen und Verbände, die sich qualifiziert der Verbreitung der deutschen Sprache widmen, sollen in Übereinstimmung mit den im jeweiligen Staat geltenden Bestimmungen gefördert werden."[5]

Entsprechend müßte auch folgender Satz gelten: Germanistische Lehrstühle, die sich nur sekundär der Verbreitung der deutschen Sprache, primär aber der Vermittlung von deutsch-sprachiger Literatur widmen, sind nicht in gleichem Maße förderungswürdig. Betroffen wären dann vor allem Lehrstühle in fortgeschrittenen Entwicklungsgesellschaften – wie etwa Ägypten – deren Germanistik-Studenten teilweise mit schon hervorragenden Deutsch-Kenntnissen von den dortigen Auslandsschulen kommen. Wenn der obige Umkehrsatz tatsächlich förderungspraktisches Gewicht erhielte, läge ein Verständnis über Ziel-orientierungen zugrunde, das dringend der Korrektur bedürfte. Es darf nach unseren Erfahrungen nicht die zentrale kulturpolitische Aufgabe von (geförderten) kulturwissenschaftlichen Instituten – zumal in Ländern mit guten infrastrukturellen Voraussetzungen – sein, eine Art höheres Sprachtraining am ungeeigneten Objekt (etwa des poetischen Textes) zu bieten. Der entsandte germanistische Gastprofessor in der Rolle lediglich des 'native speaker' oder 'Deutschlandkundlers' verfehlte seine eigentliche Aufgabe. Der Praxisbezug von Germanistik vor allem in Entwicklungsländern kann sich nicht primär erweisen in der Weitergabe des sprachlichen Instrumentariums, sondern wird sich bewähren müssen in einer interkulturell-vergleichend vorgehenden Bewußtmachung unterschiedlicher Kulturmuster: einer Bewußtmachung, die auf ganz andere Weise 'praktisch' wird für den Studenten der europäischen Fremdkultur als die bloß-instrumentelle Sprachfertigkeit – wenn sie nämlich einen Schritt bedeutet in Richtung auf die kulturelle Selbstfindung.

Das Problem stellt sich nicht zuletzt deshalb, weil die Bundesregierung in ihrer Stellungnahme bzw. in ihrem Konzept von auswärtiger Kulturpolitik nach der Favorisierung sprachferner Kulturarbeit, deren Fragwürdigkeit u. a. am Exempel Thailands konstatiert worden ist[6], nun (1979) zum anderen Extrem tendiert: "Ziel" aller Bemühungen pädagogischer Entwicklungsarbeit "ist es, daß das Interesse und die Freude am Erlernen der deutschen Sprache gefördert, ein aktuelles Deutschlandbild vermittelt wird und durch beides Bindungen an unser Land und seine Kultur entstehen können. Denn das haben wir in der nunmehr fast ein Jahrzehnt dauernden Diskussion über Ziele und Methoden unserer auswärtigen Kulturpolitik gelernt: Auswärtige Kulturpolitik, auch im Schulwesen, ist zu einem erheblichen Teil Spracharbeit und soll dies bleiben."[7]

Es ist sicher realistisch und zu begrüßen, wenn der Spracharbeit eine hohe Bedeutung zugemessen wird; aber es ist ebenso sicher unrealistisch, den Begriff der Sprache dabei so eng zu fassen, daß der Fachbegriff Deutsch als Fremdsprache nun gleich um mehrere seiner Dimensionen amputiert wird. Die auswärtige Kulturpolitik läuft Gefahr, hinter in Gang gekommene Entwicklungen des öffentlichen Bewußtseins in Sachen Deutsch als Fremdsprache zurückzufallen. Wie sonst ist zu erklären, daß weder im Bericht der Enquete-Kommission noch der Stellungnahme der Bundesregierung zu ihr von den beiden Instituten die Rede ist, die seit Jahren Spracharbeit betreiben bzw. sich um die Etablierung eines Faches Deutsch als Fremdsprache bemühen, Mannheims Institut für Deutsche Sprache und Heidelbergs Institut für Deutsch als Fremdsprachenphilologie? Der Bericht der Enquete-Kommission bzw. die Stellungnahme der Bundesregierung müssen sich sagen lassen, entweder schlecht informiert oder aber bedenklich einseitig zu sein. Doch was wesentlich wichtiger ist: Es wird von den ausländischen Kollegen immer wieder auf die Fragwürdigkeit der Separierung der Spracharbeit von den anderen Komponenten des Faches verwiesen.[8] Wenn die Entfaltung eines Konzepts von Förderungsmaßnahmen für den Deutschunterricht im Ausland sinnvoll, d. h. sachgemäß erfolgen soll, dann ist es erforderlich, nach dem (vernünftigen) ersten Schritt der Etablierung einer ständigen Arbeitsgruppe "Deutsch als Fremdsprache" bei den Mittlerorganisationen bzw. in der Kulturabteilung des Auswärtigen Amtes den zweiten, konzeptionell nötigen, Schritt zu tun: die Arbeitsgruppe zu veranlassen, den Begriff Deutsch als Fremdsprache als *Fach*begriff ernst zu nehmen und sich inhaltlich um Förderungsprobleme aller Hauptkomponenten des Faches (Sprache – Literatur – Deutschlandkunde) zu bemühen.

Ein rückständiges Fach- und Wissenschaftsverständnis in der Kulturpolitik könnte dazu führen, die Komponenten des Fachs (Sprache – Literatur – Deutschlandkunde) auf eine Weise voneinander zu trennen, daß sie sich am Ende in der Vermittlungspraxis allesamt neutralisieren und zum eigentlichen Ziel des Deutschstudiums, die Befähigung zu interkultureller Partnerschaft zu erlangen, nicht beitragen können. Das Auswärtige Amt hat – kulturpolitisch richtig – eine Lehrwerkkommission zur Begutachtung von Sprachlehrwerken Deutsch als Fremdsprache eingesetzt. Die Kommission hat bisher zwei Bände vorgelegt[9]; in ihrem zweiten Band kommt sie expressis verbis auf die Literatizität von Lehrwerktexten zu sprechen. Sie betont schon im ersten Band das Desiderat der Leselehre und hat deutlich an die Mehrdisziplinarität des Faches Deutsch als Fremdsprache erinnert. Ohne die auswärtige Kulturpolitik mit Aufgaben überbürden zu wollen, die sie nicht erfüllen kann – wie etwa eine generelle Literaturförderung – wäre doch zu empfehlen, den Ansichten ihrer eigenen Kommission zu folgen und das Fach Deutsch als Fremdsprache zumindest in seinen Hauptteilen (Sprache – Literatur – Landeskunde) zu berücksichtigen.

Zwei weitere Gesichtspunkte sind zu bedenken. Erstens: Der (DAAD-)Lektor an einer wissenschaftlichen Hochschule insbesondere eines sogenannten Entwicklungslandes leistet nicht nur *Sprach*arbeit, sondern immer auch *Text- und Literatur*arbeit sowie Vermittlung von Landeskunde. Für den Lektor wird Sprach*förderung* daher immer auch Förderung des landeskundlichen Wissens und diese wiederum Förderung des literarischen Wissens sein. Somit ruht die praktische Lehrtätigkeit des Lektors immer schon auf der "komplementären Einheit" der drei Fach-Komponenten auf. Zweitens: Es werden die legitimen Bemühungen um ein aktuelles Deutschlandbild nur Erfolg haben, wenn die Imagetraditionen als besondere Ausprägungen gesellschaftlicher Traditionen verstanden werden, und wir uns um die Erkenntnis der konkreten Modi der Bildung und Tradierung von Deutschlandbildern und ihren Ursprüngen bemühen. Die entsprechenden Normfragen sind sprachlich, d. h. textuell vermittelt; ihren institutionellen Rahmen bilden die gesellschaftlichen Einrichtungen resp. die privaten und öffentlichen Bildungsanstalten mit ihren Wertungsmechanismen, so daß es nur dann möglich ist, Wirkungszwänge entsprechender Bilder abzuschwächen oder aufzulösen, wenn die institutionellen Vermittlungsmodi erkannt werden als da sind Lehrpläne, Textauswahlprinzipien, sozioökonomische Zwänge, Förderungsmaßnahmen durch die deutsche Seite (Inter Nationes) etc.[10] Gerade in diesen Aufgabenbereichen wäre die Wissenschaft des Faches Deutsch als Fremdsprache auf die Partizipation der auswärtigen Kulturpolitik angewiesen. Denn durch bloßes Interpretieren und Vergleichen von Texten und Äußerungen über sie läßt sich der tatsächliche Modus von konkreten Konstitutionsbedingungen von Deutschlandbildern nicht hinreichend aufdecken.

Dringend ist also dafür zu plädieren, daß die auswärtige Kulturpolitik über die erkennbaren Ansätze zu einer Neuorientierung hinaus die Bemühung um einen fortgeschrittenen kulturwissenschaftlichen Begriff von Germanistik insbesondere in Entwicklungsländern ernst nimmt. Gerade in Ländern wie Ägypten und Indonesien könnten langfristig diese Chancen komplementärer Praxisbezüglichkeit der kulturwissenschaftlichen Fächer verspielt werden, wenn man den Fachbegriff verengt und Erfolg oder Effizienz bemißt am "output" von Absolventen mit mehr oder weniger instrumentellem Zugang zur deutschen Sprache – zumal als Wissenschafts- oder Technologiesprache.[11]

II.

Ein generelles Konzept der Konturierung des "Deutschen als Fremdsprache" als einer kontrastiven Kulturwissenschaft (in die eine thematisch wie kommunikationswissenschaftlich interessierte Literaturwissenschaft als eine Komponente unter anderen ebenso hineingehörte wie die Deutschlandkunde) stieße – nach unseren Erfahrungen – auf generelle Orientierungsbedürfnisse in den fortgeschrittenen Entwicklungsländern. Denn allem Anschein nach geht die Phase unreflektierter Angleichung an die Standards der Industriegesellschaften in diesen Ländern zu Ende – wie es sich inzwischen am iranischen Beispiel dramatisch zeigt. Wert- und Sinnkonflikte treten ins Alltagsbewußtsein von vielen – wenn nicht sogar der Massen. Die Reflektion der soziokulturellen Folgewirkung setzt ein.[12] Noch ist kaum absehbar, wie sich diese Umschichtungsprozesse – einmal in einem Land in Gang gekommen – zukünftig auswirken werden auf strukturähnliche Länder – z. B. die des arabischen Großraums.

Die (bescheidene) Aufgabe des Kulturwissenschaftlers und Germanisten im Rahmen des kontrastiven Gesamtkonzepts wäre also zu versuchen, sein Wissen einzubringen in einen Orientierungs-Dialog, der die Sinn-Verständigungsweisen von Gesellschaften (u. a. in Texten) thematisiert.

Die Realisations-Voraussetzungen aber für ein kulturwissenschaftliches Gesamtkonzept – wie für dieses Teilkonzept Germanistik – sind nicht eben die günstigsten; im wesentlichen aus vier komplexen Gründen:

1. Technik- und Naturwissenschaften besitzen verständlicherweise in Entwicklungsgesellschaften einen hohen Statuswert: man verspricht sich durch sie den Anschluß an das industriezivilisatorische Welt-Niveau. Entsprechend in den Windschatten gerieten die traditionellen Geisteswissenschaften – zunächst einmal ein Vorgang, wie er sich auch im westeuropäischen Kulturraum abgespielt hat. Im Unterschied aber zu Westeuropa, wo diese Wissenschaften als Kulturwissenschaften im weitesten Sinne mit einer Fülle von Neuansätzen (sozialgeschichtlicher, semiotischer, struktualer, handlungs- und kommunikationsanalytischer Natur u. a.) wieder auf den Plan getreten sind, bewahren sie in den Entwicklungsländern weithin die alten Funktionen als 'Bildungsfächer': nur dies schützt sie nicht selten vor totalem Funktionsverlust.

2. Technik- und Naturwissenschaften verbürgen den Entwicklungsgesellschaften *scheinbar* eine wertneutrale und instrumentelle Aneignung von Technologien. Man möchte sich nicht eingestehen, daß mit jedem technologischen Adaptionsschritt die alten Sinn- und Wertorientierungen der eigenen Gesellschaft an sozialer Bindekraft einbüßen. Uns scheint, daß in diesen begreiflichen sozialen Ängsten auch die (unbewußte) Reserve gegenüber den modernen bewußtseins- und gesell-

schaftsreflektierenden Disziplinen wurzelt. Der Frage, inwieweit es bei einem vielfach für kulturell neutral gehaltenen Transfer von Technologien der Industrieländer in die Entwicklungsländer auch zu einer Übertragung von Wertvorstellungen kommt mit der möglichen Konsequenz einer Nivellierung von Kulturen geht Heft 1 der Zeitschrift für Kulturaustausch 1975 nach. Die Beiträge formulieren zum Teil außerordentlich bedenkenswerte Feststellungen: aus der Sicht der Anthropologie etwa wird befürchtet, daß die Abhängigkeits- und Machtverhältnisse zwischen Industrie- und Entwicklungsländern "eine viel tiefer greifende Abhängigkeit der Länder der 'Dritten Welt' als je zuvor in ihrer Geschichte" geschaffen haben[13]. Eine Germanistik z. B., die sich dieser kritischen Zone der überall aufbrechenden Wert- und Sinnkonflikte nähert, scheint an vielen Departments (auch der Industrieländer) immer noch unerwünscht: es soll einer Minderheit das unbedrohliche, das ästhetische und philosophische, das schöne Deutschland vorgeführt werden. Bezüge zur eigenen Gegenwart gehören nicht ins Fach. Die Sprachbücher Deutsch als Fremdsprache rücken erst in einigen Neubearbeitungen von dieser Abstinenz ab[14]. Es herrscht 'Bildung' – wie man es bei den Europäern schließlich immer gesehen hat.

3. Geistes- und Kulturwissenschaften sind, entsprechend den Einschätzungen der Relevanz von Technik, in den eingangs erwähnten Förderungs- und Vermittlungsprogrammen generell unterrepräsentiert. Die Prioritäten waren/sind eindeutig. Die Globallinie des Auswärtigen Amtes skizziert W. P. Enders 1973 noch folgendermaßen: Zwar sei es "Aufgabe des Staates [...] die bereits auf vielen Ebenen bestehenden Kontakte und Verbindungen *aller* Disziplinen der Wissenschaft wirkungsvoll zu fördern". Doch gebe es "ein originäres staatliches Interesse, den wissenschaftlichen Fortschritt im Ausland *vorzugsweise* auf den Gebieten der *Naturwissenschaften* und *Technik* unter Einschluß medizinischer und biologischer Fragen" zu fördern[15].

4. Es sieht so aus, als hätte die zu Recht begrüßte Formel vom 'erweiterten Kulturbegriff'[16] den eigentlichen Kulturwissenschaften 'kulturpolitisch' wenig oder nichts eingetragen. Besonders die Disziplinen gerieten ins Hintertreffen, die – wie etwa die Literaturwissenschaft – in der Tat jahrzehntelang mit einem elitär-verengten Kulturbegriff hantiert haben. Dahrendorf hatte 1970 formuliert, kultureller Austausch habe sich "unter Zugrundelegung eines *erweiterten*, über den traditionellen, mehr *schöngeistigen* Begriff von Kultur hinausgehenden, *gesellschaftlich* orientierten Kulturbegriffs"[17] zu vollziehen. Dieser Leitsatz leistete eine 'Übersetzung': die Erweiterung des Kulturbe-

griffs – wie er sich gerade für die traditionellen Geistes- und Sozialwissenschaften ereignet hatte – erhält in dieser Übersetzung ihre praktische und programmatische Relevanz im kulturpolitischen Planungs-
bereich. Die Planer jedoch erfaßten – wie es scheint – gerade den
Transfer-Charakter des Leitsatzes nicht oder ungenügend, so daß die
Hintergrundsveränderungen der Geisteswissenschaft unbeachtet blieben. Die Folge war, daß man vielfach zur Flurbereinigung schritt: den
Dahrendorfschen Leitsatz mißverstehend begann man, sich kulturpolitisch vom sogenannten 'schöngeistigen Feld' überhaupt zu lösen. Manche selbsternannten 'Pragmatiker' blieben – ohne daß ihnen das wohl
bewußt wurde – dem alten, zweistufigen Schema verhaftet: die frag-
würdige Vorstellung einer Trennung von 'schöngeistiger', 'immateriel-
ler', 'ideeller' Kultur und 'zivilisatorischer', 'materieller', 'praktischer'
Kultur wurde als alter Hut weiter mitgeschleppt, gerade indem man
den traditionellen Geisteswissenschaften wieder die ästhetische, reali-
tätsferne Nische anwies, aus der heraus sie Künder des Schönen, Guten
und Wahren zu bleiben hatten. Nur die Rollenbewertung im Zwei-
Kulturen-Schema hatte sich verändert. Zumindest im harten entwick-
lungspolitischen Geschäft mußte man es somit als erwiesen erachten,
daß mit derartiger Kulturpolitik kein Staat zu machen war[18]. Natürlich nicht. Aber die Zwei-Kulturen-Perspektive der neuen Planer war
nichts weniger als 'progressiv': Dahrendorf hatte 1970 einen modernen, die Gesamtheit der Lebensformen, Wertvorstellungen und Sym-
bolisationen in einer Gesellschaft umfassenden Kulturbegriff vorgeschlagen; offenbar erreichte die Planer dieser Begriff nicht. Die Verständigung zwischen den Konzept-Denkern, die wissenschaftliche Erkenntnisse 'übersetzten', und den Planern und Entscheidern mißlingt.
Folge: die neue Funktion und Chance der nun selbst auf dem Boden
des umfassenden Kulturkonzepts[19] stehenden 'neuen' Kulturwissenschaften kommt gar nicht erst in den Blick. Die praktischen Konsequenzen für "die literarische Kultur"[20] (auch für die Literaturwissenschaft) werden in einem der Auswärtigen Kulturpolitik gewidmeten
Heft von 'Sprache im technischen Zeitalter' folgendermaßen skizziert:
   "In der Außenkultur-Debatte der letzten Jahre war der Tenor vernehmbar: weg von der Literatur, weg vom Elitär-Literarischen, weg
von den Überbau-Veranstaltungen für ein elitäres Bildungspublikum,
hin zur berufsnahen, gesellschaftlichen, aktuellen Diskussion. Eine Besinnung zum Handfesten tat not. Sie geriet aber nicht selten aus dem
einen Extrem: Geistes-Kultur mit elitärem Heiligenschein in das andere Extrem: wegfunktionalisieren von Einfall, Phantasie, Sensibilität in

schematische soziologistische Planungs-Scholastik, die weit entfernt ist
von aufklärerischer Wirksamkeit." Und die Ursache dieser Entwicklung wird auch gesehen: "Die Parolen: 'Laßt die Beschäftigung mit
der Literatur, wendet euch stattdessen handfesten Aufgaben zu!' ent-
larvten sich in der Praxis sehr schnell als irrelevant: Sie verwechselten
eine Auffassung von Literatur mit der Literatur schlechthin."[21]
    Man hat das Kind mit den Bade ausgeschüttet. – Die restriktive
Planungs-Botschaft mit dem angeführten verengten Sprachbegriff der
Kulturpolitiker in Bundestag und Bundesregierung aber scheint erst
jetzt so richtig in alle Weltecken zu den Kultur-Außenposten vorge-
drungen zu sein. Wir fürchten, daß Jahre vergehen, bis sich Revisionen
und Korrekturen der einmal rezipierten Planungs-Botschaft durchsetzen können, wenn nicht rasch die nötige Begriffserweiterung erfolgt.
    In einem Konzept kontrastiver Kulturwissenschaften ist für das Teil-
fach Literaturwissenschaft ein 'erweiterter' Begriff von Wissenschaft
und ein 'erweiterter' Literaturbegriff vorauszusetzen. Erst mit diesen
'Erweiterungen' wird ein relevantes, allgemein-kulturwissenschaftli-
ches Niveau erreicht: von hier aus wachsen der Germanistik entwicklungspolitische Funktionen zu – oder überhaupt nicht. Wir kommen
auf diesen Aspekt noch zurück.
    Im folgenden sollen einige Leitvorstellungen skizziert werden, die
geeignet sind einer Literaturwissenschaft den Weg zu bahnen, deren
praktische Reflexion kultureller Sinn- und Wertmuster einen interkulturellen Dialog eröffnen könnte. Ohne Überlegungen zu einer Reform der Studienpläne bliebe unser Beitrag ein Plädoyer im luftleeren
Raum.
    Es scheint typisch auch für Studienpläne (geisteswissenschaftlicher
Fächer) an Universitäten in Entwicklungsländern, daß sie 'überladen'
waren/sind.[22] In dem vierjährigen Studiengang: 'Deutsche Literaturwissenschaft' der Universität Kairo z. B. ist der Marsch durch alle
Epochen der deutschen Literaturgeschichte: vom Mittelalter bis zur
Moderne obligatorisch: parallel natürlich: Einführungen ins Mittel-
hochdeutsche – in die deutsche Sprache/Sprachgeschichte – in die Literaturwissenschaft – und Darstellung der Gattungen. Ein alt-positivi-
stisches Faktenverständnis sowie die Imitation deutscher Studiengänge,
aber auch das Defizit formulierter Lehr- und Lernziele verhindern die
exemplarische Auswahl; Vergleichssetzungen, Rekurs auf die Ausgangskultur fehlen völlig.
    Im wesentlichen sind nach unserer Erfahrung folgende Sekundär-
Defizite zu verzeichnen: ein Lehrziel-Defizit, ein Kanon-Defizit infolge

der Vermittlungsbeschränkung auf den traditionell (hoch)literarischen/
poetischen Text – ein Methoden- und Theorie-Defizit und ein Kon-
text-Defizit. Das Primär-Defizit aber ist die fehlende Einsicht sowohl
in die fremdsprachenphilologische Qualität des Studiums als auch in
die generelle Beziehbarkeit fremdkultureller 'Muster' auf vertraute
eigenkulturelle 'Strukturen'. Noch die vernünftigen Ansätze des Plans
für eine Reform des Deutschstudiums in Indonesien Ende der sechziger
Jahre[23] lassen die fatalen vorbildlich-deutschen Curricula mit ihrer
chronologischen Abfolge als Denkprinzip erkennen, die sich aus diesem
Korsett einfach nicht befreien können und hermeneutische Grundlagen
eines (Text-) und Landesstudiums unbedacht lassen.

Es könnte nun so aussehen, als ob unsere Bestimmung der sekundären
Defizite schlicht aus dem Vergleich hervorgeht mit literaturwissenschaftlichen Studienplänen, wie man sie von deutschen Universitäten
kennt. Und es könnte weiter so aussehen, als ginge es in einem zweiten
Schritt nur darum, dem Department des Gastlandes den 'Idealplan'
zu verpassen, den man in der Aktentasche aus Deutschland mitgebracht
hat. Genau dies aber galt es zu vermeiden. Denn die Defizite reflektieren im wesentlichen gerade die generelle *Unbeziehbarkeit* der vermittelten 'Inhalte' für den Studenten aus einem anderen Kulturkreis
– vor allem aus einer Gesellschaft, die das, was wir 'Entwicklung'
nennen, zu erkaufen scheint mit sozialer und kultureller Desintegration
aller gewachsenen Strukturen. Unbeziehbarkeiten aber ergeben sich aus
der "nicht-reziproken, undialogischen"[24] Vermittlung von Stoffwissen
über 'ästhetische' Teilbereiche einer Fremdkultur. Die Inhaltsselektion
ist infolgedessen die dringlichste Frage aller curricularen Arbeit im
Fach Deutsch der Entwicklungsländer. *Beziehbarkeiten* herzustellen,
hieße *exemplarisch* die Möglichkeiten eines interkulturellen Dialogs zu
eröffnen. Unbeziehbares formales Bildungs-Wissen weiterhin zu 'produzieren', ist angesichts der unerhörten Schwierigkeiten auch noch der fortgeschrittenen Entwicklungsgesellschaften, gerade auf dem Felde symbolischer Sinn-Verständigung zu soziokultureller Identität zu gelangen,
nicht mehr vertretbar. Uns scheint, daß für den historischen Augenblick
jede 'monologische', jede 'one-way'-Präsentation fremdkultureller
Sinn- und Wertobjektivation sich desorientierend auswirken wird. Gerade der alltäglich eindimensional einströmende, triviale 'Sinn-Im-
port' – in Form etwa amerikanischer Familienserien (Lieber Onkel Bill
u. a.) – liefert schon genügend 'akkulturative' Verunsicherung. Nur
durch 'Dialogisierung' – auch eben im Bereich wissenschaftlicher Auseinandersetzung mit der Fremdkultur – kann hier gegengesteuert wer-

den: Dialogisierung sollte am Ende den methodisch kontrollierten Reflexions-Transfer ermöglichen: je genauer die jeweils historische Leistung von 'symbolischer' Kommunikation in der Fremdkultur bestimmt wird, um so größer die Chance, die entsprechende Funktion und Leistung der Symbolsysteme im Kontext der Eigenkultur zu sehen und abzuschätzen: die Einsicht in die Ökonomie symbolischer Systeme überhaupt kann die alltäglichen Erfahrungen von Sinn-Brüchen auf ein Verarbeitungsniveau heben, von dem aus Lösungen des 'symbolischen Problems' für diese Gesellschaften ins Auge gefaßt werden müßten. *Beziehbarkeiten* in der Vermittlung von Inhalten der Fremdkultur ergeben sich somit, wenn über eine dritte allgemeine Bezugsebene (symbolische Kommunikation) *aktuelle* oder *historische* Positionen der Eigenkultur anschließbar werden. Diese Anschließbarkeiten zu gewährleisten, wäre die Aufgabe einer *kontrastiven* Vermittlungsmethode. Sie ist gegliedert in die drei Schritte: 1. Auswahl und Analyse von Inhalten der Fremdkultur; 2. Parallelisierung und Kontrastierung von Inhalten der Eigenkultur; 3. Beziehung beider auf die Frage nach der Funktion von Texten und der historischen Leistung symbolischer Kommunikation als Sinn- und Selbstverständigung. Auf diese Weise ließe sich jene Verbindung von Empirie, Relevanz *und* Abstraktion erreichen, ohne die ein 'sinn'volles Studium undenkbar scheint.

Damit wären gewisse Leitvorstellungen formuliert, an denen sich die Neuordnung eines kulturwissenschaftlichen: hier eines germanistischen Studienganges in einem Entwicklungsland orientieren könnte; für den Abbau der Defizite (Kanon, Methode, Theorie, Kontext) wären erste Zielgesichtspunkte gewonnen. Hierzu im einzelnen: Für den 'Kanon' der in einem vierjährigen Studiengang zu vermittelnden 'Texte' hieße das beispielsweise für das 19. und 20. Jahrhundert: die Einbeziehung derjenigen Literatur, die an der Veröffentlichung von Sinn-, Wert-, Wunsch-, und Fluchtvorstellungen für ein neues Massenpublikum beteiligt sind. (Es sei angemerkt, daß in den großen Kaufhäusern auch Jakartas das Angebot von Karl May in Übersetzung bis zur aktuellen Illustrierten reicht). Gerade dieser thematische Bereich der Massenbotschaft ließe sich *kontrastiv* dergestalt erarbeiten, daß z. B. die Bestimmung soziokultureller Faktoren der Massenkommunikation in Westeuropa von Punkt zu Punkt verknüpft ist mit Parallel-Bestimmungen für den Kontext einer sogenannten Entwicklungsgesellschaft. Zu denken wäre an Seminartypen, die grundsätzlich die Zusammenarbeit des jeweils deutschen mit dem ausländischen Germanisten am Department voraussetzen. Einen Reflexions-Transfer auf diesem thematischen Feld der Massenkommunikation (TV, Rundfunk, Film) zu bewirken, scheint dringend geboten. Die naive, wahllose Rezeption unterschiedlichster Botschaften mit z. T. unsinnigsten Sinn- und Wertzumutungen für Adressaten in diesen Ländern vergrößert (unbewußt) die Orientierungsnot. Die Reflexion müßte auf die Erfassung der eigenen 'symbolischen Bedürfnisse' zielen.

Was für den Spezialfall der globalen Massenbotschaft gesagt wurde, ist verallgemeinerbar. Die Ergiebigkeit eines reflektiven Transfers kann überhaupt als eines der Kriterien gelten, nach dem sich der Entwurf eines Kanons – im Sinne der angestrebten kontrastiven Vermittlung – wird richten müssen. So entsprechen beispielsweise auch alle diejenigen Texte diesem Kriterium (und sind somit für die Kanonbildung interessant), die thematisch im engeren Sinne den reflektiven Anschluß gewährleisten. Zu denken wäre an Texte, die den Veränderungen des gesellschaftlichen und privaten Lebens in der Folge der großen industriellen und technologischen 'Revolutionen' in Deutschland seit ca. 1800 nachgehen. Sie sind insbesondere im neuen Studienplan Indonesiens vorgesehen.

Ohne *Theorie* und *Methode* der modernen Kulturwissenschaften allerdings ist die besprochene Kanonerweiterung in einem wissenschaftlichen Studiengang nicht vertretbar; erst die Erarbeitung der wichtigsten Aspekte der Theorie der Zeichen, der Sprache, der Kultur und Kommunikation etc., und erst der pädagogisch geschickte Überblick über methodische Instrumentarien (thematische, semiotische, liguistische, sozial- und geschichtswissenschaftliche Verfahren) gibt dem Studenten der Germanistik im Entwicklungsland die Chance, jene dritte allgemeine Bezugsebene zu erreichen: und erst von hier aus werden ihm *die* Strukturvergleiche möglich, die ihn zu Einblicken in den *gegenwärtigen* soziokulturellen Haushalt seiner Gesellschaft befähigen – was praktisch zur Bestimmung der *eigenen* 'symbolischen Bedürfnisse' führen kann. Wird diese dritte Bezugsebene nicht erreicht, bleibt es bei der beziehungslosen Anhäufung von Wissen aus Teilbereichen der Fremdkultur. In seinen Studienmotivationen (für die häufig der Wunsch nach einem 'Studium' im Ausland bestimmend ist)[25] wird der Durchschnittsstudent der Germanistik vielfach durch eine 'Formalbildung' bestärkt, die ihn nirgends zurückführt auf die Probleme seines Landes, die ihn im Gegenteil von der Problemnot entlastet und befreit. Es wäre also von der auswärtigen Kulturpolitik nur *die* Germanistik insonderheit in Entwicklungsgesellschaften, zu fördern, für die im Curriculum der Leitsatz 'interkultureller Rückbezüglichkeit' auftaucht. Nur eine solche Germanistik wäre auch als historische Textwissenschaft imstande, den Dialog über die Rolle der Literatur und der symbolischen Kommunikation überhaupt in den Gesellschaften vor allem der Dritten Welt zu eröffnen und so zur Selbstverständigung der Lernenden beizutragen. Eine kontrastive Literaturwissenschaft in Entwicklungsländern muß sich daher zunächst einmal als Literaturunterricht realisieren, die den Lernenden als einen lernenden Leser und einen lesenden Lerner ernst nimmt bei seinem Bemühen um Erkenntnisse fremdkultureller Objektivationen. Lesetheoretische (legetische) Anstrengungen des Studiums werden daher zu den wichtigsten Aufgaben gehören, weil sie bewußt machen können, daß der Rekurs auf die eigenen Wertvorstellungen und Verhaltensmuster als Ausgangsbasis der analytischen Bemühungen diese nicht auflöst, zerstört, infrage stellt sondern differenzierend bekräftigt. Auch die in vielen Entwicklungsländern weit verbreitete Aura der Schriftlichkeit – was gedruckt worden ist, muß doch wertvoll sein – gehört zu den vorgängigen Mechanismen der Lesesteuerung, an die der Lehrende anknüpfen muß, wenn er den traditionell autoritätsorientierten Lernprozeß erweitern will, ohne den Studenten in ein lebenspraktisches Vakuum zu führen.

Die Selbstverständigung des Lernenden wird darum nur erreicht werden können, wenn – außer den sozioökonomischen Voraussetzungen eines Studiums überhaupt, die natürlich eine der großen Barrieren bilden, deren wir uns bewußt bleiben, die aber hier nicht zu thematisieren sind – zwei texttheoretische Bedingungen erfüllt werden:

– wenn die fremdkulturelle Literaturwissenschaft sich entsprechend zu einer "Selbstverständigungswissenschaft" erweitert, die in Kooperation mit der linguistischen und landeskundlichen Komponente des Faches Deutsch auch die nichtverbalen Kommunikationsfaktoren inner- und interkultureller Art in ihre Analyse einbezieht, zu denen Umgangsformen und vorgängige Konzepte kulturmodifikabler Art (Zeit, Arbeit, Geld, Distanz etc.) ebenso gehören wie kulturdifferente para-linguistische Elemente (Zustimmungsweisen, Gestik überhaupt etc.)

– wenn der fremdkulturelle (literarische) Text auch als "Kommunikat"[26] betrachtet wird, der in jeweils historische Kommunikationsverhältnisse eingebettet ist. Die empirisch-literaturwissenschaftliche Betrachtungsweise ermöglicht, "kulturdifferente" Strukturen des literarischen Marktes: der Distribution, der literarischen Produktion und Rezeption sichtbar zu machen.

Relevante Beziehbarkeiten lassen sich somit nur garantieren, wenn den *Kontexten* der fremdkulturellen Texte genügend Aufmerksamkeit geschenkt wird: Es muß zunächst darum gehen, für den zu vermittelnden Text der Fremdkultur möglichst genau seine historisch-soziale, sprachlich kommunikative Einbettung nachzuweisen.[27] Erst wenn diese Verflechtungen der Einzeläußerung mit kollektiven Strukturen der Fremdkultur genügend deutlich sind, taugt das gewonnene Situierungsbild zum interkulturellen Vergleich. Gerade aber mit der Einübung in die *Kontexte* hapert es an den German Departments.

Einerseits fehlen landeskundliche, begleitende Kurse, die allgemein (textunspezifisch) sowohl in die deutsche und europäische Geschichte – als auch spezieller in die Sozialgeschichte der Kunst und Literatur einführen. Ohne ein bestimmtes Grundwissen auf diesen Feldern ist jede Kontextuierungsbemühung für den Einzeltext zum Scheitern verurteilt. Das Normwissen eines deutschen Abiturienten über die 'Eigenkultur' (wie immer das aussehen mag) muß z. B. der ägyptische und indonesische Germanistik-Student als Wissen über die 'Fremdkultur' im Verlauf seines Studiums erst mühsam erwerben.

Andererseits gilt es, die speziellen (textspezifischen) 'Feld-Unsicherheiten' abzubauen, die immer dann auftreten, wenn die Text-Interpretation auf die Erfassung zweiter und dritter *konnotativer* Signifikations-Systeme angewiesen ist. Beispiel: In einer Kurzgeschichte Bichsels spielt das Wort: 'Schnee' eine besondere Rolle. Die sogenannte denotative Bedeutung dieses Wortes zu verstehen, macht natürlich auch demjenigen nichteuropäischen Studenten keine sonderliche Mühe, der 'Schnee' tatsächlich noch nicht gesehen hat. Aber mit dieser ersten 'lexikalischen' Bedeutung von Schnee ist Bichsels Geschichten-Sinn nicht zu fassen. Erst die Rekonstruktion des konnotativen Anschlußfeldes liefert zweite und dritte 'Bedeutungen', über die uns die Sinn-Findung möglich wird. Konnotative Felder aber bewahren die jeweils *kulturspezifischen* semantischen Zuordnungen. Der Student als Rezipient aus einem außer-europäischen Kulturkreis aktiviert auf Anhieb andere konnotative Anschlüsse zu 'Schnee' – und verfehlt das 'europäische' Feld und weiter in diesem die Bichselsche Aktualisierung. Wenn aber die Prozesse des Verstehens als der Sinn- und Werterfassung – zumindest bei poetischen Texten – nicht zuletzt über die konnotativen Felder ablaufen, muß ein weit häufigeres Verfehlen des Sinnes beim Studenten angenommen werden als man sich zugeben möchte.

Hier liegt jedoch auch die Chance, gerade die Kulturunterschiedlichkeit konnotativer Systeme zu thematisieren. An der Abweichung wird das *eigene* kulturelle Muster erst bewußt. Auf diese Weise könnte sich die Fruchtbarkeit der Leit-Postulate: Dialogisierung – Kontrastivität – Reflexions-Transfer auch im Feinbereich des Verstehens von Worten – Sätzen – Texten erweisen.

Diese Defizite in der Erfassung sprachlich-semantischer Paradigmen ließen sich optimal ausgleichen, wenn jede Interpretation von Texten sich systematisch und textbezogen mit den denotativen und konnotativen Repertoires auseinandersetzte – um dem Leser eines fremdsprachlichen Textes den Zugang zum 'wortwörtlich' nicht greifbaren konnotativen 'Feld' zu ermöglichen: über sein konnotatives 'Feld' aber ist der Text dem jeweils historischen kulturellen 'Feld' zugeordnet: Ein derartig zunächst *textbezogener* Erwerb von 'konnotativer Kompetenz' – soweit er überhaupt möglich wird für den Studenten der Fremdkultur – wäre dann Voraussetzung für die Sinneserfassung – damit natürlich auch für jede 'Übersetzungsleistung'. Zu denken wäre dann auch an selbständige Kurse, die sich – wie oben angedeutet – der Kulturunterschiedlichkeit der konnotativen Systeme widmeten.

III.

Die skizzierten Leitvorstellungen eines germanistischen Studiengangs versuchten zu zeigen, welchen Grad von 'Praxisbezüglichkeit' germanistische Literaturwissenschaft im Rahmen eines Konzepts kontrastiver Kulturwissenschaft erreichen könnte; der hier vorausgesetzte Praxisbegriff ist allerdings nicht identisch mit der verkürzten Vorstellung von 'kultureller Praxis', wie sie ablesbar wird aus den kulturpolitischen Zielbeschreibungen für Germanistik (qualifizierte Verbreitung der deutschen Sprache und Deutschlandkunde). 'Praktisch' im eigentlichen Sinn kann Germanistik im Entwicklungsland erst werden, wenn über die Thematisierung eines umfassenden Begriffs von symbolisch-kommunikativer Praxis für den Studenten dieser Länder eine Reflexion in Gang kommt, die ihn seine eigenen symbolisch-praktischen Bedürfnisse erkennen läßt. Mit dieser Forderung wird nicht 'neuidealistisch' einer Lösung aller Probleme 'rein' aus dem Kopf, dem Bewußtsein, vom 'Überbau' her das Wort geredet. Nur soll davon ausgegangen werden, daß es neben den enormen materiellen Bedürfnissen in Entwicklungsgesellschaften symbolische Bedürfnisse gibt – Bedürfnisse nach Sinnverständigung – und weiter, daß für dieses 'symbolische' Feld die Kulturwissenschaften zuständig sind. Sinnvoll kann ein Konzept nur sein, wenn es 'Hilfe zur Selbsthilfe' in Entwicklungsländern als *kom-*

plementäres Angebot begreift, das von den Kulturwissenschaften auf
der einen – und den Technik- und Naturwissenschaften auf der anderen Seite bestritten wird.

Wenn sich die Einsicht durchzusetzen scheint, daß sich die Prozesse
der Industrialisierung und Technologisierung in der sogenannten Dritten Welt nicht notwendig nach dem Modell unserer Industriegesellschaften zu vollziehen brauchen, dann wäre es für die Entwicklungsgesellschaften um so dringlicher, kreative Mitarbeiter gerade für die
kommunikativen Schaltstellen (Fernsehen, Rundfunk, Zeitungen, Schulen, Universität) auszubilden. Die Besinnung auf die eigenen Bedürfnisse sollte die übrige Reform der traditionell geisteswissenschaftlichen
Studiengänge an Universitäten der Entwicklungsländer dazu nutzen,
das Studium auch für andere Gruppen als die in traditionellem Sinn
philologisch interessierten wieder attraktiv zu machen und vor allem:
den Begriff des Nutzens nicht auf den des sofortigen, unmittelbaren
Erfolgs (Profits) zu verkürzen. Erst auf mittelfristige Sicht läßt sich ja
auch der Status im Hinblick auf die Berufschancen z. B. im Medien-
und Ausbildungsbereich heben, lassen sich die Abschlüsse deutlicher auf
Berufsbilder hin orientieren. Die Einsetzung aber reformierter Studiengänge ist ausschließlich Sache der Universitäten und Ministerien der
betreffenden Länder.

Wenn ein Studiengang nach den erläuterten Prämissen eingerichtet
und verändert werden soll, setzt das voraus, daß ein interkulturelles
Gremium Absicht und Prämissen billigt und die Aufgabe übernimmt,
einen brauchbaren Reformentwurf zu erarbeiten.

Diesem Reformvorhaben kann nach unserer Erfahrung nur dann
Erfolg beschieden sein, wenn 1. die besondere "innovative" kulturwissenschaftliche Zielsetzung der Auslandsgermanistik in jedem Schritt
positiv abgedeckt ist durch die allgemeinen und globalen Zielvorstel-
lungen des betreffenden Landes einerseits und der auswärtigen Kulturpolitik der BRD andererseits. Partnerschaft im bildungs*politischen* Bereich ist unerläßliche Voraussetzung; wenn 2. die Reformarbeit an ört-
liche Vorstellungen anknüpft und von der eventuell vorhandenen Do-
zentenschaft des Faches Deutsche Literaturwissenschaft mitgetragen
wird: eine Reform muß sich in ihren Vorteilen für *alle* deutlich machen;
3. wenn dementsprechend auf jede Form kultureller Arroganz Verzicht
geleistet wird; 4. wenn der entsandte (eingeladene) deutsche Gesprächspartner über curriculare Kompetenz (möglichst im Fach Deutsch als
Fremdsprache) verfügt; 5. wenn das Curriculum Ernst macht mit den
erläuterten Prinzipien einer Wissenschaft, die die fremde Kultur um

ihrer (historischen) Exemplarität willen studiert, so daß das Studium die Selbstverständigungsprozesse des Lernenden zu fördern in der Lage ist. Damit wäre auch das grundlegende Auswahlkriterium der Inhalte (Texte) einer fremdkulturellen Literaturwissenschaft benannt.

IV.

Daß es möglich ist, ein solches Konzept zu erarbeiten und zu verabschieden, zeigt die Entwicklung in Indonesien (Jakarta). Hier wurden die Neuorientierungen vorgenommen

– auf Initiative indonesischer Planungsgremien (Erziehungsministerium, Fakultät);
– mit Unterstützung der auswärtigen Kulturpolitik der Bundesrepublik, resp. des DAAD;
– unter Beteiligung der Dozenten des gegenwärtigen Departments in Jakarta und Bandung im Rahmen von zwei mehrwöchigen bzw. mehrtägigen Planungsseminaren (1975/1978);
– unter Zugrundelegung der vorstehenden Leitprinzipien, womit vom Klischee curricularer Lehrplanung abgerückt wurde.

Ein Bericht über das neue Studienprogramm – es tritt zum 1. 7. 79 in Kraft – ist im *Jahrbuch Deutsch als Fremdsprache 5*, 1979 erschienen. Wir teilen hier den Abschnitt über die Grundsätze des vorgesehenen Studiums mit[28]. Es versteht sich, daß die Realisationspraxis Modifizierungen dieser Grundsätze nötig machen kann.

1. Das Studium des Deutschen soll nicht mehr dem Modell einer international invarianten Germanistik folgen, sondern nach den Prinzipien einer fremdsprachenphilologisch organisierten, vergleichenden Kulturwissenschaft aufgebaut werden. Es geht um eine soziale, i. e. adressatenorientierte Wissenschaft, die ihren Gegenstand, die fremde Kultur, insbesondere als Modell für den Aufbau Indonesiens zu einer modernen Industriegesellschaft begreifen und studieren will. Aspekte einer Literatur- und Sprachvermittlung und einer Deutschlandkunde sind Funktionen dieser Zielsetzung. In Erweiterung des angelsächsischen Konzeptbegriffs der "German studies" wird dieses Studium "German cultural studies" genannt. Wir gehen also von einer entschiedenen Höherschätzung der Relevanz der Inhalte eines Studiums in einem sogenannten Entwicklungsland aus, als es bisher in der Fremdsprachendidaktik

üblich gewesen ist. Wir sind uns bewußt, daß die Lernschritte dabei immer auch Funktionen der Lernweisen zu sein haben, die mit der Sekundärsozialisation erworben werden (müssen).

2. Die "German cultural studies" sollen so konzipiert sein, daß sie im Hinblick auf die Zielsetzung zwei Hauptgegenstandsbereiche umfassen können:

a) Die Grundlagen des modernen Deutschlands im Übergang von einer agrarisch-feudalen in eine moderne Industriegesellschaft; in diesem Bereich wird insbesondere der Prozeß der Industrialisierung Deutschlands im neunzehnten Jahrhundert Gegenstand der Studien sein müssen.

b) Die Dynamik der gesellschaftlichen Entwicklung Deutschlands seit 1945, wobei neben der Bundesrepublik Deutschland auch die DDR zu berücksichtigen ist; ferner ist Deutschland nicht isoliert zu betrachten, sondern im europäischen und internationalen Zusammenhang.

Das Studium soll der Ausbildung von Sarjana-Absolventen von "German cultural studies" dienen, die in den verschiedenen Institutionen des Erziehungswesens, in der Administration, Lehre und Forschung mitarbeiten können.

Der Studiengang bildet ein integriertes Ganzes aus den Teilbereichen Sprache, Literatur und "Regionalstudien" (Geschichte und Gesellschaft Deutschlands im europäischen Kontext.). Der letzte Teilbereich soll auch von Studenten anderer Abteilungen der Fakultät belegt werden können.

Das Sarjana-Programm wird in den achtziger Jahren um ein Post-Sarjana (= Magister)-Programm ergänzt, das eine Schwerpunktbildung in den drei Teilbereichen Linguistik, Literaturwissenschaft und Regionalstudien ermöglicht.

3. Das Interesse des Studiums soll sich zwar auf die Epoche der Industrialisierung Deutschlands konzentrieren, aber nicht beschränken. In Hinblick auf die gegenwärtige und zukünftige Entwicklung Indonesiens müssen vielmehr auch die neuesten Entwicklungen berücksichtigt werden. Es ist also nicht nur der Umformungsprozeß der deutschen Gesellschaft vom Agrarfeudalismus zur modernen Industriegesellschaft zu lehren, sondern auch der Prozeß der Transformation dieser Gesellschaft nach dem zweiten Weltkrieg. Vor allem soll gezeigt werden, wie dieser durch die auf der modernen Wissenschaft beruhenden Technologie ermöglicht worden ist, ohne daß man dabei in technokratische Positionen zurückfällt. Wenn am exemplarischen Modell der Fremdkultur Deutschland gezeigt werden soll, wie sich eine Nation mit ihren Pro-

blemen auseinandergesetzt hat, dann muß man den Studenten gleichzeitig vermitteln:

a) elementare Kenntnisse und Fähigkeiten zur Identifizierung von
Problemen (innerhalb der Industrialisierung Deutschlands bzw. Indonesiens) und wissenschaftliche Methoden zu ihrer Lösung:

b) Wissen und Fähigkeit zur Identifizierung und/oder Spezifizierung
der dynamischen Faktoren, die das gesellschaftliche Leben in den beiden Kulturen gegenwärtig bestimmen und in der Zukunft bestimmen
dürften.

c) Einsichten in den europäischen Hintergrund der Industrialisierung
und Modernisierung der deutschen Gesellschaft.

4. Daß die gesellschaftliche Entwicklung und die das Sozialleben
bestimmenden dynamischen Faktoren in den Mittelpunkt gerückt werden bedeutet nicht, daß Sprache und Literatur innerhalb dieses Programms ungebührlich vernachlässigt werden sollen. Beide haben innerhalb des Sarjana-Programms die Primär-Funktion flankierender Wissenschaften bei der Konstitution von "German cultural studies"; eine
Schwerpunktbildung erscheint uns erst in der Post-Sarjana-Phase angebracht zu sein.

5. So wenig wie Sprache und Literatur vernachlässigt werden sollen,
so wenig soll vergessen werden, daß hinsichtlich der indonesischen Prioritäten weder die Bundesrepublik Deutschland noch die Deutsche Demokratische Republik zur primären geographischen Interessensphäre
Indonesiens gehören. Infolgedessen haben "German cultural studies"
sich nach Inhalt und Form zu unterscheiden von in Indonesien durchgeführten Kulturstudien, die sich etwa mit den ASEAN-Staaten beschäftigen, welche sich in einer gemeinsamen Entwicklung befinden. Die
angestrebte Kooperation zwischen diesen Staaten und der Europäischen
Gemeinschaft kann jedoch für den Aufbau des konzipierten Studien-
programms nur von Vorteil sein.

Auf welche Schwierigkeiten dagegen die Konzept-Erarbeitung und
-verabschiedung stoßen kann, zeigt das Beispiel Ägypten, Cairo University. Ein Konsens war nicht nur zwischen ägyptischen Kollegen und
deutschen Gästen – sondern auch noch zwischen BRD- und DDR-
Gast-Germanisten am selben Department aufs mühsamste zu erzielen,
bevor der Plan zunächst der ägyptischen Fakultät zur Beschlußfassung
vorgelegt werden konnte.[29] (Inzwischen ist der Studienplan von der
Fakultät eingesetzt; ihm soll jetzt ein 2. Gang für Studenten ohne Vorkenntnisse im Deutschen an die Seite gestellt werden.)

Es besteht immer die Gefahr, daß eine Studienplan-Diskussion die konkreten Bedürfnisse der Betroffenen aus dem Auge verliert. Als besonderes Gefahrenmoment für die Diskussion am deutschen Department der Cairo University erwies sich die Unterschiedlichkeit der Positionen, von denen BRD- und DDR-Germanisten ausgehen. Für die Ägypter, denen ja das ganze Unternehmen galt, mußte zuweilen der Eindruck entstehen, einer deutsch-deutschen Disputation beizuwohnen, die sich sehr akademisch und sehr 'deutsch' von der ägyptischen Studienwirklichkeit fortbewegte; somit geriet wohl der ganze Plan zu sehr zu einem deutsch-deutschen Kompromiß-Papier. In gewisser Weise verzeihlich rangierte plötzlich der deutsch-deutsche Konsens vor dem mit dem Gastgeber, den ägyptischen Germanisten; somit gerieten die deutschen Gäste auf unverzeihliche Weise in eine Rolle, die ihnen nicht zukommt: nämlich die eines 'Herren im Hause' des Gastgebers.

Fazit: Trotz des guten Willens der deutschen Partner – und natürlich auch wegen der unseres Wissens einmaligen deutsch-deutschen Präsenz an einem außereuropäischen Department – deutete sich von Ferne jenes schlimme Mißverständnis an, das anderen Orts zu schlimmen Konsequenzen führt: das Mißverständnis, als nähmen die Europäer immer noch jede Chance wahr, ihre kulturellen Vorstellungen zu implantieren. Das 'kulturimperialistische' Mißverständnis (das in der Tat manche europäische Kulturaktivität in den sogenannten Entwicklungsländern auch heute noch hervorruft) kann nur durch die konsequente Anerkennung des Prinzips kultureller Partnerschaft vermieden werden. Dazu würde auch gehören, kulturpolitisch die Selbstverständigungsbedürfnisse dieser Gesellschaften als genau so dringlich anzusehen wie ihre materiellen Nöte. Das wiederum hieße, kulturellen Institutionen wie etwa germanistischen Seminaren, die gefördert werden sollen, einen den Projekten technischer Entwicklungshilfe vergleichbaren Stellenwert einzuräumen.

Wäre dem so, und damit kommen wir zur grundsätzlichen Fragestellung zurück, könnte die Literaturwissenschaft des Faches Deutsch aus einem gesicherten kulturpolitischen Rahmen heraus operieren: ein kontrastives kulturwissenschaftliches Programm wiese auch der Germanistik einen festen Platz an gerade und eben da, wo es nicht nur um Sprachvermittlung gehen darf. Das empfohlene Prinzip der Kontrastivität – das Gemeinsamkeiten voraussetzt – entspricht auf dem Felde wissenschaftlicher Lehre dem kulturpolitischen Programm kultureller Partnerschaft.

Anmerkungen

[1] vgl. zur ähnlichen Beurteilung Hans H. Plickat in Heft 3, 1978 der Zeitschrift Unterrichtswissenschaft. München–Wien–Baltimore 1978: *Pädagogik für die dritte Welt?*

[2] Zu den Ausgangsfragen der Wissenschaftsdidaktik vgl. den Beitrag von Hentigs im Sonderheft der Neuen Sammlung, Nr. 9, 1970. – Zu den Grundsätzen der Kulturpolitik siehe das Resümee bei Hildegard Hamm-Brücher: Unsere Auslandsschulen im Rahmen der auswärtigen Kulturpolitik, Pressematerial Nr. 1017 B/79.

[3] Stellungnahme der Bundesregierung zum Bericht der Enquete-Kommission Auswärtige Kulturpolitik des Deutschen Bundestages – vom 23. 9. 77 (Drucksache 8/927). In: Zeitschrift für Kulturaustausch 28, 1978, 1, S. 48–71, Ziffer 42.

[4] Stellungnahme - a. a. O. Ziffer 80.

[5] Bericht der Enquete-Kommission Auswärtige Kulturpolitik gemäß Beschluß des Deutschen Bundestages vom 23. 2. 73 – Drucksache 7/4121 – vom 7. 10. 75 – S. 68 (Ziffer 398).

[6] vgl. Michael Pflaum: Deutsch in Thailand. Aus der Praxis deutscher Kulturpolitik. In: Jahrbuch als Fremdsprache 2, 1976, S. 127–144.

[7] Hildegard Hamm-Brücher: Ziele und Schwerpunkte auswärtiger Kulturpolitik im Schulwesen. In: Zeitschrift für Kulturaustausch 29, 1, 1979, S. 5.

[8] vgl. im besonderen den Beitrag von Christian Grawe in Bd. 2 dieser Aufsatzsammlung: Der Lektürekanon der Germanistik als Fremdsprachendisziplin.

[9] Mannheimer Gutachten zu ausgewählten Lehrwerken Deutsch als Fremdsprache. Bd. 1: Heidelberg 1977 ([3]1978), Bd. 2: Heidelberg 1979.

[10] vgl. Alois Wierlacher: Literaturlehrforschung des Faches Deutsch als Fremdsprache, Band 2 des vorliegenden Readers.

[11] vgl. Maria Mies: Warum Deutsch? Eine Untersuchung des sozioökonomischen Hintergrundes der Studienmotivation von Deutschstudenten in Poona (Indien). In: Aspekte der auswärtigen Kulturpolitik in Entwicklungsländern (Hrsg. W. S. Freund/U. Simson). Meisenheim an der Glan, 1973, S. 280 f. Zur Studienmotivation indischer Sprachschüler vgl. Anm. 21.

[12] vgl. zu diesen Änderungsprozessen die Beiträge des erwähnten Themenhefts 'Pädagogik für die dritte Welt' (Anm. 1).

[13] Götz Mackensen: Kulturwandel aus der Sicht der Anthropologie. In: Zeitschrift für Kulturaustausch 25, 1, 1975, S. 43.

[14] vgl. Mannheimer Gutachten (Anm. 9), Bd. 2.

[15] P. W. Enders: Die Entsendung deutscher Dozenten an Hochschulen in Entwicklungsländer unter dem Aspekt der Auswärtigen Kulturpolitik – in: Tagungsbericht: Die entwicklungspolitische Funktion der Entsendung

deutscher Dozenten an Hochschulen in Entwicklungsländern – 13.–18. 12. 73 – (DSE), Bonn 1973, S. 13.

[16] Bericht der Enquete-Kommission, a. a. O. Ziffer 15. Hans Arnold: Kulturexport als Politik? Aspekte auswärtiger Kulturpolitik, Tübingen/Basel 1976, S. 148 ff. Uwe Simson: Unterentwickelte Regionen und auswärtige Kulturpolitik – in: Aspekte der auswärtigen Kulturpolitik in Entwicklungsländern, a. a. O. S. 24 f.

[17] vgl. hierzu H. Arnold: a. a. O. S. 249.

[18] Reinhard Schlagintweit: Konzeption des Auswärtigen Amtes für die Sprachförderung im Ausland. In: Sprache im technischen Zeitalter 50, 1974, S. 130. Zu: Möglichkeiten der Literatur unter dem Gesichtspunkt Deutsch als außenpolitischer Faktor. In: Sprache im technischen Zeitalter, 50, 1974, S. 130.

[19] vgl. die Beiträge von Bausinger u. Göhring in diesem Band.

[20] Helmut Kreuzer: Literarische und szientifische Intelligenz: die "Zwei Kulturen". Bericht über eine internationale Kontroverse. In: Veränderung des Literaturbegriffs, Göttingen 1975, S. 76–100.

[21] s. Anm. 19.

[22] Maria Mies: a. a. O, S. 268.

[23] vgl. Gerd Labroisse: Das Deutsch-Studium an indonesischen Universitäten. In: Levende Talen 263, 1969, S. 780–789.

[24] Maria Mies: a. a. O. S. 262.

[25] vgl. Diether Breitenbach. Zur Theorie der Auslandsausbildung, in diesem Band S. 113 ff.

[26] vgl. S. J. Schmidt: Text und Kommunikat. Im vorliegenden Band, S. 176 ff.

[27] vgl. zu diesem Erfordernis Dietrich Krusche: Brecht und das NO-Spiel in Band 2 dieser Aufsatzsammlung.

[28] C. F. Luhulima, K. H. Pampus, A. Wierlacher: German cultural studies. In: Jahrbuch Deutsch als Fremdsprache 5, 1979, S. 296 f. – Ein Vorbericht von Ulrich Kratz: Ansätze zum Aufbau eines Deutschstudiums in Indonesien, erschien in: Jahrbuch Deutsch als Fremdsprache 2, 1976, S. 114–117.

[29] vgl. Götz Großklaus: Deutsch-deutsche Zusammenarbeit in Kairo – in: DDR-Report 9. Jg. 10/1976, S. 605–607.

Diether Breitenbach

Zur Theorie der Auslandsausbildung

Methodische Probleme und theoretische Konzepte der "Austausch-forschung"[1]

Probleme der Auslandsausbildung und des internationalen Personen-austauschs überhaupt haben in den fünfziger und sechziger Jahren in der sozialwissenschaftlichen Forschung eine gewisse Beachtung gefun-den, die sich beispielsweise in mehr als vierhundert empirischen Unter-suchungen im europäisch-nordamerikanischen Bereich dokumentiert. Angesichts der erheblichen methodischen Probleme dieses Forschungs-gebiets ist die anfängliche Begeisterung vieler Forscher für die Möglich-keit, interkulturelle Kontakte "am eigenen Wohnort" erforschen zu können, jedoch zunehmender Resignation gewichen. Erst in jüngster Zeit scheint sich – etwa in Zusammenhang mit dem 1. Kongreß für Politische Psychologie vom 5.–8. Juni 1979 in Hamburg – neues In-teresse für dieses Forschungsgebiet zu regen.

Der folgende Beitrag versucht darzulegen, mit welchen besonderen methodischen und theoretischen Schwierigkeiten die Analyse der Aus-landsausbildung zu kämpfen hat, und skizziert einige Forschungsergeb-nisse der Austauschforschung, die für das Fach Deutsch als Fremdspra-che von Nutzen sein können.

1. Definition des Forschungsgebiets und historische Bedeutung

Auslandsausbildung ist nach einer in der relevanten Literatur allgemein akzeptierten Definition von Smith (1956) "ein wechselseitiger Lern-und Anpassungsprozeß, der erfolgt, wenn sich Individuen zu Ausbil-dungszwecken in einer für sie kulturell fremden Gesellschaft aufhalten und normalerweise nach einer begrenzten Zeitdauer in ihre Heimat zurückkehren. Auf der gesellschaftlichen Ebene ist darunter ein Prozeß kultureller Diffusion und Veränderung zu verstehen, der einen zeit-weiligen 'Austausch von Personen' zum Zweck der Ausbildung und Erfahrung einschließt."

Mit dieser Definition ist eine Abgrenzung der Auslandsausbildung gegenüber Lern- und Anpassungsprozessen innerhalb der eigenen Kultur (Enkulturation, Sozialisation) bzw. bei zeitlich nicht begrenzten (Einwanderung) oder solchen Auslandsaufenthalten gegeben, die nicht zu Ausbildungszwecken erfolgen (Tourismus, berufliche Auslandstätigkeit). Ebenfalls wird eine Ausgliederung des Forschungsgebiets aus der allgemeinen Kulturwandels- und Innovationsforschung insoweit vollzogen, als hier nur eine spezielle Personengruppe – nämlich Studenten, Praktikanten und andere Teilnehmer an Programmen der Auslandsausbildung – als Auslöser kultureller Wandlungsprozesse in Betracht gezogen wird.

Auslandsausbildung ist keine Erfindung der Neuzeit, sondern hat eine lange Geschichte, die weit bis in das Altertum zurückreicht. Größere Gruppen ausländischer Studenten studierten beispielsweise bereits im vierten Jahrhundert v. Chr. an den griechischen Rhetorik-Schulen (Walden 1909, Capes 1922 und Daly 1950)[2], und in Rom ergaben sich im vierten Jahrhundert n. Chr. aus dem Zustrom ausländischer Studenten derart große politisch-administrative Probleme, daß im Codex Theodosianus bereits spezielle Verordnungen über die Zulassung, Qualifikation, Studienkontrolle und spätere Rückkehr ausländischer Studenten erlassen werden mußten (Walden 1909), die sämtlich auch heute wieder in entsprechenden Richtlinien für das Ausländerstudium anzutreffen, d. h. offensichtlich sachlogischer Natur sind. Daß es sich bei dem Auslandsstudium der Antike nicht nur um ein qualitativ interessantes Phänomen, sondern auch um durchaus ernst zu nehmende quantitative Probleme handelte, zeigt etwa die Tatsache, daß an einer im Jahre 639 n. Chr. gegründeten chinesischen Universtität zeitweise mehr als 8000 Studenten aus "Barbaren-Völkern" studierten und daß die Universität Nalanda in Indien, ein internationales Studienzentrum des Buddhismus, bereits im zehnten Jahrhundert n. Chr. ca. 9000 Studenten der Theologie, Philosophie, Astronomie und der Rechtswissenschaften umfaßte.[3] Historiker, die sich mit Problemen der Auslandsausbildung in der Antike befaßt haben (wie etwa Walden 1909, Capes 1922, Haskins 1923, Daly 1950, Metraux 1952, 1956, Cieslak 1955, Mandelbaum 1956), kommen deshalb übereinstimmend zu dem Ergebnis, daß ohne das Medium der Auslandsausbildung die Ausbreitung der Hochkulturen und -religionen des Altertums (wobei auch an die Rolle der Universitäten Alexandria und Kairo bei der Verbreitung des Islams zu denken ist) nicht möglich gewesen wäre.

Große Bedeutung gewann das Auslandsstudium dann vor allem im Zusammenhang mit der Entstehung der ersten europäischen Universitäten im zwölften Jahrhundert n. Chr. Diese "universitates magistrorum et scholarum", d. h. im "studium generale" vereinten Korporationen von Lehrenden und Lernenden entwickelten sich weitgehend aus den "Gilden der fahrenden Scholaren", die als Schutzvereinigungen ausländischer Studenten die Kerngruppen der mittelalterlichen Universitäten bildeten (Haskins 1923)[4].

Metraux (1952), der sich unter Bezugnahme vor allem auf Haskins (1923) eingehend mit der Entwicklung der mittelalterlichen Universitäten befaßt, führt ihren internationalen Charakter vor allem auf den Mangel an Büchern und Lehrkräften, d. h. auf einen Zwang zur Konzentration auf einige wenige europäische Universitätszentren zurück und versucht (etwa am Beispiel der Universität Basel) nachzuweisen, daß in Zusammenhang mit der Entwicklung des Buchdrucks und der Vergrößerung der Zahl europäischer Universitäten dann allmählich eine gewisse Nationalisierung einsetzte. Gleichwohl waren die europäischen Universitäten bis ins zwanzigste Jahrhundert in Selbstverständnis und Zusammensetzung der Studenten immer international, wobei die sich aus der Renaissance entwickelnde "grand tour", die klassische Bildungsreise des achtzehnten Jahrhunderts zu einer weiteren Intensivierung internationaler Studienaufenthalte führte.

Bereits im neunzehnten und insbesondere im zwanzigsten Jahrhundert gewann die Auslandsausbildung dann eine zunehmende strategische Bedeutung für die wissenschaftliche und technologisch-wirtschaftliche Entwicklung der einzelnen Nationen sowie für internationale politische, wirtschaftliche und militärstrategische Beziehungen und Expansionen. Metraux (1952) und Cieslak (1955) weisen hier aufgrund intensiver Quellenstudien zahlreiche sehr interessante Beziehungen etwa zwischen dem Studium amerikanischer Studenten in Deutschland und der Entwicklung amerikanischer Hochschulen, zwischen dem Studium russischer Studenten in Deutschland und in der Schweiz[5] und der späteren russischen Revolution, zwischen dem forcierten Auslandsstudium türkischer Studenten nach dem Ersten Weltkrieg und dem raschen Modernisierungsprozeß der Türkei nach, um nur einige Beispiele zu nennen. Zieht man neben den hier vorgelegten relativ allgemeinen Vergleichsdaten dann noch differenzierte historische Einzelanalysen zu Rate, etwa über die Entwicklung des Japaner-Studiums in den USA (Bennett, Passin & McKnight 1958), des Inder-Studiums in England (Singh 1963), des Studiums von Commonwealth-Studenten in Eng-

land (Pep 1955, 1965) und von Studenten aus den Balkan-Staaten in
Frankreich (Thierfelder 1943), so erscheint insgesamt das Urteil sehr
berechtigt zu sein, daß die Auslandsausbildung eine der wichtigsten
historischen Bedingungen nicht nur für die Entwicklung menschlicher
Zivilisation im Altertum und im Mittelalter, sondern auch für die Entstehung der heutigen Wissenschaft und Weltkultur war und daß sich
ohne die Auslandsausbildung die geistigen, politischen und sozialen Re-
formen und Revolutionen der Neuzeit nicht erklären lassen. Auffal-
lendstes Beispiel im politischen Bereich ist dabei zweifelsohne die Tatsache, daß sämtliche Unabhängigkeitsbewegungen in den ehemaligen
Kolonialgebieten ebenso wie die Ausbreitung des Kommunismus in
Asien von ehemaligen Auslandsstudenten getragen worden sind. Namen wie Ho Tschi Minh, Mao Tse-tung, Nehru, Nkrumah, Sékou
Touré mögen hier für zehntausende anderer stehen.

Historische Evidenz für die Rolle der Auslandsausbildung als Medium weltweiter kultureller Diffusionsprozesse und als Auslöser tief-
reichender kultureller Wandlungsprozesse bis hin zur Revolution politischer Herrschaftssysteme ist also in überreichem Maße gegeben.

Daß sich die Erforschung der Auslandsausbildung trotz der großen
Bedeutung dieses Gebiets gleichwohl noch immer auf einem recht niedrigen theoretischen und methodischen Niveau befindet und Ansätze
in Richtung auf eine Theorie der Auslandsausbildung kaum erkennen
läßt, hat vielfältige Gründe.

Ein Grund ist wissenschaftspolitischer Natur. Ähnlich wie die Entwicklungsländerforschung in den Industrieländern (Breitenbach 1971,
Paech, Sommer & Burmeister 1972) hat sich auch die Forschung über
Probleme ausländischer Studenten und Praktikanten von Anfang an
zu stark an den politischen Zielen der Austauschprogramme und an
den theoretisch kaum reflektierten Fragestellungen der Administrato-
ren solcher Programme orientiert und sich von ihnen abhängig gemacht.
Weiterhin ist es den an der Erforschung der Auslandsausbildung beteiligten Wissenschaftlern – ähnlich wie in der Entwicklungsländerforschung – nicht gelungen, ihre wissenschaftliche Kommunikation und
Zusammenarbeit hinreichend zu organisieren.

Ein zweiter wichtiger Grund für die unzureichende Strukturierung
der Austauschforschung ergibt sich zweifelsohne aus dem allzu breiten,
interdisziplinären Ansatz der ursprünglichen Problem-Formulierungen.
Dieser Ansatz hat sich nicht als die erhoffte "gemeinsame Test-Basis"
erwiesen, "auf der die gegenseitigen Beziehungen verschiedener theoretischer Vorgehensweisen herausgearbeitet werden können" (Smith

1956, S. 8), sondern hat vielmehr durch seinen Zwang zu integrativen und damit notwendigerweise allgemeinen Konzepten von geringer "konstitutiver Bedeutung" (Kerlinger 1964, S. 33) die Entwicklung der Austauschforschung vermutlich erheblich behindert.

Der dritte und wohl wichtigste Grund für den geringen Entwicklungsstand der Austauschforschung liegt in außergewöhnlichen methodischen Schwierigkeiten der Variablen-Kontrolle von Forschungssituationen, in denen Angehörige verschiedener Kulturen interagieren. Da es sich bei den hier zu untersuchenden Variablen zumeist um experimentell nicht manipulierbare "attributive" Variablen handelt (Nationalität, Studienfach, Beruf etc.), ergeben sich sowohl hinsichtlich anderer Persönlichkeitsvariablen als auch hinsichtlich der individuellen Bedingungen im Gastland (Treatment-Variablen) selbst-selektive Prozesse, die nicht durch Randomisierung zu kontrollieren, sondern nur annäherungsweise durch aufwendige Stichproben-Parallelisierungen (Matching) und durch eine Reihe von "ceteris paribus"-Klauseln einzuschränken sind. Nahezu die gesamte Austauschforschung besteht dementsprechend aus Ex-post-facto-Untersuchungen, deren Forschungspläne im Vergleich mit den zu lösenden methodischen Problemen leider nur wenig differenziert und zumeist durch ein erstaunliches Vertrauen in die Validität von Fragebogen-Erhebungen gekennzeichnet sind. Auf diese besonderen methodischen Probleme soll deshalb im folgenden zunächst eingegangen werden.

II. Besondere methodische Probleme bei der Analyse der Auslandsausbildung

Die methodischen Probleme beginnen bereits bei der Problem-Formulierung und der daraus abzuleitenden Variablen-Definition, die angesichts der Breite des Forschungsgebiets ungewöhnlich schwierig sind.

II.1 Allgemeine Operationalisierungsprobleme

Entsprechend der oben formulierten Definition der Auslandsausbildung haben wir es hier auf Seiten der Bedingungsvariablen (input variables) vor allem mit der Person des Auslandsstudenten oder -praktikanten sowie mit Variablen seiner Umwelt im Gastland und im Heimatland, auf Seiten der Ergebnisvariablen (outcome variables) vor allem mit Verhaltens- und Einstellungsveränderungen des Auslandsstudenten

oder -praktikanten sowie mit den von ihm "ausgelösten und getragenen" kulturellen Diffusions- und Wandlungsprozessen im Gastland und im Heimatland zu tun. Alle genannten Variablen-Gruppen
sind ungewöhnlich komplex ("Einstellungsveränderungen", "kulturelle Wandlungsprozesse"), dementsprechend schwierig zu operationalisieren und unterliegen darüber hinaus, wie der "Prozeß-Begriff" andeutet, Veränderungen im Laufe der Zeit, die zusätzlich zu berücksichtigen sind.

Weiterhin sind die Person des Auslandsstudenten (P) einerseits und
andererseits seine Umwelt im Gastland (U_G) oder im Heimatland
(U_H) nicht voneinander unabhängig, sondern wechselseitig abhängige
Variablen, die als "eine Konstellation interdependenter Faktoren betrachtet werden" müssen (Lewin 1963), wobei davon auszugehen ist,
daß auch die Umwelten (U_H) und (U_G) miteinander interagieren:
Der ausländische Student orientiert sich bei seinem Auslandsaufenthalt
ja nicht ausschließlich an den Verhaltensnormen seines Gastlandes (die
ihm zunächst ja auch gar nicht hinreichend bekannt sind), sondern
gleichzeitig auch an den Verhaltensnormen seiner Heimat. Er lebt also
immer in zwei Situationen − "back home" und "here and now"
(M. B. Smith 1955) − d. h. in einer kulturellen "Überschneidungssituation", die in starkem Maße durch psychologische Spannungsverhältnisse und Veränderungen gekennzeichnet ist und deshalb von der Austauschforschung eine besondere Berücksichtigung dynamischer Feldaspekte verlangt.

Die meisten Bedingungsvariablen der Auslandsausbildung − d. h.
sowohl die Persönlichkeitsvariablen der ausländischen Studenten und
Praktikanten als auch die Einwirkungen ("Treatment"-Variablen),
denen sie während ihres Auslandsaufenthaltes unterliegen − sind attributive Variablen, die sich der experimentellen Manipulation ebenso
entziehen wie der Kontrolle durch Randomisierungsverfahren. Nahezu
alle Untersuchungen im Bereich der Austauschforschung sind dementsprechend Ex-post-facto-Untersuchungen, "bei denen der Forscher mit
der Beobachtung der abhängigen Variablen beginnt" und "dann die
unabhängigen Variablen retrospektiv bezüglich ihrer möglichen Beziehungen zu Auswirkungen auf die abhängige(n) Variable(n)" studiert
(Kerlinger 1964). Da eine Variablen-Kontrolle durch Randomisierung
hier nicht möglich ist, muß zumindest durch Parallelisierung der Vergleichsstichproben sowie durch Testen von Alternativhypothesen ein
gewisser Ersatz geschaffen werden, der allerdings erhebliche methodische Ansprüche an die Untersuchungsplanung stellt.

II.2 *Probleme des Kulturvergleichs und der Sprache*

Weiterhin ist zu berücksichtigen, daß Untersuchungen über Probleme der Auslandsausbildung immer auch – explizit oder implizit – kulturvergleichende Untersuchungen sind, da zumindest die zu untersuchenden Personen einerseits und andererseits die Gegebenheiten ihres (ehemaligen) Gastlandes unterschiedliche kulturelle Kontexte haben, die zueinander in Beziehung zu setzen sind. Für die Austauschforschung folgt daraus, daß sie sich nicht direkt auf die unterschiedlichen Erscheinungsformen menschlichen Verhaltens beziehen kann, sondern sich vielmehr mit den funktionalen Äquivalenzen von Verhalten in verschiedenen Kulturen befassen muß. Die Erfüllung dieser Forderung setzt beispielsweise voraus, daß die zu vergleichenden Personenstichproben aus verschiedenen Kulturen nach funktional äquivalenten und zugleich konstruktrelevanten Parametern ausgewählt werden, wobei sich die in der Soziologie und allgemeinen Bevölkerungsstatistik üblichen Parameter mangels transkultureller Äquivalenz nicht ohne weiteres übernehmen lassen. Im Gegensatz zu intrakulturellen Untersuchungen ist diese Äquivalenz auch nicht durch Randomverfahren zu erreichen, da "die Randomisierung ja in jedem Kulturbereich verschiedene Variablenkonstellationen kontrolliert" (Boesch 1971).

"Funktionale Äquivalenz kulturvergleichender Untersuchungen"[6] verlangt weiterhin funktional-äquivalente Untersuchungsinstrumente für die zu vergleichenden Kulturen, die – gemäß der Grundhypothese von der Unterschiedlichkeit der kulturspezifischen Manifestationen transkulturell gültiger Konstrukte – von Kultur zu Kultur formal und inhaltlich u. U. höchst unterschiedliche Indikatoren für ein und dasselbe Konstrukt verwenden müssen.

Dabei geht es in besonderem Maße um Probleme der Sprache, die als ein System vom Symbolisierungen erlernter Person-Umwelt-Bezüge in hohem Grade "Kultur" schlechthin repräsentiert. Die sehr allgemein formulierte Forderung, bei den Instrumenten der Austauschforschung die interkulturelle Äquivalenz ihrer Items zu prüfen, läßt sich deshalb als eine in erster Linie sprachliche Äquivalenzbestimmung konkretisieren, bei der neben Wortbedeutungen und syntaktischen Strukturen auch situative Aspekte des Spracherwerbs zu berücksichtigen sind.

Sieht man einmal von dem semantischen Differential ab, das in der Austauschforschung m. W. bislang erst zweimal angewandt worden ist[7], so besteht die zweifelsohne wichtigste Methode der sprachlichen Äquivalenzbestimmung von Instrumenten der kulturvergleichenden

Forschung in der Kontrolle durch zweisprachige Personen ("bilinguals"). Diese Kontrolle kann in zweifacher Weise erfolgen[8]: (a) Die "Bilinguals" können als Übersetzer für unabhängige Hin- und Rückübersetzungen eingesetzt werden, wobei Unterschiede zwischen Urform und Rückübersetzung Hinweise auf sprachliche Äquivalenzprobleme geben, Übereinstimmung zwischen beiden allerdings noch nicht als Beweis sprachlich äquivalenter Übersetzung zu werten ist, da ja sowohl in der Hin- als auch der Rückübersetzung der gleiche systematische Übersetzungsfehler stecken kann. (b) Urform und Übersetzung des Forschungsinstruments (z. B. eines Fragebogens) werden "Bilinguals" zur Beantwortung vorgelegt und in ihren Ergebnissen miteinander verglichen, wobei die Annahmen hinsichtlich sprachlicher Äquivalenz die gleichen sind wie bei Form (a).

Von erheblicher Bedeutung für die Austauschforschung ist die Tatsache der Situationsgebundenheit der Sprache. So benutzen z. B. Rückkehrer selbst bei Interviews in ihrer Heimatsprache dann gerne die Sprache des ehemaligen Gastlandes, wenn sich die Fragen auf konkrete Situationen im Ausland beziehen, während andererseits bei Interviews mit ausländischen Studenten während ihres Auslandsaufenthaltes immer wieder die Erfahrung gemacht wurde, daß sie bestimmte Probleme ihrer Heimatkultur in der Sprache des Gastlandes "nicht richtig ausdrücken" konnten[9]. Selbst bei weit entwickeltem Bilingualismus unterscheiden sich die verschiedenen Sprachen für den Sprecher also immer noch so charakteristisch durch die mit ihnen verknüpften Situationen, Bezugsgruppen und Normen, daß die Verwendung der einen oder der anderen Sprache in der Untersuchung vermutlich recht unterschiedliche Meinungen und Interessen des Sprechers aktiviert. So ist anzunehmen, daß die Verwendung der Heimatsprache in einer Untersuchung ausländischer Studenten vermutlich die Potenz der heimatlichen Situationen, Bezugsgruppen und Normen stärkt, während die Verwendung der Sprache des Gastlandes in der Untersuchung vermutlich zu ganz anderen Orientierungen führt. Sprachliche Probleme beziehen sich deshalb nicht allein auf die interkulturelle Äquivalenz von Inhalten der jeweiligen Forschungsinstrumente, sondern beeinflussen die gesamte Kommunikationsstruktur von Untersuchungen ausländischer Studenten und Praktikanten.

II.3 *Zur Frage der Untersuchungseinheit*

Gegenstand der Austauschforschung und damit zugleich Basis des Vergleichs verschiedener Untersuchungen und der entsprechenden Kumulation von Forschungsergebnissen sollten nicht isolierte Individuen, sondern "Individuen in kulturellen Überschneidungssituationen"[10] sein, da Ergebnisse der Austauschforschung ohne Berücksichtigung situativer Variablen überhaupt nicht interpretierbar sind. Alle Ergebnisse der Austauschforschung sollten deshalb präzise Angaben darüber machen, auf welche realen Situationen sie sich beziehen und unter welchen situativen Bedingungen (und Potenzen der Heimat- und Gastkultur) sie gewonnen worden sind.

Die realen Situationen, auf die Schlüsse von der Untersuchungssituation zu ziehen sind, sind vor allem gekennzeichnet durch (a) Rollen- und Statusmerkmale der Teilnehmer, (b) Ziele, Formen, Stärke und Normen der sozialen Interaktionen, (c) Bedingungen des materiellen und sozialen Umfeldes sowie (d) ihren Schwierigkeitsgrad für den Ausländer, d. h. Vertrautheit, Strukturiertheit und Komplexität. Diese Merkmale müssen deshalb soweit als möglich auch in der Untersuchungssituation repräsentiert sein. Dabei reicht es für Definitionen der genannten Merkmale nicht aus, wenn sich der Forscher auf Erfahrungen bezieht, die er selbst in seiner eigenen Kultur gewonnen hat, sondern er muß immer auch die subjektiven Definitionen der zu untersuchenden Situationen durch seine Untersuchungsgruppe mitberücksichtigen.

Die optimale Untersuchungseinheit in der Austauschforschung läßt sich also insgesamt definieren als eine Situation, die wichtige soziokulturelle Kontextvariablen konkreter Lebenssituationen des ausländischen Studenten enthält (Feldforschung) und als eine Überschneidungssituation von Person-Umwelt-Bezügen des ausländischen Studenten einerseits zur Heimatgesellschaft und andererseits zur Gastgesellschaft aufzufassen ist. Aufgabe der Austauschforschung ist deshalb die Analyse der Strukturmerkmale, Valenzen und Potenzen dieser unterschiedlichen Bezugssituationen ("subjektiven Situationsdefinitionen") in konkreten Lebenssituationen von hoher sozialer Bedeutsamkeit für den ausländischen Studenten sowie die Ableitung und Überprüfung von Verhaltensprognosen aus dieser Analyse. Die hierfür geeignetsten Mittel sind Intensivinterviews sowie Verhaltensbeobachtungen (teilnehmende Beobachtung). Thematische Schwerpunkte der Austauschforschung ergeben sich vor allem aus den Anpassungsschwierigkeiten aus-

ländischer Studenten, die als ein Indiz für Diskrepanzen der genannten
Bezugssituationen anzusehen sind und hinsichtlich ihrer theoretischen
Bedeutung deshalb im folgenden näher untersucht werden sollen.

III. *Theoretische Konzepte der Austauschforschung*

Nach Maßgabe der eingangs zitierten Definition der Auslandsausbildung und der oben dargestellten methodischen Überlegungen sind vor
allem zwei Konzepte für die Austauschforschung von Bedeutung: (a)
das Konzept der kulturellen Anpassung und (b) das Konzept der kulturellen Innovation.

III.1 *Kulturelle Anpassung*

Das Konzept der "kulturellen Anpassung", genauer gesagt der "Anpassung an eine fremde Kultur" ist zweifelsohne das wichtigste, zugleich aber auch eines der am wenigsten präzise formulierten Konzepte
der gesamten Austauschforschung. Die Attraktivität dieses Konzepts
ist zu einem großen Teil sachlich begründet: Viele Probleme ausländischer Studenten und Praktikanten lassen sich in der Tat wohl am ehesten als Prozesse der Anpassung des Individuums an eine ungewohnte
Umwelt abbilden und können deshalb theoretisch und terminologisch
ähnlich erfaßt werden wie Anpassungsvorgänge innerhalb der eigenen
Kultur. Allerdings resultiert die Beliebtheit des Anpassungskonzepts in
der Austauschforschung teilweise wohl auch aus seinem geringen Grad
an theoretischer und operationaler Definition, aufgrund dessen das Anpassungskonzept für eine Integration der unterschiedlichen Disziplinen
in der Austauschforschung zunächst besonders geeignet zu sein schien,
sowie aus der zentralen Bedeutung des Anpassungsbegriffs für die amerikanische Gesellschaft und Sozialforschung, die nach Dubois (1955)
von drei Hauptwerten gekennzeichnet ist: Leistungsoptimismus, ma-
terielles Wohlbefinden und Konformität.

Allgemein ist soziale Anpassung zu definieren als ein Lernprozeß
aufgrund direkter sozialer Verhaltenskorrekturen (Sanktionslernen)
und verinnerlichter Verhaltensmodelle (Identifikationslernen) bzw.
aufgrund von Veränderungen der Situation oder des Situationsdruckes,
wobei insbesondere Frustrationen durch Handlungsbarrieren eine wichtige Rolle spielen. Dieser Lernprozeß führt zu veränderten Sensibili-
sierungen des Individuums auf bestimmte, für die jeweilige Bezugs-

gruppe besonders valente Reiz- und Reaktionsmuster, die sich sowohl in Form neuer sozialer Normierungen (gruppenspezifischer Handlungsmuster) als auch in Form neuer sozialer Spezialisierungen (Rollen) äußern können. Die Anpassung des Individuums an Ziele, Normen und Rollen (Statussysteme) der Gruppe gründet sich auf individuelle Bedürfnisse, wobei die Identifikation des einzelnen mit der Gruppe als der zentrale Anpassungsmechanismus erleichtert wird durch die Tatsache, daß Selbstidentität, Eigenwertbestimmung und individuelle Rollen von der Gruppe abhängen und Gruppenziele dementsprechend vor allem auch persönliche Bedürfnisse befriedigen.

Grundsätzlich ist zu postulieren, daß Art und Ausmaß kultureller Anpassungsprobleme vor allem von der "kulturellen Distanz" zwischen den beteiligten Kulturen abhängen, um deren Bestimmung – durch kulturanthropologische Indices, nationale Images bzw. Art und Ausmaß von Anpassungsschwierigkeiten – sich in der Austauschforschung zahlreiche Wissenschaftler, bislang allerdings ohne Erfolg bemüht haben.

Anpassung wird in der Literatur zumeist als das Ergebnis gesellschaftlicher Zwänge verstanden, und auch Danckwortt (1959), von dem die bislang immer noch umfassendste und differenzierteste Definition des Begriffs "Anpassung an eine fremde Kultur" stammt, bezieht sich in seinen Thesen zur sozialen und kulturellen Anpassung vor allem auf sozio-kulturelle Druckfaktoren bzw. auf die Fähigkeit des Individuums, den Anpassungsanforderungen der Gesellschaft gerecht zu werden, während er auf die Anpassungsbedürfnisse des Individuums nur am Rande eingeht. Demgegenüber betont Boesch (1966) in seiner Innovationspsychologie vor allem die Zug-Kräfte, die von neuen Informationen oder Situationen ausgehen und zu entsprechenden Anpassungsbedürfnissen des Individuums in Richtung auf Paradigma- oder Zielgruppen führen, während er situative Druckfaktoren eher beiläufig erwähnt. Beide Konzepte repräsentieren offensichtlich recht unterschiedliche Gesellschaftsmodelle, denen man in der Austauschforschung in unterschiedlichen Variationen immer wieder begegnet. Insgesamt lassen sich demnach die Bedingungen der kulturellen Anpassung als ein je nach Gastgesellschaft und Bedürfnissen der ausländischen Studenten und Praktikanten höchst unterschiedliches System von Druck- und Zug-Faktoren verstehen, das zusätzlich gesteuert wird von Erwartungen der Ausländer bezüglich der Anpassungsanforderungen der Gastgesellschaft und von Erwartungen der Gastgesellschaft bezüglich der Anpassungsbedürfnisse der Ausländer.

Ähnlich wie wohl in jedem anderen sozialwissenschaftlichen Forschungsgebiet sind auch in der Austauschforschung – nach einer ersten, kurzen Phase der allgemeinen Problemorientierung – seit Mitte der fünfziger bis Anfang der sechziger Jahre verschiedene Versuche unternommen worden, die wissenschaftliche Kommunikation zwischen den beteiligten Disziplinen und die Kumulation von Forschungsergebnissen durch allgemeine Ordnungsmodelle der kulturellen Anpassung bzw. der Auslandsausbildung zu erleichtern. Diese Ordnungsversuche bezogen sich einerseits auf "Anpassungstypen", andererseits auf "Verlaufsformen" der kulturellen Anpassung, wobei insbesondere die "U-Kurven-Hypothese" außerordentlich breite Beachtung gefunden und sich bis heute trotz konträrer Befunde in der Sekundärliteratur gehalten hat.

Die "U-Kurven-Hypothese der kulturellen Anpassung" besagt in ihrer allgemeinsten Form, daß der Grad der kulturellen Angepaßtheit (definiert vor allem durch den Grad der Zufriedenheit mit dem Aufenthalt im Gastland) zu Beginn des Auslandsaufenthaltes zunächst hoch ist ("Beobachter-Phase"), im Verlaufe des Auslandsaufenthaltes aufgrund der Konfrontation mit zahlreichen Anpassungsbarrieren dann jedoch steil abfällt ("Auseinandersetzungsphase"), nach einer gewissen Krisenzeit mit zunehmender Bewältigung der Anpassungsanforderungen der Umwelt allerdings wieder ansteigt ("Verfestigungsphase") und kurz vor der Heimreise des Ausländers ("Aufbruchphase") etwa wieder das gleiche Niveau wie zu Beginn des Auslandsaufenthaltes erreicht[11]. Hinsichtlich der Rückanpassung an die Kultur des Heimatlandes wird ein etwas ähnlicher Verlauf angenommen, so daß also von einer "Doppel-U-Kurve der kulturellen Anpassung und Rückanpassung" zu sprechen wäre (Lundstedt 1963, Jacobson 1963, Gullahorn & Gullahorn 1963, Pool 1965).

Während die Autoren dieser Hypothese zwar gewisse nationale und auch individuelle Variationen des Anpassungsverlaufs zugestehen, dem Modell jedoch ansonsten prinzipielle Ordnungsfunktion für die Erfassung kultureller Anpassungsverläufe beimessen, gehen die "Anpassungstypologen" demgegenüber von grundsätzlichen individuellen Unterschieden des Anpassungsverlaufs je nach dem Grad der Bindung des Individuums an seine Heimatkultur bzw. dem Grad seiner Akkulturationsbereitschaft aus[12], wobei in einigen Fällen zusätzlich noch nationale Selbst- und vermutete Fremdeinschätzungen mit in die Typologie einbezogen werden (Dubois 1956, Kelman & Bailyn 1962). Bei näherer Betrachtung zeigt sich, daß allen diesen Typologien ein Anpassungskonzept zugrundeliegt, das Anpassung (a) als einen sehr komplexen, "die gesamte Persönlichkeit" umfassenden Prozeß der Veränderung versteht, der abhängig ist (b) von individuellen und modalen (kulturspezifischen) Persönlichkeitszügen wie emotionale Stabilität, Ich-Stärke, affektive und kognitive Flexibilität, moralische Autonomie, Unvoreingenommenheit, Empiriebezogenheit etc. sowie (c) von situativen Druckfaktoren, die im Falle der Partizipation am Leben des Gastlandes "gleichsam zwangsläufig" zu Akkulturationsprozessen des Individuums und zu einer korrespondierenden "Entfremdung" von der Heimatkultur führen.

Dieses wissenschaftsgeschichtlich auf die Akkulturations- und die "culture and personality"-Forschung vor allem der vierziger Jahre zurückgehende und in starkem Maße der Konformitätsideologie der amerikanischen Sozialforschung[13] verhaftete Anpassungskonzept ist von der neueren Austauschforschung in mehrfacher Hinsicht revidiert worden. Insbesondere ist nachgewiesen worden, daß die Anpassung ausländischer Studenten und Praktikanten an Situationen des Gastlandes keineswegs a priori ein Prozeß globaler Veränderungen kultureller Identitäten und Wertorientierungen ist, sondern in der Regel als ein relativ einstellungsneutraler Vorgang von Verhaltensänderungen und fortschreitender kognitiver Strukturierung der neuen Umwelt anzusehen ist, die beide instrumentalen Charakter in Richtung auf Ziele haben, deren Valenz aufgrund der zeitlichen Begrenzung des Auslandsaufenthaltes offensichtlich in starkem Maße von Normen der heimatlichen Kultur bestimmt ist. Dieser instrumentale und – wie zu ergänzen ist – partielle Charakter der Anpassung[14] an Situationen des Gastlandes schließt Änderungen von Zielvalenzen, Wertorientierungen und kulturellen Identitäten keineswegs aus, da situativ bedingte Verhaltensänderungen (mit einer gewissen zeitlichen Verzögerung) auch affektive und kognitive Einstellungsänderungen "nachziehen" können (Hovland & Rosenberg 1960). Gleichwohl ist kulturelle Anpassung nie als Ziel an sich, sondern immer nur als Instrument zur Erreichung von Zielen anzusehen. Liegen diese Ziele vor allem im Gastland (etwa bei Einwanderern), so findet eine stärker integrative Anpassung statt, die durch Identifikation mit der neuen Bezugsgruppe der Gastgesellschaft erleichtert wird. Liegen die vom Individuum angestrebten Ziele (wie bei den meisten ausländischen Studenten und Praktikanten) jedoch vornehmlich im Heimatland, wobei bestimmte, im Gastland zu erbringende Leistungen als "Zugangswege" zu diesen Zielen anzusehen sind, so erfolgt lediglich eine instrumentale Anpassung, die mit zunehmender Zielerreichung oder sonstiger Potenzerhöhung der "Heimatland-situation" wieder revidiert wird bzw. leicht revidiert werden kann. Weiterhin hat sich – beispielsweise in der Untersuchung von Becker (1968) – gezeigt, daß der Prozeß der Anpassung in starkem Maße von der Zeitperspektive des ausländischen Studenten oder Praktikanten hinsichtlich seines Auslandsaufenthaltes sowie von den Erwartungen abhängt, die er mit den Normen des Gastlandes und seines Heimatlan-des und mit den hier wie dort individuell an ihn gestellten Anforde-rungen verbindet.

Interkulturelle Anpassungssituationen sind zu verstehen als "Über-schneidungssituationen" von (a) den aus der Heimat gewohnten Situationen (mit entsprechend vertrauten Handlungsmustern, sozialen Rollen und Zielen) und (b) neuen situativen Strukturen des Gastlan-des, wobei es im Zuge der Anpassung zu ständigen Interferenzen zwi-schen den beiden genannten Situationssystemen kommt. Ist die Potenz der neuen (Gastland-) Situation (definiert durch den Grad der Beteili-gung des Individuums an ihr) im jeweiligen Fall höher als die der alten (Heimatland-) Situation, so kommt es zu entsprechenden partiellen Anpassungen an Normen und Rollen der Gastland-Situation. Da die situativen Strukturen des Gastlandes dem Ausländer zunächst relativ unbekannt sind, besteht die kulturelle Anpassung zu Beginn vor allem in der Gewinnung von Informationen über die neue Situation und in der Überwindung von zumeist nicht erwarteten Zugangsbarrieren, wo-bei Sozialkontakte mit Angehörigen des Gastlandes sowie die Infor-mationen durch Landsleute im Gastland die wohl wichtigsten Zugangs-wege zu den relevanten Bereichen der Kultur des Gastlandes darstel-len.

Die Anpassung an das Gastland wird in jedem Fall erleichtert, wenn das vom ausländischen Studenten oder Praktikanten sozial erwünschte Verhalten sofort und klar durch vertrauenswürdige und/oder status-hohe Personen definiert und durch entsprechende Verhaltensmodelle sowie Präzisierung der wahrscheinlichen Sanktionen bei sozial uner-wünschten Verhaltensweisen verdeutlicht wird. Im übrigen hängt die Wirkung von Anpassungsforderungen des Gastlandes nicht allein von den tatsächlich erhobenen Forderungen ab, sondern insbesondere von ihrer subjektiven Definition (Wahrnehmung) durch den Ausländer selbst. Das Bild, das sich der ausländische Student oder Praktikant von seinem Gastland macht, die Erwartungen, mit denen er kommt, beein-flussen deshalb vor allem zu Beginn des Auslandsaufenthaltes in star-kem Maße sein Verhalten, während gegen Ende des Auslandsaufenthaltes vor allem die Antizipation der Situation im Heimatland verhaltensbestimmend ist. Aus diesen sich in Abhängigkeit von der Zeitperspektive des Auslandsaufenthaltes ändernden und vom Ausländer jeweils subjektiv definierten Zug- und Druck-Faktoren der Gastland- und der Heimatland-Situation ergeben sich individuell durchaus unterschiedliche Anpassungsverläufe, deren Dynamik bislang noch nicht annähernd erforscht ist.

III.2 *Sprachliche und fachliche Qualifikation als Anpassungsvoraussetzungen*

Einer der für den Planer und Administrator von Austauschprogrammen wichtigsten Aspekte der Auslandsausbildung ist die Qualifikation der Teilnehmer an solchen Programmen, insbesondere die fachliche und sprachliche Eignung zur Erfüllung der im Ausland gestellten Ausbildungs- und Anpassungsanforderungen. Zur Feststellung dieser Qualifikationen werden in der Regel von den Programmverantwortlichen umfangreiche administrative Maßnahmen in Gang gesetzt, die den Verwaltungsaufwand der späteren Programmdurchführung teilweise beträchtlich übersteigen.

Sprache ist das wichtigste Kommunikationsmedium sowohl im Bereich formaler Erziehungsprozesse (Studium, Praktikum) als auch im Bereich zwischenmenschlicher Beziehungen und in allen anderen kulturellen Anpassungsbereichen. Es ist daher nur allzu verständlich, daß sprachliche Anpassungsschwierigkeiten in allen Anpassungsstudien genannt werden und dabei zumeist an erster Stelle aller Schwierigkeiten. Sprachschwierigkeiten ergeben sich nicht nur – erwartungsgemäß – bei Studenten oder Praktikanten, die die Sprache des Gastlandes erstmals lernen (wie bei den meisten Ausländern in der Bundesrepublik), sondern trotz intensiven Schulunterrichts in englischer oder französischer Sprache auch bei Personen aus den ehemals englischen oder französischen Kolonien, die in England, Frankreich oder den USA studieren (Dubois 1956, S. 81). So führten beispielsweise 97 % der von Singh (1963) befragten indischen Studenten in England ihre Studienprobleme auf Sprachschwierigkeiten zurück, und selbst bei guter Beherrschung der Sprache des Gastlandes kann es in dieser Hinsicht immer wieder zu unerwarteten Problemen kommen, wie etwa die Beobachtungen von Eldridge (1960) über Aggressionen von Commonwealth-Studenten in England bei subtilen sprachlichen Mißverständnissen des englischen Humors deutlich machen. Sprachprobleme sind deshalb nach allen bisher vorliegenden Untersuchungsergebnissen als wichtigste kulturelle Anpassungsbarriere und als eines der Hauptprobleme im Bereich der Ausbildung anzusehen.

Das Ergebnis des Erlernens einer Fremdsprache hängt nicht allein von kognitiven Persönlichkeitsmerkmalen ab, sondern in ebenso starkem Maße von Motivations- und Einstellungsvariablen, d. h. pauschal gesagt von der situativen Potenz der Fremdkultur, die durch die zu erlernende Sprache repräsentiert wird. Die Erhöhung dieser situativen Potenz durch Maßnahmen, die früher bereits in allgemeiner Form dargestellt worden sind, ist deshalb eine der wichtigsten Aufgaben für den Planer und den Lehrer in der Fremdsprachenausbildung.

Wichtig ist in diesem Zusammenhang schließlich noch ein weiterer Gesichtspunkt, der oben bereits kurz angeschnitten wurde. Sprache als Symbolisierungssystem erlernter Person-Umwelt-Bezüge ist trotz ihrer großen situativen Transfer- und Abstraktionsmöglichkeiten gleichwohl insofern situationsgebunden, als Art und Inhalt der jeweils erlernten Umwelt-Bezüge den Gesamtrahmen der sprachlichen Generalisierungsmöglichkeiten definieren. Erlernen einer fremden Sprache besteht innerhalb dieses sehr weiten Rahmens deshalb zwar vor allem in dem assoziativen Lernen von bedeutungsgleichen Zeichen des anderen Sprachsystems, erfordert darüber hinaus in einer Reihe von Fällen aber auch das Erlernen neuer Bedeutungszusammenhänge. Ein recht gutes Beispiel hierfür ist der Begriff der "Freundschaft", der sich in einer Reihe von Untersuchungen[15] als kulturell recht unterschiedlich definiert erwies und zu dementsprechenden Anpassungsschwierigkeiten in Form von "Mißverständnissen" führte. Auch der Begriff des "Ausländers" (in manchen Kulturen übersetzt mit einem dem "Ausgestoßenen" bedeutungsgleichen Begriff) oder der Begriff der "Zeit" (Hall 1959) sind solche zentralen Konzepte, deren Erlernung weit über die Aneignung lexikalischer Äquivalenzen hinausgeht. Es wäre deshalb sicherlich der Mühe wert und darüber hinaus eine ungewöhnlich reizvolle psycholinguistische (und zugleich kulturvergleichende) Aufgabe, über "sprachliche Verständnisschwierigkeiten" ausländischer Studenten und Praktikanten solche wichtigen kulturellen Bedeutungsdifferenzen zu identifizieren.

Fachliche Qualifikation, insbesondere berufliche Qualifikation wird bei der Auswahl von Stipendiaten für Programme der Auslandsausbildung in starkem Maße durch Statusvariablen definiert – z. B. durch das Prestige der Ausbildungsinstitutionen und Beschäftigungsbetriebe,

denen der Bewerber angehört (hat), und durch die Positionen, die er
dort innehat(te). Aus diesem Statusaspekt der fachlichen Qualifika-
tionsdefinition ergeben sich – wie die Praxis der Auslandsausbildung
zeigt – erhebliche Probleme der interkulturellen Äquivalenzbestimmung, zu deren Lösung von den beteiligten Staaten – angesichts der
erheblichen rechtlichen und politischen Konsequenzen – in den vergangenen Jahren umfangreiche diplomatische Verhandlungen geführt
und spezielle Einrichtungen gegründet worden sind, die sich mit
der interkulturellen Äquivalenzbestimmung von Bildungsnachweisen
(Zeugnissen) und von Berufen erfassen[16].

Grundsätzlich bieten sich für die Bestimmung der fachlichen Qualifikation zwei Wege an: (a) die Bewertung nach "objektiven" Ver-
gleichskriterien, etwa nach der Zahl der Jahre, die jemand in der Schule
verbracht hat, und nach der Zahl der Stunden, die in diesen Schulen im
Durchschnitt auf die einzelnen Unterrichtsfächer entfallen, sowie im
beruflichen Bereich die Zahl der Berufsjahre nach Tätigkeitsbereichen
und beruflichen Positionen; (b) die Bewertung nach Maßgabe der Leistungen, die in der jeweiligen Bildungsstätte im Ausland erbracht werden. In der Regel erfolgt eine Verfahrensmischung, d. h. eine Vorbeur-
teilung nach den sogenannten "objektiven" Kriterien und eine erneute
Leistungsbeurteilung in der Ausbildungsinstitution des Gastlandes, die
u. U. dann eine Korrektur des Ausbildungsplans zur Folge haben kann.

III.3 *Status- und Rollenaspekte*

Status- und Rollenmerkmale spielen nicht nur bei der Beurteilung der
fachlichen Qualifikation eine wichtige Rolle, sondern sind nach den Ergebnissen der vorliegenden Arbeit generell als diejenigen Variablen anzusehen, denen für zahlreiche Aspekte der Auslandsausbildung die
höchste prognostische Validität zukommt. Status- und Rollenmerkmale
ausländischer Studenten und Praktikanten in ihrer Heimatgesellschaft
erlauben relativ valide und reliable Prognosen sowohl hinsichtlich von
Veränderungen der Selbst-Identität während des Auslandsaufenthaltes
als auch hinsichtlich der kulturellen Bindung an die Heimat, hinsichtlich entsprechender Anpassungs- und Entfremdungsprobleme im Ausland sowie hinsichtlich der Nutzung der Auslandsausbildung nach
Rückkehr in die Heimat[17].

Hinsichtlich der Anpassung an das Gastland ist davon auszugehen,
daß der ausländische Student oder Praktikant zu Beginn seines Aus-

landsaufenthaltes einen mehr oder minder starken Status-Schock erleidet, da die aus der Heimat gewohnten Status-Kriterien hier nicht mehr auf ihn zutreffen. Die Stärke dieses Schocks hängt vermutlich in erster Linie von dem Bedürfnis des Ausländers nach Status-Sicherheit bzw. von der in der Heimat bereits erreichten Status-Sicherheit ab, wobei neben dem eigenen beruflichen Status auch der Sozialstatus der eigenen Familie in der Heimatgesellschaft sowie die Stärke der Verpflichtungen gegenüber Abhängigen (Ehefrau, Kinder) zu berücksichtigen sind.

Individueller Status ist in der Anpassung an das Gastland immer auch Nationalstatus[18], da die Nationalität für den ausländischen Studenten oder Praktikanten zum ersten Mal eines der wichtigsten, zumeist sogar das wichtigste persönliche Statusmerkmal wird. Darüber hinaus spielt Nationalität als Kriterium der Personwahrnehmung bei der Bildung des ersten Eindrucks und damit zugleich bei der Etablierung relativ überdauernder Formen der Sozialbeziehung eine entscheidende Rolle. Aufgrund zahlreicher Untersuchungen besteht Grund zu der Annahme, daß Unterschiede der kulturellen Anpassung zwischen verschiedenen Nationengruppen weniger auf modale Persönlichkeitsunterschiede zurückzuführen sind als vielmehr auf die unterschiedliche nationale Statusbeurteilung, die ihnen in dem jeweiligen Gastland zuteil bzw. von den ausländischen Studenten und Praktikanten erwartet wird. Weiterhin besteht ein gewisser Grund zu der Annahme, daß Studenten und Praktikanten aus statusniedrigen Ländern in der Regel eine stärkere kulturelle Bindung und Ich-Beteiligung an den Angelegenheiten ihres Heimatlandes zeigen als Personen aus Ländern mit hohem Status. Hinsichtlich der Ursachen dieser Beziehungen liegen allerdings keinerlei gesicherte Befunde vor.

III.4 *Auslandsaufenthalt und Innovationsmotivation*

Die eingangs vorgenommene historische Analyse der Auslandsausbildung führt logischerweise zu der Hypothese, daß der ausländische Student oder Praktikant während seines Auslandsaufenthaltes aufgrund interkultureller Lernprozesse spezifische Persönlichkeitsveränderungen erfährt, die ihn nach seiner Rückkehr in die Heimat in die Lage versetzen und aktivieren, kulturelle Wandlungsprozesse in der Heimatgesellschaft auszulösen. Angesichts dieser historischen Evidenz erlernter "Innovationsmotivationen" ergibt sich nunmehr die Frage, welche Persönlichkeitsmerkmale es denn vor allem sind, die den Innovator kennzeichnen, und in welcher Relation diese Persönlichkeitsmerkmale zu interkulturellen Lernprozessen stehen. Leider zeigt sich bei Durchsicht der relevanten Literatur jedoch sehr bald, daß diese Frage weder von Seiten der Innovationsforschung noch von Seiten der Austauschforschung hinreichend zu beantworten ist und daß zu diesem Problembereich nahezu keine empirischen Befunde vorliegen.

Zwar finden sich in der gesamten Sekundärliteratur zur Austauschforschung – etwa bei Dubois (1956), Danckwortt (1959), Klineberg (1965, 1970) – Hinweise auf Persönlichkeitsveränderungen als Folge von interkulturellen Lernprozessen, jedoch sind diese Veränderungen nicht selbst gemessen worden, sondern beziehen sich lediglich auf Vergleiche zwischen retrospektiven und gegenwärtigen Selbstbildeinschätzungen durch die ausländischen Studenten und Praktikanten bzw. in einigen Fällen auf Fremdbeurteilungen durch Vorgesetzte und Kollegen im Heimatland, wobei jedoch situative Kontextvariablen sowie Fremdvarianzeffekte auf Grund von "Reifung" im Sinne von Campbell (1966) eine vermutlich entscheidende, im einzelnen jedoch nicht kontrollierte Rolle spielen, die eine Interpretation dieser Daten nahezu unmöglich machen.

Angesichts dieser Daten-Lage müssen die folgenden Überlegungen notgedrungenerweise stark spekulativ bleiben, was unter dem Gesichtspunkt einer Stimulation zukünftiger Austauschforschung jedoch noch kein hinreichender Grund ist, derartige Überlegungen nicht anzustellen. Als besonders nützlich erwies sich dabei eine Taxonomie der "Innovationsqualitäten des Individuums" innerhalb der "Psychologischen Theorie des sozialen Wandels" von Boesch (1966, Sp. 370 ff.), die deshalb zur Grundlage der folgenden Diskussion gemacht wird. Die hier von Boesch genannten "individuellen Innovationsqualitäten" lassen sich im wesentlichen in vier Gruppen zusammenfassen: (a) Unzufriedenheit mit dem Gegenwärtigen, (b) Distanz zur eigenen Kultur, (c) Fähigkeit zur Umstrukturierung sowie (d) Ausdauer und Zukunftsbezogenheit. Es ist leicht einsichtig, daß die genannten Merkmale kein geschlossenes System bilden, sondern vermutlich recht unterschiedlichen theoretischen Systemen entstammen, wodurch ihnen allerdings zugleich starke heuristische Qualitäten zukommen.

Die erste hier genannte und wahrscheinlich wichtigste Eigenschaft des Neuerers ist die Unzufriedenheit mit dem Gegenwärtigen, die einmal aus einem gesteigerten Bedürfnis nach Reizvariation, zum anderen aus der Änderung von Normen und drittens aus sozialen Frustrationen stammen kann. Alle drei Ursachen für Unzufriedenheit mit dem Bestehenden sind, wie leicht nachzuweisen ist, im Falle der Auslandsausbildung in besonderem Maße gegeben. Das Bedürfnis nach Reizvariation ist zweifelsohne als ein Primärbedürfnis des menschlichen Organismus anzusehen, dessen persönlichkeitsspezifische Stärke – nach Maßgabe der Hospitalismusforschung und der motivationstheoretischen Arbeiten vor allem von Hunt (1965) – vermutlich entscheidend von der Reizzufuhr in den ersten Lebensjahren abhängt, jedoch auch später noch durch Änderung der umweltspezifischen Reizklassen sowie des individuellen Aspirationsniveaus (z. B. im Falle der Abwanderung von Landarbeitern in die Großstadt) durchaus beeinflußbar ist. Ganz ähnliche Prozesse wie im Falle der Urbanisierung sind nun auch im Falle der Auslandsausbildung zu erwarten, da der Aufenthalt in einer fremden Kultur eine Fülle neuer Reize und Handlungsalternativen zu dem aus der Heimat gewohnten Verhalten bietet, deren Entzug nach Rückkehr in die Heimat zweifelsohne zu Unzufriedenheitsreaktionen führt. Die häufigsten Klagen zurückgekehrter ausländischer Studenten oder Praktikanten beziehen sich dementsprechend auf "Alltagsprobleme" in der Heimat[19], d. h. auf Reizdeprivationen im "Alltagsbereich", die entsprechende Innovationsbemühungen der "Returnees" zu Folge haben dürften – sei es auch nur in Form der Einführung isolierter Konsum-Items wie etwa Zigaretten, bestimmter Alkoholika, Kleidungsstücke, ausländischer Illustrierten etc. Die zweite, hier als "Änderung von Normen" bezeichnete Ursache von Unzufriedenheit und entsprechender Innovationsmotivation ist vor allem in der kybernetischen Motivationstheorie (Miller, Galanter & Pribram 1960, Hunt 1965) und in der Theorie der Leistungsmotivation (Mc Clelland et al. 1953, Heckhausen 1963) eingehend diskutiert worden. Sie geht davon aus, daß das Individuum im Laufe seiner Lerngeschichte eine Reihe von sozialen Normen (Gütemaßstäben) und Erwartungen aufgebaut hat, nach Maßgabe derer sozial bedeutsame (d. h. für die Normen und Erwartungen relevante) Reize auf Kongruenz geprüft werden. Besteht Inkongruenz, so wird das Individuum in Richtung auf Kongruenz-Herstellung motiviert, wie Miller, Galanter & Pribram (1960) sehr anschaulich in ihrem Modell der TOTE-Einheit dargelegt haben. Selbst ohne entsprechende Untersuchungsbefunde ist allein schon aufgrund von Plausibilitätsüberlegungen im Falle der Auslandsausbildung anzunehmen, daß der Aufenthalt in einem kulturell fremden Normensystem mit vergleichsweise (Entwicklungs- vs. Industrieländer) hoher Leistungsorientierung zu Normänderungen bei den ausländischen Studenten und Praktikanten führt, aus denen nach Rückkehr in die Heimat entsprechende Veränderungen in der Bewertung der früher als normkongruent angesehenen Zustände, d. h. innovationsmotivierende Inkongruenzen resultieren. Die dritte Ursache der Unzufriedenheit schließlich – soziale Frustration – ist in Zusammenhang mit der Anpassungssituation im Ausland bereits diskutiert worden. Wie übereinstimmend alle Rückkehrer-Studien erkennen lassen, scheinen sich aus der Frustrationssituation im Ausland und wohl auch aus einer kompensatorischen Überschätzung der eigenen Auslandserfahrungen überhöhte Status-Aspirationen in bezug auf die heimatliche Gesellschaft zu entwickeln, aus denen in der Konfrontation mit der Realität in der Heimat entsprechende soziale Frustrationen erwachsen. Diese führen entweder zur Reduzierung der Aspirationen, zum Ausweichen auf andere Ziele oder aber zu verstärkten Bemühungen um Statuserhöhung, was in der Regel mit erhöhten Leistungsbemühungen und Innovationsaktivitäten gleichzusetzen ist[20]. Man kann deshalb insgesamt feststellen, daß die Auslandsausbildung schlechthin – von neurotischen Verteidigungsmechanismen einmal abgesehen – zu einer generellen Dynamisierung der ausländischen Studenten und Praktikanten aufgrund geänderter Reizbedürfnisse, geänderter sozialer Normen und sozialer Frustrationen und zum Aufbau sach- und sozialbezogener Unzufriedenheitspotentiale führt, die den Kern sozialer, politischer und wirtschaftlicher Neuerungen bilden. Weiterhin zeigt sich, welche theoretische Bedeutung und Praxisrelevanz die Anwendung motivationstheoretischer Modelle auf die Auslandsausbildung haben könnte, die in der bisherigen Austauschforschung — abgesehen von wenigen Ausnahmen (Zajonc & Wahi 1961, Veroff 1963, Weinstock 1964) – noch überhaupt keine Anwendung gefunden haben.

Die oben geschilderte Unzufriedenheit mit dem bestehenden Zustand korreliert vermutlich in hohem Maße mit einer zweiten Eigenschaft des Neueres, nämlich mit der Distanz zu seiner eigenen Kultur. Eine Sache ändern zu wollen und zu können, setzt voraus, daß man sie zum Objekt macht, eine kritische Distanz zu ihr gewinnt. Soziale, politische oder wirtschaftliche Tatbestände ändern zu wollen und zu können, setzt daher Einsichten in die Relativität und kulturelle Determiniertheit sozio-kultureller Normen sowie eine gewisse emotionale Distanz zur eigenen Kultur voraus. Es ist anzunehmen, daß die Stärke der Bindung an die eigene Kultur vs. Entfremdung von ihr in erster Linie von der Beziehung des Individuums zu seiner heimatlichen Familie, von dem Status der Familie in der heimatlichen Gesellschaft, von dem eigenen beruflichen und sozialen Status des Individuums in seiner Gesellschaft, von der Art seiner Ziele hinsichtlich des Auslandsaufenthaltes (die allerdings in starkem Maße von den zuvor genannten Variablen abhängen), von dem Image seines Landes im Gastland sowie von der allgemeinen und speziellen Aufnahmebereitschaft abhängt, die der ausländische Student oder Praktikant im Gastland erfährt. In diesem Zusammenhang bieten sich "Kulturbindungstypologien" – wie sie etwa von Sewell & Davidsen (1956, 1961), DuBois (1956), Lesser & Peter (1957), Bennett, Passin & McKnight (1958) oder Vente (1962) entwickelt worden sind – als Ordnungsmodelle durchaus an, sofern man nicht wie die genannten Autoren unzulässige Generalisierungen bezüglich der kulturellen Anpassung bzw. der Arten des interkulturellen Lernens damit verbindet.

Als dritte wichtige Eigenschaft des Neuerers ist die Fähigkeit zur Umstrukturierung zu nennen. Hierbei handelt es sich, wie Oerter (1971, S. 160) feststellt, "wohl um das bedeutungsvollste Konzept der gestaltpsychologisch orientierten Denkforschung", das darüber hinaus auch die Transfer- und die Kreativitätsforschung (Bergius 1969, Duncker 1963, Oerter 1971) nachhaltig beeinflußt hat. "Erlebnis- und bewußtseinsmäßig" sind nach Oerter (1971) im Falle der Umstrukturierung im wesentlichen zwei Phasen zu unterscheiden: "die Anfangsphase, nämlich das 'Zerbrechen' oder 'Abbauen' der alten Struktur" und die Phase des "Auffindens der neuen Lösung", die "von einem Gefühl der Entspannung, Erleichterung, Befriedigung begleitet" ist (Oerter 1971). Sucht man nach Gründen für ein solches "Zerbrechen alter Denkstrukturen", so bieten sich als Erklärungsmöglichkeiten neben dem bereits genannten Bedürfnis nach Reizvariation (wohl der wichtigsten Kreativitätsquelle) vor allem "Probleme" oder "Barrieren" an, die mit den bislang gelernten Schemata und Regeln nicht zu lösen sind und daher Variationen der bisherigen Lernerfahrungen erfordern. Umstrukturierungen werden dementsprechend erleichtert durch das Ausmaß der situativen Variationen bisheriger Lernerfahrungen (vs. Bildung von Lern-Sets), durch die Disponibilität (Duncker 1963) von Problemlösungshilfen (Struktur- und Regelerkenntnissen) sowie durch emotional-intellektuelle Flexibilität. In ganz ähnlicher Weise bezeichnet Meili (1961) als wichtigste die Umstrukturierung fördernde Intelligenzfaktoren die Plastizität (als Leichtigkeit des Abbaus vorhandener Strukturen), die Flüssigkeit (Verfügbarkeit der einzelnen Lern-Items) und den Faktor der Ganzheit (Fähigkeit zur Bildung neuer Strukturen).

Das Konzept der Umstrukturierung bzw. des "produktiven oder schöpferischen Denkens" (Duncker 1963) oder der "divergenten Produktion" (Guilford 1967) ist wie kaum ein anderes Konzept in der Psychologie durch eine Fülle von sorgfältig geplanten und teilweise in unterschiedlichen kulturellen Kontexten (z. B. Deutschland und USA) wiederholten Experimenten operational sehr präzise definiert worden, wobei die Sprachfreiheit der meisten hier zugrunde liegenden Wahrnehmungsexperimente für den Bereich der Austauschforschung und der kulturvergleichenden Forschung schlechthin noch zusätzliche Vorteile bietet. Leider sind jedoch bisher in dieser Richtung in der Austauschforschung noch keinerlei Untersuchungen durchgeführt worden, so daß erneut wiederum nur in allgemeiner Form spekuliert werden kann, daß die erfolgreiche Anpassung an neue Situationen im Ausland und das Erlernen neuer Denk- und Handlungsschemata auch zu einer allgemeinen Steigerung der Umstrukturierungsfähigkeit führt. Diese Annahme erscheint außerordentlich plausibel, ist bislang aber, wie gesagt, noch in keiner einzigen Untersuchung verifiziert worden, sofern man nicht Aussagen zurückgekehrter Studenten in Richtung auf eine Zunahme von "Flexibilität, Liberalität, Selbstbewußtsein und Breite des intellektuellen Horizonts" als Hinweise auf die Richtigkeit der obigen Annahme wertet (U. S. Advisory Commission on International Educational and Cultural Affairs 1963).

Die vierte von Boesch (1966) genannte Gruppe von Persönlichkeitsmerkmalen des Neuerers umfaßt einmal seine Zukunftsbezogenheit und zum anderen Eigenschaften wie "Durchsetzungskraft, Überzeugtheit, Ausdauer". Diese Gruppe von Merkmalen ist in sich und im Vergleich mit den früher genannten Merkmalen nicht ohne Widersprüche, "denn hier wird ja der konservative Zug des Neuerers, eine ihm eigene Form der Rigidität betont. Man kann sich etwa fragen, ob z. B. Mao Tse-Tung in diesem sozial-psychologischen Sinne ein Neuerer sei: Wer eine Idee seiner Jugend ein Leben lang in konsequenter Starrheit verfolgt und durchsetzt, mag mehr Neues schaffen als der, der täglich sich von seiner neuen Idee faszinieren läßt; in seiner Persönlichkeit allerdings unterscheidet er sich, zumindest nachdem das Neue konzipiert war, wohl kaum mehr wesentlich von seinen konservativen Gegenspielern" (Boesch 1966). Auf den gleichen Aspekt geht auch Barnett (1953) in seiner Beschreibung der Persönlichkeit des "advocate" (d. h. des Propagandisten von neuen sozialen Items) ein, wenn er die Starrsinnigkeit großer medizinischer Forscher bei Durchsetzung ihrer Ideen und die Nachdrücklichkeit, Ausdauer und Überzeugungskraft von Hausierern bei dem Verkauf neuer Produkte betont. Auch in dieser Hinsicht nun, so will mir scheinen, bietet die Auslandsausbildung einen außerordentlich wichtigen Erziehungsbeitrag, da der ausländische Student oder Praktikant ja weit mehr als sein in der Heimat gebliebener Landsmann eine Fülle von sozialen, wirtschaftlichen und psychischen Problemen zu lösen hat, an denen er "sich erproben" kann, d. h. Techniken der Konfliktbewältigung erlernen kann. Nicht umsonst war es bis in unsere Zeit hinein Merkmal der wirtschaftlichen und politischen Eliten, daß sie "in der Fremde ihren Mann gestanden" hatten und "erfahren", d. h. weitgereist waren. Man sollte die Auslandsausbildung in dieser Hinsicht zwar nicht so überbewerten, wie dies in der Regel von den Austauschorganisationen getan wird, da die genannten Temperamentseigenschaften ja bereits weitgehend in den ersten Lebensjahren entwickelt werden und später kaum noch Änderungen erfahren (Guilford 1964), jedoch hat der Student im Ausland immerhin mehr Möglichkeiten als im allgemeinen sein Landsmann in der Heimat, "seine Grenzen zu testen" und damit die genannten Eigenschaften als Selbstbildvariablen zu stabilisieren, worauf ja auch die Äußerungen zurückgekehrter Studenten und Praktikanten in konsistenter Weise hinzeigen (U. S. Advisory Commission on International and Cultural Affairs 1963, U. S. Agency for International Development 1966).

Viele der in der Literatur genannten Persönlichkeitsmerkmale des Innovators weisen auf die Rolle situativer und gruppenpsychologischer Variablen bei der Einführung von Innovationen hin, wobei hier unter Innovationen alle Veränderungen sozialer Systeme – also sowohl relationale Änderungen als auch die Einführung neuer Items – verstanden werden sollen. Folgt man in dieser Hinsicht den thematischen Schwerpunkten der Innovationsforschung – etwa bei Barnett (1953), Doob (1960), Hagen (1962), Rogers (1962), Katz (1963) – und zieht die ausgezeichnete Literaturübersicht über die amerikanische "adoption and diffusion"-Forschung von Albrecht (1969) zu Rate, so ist eine eindeutige Priorität der situativen und gruppenspezifischen vor persönlichkeitsspezifischen Innovationsvariablen festzustellen. Auch Boesch (1966), der zunächst nachdrücklich auf die Notwendigkeit einer Berücksichtigung vor Persönlichkeitsaspekten bei der Erklärung kultureller Wandlungsprozesse hinweist (Sp. 366), stellt fest, daß "Persönlichkeitseigenschaften sich mit Umweltkonstellationen verbinden müssen, damit Innovationsverhalten zustande kommt" (Sp. 374), und geht dann insgesamt ja auch wesentlich stärker auf Feldaspekte kultureller Wandlungsprozesse ein.

Angesichts dieser Bedeutung situativer Prozesse für den Verlauf von Innovationen sind die bisher durchgeführten Untersuchungen über zurückgekehrte Studenten und Praktikanten bzw. Teilnehmer an speziellen Ausbildungsprogrammen nahezu ausnahmslos als Fehlplanung zu klassifizieren, da sie sich zumeist nicht mit der Situation des "Returnee" in seiner Heimat, etwa im heimatlichen Betrieb, sondern überwiegend retrospektiv mit Gastland-Situationen befassen. Abgesehen von wenigen Ausnahmen (etwa der Untersuchung von Zimmermann 1972) beziehen sich die meisten Fragen in Rückkehrerstudien keineswegs auf Probleme der sozialen und beruflichen Re-Integration, sondern auf die Bewertung des früheren Auslandsaufenthaltes. Dabei sind aufgrund spezifischer Interaktionsprobleme mit einheimischen Interviewern, die nicht im Ausland waren, sowie aufgrund der gegenüber dem Auslandsaufenthalt geänderten Bedürfnisse des Rückkehrers derart große Wahrnehmungsdeformationen durch den Befragten selbst und darüber hinaus durch den Interviewer zu erwarten, daß derartige "Programmevaluierungen" kaum irgendeinen Wert haben.

Bei einigen Evaluierungsstudien des International Educational Exchange Service und bei allen Programmevaluierungen der U. S. Agency of International Development (1966) wurden nicht nur die Rückkehrer selbst, sondern auch – soweit möglich – ihre Vorgesetzten sowie amerikanische Experten im gleichen Betrieb hinsichtlich der zurückgekehrten Programmteilnehmer befragt. Vergleicht man die letztgenannten Befragungsergebnisse mit den Antworten der Rückkehrer selbst (Clements 1966, U. S. Agency for International Development 1966, Gollin 1967, 1969), so sind zahlreiche Übereinstimmungen hinsichtlich der Bewertung des Nutzens der Auslandsausbildung – gemessen an der Arbeit des Rückkehrers selbst, an seinen "Innovationsaktionen" und an seinen Bemühungen um Weitergabe der Auslandserfahrungen an andere – festzustellen. Die Interpretation dieser Übereinstimmungen ist allerdings einigermaßen problematisch. Die naheliegendste Hypothese wäre hier wohl diejenige, daß es sich bei den "hohen Nutzern" der Auslandsausbildung aufgrund spezifischer Persönlichkeitsvariablen um überdurchschnittlich arbeits- und innovationseffiziente Personen handelt, deren Leistung sowohl von ihren Vorgesetzten als auch den amerikanischen Experten objektiv anerkannt wird. Dieser Hypothese wird jedoch von den Verantwortlichen für diese Evaluierungsstudien (Clements 1966, Gollin 1967, 1969) selbst widersprochen, die feststellen, daß für die Nutzung der Auslandsausbildung in erster Linie die Aufnahmebereitschaft des heimatlichen Betriebes und hier insbesondere des Vorgesetzten ausschlaggebend sei, während psychologische Persönlichkeitsvariablen von ihnen in dieser Hinsicht gar nicht in Betracht gezogen werde. Die zweite Hypothese ginge deshalb wohl vor allem dahin, daß solche Vorgesetzten und Experten, die der Auslandsausbildung selbst hohen Wert zumessen, den Rückkehrer zu entsprechenden Nutzungs-, Innovations- und Weitergabe-Aktivitäten stimulieren, die dann von allen Beteiligten als positiv bewertet werden, während bei geringer Bewertung der Auslandsausbildung solche Aktivitäten nicht stimuliert werden. Als dritte Hypothese ließe sich schließlich noch formulieren, daß sich die Bewertungen aller drei Gruppen gar nicht in erster Linie auf tatsächliches Verhalten beziehen, sondern daß hier gruppenspezifische Meinungen über den Wert der Auslandsausbildung schlechthin reflektiert werden, mit denen dann die einzelnen Returnees in unterschiedlicher Weise identifiziert werden. Alle Hypothesen sind durchaus plausibel, mangels empirischer Beweise aber leider auch alle nicht verifizierbar.

Insgesamt ist deshalb trotz mehr als einhundert empirischen Untersuchungen bei zurückgekehrten Studenten, Praktikanten oder sonstigen Teilnehmern an Programmen der Auslandsausbildung festzustellen, daß die Bedingungen, unter denen die Rückkehrer ihre Auslandserfahrungen als Innovatoren in ihrer heimatlichen Gesellschaft weitergeben, bislang noch überhaupt nicht untersucht worden sind. Geklärt sind allenfalls die soziologischen Dimensionen des Problems, daß also materielle Arbeitsbedingungen, die Aufnahmebereitschaft der Kollegen und Vorgesetzten, der Status des Rückkehrers sowie Art und Größe des Betriebs, in dem er nach seiner Rückkehr tätig ist, für die Nutzung von Bedeutung sind. Welcher Art aber die dynamischen Prozesse sind, die sich in dieser Hinsicht abspielen, und wieweit sie unter Umständen durch entsprechende Maßnahmen beeinflußt werden können, ist noch völlig unklar.

Hinsichtlich der Nutzung der Auslandserfahrungen sowie der Rolle von Rückkehrern als soziale Innovatoren in der Gesellschaft ihres Heimatlandes stehen wir also insgesamt vor einer kaum verständlichen sozialwissenschaftlichen Situation. Obgleich historische Analysen der Auslandsausbildung eine zentrale Rolle bei kulturellen Diffusions- und Wandlungsprozessen zubilligen, liegen gesicherte sozialwissenschaftliche Daten dazu nicht vor. Obgleich die Diskussion möglicher "Innovationsqualitäten" der im Ausland Ausgebildeten zahlreiche Anknüpfungspunkte an Konzepte der sozialwissenschaftlichen Forschung von hoher konstitutiver Bedeutung aufweist, ist bislang keines dieser Konzepte von der Austauschforschung genutzt worden. Obgleich schließlich der Prozeß der kulturellen Diffusion verständlicherweise nur in der

Gruppe untersucht werden kann, in der Innovationsprozesse ablaufen (sollen), beziehen sich alle Rückkehrerstudien nahezu ausnahmslos oder überwiegend auf Situationen des Gastlandes. Insgesamt ist deshalb dieser Teil der Austauschforschung trotz erheblicher Investitionen, die in den fünfziger und Anfang der sechziger Jahre dafür aufgewandt worden sind, nach wie vor ein weißer Fleck auf der wissenschaftlichen Landkarte.

Anmerkungen

[1] Eine allgemein akzeptierte Kurzbezeichnung für "Forschung über Probleme der Auslandsausbildung" existiert nicht. Die von Danckwortt (1959) vorgeschlagene und im folgenden wegen ihrer Kürze übernommene Bezeichnung "Austauschforschung" hat sich allgemein ebensowenig durchgesetzt wie die im englischen Sprachbereich häufigsten Bezeichnungen "exchange-of-persons research" und "cross-cultural education research".

[2] Zitiert in Cieslak (1955, S. 1–23) und Danckwortt (1959, S. 6).

[3] vgl. Mandelbaum (1956, S. 45).

[4] Zitiert in Metraux (1952).

[5] Im Jahre 1911 waren 50 % aller Studenten in der Schweiz Ausländer, davon etwa die Hälfte Russen, und an deutschen Hochschulen studierten zum gleichen Zeitpunkt ca. 2000 russische Studenten (= ca. 3 % aller an deutschen Hochschulen Immatrikulierten). Zum Vergleich: Gegenwärtig studieren an den Hochschulen der Bundesrepublik Deutschland ca. 50 000 Ausländer = 5,5 % aller Immatrikulierten.

[6] vgl. auch Eckensberger (1970).

[7] Becker (1968); Herman (1970).

[8] vgl. Eckensberger (1970).

[9] So beispielsweise in der Studie von Tjioe (1972, S. 68).

[10] Der von Lewin stammende Begriff der "Überschneidungssituation" wurde von Smith (1955), Watson & Lippitt (1955) und French & Zajonc (1957) in die Austauschforschung eingeführt. Leider ist dieses Konzept später nur noch von Herman (Herman & Schild 1960, 1961; Herman 1970) wieder aufgegriffen worden, während es ansonsten in der Austauschforschung keine Beachtung mehr gefunden hat.

[11] Hierzu vor allem Lysgaard 1955, Dubois 1956, Smith 1956, Lesser & Peter 1957, Danckwortt 1959.

[12] vgl. Taba 1954, Sewell & Davidsen 1956, 1961, Lesser & Peter 1957, Bennett, Passin & McKnight 1958, Cormack 1962, Kelman & Bailyn 1962, Vente 1962.

[13] vgl. Dubois (1956), Cormack (1963), Lewin (1963), König (1969).

[14] vgl. Zajonc & Wahi (1961), Kelman & Bailyn (1962), Weinstock (1964), Kurz (1965), Schade (1968).

[15] vgl. Klineberg (1965, S. 102 ff.).
[16] vgl. Schieffer (1969).
[17] Wichtige Daten zu diesem Problem finden sich vor allem bei Dubois (1956), Lesser & Peter (1957), Morris (1960), Singh (1963), Sewell & Davidsen (1956, 1961), Hekmati (1970).
[18] Das Konzept des Nationalstatus ist in die Austauschforschung vor allem von Bruner & Perlmutter (1957), Lambert & Bressler (1956), Morris (1960) und Becker (1968) eingeführt worden.
[19] vgl. u. a. Eide (1970), Zimmermann (1972).
[20] Vgl. u. a. Useem & Useem 1955, DuBois 1956, Institute for Social Research 1959, Danckwortt 1959, Klineberg 1965, 1970.

Literatur

Albrecht, H. (1969), Innovationsprozesse in der Landwirtschaft. Saarbrücken: Verlag der SSIP-Schriften 1969.

Barnett, H. (1953), Innovation, the basis of cultural change. New York: McGraw-Hill 1953.

Becker, T. (1968), Patterns of attitudinal changes among foreign students. In: American Journal of Sociology, 73, 1968, 431–441.

Bennett, J. W., Passin, H., McKnight, R. K. (1958), In search of identity. The Japanese overseas scholar in America and Japan. Minneapolis: University of Minnesota Press 1958.

Bergius, R. (1969), Anlayse der "Begabung": Die Bedingungen des intelligenten Verhaltens. In: Roth, H. (Hg.), Begabung und Lernen, 229–268. Stuttgart: Klett 1969.

Boesch, E. E. (1966), Psychologische Theorie des sozialen Wandels. In: Besters, H. u. Boesch, E. E. (Hg.), Entwicklungspolitik, Handbuch und Lexikon, 335–416. Stuttgart u. Mainz: Kreuz-Verlag u. Matthias-Grünewald-Verlag 1966.

Boesch, E. E. (1971), Zwischen zwei Wirklichkeiten. Prolegomena zu einer ökologischen Psychologie. Bern: Verlag Hans Huber 1971.

Breitenbach, D. (1970), The evaluation of study abroad. In: Eide, I. (ed.), Students as links between cultures, 70–107. Oslo: Universitetsforlaget 1970.

Breitenbach, D. (1971), Kritik der Entwicklungsforschung. Entwicklung und Zusammenarbeit, 12/4, 1971, 10–12.

Breitenbach, D., u. Danckwortt, D. (1961), Studenten aus Afrika und Asien als Stipendiaten in Deutschland. Bericht über eine sozialwissenschaftliche Studie im Auftrage des Deutschen Akademischen Austauschdienstes. Berlin: Deutsche Stiftung für Entwicklungsländer 1961.

Bruner, J. S. a. Perlmutter, H. V. (1957), Compatriot and foreigner: a study of impression formation in three countries. In: Journal of Abnormal and Social Psychology, 55, 1957, 253–260.

Campbell, D. T. (1966), Factors relevant to the validity of experiments in social settings. In: Backman, C. W. a. Secord, P. F. (eds.), Problems in social psychology, 3–13. New York: McGraw-Hill 1966.

Capes, W. W. (1922), University life in ancient Athens. New York: Stechert a. Co. 1922.

Cieslak, E. Ch. (1955), The foreign student in American colleges. (A survey and evaluation of administrative problems and practices). Detroit: Wayne University Press 1955.

Clements, F. E. (1966), World-wide evaluation of participant training. Summary of principal findings and primary recommendations for action. Washington, D. C.: U. S. Department of State, A. I. D. 1966.

Cormack, M. L. (1962), An evaluation of research on educational exchange. Washington, D. C.: U. S. Department of State Bureau of Educational and Cultural Affairs 1962.

Daly, L. W., 1950, Roman study abroad. In: American Journal of Philology, 71, 1950, 40–58.

Danckwortt, D. (1959), Probleme der Anpassung an eine fremde Kultur. Eine sozialpsychologische Analyse der Auslandsausbildung. Köln: Carl-Duisberg-Gesellschaft für Nachwuchsförderung 1959.

Doob, L. (1960), Becoming more civilized, a psychological exploration. New Haven: Yale University Press 1960.

DuBois, C. (1955), The dominant value profile of American culture. In: American Anthropologist, 57, 1955, 1232–1239.

DuBois, C. (1956), Foreign students and higher education in the United States. Washington: American Council on Education 1956.

Duncker, K. (1963), Zur Psychologie des produktiven Denkens. Berlin: Springer 1963 (Erstauflage: 1935).

Eckensberger, L. H. (1970), Methodenprobleme der kulturvergleichenden Psychologie. = SSIP-Schriften Heft Nr. 8. Saarbrücken: Verlag der SSIP-Schriften 1970.

Eide, I. (ed.) (1970), Students as links between cultures. A cross cultural survey based on Unesco studies. Oslo: Universitetsforlaget 1970.

Eldridge, J. E. T. (1960), Overseas students at Leicester university: some problems of adjustment and communication. In: Race, 2, 1960, 50–59.

French, J. R. P. a. Zajonc, R. B. (1957), An experimental study of cross-cultural norm conflict. In: Journal of Abnormal and Social Psychology, 54, 1957, 218–224.

Gollin, A. E. (1967), Foreign study and modernization: the transfer of technology through education. In: International Social Science Journal, 19/3, 1967, 359–377.

Gollin, A. E. (1969), Education for national development. Effects of U. S. Technical Training Programs. New York: Praeger 1969.

Guilford, J. P. (1964) Persönlichkeit. Logik, Methodik und Ergebnisse ihrer quantitativen Erforschung. Weinheim: Beltz 1964.

Guilford, J. P. (1967), The nature of human intelligence. New York: McGraw-Hill 1967.

Gullahorn, J. T. a. Gullahorn, J. E. (1963), An extension of the U-curve hypothesis. In: Journal of Social Issues, 19/3, 1963, 33–47.

Hagen, E. E. (1962), On the theory of social change. Homewood, Ill.: Dorsey Press 1962.

Hall, E. T. (1959), The silent language. Greenwich, Conn.: Fawcett Publ., Premier Book 1959.

Haskins, Ch. H. (1923), The rise of universities. New York: Holt a. Co. 1923.

Heckhausen, H. (1963), Hoffnung und Furcht in der Leistungsmotivation. Meisenheim/Glan: Hain 1963.

Hekmati, M. (1970), Alienation, family ties, and social position as variables related to the non-return of foreign students. School of Education of New York University, Ph. D. Diss. 1970.

Herman, S. N. (1970), American students in Israel. Ithaca: Cornell Univerity Press 1970.

Herman, S. N. a. Schild, E. (1960a), Contexts for the study of cross-cultural education. Journal of Social Psychology, 52, 1960, 231–250.

Herman, S. N. a. Schild, E. (1960b), Ethnic role conflict in a cross-cultural situation. Human Relations, 13, 1960, 215–220.

Herman, S. N. a. Schild, E. (1961), The stranger-group in a cross-cultural situation. In: Sociometry, 24, 1961, 165–176.

Hofman, J. E. a. Zak, I. (1969), Interpersonal contact and attitude change in an cross-cultural situation. In: Journal of Social Psychology, 78, 1969, 165–171.

Hovland, C. J. a. Rosenberg, M. J. (ed.) (1960) Attitude organization and change. New Haven: Yale University Press 1960.

Hunt, J. McV. (1965), Intrinsic motivation and its role in psychological development. In: Levine, D. (ed.), Nebraska Symposium on motivation, 189–282. Lincoln: University of Nebraska Press 1965.

Institute for Social Research (1959), Using U.S. training in the Philippines. A follow-up survey of participants. Vol. I: The report, Vol. II: The Appendix. Washington: International Cooperation Administration 1959.

Jacobson, E. H. (1963), Sojourn research: a definition of the field. In: Journal of Social Issues, 19/3, 1963, 123–129.

Katz, E. et al. (1963), Tradition of research on the diffusion of innovation. In: American Sociological Review, 28/2, 1963, 237–252.

Kelman, H. C. a. Bailyn, L. (1962), Effects of cross-cultural experience on national images: a study of Scandinavien students in America. Journal of Conflict Resolution, 6/4, 1962, 319–334.

Kerlinger, F. H. (1964), Foundations of behavioural research. London: Holt, Rinehart a. Winston 1964.

Klineberg, O. (1965), Research in the field of international exchanges in education, science and culture. Social Science Information, 4/4, 1965, 97–138.

Klineberg, O. (1970a), Psychological aspects of student exchange. In: Eide, I. (ed.), Students as links between cultures, 32–48. Oslo: Universitetsforlaget 1970.

Klineberg, O. (1970b), Research in the field of educational exchange. In: Eide, I. (ed.), Students as links between cultures, 49–69. Oslo: Universitetsforlaget 1970.

König, R. (1969), Anpassung. In: Bernsdorf, W. (Hg.), Wörterbuch der Soziologie, 29–31. Stuttgart: Ferdinand Enke 1969.

Kurz, U. (1965), Partielle Anpassung und Kulturkonflikt. Gruppenstruktur und Anpassungsdispositionen in einem italienischen Gastarbeiter-Lager. Kölner Zeitschrift für Soziologie und Sozialpsychologie, 1965, 814–832.

Lambert, R. D. a. Bressler, M. (1954), Indian students and the United States: cross-cultural images. In: The Annals of The American Academy of Political and Social Science, 295, 1954, 62–72.

Lesser, S. O. a. Peter, H. W. (1957), Training foreign nationals in the United States. In: Likert, R. a. Hayes, S. P. (eds.), Some applications of behavioural research, 160–206. Paris: UNESCO 1957.

Lewin, K. (1963), Feldtheorie in den Sozialwissenschaften. Bern: Verlag Hans Huber 1963.

Lundstedt, S. (ed.) (1963a), Human factors in cross-cultural adjustment. J. Social Issues, 1963, Vol. 19/3.

Lundstedt, S. (1963b), An introduction to some evolving problems in cross-cultural research. J. Social Issues, 19/3, 1963, 1–9.

Lysgaard, S. (1955), Adjustment in a foreign society: Norwegian Fulbright grantees visiting the United States. In: International Social Science Bulletin, 1955, 7/1, 45–51.

Mandelbaum, D. G. (1956), Comments. In: Smith, M. B. (ed.), Attitudes and adjustment in cross-cultural contact: recent studies of foreign students, J. of Social Issues, 12/1, 1956, 45–51.

McClelland, D. C., et al. (1953), The achievement motive. New York: Appleton 1953.

Meili, R. (1961), Lehrbuch der psychologischen Diagnostik. Bern: Huber 1961.

Métraux, G. S. (1952), Exchange of persons: the evolution of cross-cultural education. New York: Social Science Research Council 1952.

Métraux, G. S. (1956), Aspects historiques du voyage éducatif. Bulletin International des Sciences Sociales, 8/4, 1956, 589–597.

Miller, G. A., Galanter, E. a. Pribram, K. H. (1960), Plans and the structure of behavior. New York: Holt a. Co. 1960.

Morris, R. T. (1960), The two-way mirror. National status in foreign students' adjustment. Minneapolis: University of Minnesota Press 1960.

Oerter, R. (1971), Psychologie des Denkens. Donauwörth: Auer 1971.

Osgood, C. E. (1964), Semantic differential technique in the comparative study of cultures. In: Amer. Anthropologist, 66, 1964, Suppl., 171–200.

Paech, N., Sommer, B. A. u. Burmeister, Th. (1972), Entwicklungsländerforschung in der Bundesrepublik Deutschland. Internationales Asienforum, 3, 1972, 369–388.

PEP (1955), Colonial students in Britain. London: PEP (Political and Economic Planning) 1955.

PEP (1965), New Commonwealth students in Britain. London: George Allen a. Unwin 1965.

Pool, I. de Sola (1965), Effects of cross-national contacts on national and international images. In: Kelman, H. C. (ed.), International behavior. A social-psychological analysis, 106–129. New York: Holt, Rinehart a. Winston 1965.

Rogers, E. M. (1962), Diffusion of innovations. New York: Free Press of Glencoe 1962.

Schade, B. (1968), Das Studium im Ausland als psychologischer Prozeß. Bonn: H. Bouvier 1968.

Schieffer, O. (1969), Die Anerkennung deutscher Examina im Ausland. In: Ausländerstudium: Fragen und Empfehlungen zu einer Reform, Loccumer Protokolle 17, 75–77. Loccum: Evangelische Akademie 1969.

Sewell, W. H. a. Davidsen, O. M. (1956), The adjustment of Scandinavian students. J. of Social Issues, 12/1, 1956, 9–19.

Sewell, W. H., a. Davidsen, O. M. (1961), Scandinavian students on an American campus. Minneapolis: University of Minnesota Press 1961.

Singh, A. K. (1963), Indian students in Britain: a survey of their adjustment and attitudes. London: Asia Publishing House 1963.

Smith, M. B. (1955), L'évaluation des échanges de personnes. In: Bulletin International des Sciences Sociales, 7/3, 1955, 419–431.

Smith, M. B. (1955), Some features of foreign student adjustment. In: J. of Higher Education, 26/5, 1955, 8–8.

Smith, M. B. (1956), Cross-cultural education as a research area. In: J. of Social Issues, 12/1, 1956, 3–8.

Taba, H. (1954), Cultural attitudes and international understanding: an evaluation of an international study tour. New York: Institute of International Education, Occasional Paper Nr. 5, 1954.

Thierfelder, F. (1943), Ursprung und Wirkung der französischen Kultureinflüsse in Südosteuropa. Berlin: Duncker u. Humblot 1943.

Tjioe, L. E. (1972), Asiaten über Deutsche. Kulturkonflikte ostasiatischer Studentinnen in der Bundesrepublik. Frankfurt: Thesen Verlag 1972.

U.S. Advisory Commission on International Educational and Cultural Affairs (1963), A beacon of hope: the exchange-of-persons program. Washington, D.C.: U.S. Government Printing Office 1963.

U.S. Agency for International Development (1966), A. I. D. participant training program. The transfer and use of development skills: an evaluation study of U.S. technical training programs for participants from underdeveloped areas. Washington, D. C.: U.S. Department of State, A. I. D. 1966.

Useem, J. a. Useem, R. H. (1955), The Western-educated man in India: a study of his social roles and influence. New York: Dryden Press 1955.

Vente, R. E. (1962), Die technische Hilfe für Entwicklungsländer. Band II: Möglichkeiten und Grenzen der Ausbildung von Angehörigen der Entwicklungsländer in Industrieländern. Baden-Baden: August Lutzeyer 1962.

Veroff, J. (1963), African students in the United States. In: J. of Social Issues, 19/3, 1963, 48–60.

Walden, J. W. H. (1909), The universities of the ancient Greece. New York: Charles Scribners' Son 1909.

Watson, J. a. Lippitt, R. (1955), Learning across cultures: a study of Germans visiting America. Ann Arbor: University of Michigan 1955.

Weinstock, S. A. (1964), Motivation and social structure in the study of acculturation: a Hungarian case. In: Human Organization, 23/1, 1964, 50–52.

Zajonc, R. B. a. Wahi, N. K. (1961), Conformity and need-achivement under cross-cultural norm conflict. In: Human Relations, 14, 1961, 241–250.

Zimmermann, B. (1972), Auslandsstudium und nationale Orientierung senegalesischer Akademiker. Saarbrücken: Verlag der SSIP-Schriften 1972.

Alois Wierlacher

Deutsche Literatur als fremdkulturelle Literatur

Zu Gegenstand, Textauswahl und Fragestellung einer Literaturwissenschaft des Faches Deutsch als Fremdsprache

Vorbemerkung

Der vorliegende Beitrag korrigiert meine früheren Arbeiten[1] in dem einen Punkt der Terminologie: ich ersetze den von mir noch 1977 benutzten Begriff der 'fremden Literatur' durch den der 'fremdkulturellen Literatur', der mir präziser zu sein scheint: denn fremd ist *jedem* Leser ein poetischer Text. "Die Fremdsprachlichkeit bedeutet nur einen gesteigerten Fall von hermeneutischer Schwierigkeit", betont Gadamer mit Recht[2]. Die differentia specifica ist folglich mit dem Pauschalbegriff 'fremd' nicht zu fassen. Ich verkenne nicht, daß er griffig ist und sich als sprachökonomische Analogiebildung auch weiterhin anbietet; vom eigentlichen Problem scheint er mir jedoch eher abzulenken, weshalb ich ihn aufgebe. Auf gebe ich auch die Begriffe 'Zielkultur' und 'Ausgangskultur', die in der Sprachdidaktik gebräuchlich sind. Ich spreche stattdessen von 'Eigenkultur' und 'Fremdkultur'. Die Gründe dieser Sprachregelung werden im Lauf der Erörterung deutlich.

Der Titelbegriff des vorliegenden Beitrags soll aber nicht nur an die hermeneutische Problematik erinnern, sondern auch an die Situierung von Germanistik im Ausland, die stets eine fremdkulturelle ist, die als solche weder übergangen noch forciert, sondern einfach bedacht sein will. Ferner soll der Titelbegriff jene deutsche Literatur einbegreifen, die in zahlreichen Kurs-Angeboten des Auslands in Übersetzungen gelehrt wird. Auch wenn die übersetzte deutsche Literatur keine fremdsprachliche mehr ist und gegebenenfalls 'allgemeinmenschliche' Inhalte zur Diskussion stellt, deren Erörterung den Lernenden mit Problemstellungen der ihn umgebenden Welt verbindet, ist sie doch zunächst[3] als kulturdifferentes Verständigungsangebot zu rezipieren und zu vermitteln, ist sie fremdkulturelle Literatur. Auch die Lehrerfahrung bestätigt, daß die eigentlichen Schwierigkeiten des fremdsprachlichen Rezipienten (Lesers) deutscher Literatur nicht grammatischer, auch nicht ästhetischer, sondern kultursemantischer Art sind. Die kulturmodifikablen literarischen Inhalte – einschließlich der kulturdifferenten Konzepte wie Zeit, Raum, Distanz, Arbeit etc. – stellen mithin die Problembereiche dar, um deren Erforschung und Vermittlung es einer Literaturwissenschaft des Faches Deutsch als Fremdsprache vornehmlich gehen muß.

I. *Gegenstand und Textauswahl*

Zu den kulturmodifikablen Inhalten (Wertsetzungen) gehört der Literaturbegriff selbst. Alles Reden von Literatur und Literaturwissenschaft setzt einen Literaturbegriff voraus, und es ist unbestritten, daß er mentaliter den Gegenstand und seine Komponenten in der wissenschaftlichen Lehr- und Forschungspraxis konturiert. Wir tun daher gut daran, so meine ich, unsere Überlegungen anhand der Klärung folgender Fragen vorzunehmen:

1) Soll/kann die Komponente Literaturwissenschaft unseres Faches von einem engen oder weiten, einem funktionalen oder gegenständlichen Literaturbegriff ausgehen?

2) Soll/kann für die Komponente Literaturwissenschaft – denken wir an die Prozesse der Produktion, Rezeption, Distribution – die Gesamtheit der literarischen Kommunikation bzw. das individuelle Kommunikat oder nur die literarische Reihe eines wie immer begründeten Textkanons den Analysebereich bilden?

3) Soll/kann die deutsche Literatur in ihrer historischen Gesamtheit und als kulturelle Institution gelehrt werden oder sollen bzw. müssen wir uns auf die neueren Epochen ihrer Geschichte konzentrieren oder gar beschränken?

Am Leitfaden der Erörterung dieser Fragen kommen wir unmittelbar und zwanglos in die Materie. Da das Verhältnis zwischen Literaturbegriff und Lehrzielen des Gesamtfaches als dialektisches begriffen werden muß, schließt die Erörterung wenigstens einige Grundsätze der Lehrzielbeschreibung ein.

I, 1. Bewertung, Zwecksetzung und gesellschaftlicher Stellenwert als poetisch geltender Texte sind in einer Kommunikationsgemeinschaft (Kultur) Funktionen des Poesiebegriffs, den sich Produzenten und Rezipienten aufgrund komplexer Wertvorstellungen und Interessenfaktoren gebildet haben. Texte, die in der einen Kultur als poetisch angesehen werden, können daher in einer andern, in Subkulturen oder interkulturellen Sinnsystemen, andere Geltungen gewinnen. Man denke an das biblische Hohe Lied und seine pragmatisierende und entpragmatisierende Funktionsgeschichte. Ein solcher Wandel ist nur möglich, weil sich Texte nicht in ihrer Gegenständlichkeit erschöpfen und sich die pragmatischen und imaginativen Funktionsvorgaben nicht chemisch rein voneinander trennen lassen. Sehr einprägsam hat Peter Handke diesen Sachverhalt vor Augen geführt. Sein Text *Die Aufstellung des 1. FC Nürnberg* unterscheidet sich in nichts von einem informatorischen in der Hand des Besuchers eines Fußballspiels; allein die Textumgebung wurde ausgewechselt und mit ihr die Textfunktion, die ihrerseits über den Inhalt mitentscheidet, der nun ein sehr anderer ist: Raumgestaltung konkreter Poesie. Entsprechendes läßt sich an vielen anderen Beispielen zeigen, auch an Rezeptgedichten, auf die Horst Steinmetz 1977[4] zu sprechen kommt. Die Antwort auf die erste Frage lautet folglich: Die Opposition eng/weit ist irrig, bzw. irreführend; sie täuscht einen objektiven Sachverhalt vor, der so nicht gegeben ist. Unter veränderten Rahmenbedingungen werden Texte nicht nur anders rezipiert, es sind jeweils andere Objektivationen (Funktionseinheiten). Auszugehen ist folglich von einem funktionalen (medialen) Literaturbegriff.

Aus der Funktionalität von Texten ergibt sich, daß es für unsere Zwecke untunlich wäre, den Textbereich auf die in der Fremd- oder Eigenkultur des Lernenden für poetisch gehaltenen Texte zu beschränken. Die Geltungen (Funktionszuweisungen) wandeln sich ja, und es liegt ferner im wohlverstandenen Interesse unseres Faches, die Freiheit zu wahren, auch Lehrbuchtexte, Fernsehsendungen oder wissenschaftliche Prosa der Komplementfächer zum Untersuchungsgegenstand zu machen. Diese Wünschbarkeiten werden keineswegs geschmälert, wenn ich, den Gedankengang weiterführend, das Verhältnis der beiden Geltungsbereiche so bestimme, daß an der Vorzugsstellung imaginativer Texte festgehalten werden solle und zwar aus zwei Gründen: ihrem Angebotsreichtum an Impulsen zu Selbstverständigungsprozessen und dem Lehrziel des Faches, zur Selbstverständigung der Lernenden beizutragen. Diese Selbstverständigung ist in einer pluralistischen Weltkultur mit ihren Überangeboten an medialen Beeinflussungen, die besonders in den sogenannten Entwicklungsländern die eigenen Orientierungsbemühungen erschwert[5], nicht nur wichtig, sondern lebensnotwendig geworden. Während die Wissenschaft Resultate des Nachdenkens mitteilt, die Klischeeliteratur zu beruhigen sucht, die religiösen Sinnsysteme nicht jedermanns Sache sind, weil sie Gläubigkeit voraussetzen, ist die poetische Literatur – in Buchform oder als Film – Medium prozessuraler Selbstverständigung des Lesers. Diese mediale Funktion entspricht auch dem Selbstverständnis vor allem der gegenwärtigen Literatur: befragt über den persönlichen Sinn ihrer literarischen Produktivität geben die meisten Autoren heutzutage an, er liege im "ständigen Mit-Sich-Im-Gespräch-sein" (Dürrenmatt)[6], das Schreiben sei "Mittel der Selbstüberprüfung" (Walser)[7], Hilfe beim Versuch, "besser, genauer, richtiger zu leben" (Wohmann)[8], also "Mittel zur Selbstverwirklichung" (Nossack)[9], ein Weg, "sich zu realisieren" (Grass)[10], kurz: "ein befreiender Vorgang" (Böll)[11]. Diesem Prozeßcharakter der Literatur korreliert der Prozeßcharakter des Lesens, so daß sich die hier diskutierte Literaturwissenschaft grundsätzlich in doppelter Weise realisiert, als Textadaption und als Textanalyse[12]. Bekräftigt wird diese Konklusion durch einen Umstand, der in der internationalen Diskussion des Faches Deutsch wohl zu wenig beachtet worden ist. Eine germanistische Literaturwissenschaft Deutsch als Fremdsprache kann sich nicht ähnlich schroff wie die deutsche Germanistik oder die Philologien der fremdsprachlichen Schulfächer vom Literaturunterricht distanzieren, nachdem vergleichbare Vorgegebenheiten sprachlicher, literarischer oder kultureller Kompetenzen überhaupt nicht gegeben sind. Die meisten Studenten der deutschen Seminare in der Fremdsprachenphilologie Germanistik kommen ohne gediegene Sprach- oder Literaturkenntnisse und auch ohne das enzyklopädische Wissen eines Abiturienten an die Universität. Diese Ausgangsbasis gehört zu den Rahmenbedingungen des Faches. Mindestens auf dem internationalen *undergraduate* – level des Germanistikstudiums ist Literaturwissenschaft folglich nicht anders als Literaturunterricht zu realisieren – und sollte auch so ausgeübt werden: da diese Studentengruppe mit Abstand die größte aller Deutschlernenden überhaupt darstellt, wäre eine Trennung der Literaturwissenschaft vom Literaturunterricht im internationalen Studienbereich Deutsch nicht nur unnatürlich, sondern unklug zugleich.

I, 2. Aus diesem Umstand, daß Literaturwissenschaft und Literaturunterricht für sie nicht strikte separierbar sind, zieht die Literaturwissenschaft des Faches Deutsch als Fremdsprache den Schluß *a)* die Lehrziele beider methodischen Bemühungen um Literatur miteinander in Berührung zu bringen, d. h.: die Adressatenorientiertheit des Faches verhält sich produktiv nicht nur zum Lehrziel der *Kulturmündigkeit* und den aus ihm abgeleiteten Teillehrzielen, sondern auch zur didaktisch gebotenen *Relevanz*forderung des Literaturunterrichts[13]. Sie nimmt

die Subjektivität des fremdkulturellen Lerners als produktive Kategorie ernst, indem sie sowohl die "Bezugsfeld"-Aktualität (Anderegg)
ihrer Textauswahl dem erwähnten Kriterium Robinsohns folgend zu
einem ihrer Auswahlkriterien macht als auch das Prinzip der "suspen-
siven Interpretation" (Steinmetz) zu ihrem Auslegungsverfahren. Das
führt allerdings b) dazu, daß eine totale Lernzielbindung des Studiums
inakzeptabel wird. Es bleibt der Raum für jene Selbstverständigungsprozesse, der die didaktische Relevanz des Studiums überhaupt erst
möglich macht, erhalten. Wir kommen unten (in II, 2) auf sie zurück.

Textadaption und Textanalyse lassen sich als unterschiedliche Lese-
weisen beschreiben. Dem einen wäre die identifikatorische Leseweise,
dem anderen Verfahren die kritische, analytische gemäß. Man hat kürz-
lich mit Recht darauf hingewiesen[14], daß die erste Leseweise für jedermann unverzichtbar sei; erst im identifikatorischen Akt des Lesens eines
fremdkulturellen Textes könne sich der Leser in seinen Normen auf
die Probe stellen. In den interimistischen Vorgängen dieser Konturie-
rungsphasen weist nun der Leser nolens volens den Text-Fragen Funktionen zu, die von kulturellen Vorprägungen des Lesenden wie von anderen Rezeptionsvoraussetzungen abhängen. Wir wissen heute, daß die
Rezeptionssituation darüberhinaus von zahlreichen sozialen Faktoren
determiniert wird, zu denen auch das Unterrichtsmilieu sowie der ganze Wissenschaftskontext gehören. Soll aus dem naiven Leser ein kritischer werden, muß er diese Bedingungen seines Umgangs mit dem Text
bedenken, reflektieren. Mit anderen Worten: es ist unsere erste pädagogische und hermeneutische Aufgabe, dem fremdkulturellen Leser nicht
nur die in der Gegenwarts- und Ursprungsumgebung des Textes geltenden Textfunktionen und deren Wurzelsysteme zu verdeutlichen, sondern ihn auch, auf welchem Wege immer, über die ausgangskulturellen
Rezeptionssteuerungen seiner Textrezeption aufzuklären. Als Konsequenz zur Bestimmung des Gegenstands einer Literaturwissenschaft,
die sich mit deutscher als fremdkultureller Literatur befaßt, folgt hieraus zunächst: sie erweitert sich um Aspekte einer kontrastiven Kulturwissenschaft und zählt Fragestellungen einer empirischen Leserfor-
schung, Analysen kulturspezifischer Rezeptionsbarrieren und Funktionszuweisungen ebenso zu ihren Aufgaben wie die Textanalyse (Interpretation) selbst.

Um die erwähnten Zusatzaufgaben leisten zu können, wird sich die
Literaturwissenschaft des Faches Deutsch als Fremdsprache in Umfang,
Zielsetzung und Methode von der Muttersprachenphilologie Germa-
nistik differenzieren. Bislang ist eine solche Differenzierung kaum er-

folgt; eine Didaktik der Literaturwissenschaft deutscher als fremdkultureller Literatur existiert so gut wie gar nicht. Doch erst im Maß, in dem Texte und der Umgang mit ihnen als Problemeinheiten erkannt und akzeptiert werden, gewinnt auch das beliebte Reden von einer jugoslawischen oder amerikanischen Germanistik Sinn und Plausibilität. Denn jeweiliger wissenschaftlicher Arbeitsbereich in Lehre und Forschung wäre eben dann die Problemeinheit von fremdkulturellem Text und seiner Aufnahme und Konkretisation durch den fremdkulturellen Leser. Methodisches Rückgrat bildeten die Außenbetrachtung und die Funktionsgeschichte der deutschen Literatur in ihrem Kulturbereich und dem des aufnehmenden Lesers.

Hier stellt sich freilich ein besonderes Problem für die Literaturwissenschaft unseres Faches in Institutionen mit multikulturellen Studentengruppen; der Aspekt der empirischen Literaturwissenschaft wird sich in diesem Fall sinnvollerweise konzentrieren auf die Erforschung des Einflusses einer fremdkulturellen Umgebung auf die Lektüre ihrer Texte sowie umgekehrt auf die Erforschung der Divergenzen im kulturellen Habitus differierender Studentengruppen bei der Aufnahme dieser Texte. Wir wissen zur Zeit so gut wie nichts hinsichtlich der besonderen Schwierigkeiten etwa eines US-Amerikaners bei der Literaturrezeption; es ist unbekannt, welche Literaturgruppe aus welchen Gründen die meisten Rezeptionshemmnisse mitbringt, welche kulturellen Interferenzen die Verständigungsprozesse fördern oder erschweren, welche Wertsetzungen zu Fehlrezeptionen führen müssen. Wenn wir davon ausgehen, daß Literatur auf Problemlagen ihrer Zeit reagiert, dann ist es erforderlich, bei der Erforschung von Rezeptionsweisen dieser Reaktionen die kulturell unterschiedlichen Bewertungen der Problemlagen ins Gespräch zu bringen. Daraus folgt nicht nur die Bestätigung der eingangs betonten Inhaltsbezogenheit des Literaturstudiums, von der noch zu sprechen sein wird, sondern auch die Notwendigkeit, wesentlich intensiver als bisher über die Institutionen zu informieren, die fremdkulturelle Literatur im internationalen Schul- und Hochschulbereich des Deutschen als Fremdsprache durch Lehrpläne, Richtlinien, Studienbücher usw. tradieren. Hier fehlt es nahezu überall an den erforderlichen Literaturlehrforschungen: zu kommentierten aufbereitenden Editionen selbständiger Texte, zu impliziten Literaturbegriffen, zu Literaturkanones, zu Defiziten adressatenorientierter Lehrmaterialien, zu den Verordnungsprämissen der implizierten Kanones usw. So wenig eine Literaturwissenschaft Deutsch als Fremdsprache sich völlig von der Interpretation dispensieren wird, so wenig kann sie darum veranlaßt sein, von Aspekten einer Umfeldforschung im Rahmen einer empirischen Literaturwissenschaft Abstand zu nehmen. Erst wenn sie die Textumgebungen in Bezug auf die Eigen- und Fremdkultur des Rezipienten zum Gegenstand ihrer Analysen macht, wird sie dazu beitragen können, jenen Zustand des Lehrfachs Germanistik zu beenden, den Theodore Ziolkowski so drastisch beschrieben hat[15]. Es versteht sich, daß diese Aufgabenerweiterung auch die landeskundlichen Beschreibungen des literarischen Marktes in der Eigen- und Fremdkultur einbeziehen muß, deren Zwänge, Gesetze, Möglichkeiten usw. Die Vergleichssetzungen ergeben sich aus der Beschreibung des fremdkulturellen Zustandes von selbst: daß nur die Zweitrechte die Mehrzahl der Autoren ökonomisch über Wasser halten, daß die Medien Fernsehen und Rundfunk zu bedeutenden Auftraggebern geworden sind, diese und ähnliche Fakten sind keine spezifisch deutschen Resultate der Industrialisierung.

Der nächste Teil unserer Erläuterungen verlangt eine Reflexion über die Textauswahl des Studiums deutscher als fremdkultureller Literatur. Wir können uns nach den Ausführungen des Einleitungsaufsatzes und den vorstehenden Erläuterungen kurz fassen: 1. Die Textauswahl berücksichtigt nach Maßgabe institutioneller und marktabhängiger Vorgaben, auf die ich hier nicht näher eingehe, imaginative und pragmatische Texte unter Vorzugsstellung der ersten. 2. Der Paradigmawechsel des Faches zu einer fremdsprachenphilologischen, um kulturkontrastive Fragestellungen erweiterten Germanistik macht zum Auswahlkriterium der Texte nicht die substituierte zeitlose Gültigkeit (das mathematische Axiom), sondern das Selektionskriterium Robinsohns: "Leistung eines Gegenstandes für das Weltverstehen, d. h., für die Orientierung innerhalb einer Kultur und für die Interpretation ihrer Phänomene"[16], weil es sowohl den Stellenwert von Texten im System der Fremd- und Eigenkultur als auch deren Relevanz für den Adressaten, also für sein Weltverstehn und für sein Selbstverständnis berücksichtigt. Ein Kanon ist infolgedessen (notwendigerweise) eine kulturvariante Größe. Und er ist Ergebnis nicht Leitfaden einer *Geltungs- und Relevanzprüfung* der zu vermittelnden Texte, welches Auswahlprinzip zugleich die reflektierte Aneignung von Tradition ermöglicht. Ob statt eines so begründeten Textkanons nicht besser ein (gleichermaßen fundierter) Themenkanon zum Rückgrat der literaturwissenschaftlichen Lehre gemacht werden sollte, muß die Literaturlehrforschung des Faches Deutsch als Fremdsprache allerdings erst noch entscheiden. Unser Ansatz sowie der mediale Literaturbegriff selbst räumen einem Themenkanon durchaus eine Vorzugsstellung ein. Erst die Themenplanung konturiert hinreichend den Gegenstandsbereich der Literaturwissenschaft des Faches Deutsch als Fremdsprache; wir kommen darum in II, 2 auf die insofern zentrale Frage der Themenwahl zurück. Da beide Kanones an Geltungsgesetze und Relevanzprinzipien gebunden sind, die per se variabel und wandelbar sind, kann keiner dieser kulturvarianten Kanones jemals erstarren. Es versteht sich, daß beide sowohl imaginative sowie pragmatische (wissenschaftliche) Texte aus der Eigenkultur des Rezipienten in sich aufnehmen.

I, 3. Der erwähnten Notwendigkeit der Geltungs- und Relevanzprüfung der Textauswahl unterliegt auch die historische Dimensionierung der Literaturwissenschaft. Es geht also, damit kommen wir zur dritten der oben gestellten Fragen, weder an, die historische Dimension dogmatisch als unverzichtbar zu deklarieren noch sie pauschal zu bagatellisieren. Die Entscheidung, in welcher Gewichtung sie im Rahmen des Studiums deutscher als fremdkultureller Literatur Funktion gewinnen kann/soll, ist strittig; sie wird wie die Textauswahl schon deshalb verschieden ausfallen müssen, weil die Relevanzbegriffe kulturvariante Größen sind. Es ist also ein natürlicher Umstand, wenn Differenzierungen auch in unserem Fall zu beobachten sind: während Erwin Theodor Rosenthal (Sao Paulo) für eine Konzentration der Obligatorik auf die neuere deutsche Literatur- und Kultur eintritt, die übrigens auch die polnische und kanadische Germanistik empfehlen, will Christian Grawe (Melbourne)[17] die älteren literaturhistorischen Epochen sehr wohl in das Pflichtpensum des Studiums einbezogen wissen. Ich selbst habe mich früher schon im Sinne der Konzentrationsthese geäußert und möchte, ohne daß ich imstande wäre, hier und jetzt eine Geltungs- und Relevanzprüfung durchzuführen, folgende Begründung dieser Empfehlung anführen: Wenn sich das Fach Deutsch als Fremdsprache um die erwähnten Aufgaben erweitern soll und sich diese Erweiterungen nicht nur in der Forschungspraxis, sondern auch in der – für diese relevanten – Lehrpraxis auswirken sollen, ohne daß wir die Adressaten (Studenten) ungebührlich überfordern, sind an anderer Stelle des traditionellen Aufgabenbereichs Abstriche unvermeidlich; diese Abstriche sind am ehesten in der historischen Tiefendimension zu verantworten, deren Beitrag zur Erreichung des obersten Lehrziels der Kulturmündigkeit sowie der literaturwissenschaftlichen Teillehrziele im gesetzten Rahmen interkultureller Kommunikation ohnehin einer besonderen Rechtfertigung bedarf. Ich schlage daher vor, die historische Dimension des systematischen Studiums – rückläufig –

generell bis zum Beginn der europäischen Aufklärung zu erschließen (was gegenwartstheoretisch gut begründet werden kann) und frühere literarische, sprachliche und allgemeinhistorische Epochen der Fremdkultur für alle Studenten in entsprechend differenzierten Überblickskursen anzubieten, die im Falle der Literatur deren kulturelle Funktionsgeschichte vermittelt; Spezialisierungswünsche sollte man nicht unterbinden. Auch für die Beschäftigung mit älteren Texten gilt natürlich die eingangs formulierte Regel eines weiten Literaturbegriffs; das höfische Epos gehört genauso zur Literaturgeschichte, von der hier gesprochen wird, wie Luthers *Sendbrief vom Dolmetschen*. Doch die historische Kopflastigkeit des traditionellen Germanistik-Studiums kann für das Fach Deutsch als Fremdsprache ebensowenig verbindlich sein wie das chronologische Klischee der Textauswahl.

Im Vergleich zu unserer Konturierung der Kanonfrage erscheint diese Kopflastigkeit willkürlich und unverständlich zugleich. Das läßt sich besonders deutlich an einem amerikanischen Beispiel zeigen, an der mir vorliegenden neuen "Reading List for PhD-Candidates" eines großen, renommierten German Departments im Osten der Vereinigten Staaten. Dort lese ich für die *minor studies* folgende Forderungen: es wird erwartet, daß jeder Kandidat nicht nur den *Heliand, Muspilli* und das *Ezzolied* studiert hat sowie das *Faustbuch* von 1587, er muß auch Christian Günthers *Betrachtung des Mondscheins* oder seinen *lehrenden Schmetterlin* oder die *Kirschblüte bei Nacht* gelesen haben und von Klopstock "at least a dozen odes". Die modernen Autoren werden wie folgt berücksichtigt: Von Dürrenmatt: "one play", von Böll: "one novel", von Frisch: "one novel and one play", In solchen Disproportionen liegt die Crux einer Germanistik offen zutage, die es unendlich schwer hat, sich als eine soziale, i. e. als adressatenorientierte Wissenschaft kulturkontrastiven Zuschnitts zu begreifen und zu strukturieren. Auch der wohlwollendste Kritiker wird bei diesem fatalen Stoffkatalog nicht behaupten wollen, er enthalte ein irgendwie erkennbares, adressatenorientiertes Auswahlkriterium der verlangten Titel. Würde aber die Textauswahl an das oben erwähnte Kriterium der Selektion gebunden, dann ergäben sich auch zumindest Annäherungen an Lösungen folgender Grundproblematiken unserer Textauswahl, die wenigstens aufgerufen seien: In seinem *ABC des Lesens* (ABC of Reading, 1934) schreibt Ezra Pound: "Es ist nicht einzusehen, weshalb derselbe Mensch mit 18 und mit 48 Jahren die selben Bücher schätzen sollte"[18]. In der Tat: Darf der wesentlich ältere Vermittler deutscher als fremdkultureller Literatur dem jüngeren Leser (Studenten) im Medium des

Kanons seine Vorliebe aufdrängen? Der Student – juristisch erwachsen – hat immer schon eine Biografie, liest und denkt immer schon von seiner soziokulturellen Kondition her, bringt immer schon seine geschichtliche Bestimmtheit mit, also eine Identität. Soll sie respektiert werden, auch als kulturelle Identität und in ihrer hermeneutischen Qualität, dann muß es zu einem *Miteinander* in der Lektüreplanung kommen, das in Deutschland inzwischen – mit Recht – auch für die Kollegstufe der höheren Schulen gefordert wird. Ist es nicht viel zu häufig so gewesen, daß die ausgewählten Texte wesentlich mehr den kulturellen Normvorstellungen und Präsuppositionen[19] der Vermittler entsprachen, als den Neigungen, Interessen, Funktionssetzungen und Bedürfnissen derjenigen, denen man sie offerierte? Wenn das Fach Deutsch als Fremdsprache lernerzugewandt arbeiten soll, kann dann das Textangebot des Faches weiterhin auf diese Weise – die primär das wie immer begründete Interesse der Älteren spiegelt – ausgewählt werden? Und ich habe noch kein Wort zu der dringlichen Frage gesagt, ob die Tatsache des primär weiblichen Studentenpublikums des Faches nicht auch ihren Niederschlag in der Textauswahl des Literaturstudiums finden müsse[20].

Es besteht also das generelle Gesetz, die auszuwählenden Texte einer Geltungs- und Relevanzprüfung, dem Robinsohnschen Kriterium entsprechend, zu unterziehen. Es ist evident, daß diese Prüfung kulturdifferent ausfallen muß; es steht auch außer Frage, daß die ausgewählte Textmenge Anschlußmöglichkeiten kulturvergleichender Art bieten wird und daß sie den Komponentencharakter des Teilfachs Literaturwissenschaft in ihrer Lektüreauswahl berücksichtigt, das heißt u. a., sich um eine Korrelation der Literaturvermittlung bzw. der Textauswahl mit den Informationsplanungen der Landeskunde bemüht.[21] Eine so begründete Textauswahl wird weder den Fehler machen, hochbewertete Texte der deutschen Literatur in Geschichte und Gegenwart zu übergehen, noch sich in ihrer Lektüreauswahl von den Angeboten des literarischen Marktes so steuern zu lassen, wie Margret Stone es befürchtet[22]. Die Antwort auf derartige Befürchtungen kann übrigens, genaugenommen, nur lauten, daß man es dann eben unterlassen habe, sich um didaktische Aufbereitung eben der Texte zu sorgen, die man aus Geltungs- und Relevanzgründen gerne vermittelt hätte.

Es versteht sich, daß ein Element der Auswahlprinzipien, die dem Auswahlkriterium entsprechen, das Erfordernis ist, die deutsche Literatur auch in ihrer europäischen Perspektive wenigstens in einigen Konturen zu verdeutlichen. Ich denke sowohl an konstitutive Wirkungen einzelner Autoren (Shakespeare etc.) oder die Basistexte der Bibel und der griechischen Antike, als an die Bereiche eines in der Literatur thematisierten oder wirksamen europäischen Bewußtseins. Es werden also auch Texte ausgewählt, die solche europäischen Perspektiven eröffnen, welche kulturelle Gemeinsamkeiten und kulturelle Differenzen deutlich machen, aus denen sich Konturierungen der Kulturalität der deutschen Literatur erarbeiten lassen.

I, 4. Die skizzierte Zielsetzung der Wissenschaft von deutscher als fremdkultureller Literatur ist begründet auch in dem obersten Lehrziel des Faches Deutsch als Fremdsprache, dem Aufbau einer Kulturmündigkeit in der fremden und auf dem Umweg über die Erfahrungen und Reflexion dieser fremden auch der Eigenkultur, "womit ein rein geisteswissenschaftlicher Kulturbegriff freilich sozial-anthropologisch umgewandelt wird"[23]. Diese Umwandlung entspricht der tendenziell gegenwartskundlichen Natur des Faches, die eine Konsequenz seiner Relevanzbindung ist; die geschichtlichen Dimensionen werden im Sinne Benjamins aktualisiert als Medium der Erkenntnis der eigenen Historizität. Wissenschaftliches Ziel der literaturwissenschaftlichen Komponente des Studiums Deutsch als Fremdsprache ist entsprechend die Vermittlung einer literarischen Kompetenz, die unter anderem eine Lesekompetenz, Analysekompetenz und auch eine gewisse Urteilskompetenz einschließt, andererseits Teile jener eigen- und fremdkulturellen Kompetenz, die im Begriff der Kulturmündigkeit gefaßt wurde. Die detaillierte Lehrzielbestimmung ist Aufgabe einer Literaturlehrforschung des Faches Deutsch als Fremdsprache; ich komme daher im Einleitungsaufsatz des zweiten Bandes der vorliegenden Perspektivensammlung auf weitere Aspekte der Lehrzielkonturierung und Textauswahl zurück.

II. *Die Fragestellung der Wissenschaft von deutscher als fremdkultureller Literatur*

Es war zum Eingang dieses Aufsatzes gesagt worden, daß Textumgebungen über die Textfunktionen und die Textfunktionen mit über die Inhalte entscheiden. Wenn ferner davon gesprochen wurde, daß die Außenbetrachtung und die Funktionengeschichte der Literatur die Blickrichtung der literaturwissenschaftlichen Komponente des Faches bestimmten, so ist damit auch ausgesagt, daß sich die systematische Bemühung um die fremdkulturellen Texte vornehmlich auf deren Inhalte richten wird. Ich habe bereits im Eröffnungsbeitrag des vorliegenden Bandes mehrere weitere Gründe angeführt, die es ratsam erscheinen lassen, die Literaturwissenschaft des Faches Deutsch als Fremdsprache als inhaltsbezogene Wissenschaft zu konturieren; im folgenden soll diese Orientierungsbegründung fortgeschrieben werden.

II, 1. In der jüngeren Fremdsprachendidaktik spielt die Rückbesinnung auf die Inhalte des Fremdsprachenunterrichts und -studiums eine große Rolle. Ich kann diese Diskussion hier nicht in extenso referieren und verweise auf Band 2 des *Mannheimer Gutachtens* sowie auf Hans Hunfeld (ed.): *Neue Perspektiven der Fremdsprachendidaktik*[24]. Auch die Literaturwissenschaft hat sich wieder in verstärkter Form den Inhaltsaspekten der Literatur zugewandt. Beide Richtungsänderungen der wissenschaftlichen Arbeit kommen dem Fach Deutsch als Fremdsprache zugute, das, sich als *Angewandte Philologie* verstehend, die Inhalte von Sprache und Kultur (Texten) ins Zentrum der Forschungs- und Vermittlungtätigkeit rücken will. Dieses Vorgehen ergibt sich z. T. bereits aus dem Umstand, daß Texte Äußerungen zu Fragen (Themen) sind, die dem Erfahrungsbereich des Autors korrelieren. Daß diese Äußerungen eine bestimmte Existenzweise auszeichnet, die literarische, ist zu sehen. Doch der unsinnige Antagonismus von Inhalt und Form, der immer noch in der Literaturwissenschaft fortlebt, hat den medialen Charakter der Literatur oft genug verstellt. Dieser mediale Charakter von Literatur ermöglicht erst ihre Aktualisation als Institution und als Prozeß. Zum *Prozeß* Literatur gehört[25], daß die gesellschaftlichen, kulturanthropologischen, politischen Wertungen in dem literarischen Zeichensystem Ausdruck finden, daß sie dort kritisch bedacht, komponiert, verknüpft erscheinen. Das literarische Zeichensystem versucht einen mehr oder weniger unbewußten Zustand ins Licht des Bewußtseins zu heben und zwar nicht durch lediglich rationalistische Einordnung in bereits überblickbare Systeme, sondern mit allen verfügbaren Mitteln der Sensibilität, d. h., unter anderem der Rhythmik, Metaphorik, die mehr ans Licht bringen als was in den bereits vorliegenden Begriffsapparaturen festgelegt worden ist. In der Literatur spielen sich die Bewußtwerdungsakte einer Gesellschaft ab. Die sedimentierten Bewußtseinsinhalte einer Kultur werden nicht zuletzt in ihrer Literatur als kultureller *Institution* abgelagert; diese Ablagerungen verweisen aber auf den ursprünglichen Prozeßcharakter der Literatur; deren Analyse erbringt insofern immer auch Einblicke in das Zeitgespräch der Gesellschaft bzw. der differenten Gruppen dieser Gesellschaft. Ein Literaturstudium ist infolgedessen immer auch ein landeskundliches Studium. Selbst der vom individuellen Text intendierte Leser ist eine landeskundlich aufschlußreiche Größe.

In der Fremdsprachendidaktik besteht ein ziemlich weitgehender
Konsens darüber, daß der Unterricht (Studium) eine kommunikative
Kompetenz in der Zielsprache aufzubauen habe. Die bekannten programmatischen Erklärungen besagen in der didaktischen Theorie wie
in den einschlägigen Lehrwerken, es komme darauf an, zur sprachlichen
Bewältigung von Lebenssituationen zu befähigen. Daß eine solche Befähigung nicht in der sprachlichen Kompetenz aufgeht, sondern auch
eine inhaltliche Kompetenz verlangt, die die zu bewältigende Situation einer Prüfung unterwirft, einer Definition, haben die Lehrwerke
indessen weithin vergessen; diese Definition zu leisten, wäre zunächst
eine Aufgabe der Landeskunde, doch in Kooperation mit ihr ist die
Literaturwissenschaft als Komponente des Faches Deutsch als Fremdsprache aus mehreren Gründen aufgerufen, sich an dieser Aufgabe zu
beteiligen: die Lehrwerktexte sind nach eben den literarischen Prinzipien der Perspektivik gebaut, denen auch andere fiktionale Texte folgen. Alle haben in Hinsicht auf ihre Interessen, Intentionen medialen
Chrakter. Darüber hinaus kommt dem Medium selber immer auch eine
Inhaltskomponente zu, Sprache tritt stets als bestimmter Inhalt auf.
Infolgedessen bewirkt die in der Fremdsprachendidaktik immer noch
häufig zu beobachtende Reduktion des Fremdsprachenerwerbs auf die
Adaption des Regelsystems eine unbefragte Reproduktion dieser Inhalte und der ihnen entsprechenden gesellschaftlichen Normen. Die
"Inhaltlichkeit des Wortes"[26] aber ist keine beliebige Kategorie, sondern eine Funktion des öffentlichen Sprachgebrauchs, also des Einge-
bettetseins der Sprachverwendung in soziale Situationen. Im Maße, in
dem die Sprachvermittlung diese Inhaltsaspekte als Nebenziele ihren
Hauptzielen unterordnen muß, und im Maße, in dem sich die Literaturwissenschaft in ihrer Relevanzbindung als eine Verständigungswis-
senschaft begreift, ist es mithin erforderlich, die fremdkulturellen Inhalte der Sprachlehrbücher zum Gegenstand literarischer Analysen zu
machen. Eine Literaturwissenschaft Deutsch als Fremdsprache ist also
auch deshalb an Inhalten interessiert, weil sie daran interessiert sein
muß, die in den Sprachlehrbüchern mitgeteilten Inhalte der Kritik zugänglich zu machen. Es versteht sich, daß die oben erwähnte Kategorie
der Außenbetrachtung die generelle Perspektive ist, unter der diese Inhalte der Fremdsprache zu befragen sind.

   Es kommt ein drittes Argument hinzu, die Analyse deutscher als
fremdkultureller Literatur zu einer inhaltsorientierten Literaturwissenschaft zu machen. Das Fach Deutsch als Fremdsprache ist eingebettet
in den Handlungshorizont interkultureller Kommunikation. In dieser

auf vielfältige Weise erfolgenden Kommunikation sind die Inhalte vor allen Dingen kulturdifferente Wertsetzungen, Kategorien, Umgangs- und Urteilsweisen, also solche Inhalte, die unter anderem als Alltagswissen bezeichnet werden. Nachdem wir davon ausgehen, daß sich in der Literatur die Bewußtwerdungsprozesse einer Gesellschaft abspielen, ist die Wissenschaft von dieser Literatur als eine zu begründen, die sich im Maße, in dem sie sich mit Texten beschäftigt auch mit den in diesen Texten diskutierten Verhaltens- und Denksteuerungen, Wertsetzungen, kulturellen Mentalitäten, Auffassungen usw. beschäftigt. Insofern ist von vornherein eine Nähe zwischen Literaturbetrachtung und Mentalitätsforschung, die historisch einen ihrer Begründer in Johann Gottfried Herder hat, anzusetzen[27].

Die Konturierung der Literaturwissenschaft des Faches Deutsch als Fremdsprache als einer inhaltsorientierten Literaturwissenschaft wird sowohl dem institutionellen Charakter der Literatur als auch ihrer Prozeßqualität gerecht, sofern sie die Funktionsvariabilität der Texte nicht übersieht. Sie wird andererseits dem für uns gleichermaßen wichtigen Relevanzkriterium gerecht, wenn Klarheit darüber besteht, daß ihre Betrachtungsweise den Selbstverständigungsprozessen des Studenten aufzuhelfen in der Lage ist. Um dieses Ziel zu erreichen, ist eine "produktive Kritik" im Sinne Goethes erforderlich, die nach dem fragt, was sich ein Autor vorgesetzt hat: "ist dieser Vorsatz vernünftig und verständig?"[28] Wenn davon ausgegangen wird, daß Literatur medialen Charakter hat und Selbstverständigungsprozesse des Lesers in Gang setzen will, dann geht eine solch produktive, auf die Inhalte und ihre Begründung gerichtete Frage keineswegs über die Kompetenz des Literaturwissenschaftlers hinaus; sie wird für ihn im Gegenteil unausweichlich. Denn sich kompetent mit den gestellten Fragen zu befassen, verlangt eine Grundbildung enzyklopädischer Art, die das Studium Deutsch als Fremdsprache wenigstens nach Maßgabe des ihm Möglichen vermitteln muß. Die Rezeptionskompetenz setzt ein Problembewußtsein voraus sowie ein gewisses Normwissen, das den produktiven Umgang mit medialen Verständigungsangeboten überhaupt erst möglich macht. Vor allem im ersten Teil des Studiums ist daher eine verstärkte Beteiligung der literarischen Komponente des Faches Deutsch als Fremdsprache am Aufbau eines Allgemeinwissens der Studierenden unverzichtbar[29]. Das bedeutet, daß fremd- und eigenkulturelles Wissen nicht das einzige Wissen ist, daß das Fach Deutsch als Fremdsprache zu vermitteln hat. Es folgt aus diesem Schluß die Dringlichkeit von Landeskunde und zwar einer Landeskunde, die sich *nicht* auf politolo-

gische Inhalte beschränkt. Zum andern ist es erforderlich, die Themenwahl einer sich thematisch strukturierenden Literaturwissenschaft einer
Auswahlprüfung zu unterziehen. Ich beschränke mich hier auf einige
grundsätzliche Überlegungen.

II, 2. Die Themenplanung der Literaturwissenschaft deutscher als
fremdkultureller Literatur versteht sich als Funktion des gesetzten
obersten Lehrziels und des erwähnten Selektionskriteriums, das die
Geltung der Texte und ihre Relevanz für den Lernenden berücksichtigt. Der Gegenstandsbereich überschneidet sich in dieser Hinsicht einerseits mit der literarischen Topik bzw. der Stereotypenforschung. Andererseits berührt sich unser Interesse mit dem der thematologisch
strukturierten vergleichenden Literaturwissenschaft.[30] In ihrer Schwerpunktbildung aber grenzt sich die thematische Literaturwissenschaft
deutscher als fremdkultureller Literatur deutlich von ihren Nachbarn
ab. Insofern unterscheidet sich die hier beschriebene Literaturwissenschaft von der gleichfalls inhaltlich orientierten, die Harald Weinrich
empfohlen hat[31]. Sie beginnt mit der Feststellung, daß vom Medium
Literatur viele Themen erörtert werden und daß wir uns zu fragen
haben, ob alle diese von der Literatur erörterten Themen und also die
sie verarbeitenden Texte für uns von Interesse sein können. Die
Schriftsteller selber verfahren ja nicht anders, ihre Themenwahl, man
weiß es, ist keineswegs beliebig. Die relevanten Themen drängen sich
heran, sagt beispielsweise Koeppen, und nur mit den sich herandrän-
genden Themen befaßt sich der Schriftsteller – ebenso haben wir es zu
tun: Wir haben den Begriff Thema als fremdsprachen-methodische
Kategorie zu definieren und verstehen ihn darum mit K. Günther und
Günther Jeschke[32] als literarische Aussage über eine Menge von Sach-
verhalten von bestimmten Bereichen der fremdkulturellen Realität,
die von den Lernenden sprachlich und interpretativ bewältigt werden
und Rückschlüsse ermöglichen sollen. Es spricht nichts dagegen, den Begriff des Themas *auch* im Sinne einer Bezeichnung mythischer bzw.
welthistorischer Figuren und den ihnen zugeordneten archetypischen
Situationen zu verwenden, weil diese zum Symbolhaushalt z. B. der
deutschen Literatur gehören; aber es spricht alles dagegen, diesen The-
menbegriff ins Zentrum einer thematischen Literaturwissenschaft des
Faches Deutsch als Fremdsprache zu rücken. Die Bestimmung der zu
behandelnden Detailthemen ist ebenso eine Funktion des Selektionskriteriums der Geltung der Texte und der Relevanz dieser Texte für
die Lernenden. Es geht nicht an, die Thematik nur unter einem der beiden Aspekte bestimmen zu wollen. Das heißt, daß nicht nur der litera-

rische Kanon eine kulturvariante Größe sein wird, sondern auch der thematische Horizont der Literaturwissenschaft des internationalen Faches Deutsch als Fremdsprache und daß es zu den Forschungsaufgaben des Faches gehört, diesen Horizont zu bestimmen. Die Forschungsaufgabe ist Teil einer Literaturlehrforschung des Faches Deutsch als Fremdsprache.

Eine der evidenten Variablen der Themenplanung der hier diskutierten Literaturwissenschaft liegt in der Operationalisierung des Begriffs Kulturmündigkeit. Sie kann im Ausland natürlich nicht im Sinne der Konkretisierung des Begriffs als einer alltagskulturellen Kompetenz vorgenommen werden, wohl aber im Bereich der Fremdkultur selber. Eine Differenzierung der Arbeitsplanung des internationalen Faches Deutsch sollte infolgedessen und nicht zuletzt in der Weise kooperativ vorgenommen werden, daß sich die Literaturwissenschaft deutscher als fremdkultureller Literatur im fremdkulturellen Raum primär mit alltagskulturellen Themen der Literatur befaßt und alltagskulturvergleichende Perspektiven eröffnet, im anderen Fall dagegen jene Bereiche in den Vordergrund rückt, die es mit der literarischen Topik und der Thematologie vergleichender Literaturwissenschaft gemeinsam hat. Es versteht sich, daß für den deutschen Lehrer ausreichende und kontinuierlich erneuerte Auslandserfahrung die Vorbedingung solcher Schwerpunktbildung ist und die vorgeschlagene Akzentuierung zugleich Ansatzpunkt auch der vernünftigen Regelung des Auslandsstudiums tausender junior years abroad sein könnte, das zur Zeit noch viel zu sehr von anderen Interessen als den hier verhandelten bestimmt wird. Gerade für diese Lernergruppe aber gilt das bereits explizierte Lehrziel der Entfaltung produktiver Kritikfähigkeit anhand literarischer Texte. Wenn wir die Angaben der Gegenwartsschriftsteller über den persönlichen Sinn ihrer Produktivität hier noch einmal resümierend aufnehmen, dann haben der gesteuerte wie der ungesteuerte Umgang mit dem imaginativen Text im Sprachunterricht *primär* nicht die Aufgabe, dem Spracherwerb aufzuhelfen, den Unterricht abwechslungsreicher zu machen oder allenfalls landeskundliche Informationen zu vermitteln, sondern zu Selbstverständigungen zu verhelfen, i. e.

– den Lernenden mit sich selbst in Gespräch zu bringen
– ihm ein genaueres Reden von sich selber zu ermöglichen
– ihm die Überprüfung der eigenen Ansichten zu erleichtern
– die eigenen Vorverständnisse zu entdecken,
– kurz: ihm das Lesen zu einem 'befreienden Vorgang' werden zu lassen.

Schließlich hätte die gehörige Berücksichtigung alltagskultureller Fragestellungen durch die im Fremdkulturbereich tätige Literaturwissenschaft unseres Faches für sich, ein Defizit der Forschung auszufüllen, das in der Folge des geisteswissenschaftlichen Kulturbegriffs entstand und durchaus als skandalon bezeichnet werden darf. In den von der DFG finanzierten bibliographischen Aufschlüsselungen wichtiger literarischer Motive findet man zwar den Mond, auch Napoleon, doch beispielsweise das 'soziale Totalphänomen' der Ernährung und seiner Varianten sucht man vergebens. Eine Literaturwissenschaft der Alltagskultur existiert nicht. Diese Lücke wird unser Fach auch in seinem eigenen Interesse füllen müssen. Da diese Aufgabe sich evidentermaßen vornehmlich da stellt, wo der fremdkulturelle Alltag auch dem Lernenden erfahrbar ist, ist eine entsprechende Schwerpunktdifferenzierung der Arbeitsplanung zwischen fremdsprachlicher Germanistik im deutschsprachigen Raum und im Ausland zu empfehlen.

Zusammenfassung

Die Literaturwissenschaft des Faches Deutsch als Fremdsprache wurde konturiert als eine thematische Literaturwissenschaft, die sich mit der literarischen Topik und der Thematologie der vergleichenden Literaturwissenschaft berührt, aber deutlich von beiden abgrenzt, indem sie den Begriff des Themas als fremdsprachenspezifische Kategorie auffaßt und unter ihm die literarische Thematisierung solcher eigen- und fremdkultureller Lebensbereiche versteht, die interpretativ bewältigt werden sollen. Sie bindet ihre Themenwahl damit an eine Relevanzprüfung, die sie durch eine Geltungsprüfung ergänzt. Mit diesem doppelten Auswahlkriterium begründet sie auch ihre Textauswahl und ihre kulturkontrastiven Fragestellungen, um die sie sich in Abgrenzung von der primärsprachlichen Germanistik erweitert. Da sie die Lernvoraussetzungen ihrer Adressaten ernst nimmt und sich als eine lernerzugewandte Wissenschaft versteht, sucht sie zugleich die Lehrziele von Literaturwissenschaft und Literaturunterricht miteinander zu verbinden, ohne ihnen ihre Kontur zu rauben. Sie geht von einem funktionalen (medialen) Literaturbegriff aus und bevorzugt die neuere deutsche Literaturgeschichte, schließt aber die ältere deutsche Literatur nicht aus. Indem sie von einem funktionalen Literaturbegriff ausgeht, bezieht sie die literarische Kommunikation in den Gegenstandsbereich ihrer Forschung und Lehre ebenso ein wie die nichtpoetischen Texte. Die wissenschaftlichen Lehrziele der Lesekompetenz und Analysekompetenz werden als Teile einer eigen- und fremdkulturellen Kompetenz verstanden, die im Begriff der Kulturmündigkeit verankert ist und damit dem grundsätzlichen Ausbildungsziel des Faches, Verständigungsprozesse zwischen den Kulturen und ihren Lesern zu ermöglichen, entspricht. Das ist nur möglich, wenn die Selbstverständigungsprozesse der kritischen Leser vorab stattgefunden haben. Dem fremdkulturellen Studenten fremdkultureller Literatur diesen Prozeß zu ermöglichen, ist das pädagogische Ziel des Studiums, das seinem wissenschaftlichen korrespondiert.

Anmerkungen

[1] vgl. u. a.: Alois Wierlacher: Überlegungen zur Begründung eines Ausbildungsfachs Deutsch als Fremdsprache. In: Jahrbuch Deutsch als Fremdsprache 1, 1975, S. 119–136. – Alois Wierlacher (ed.): Literatur und ihre Vermittlung: Aspekte einer Literaturwissenschaft des Deutschen als Fremdsprache. In: Jahrbuch Deutsch als Fremdsprache 3, 1977, S. 77–239. – ders.: Die Gemütswidrigkeit der Kultur, a. a. O. S. 116–136. – Literaturwissenschaft und Literaturunterricht als Teil des Faches Deutsch als Fremdsprache. Lehraufgaben und Forschungsdesiderata. Diskussionsvorlage der 1. Internationalen Sommerkonferenz Deutsch als Fremdsprache in Heidelberg, August 1978.

[2] Hans Georg Gadamer: Wahrheit und Methode. 4. Aufl. Tübingen 1975, S. 365. – Zur Theorie der Fremde in der Hermeneutik liegen bislang nur einige Adaptionen (in der englischen Literaturdidaktik) vor, vgl. Gottfried Schröder: Sprache in der Literatur. In: Hans Hunfeld (ed.): Neue Perspektiven der Fremdsprachendidaktik. Kronberg 1977, S. 157 ff. Eine Analyse der Kategorie Fremde in der Hermeneutik in Rücksicht auf unsere Zwecke bringt Alois Wierlacher: Die Hermeneutik und die Fremde, in: Jahrbuch Deutsch als Fremdsprache 7, 1981. Zur Sache selbst vgl. den Beitrag von Dietrich Krusche im vorliegenden Band: Die Kategorie der Fremde, S. 46 ff.

[3] Dabei gehe ich mit Hofmannsthal davon aus, daß eine Übersetzung das Original nicht in einen "neuen Organismus" auflöst, wie in der Forschung gelegentlich behauptet wird, vgl. Ralph-Rainer Wuthenow: Das fremde Kunstwerk. Aspekte der literarischen Übersetzung. Göttingen 1969, S. 26.

[4] vgl. Horst Steinmetz: Textverarbeitung und Interpretation. In: Jahrbuch Deutsch als Fremdsprache 3, 1977, S. 84 f. – Jetzt auch im vorliegenden Band, S. 192 ff.

[5] vgl. Götz Großklaus/Alois Wierlacher: Zur kulturpolitischen Situierung fremdsprachlicher Germanistik, insbesondere in Entwicklungsländern, im vorliegenden Band, S. 91 ff.

⁶ Interview mit Peter André Bloch (ed.): Gegenwartsliteratur. Mittel und Bedingungen ihrer Produktion. Bern/München 1975, S. 128.

⁷ Interview mit Peter André Bloch, a. a. O., S. 260.

⁸ Interview mit Ekkehart Rudolph (ed.): Aussage zur Person. Tübingen 1977, S. 200.

⁹ Interview mit Horst Bienek: Werkstattgespräche mit Schriftstellern [1962]. München 1976, S. 90.

¹⁰ Interview mit Heinz Ludwig Arnold. In: Text und Kritik. Juni 1978, S. 19.

¹¹ Interview mit Heinz Ludwig Arnold (ed.): Gespräche mit Schriftstellern. München 1975, S. 48. – Jetzt auch in Böll: Interviews I, Köln o. J. S. 135.

¹² Zu beiden Begriffen vgl. Karl Eibl: Kritisch-rationale Literaturwissenschaft. München 1976, S. 71 f. (UTB 583).

¹³ Zu beiden Begriffen siehe unten S. 152 f.

¹⁴ vgl. Michael Kaiser: Zur begrifflichen und terminologischen Klärung einiger Vorgänge beim literarischen Lesen. In: GRM 28, 1978, S. 89–94.

¹⁵ vgl. Band 2 der vorliegenden Perspektivensammlung.

¹⁶ vgl. Anm. 23.

¹⁷ vgl. Waldemar Pfeiffer: Germanistische Studien in Polen unter dem besonderen Aspekt der Lehrerausbildung. In: Zielsprache Deutsch 4, 1977, S. 32–38; J. William Dyck: Germanistik in Kanada. In: Jahrbuch Deutsch als Fremdsprache 2, 1976, S. 192. Christian Grawe: Der Lektürekanon der Fremdsprachendisziplin Germanistik, Band 2 der vorliegenden Sammlung.

¹⁸ Ezra Pound: ABC des Lesens. Darmstadt 1960, S. 111.

¹⁹ vgl. Heinz Bergner: Text und Kollektives Wissen. In: Herbert Grabes (ed.): Text-Leser-Bedeutung. Grossen–Linden 1977, S. 1–18.

²⁰ R. Freudenstein (ed.): The role of woman in foreign language textbooks. Bruxelles 1978, ist als vorbereitende Lektüre auf die Beschäftigung mit dieser Frage außerordentlich heilsam.

²¹ vgl. hierzu und zur Festigung des Relevanzbegriffes Alois Wierlacher: Literaturlehrforschung des Faches Deutsch als Fremdsprache, Band 2 der vorliegenden Sammlung.

²² Margaret Stone: Das Deutschstudium an britischen Schulen und Universitäten. München 1978, S. 16.

²³ Saul B. Robinsohn: Bildungsreform als Revision des Curriculums und Ein Strukturkonzept für Curriculumentwicklung, 4. Aufl. Darmstadt 1972, S. 29.

²⁴ vgl. Ulrich Engel/Hans-Jürgen Krumm/Alois Wierlacher: Mannheimer Gutachten zu ausgewählten Lehrwerken Deutsch als Fremdsprache. Band 2, Heidelberg 1979; Hans Hunfeld (ed.): Neue Perspektiven der Fremdsprachendidaktik. Kronberg 1977. Zahlreiche Hinweise auch bei Helmut Sauer: Analysekriterien für landeskundliche Inhalte von Lehrwerken für den Englisch-Unterricht. In: Lehrwerkkritik 2, 1975, S. 7 ff. und Edith

Haase/Klaus Mengler: Zur Bestimmung von Inhalten im Fremdsprachenunterricht. In: Linguistik und Didaktik 29, 1977, S. 51 ff.

[25] Ich folge in diesem Teil der Argumentation den Darlegungen der 'Möglichkeiten der Literatur, unter dem Gesichtspunkt: Deutsch als außenpolitischer Faktor' der Außenkulturdebatte in Sprache im technischen Zeitalter 1974, S. 130 f.

[26] Max Frisch: Öffentlichkeit als Partner. [1958]. Frankfurt 1972, S. 60.

[27] Eine ernstzunehmende Mentalitätsforschung hat sich inzwischen besonders innerhalb der französischen Geschichtswissenschaft entwickelt, vgl. den Forschungsbericht von Rolf Reichart: Histoire des mentalités. In: Internationales Archiv für Sozialgeschichte der deutschen Literatur, Band 3, München 1978, S. 130 ff.

[28] Goethe: Jubiläums-Ausgabe, Bd. 37, S. 180 [über Manzonis 'Il Conte de Carmagnola'].

[29] Wir wissen uns dabei in guter Gesellschaft, vgl. die Bemühungen der Harvard-University um die Neuordnung des undergraduate-studiums (Chronicle of Higher Education, 1978), siehe hierzu: Christine M. Totten: Das deutsche Bildungswesen im Rahmen der German Studies am amerikanischen College. In: Deutsch-amerikanisches Expertenseminar Deutschlandstudien, ed. vom DAAD. Bonn 1978, S. 46.

[30] Ich verweise in Auswahl auf: Theodore Ziolkowski: Introduction to: Disenchanted Images. A literary Iconology. Princeton 1977; Helmut Petriconi: Metamorphosen der Träume. Fünf Beispiele zu einer Literaturgeschichte als Themengeschichte. Frankfurt 1971; Adam John Bisanz: Zwischen Stoffgeschichte und Thematologie. Betrachtungen zu einem literaturtheoretischen Dilemma. In: DVJ 47, 1973, S. 148–166.

[31] vgl. Harald Weinrich: Deutsch als Fremdsprache. Konturen eines neuen Faches. In: Jahrbuch Deutsch als Fremdsprache 5, 1979, S. 1 ff. Jetzt unter dem Titel: Forschungsaufgaben des Faches Deutsch als Fremdsprache auch im vorliegenden Band, S. 28 ff.

[32] vgl. Günter Jaeschke: Thema–Themenkomplex–Themenkreis. In: Wissenschaftliche Zeitschrift der Universität Jena, Ges. Sprachwiss. Reihe 27, 1978, Heft 2, S. 181–193.

Willy Michel

Medienwissenschaft und Fremdsprachenphilologie

Die Entwicklung eines Forschungsfeldes "Medienwissenschaft", das die Sprach- und Literaturwissenschaften zusammen mit mehreren Sozialwissenschaften erschließen, zeichnet sich seit einigen Jahren immer deutlicher ab. Die Forschungslage ist aber noch uneinheitlich, die Kategorienbildung heterogen, die Zugänge der Teilwissenschaften sind noch mit historisch vorgeprägten Vorstellungsmustern besetzt. So scheint beispielsweise zwischen den Ansätzen zu einer Semiotik des Films und sozialpsychologischen Fortsetzungen der kognitiven Dissonanzforschung im Bereich der Massenkommunikation noch keine Verbindungslinie möglich. Ebenso gibt es noch keine allgemeine Narrativik, die übergeordnete Verstehensmuster anböte, um filmästhetische und literarästhetische Phänomene kongruent zu erklären.

Trotz dieser Schwierigkeiten zeigt sich bereits ein *Applikationsfeld* für eine breit angelegte Medienwissenschaft: der Bereich Deutsch als Fremdsprachenphilologie. Die Verstehens- und Deutungsweisen, die sich durch eine intensive *Medienkommunikation* in der vielfach geschichteten Öffentlichkeit der Zielkultur herausgebildet haben, sind weder durch den Sprach- und Literaturunterricht noch durch landeskundliche Informationen verfügbar zu machen. Vielmehr muß der Bereich der Medienkommunikation dem ausländischen Lerner *medienhermeneutisch* und *mediendidaktisch* erschlossen werden, soll er an diesem umfassenden Angebot von öffentlichkeitswirksamen Rollenrealisationen und Redehandlungen Anteil gewinnen.

Die Präsentation von Rollenmustern und das vielgestaltige Angebot von Identifikationsmustern ist den natürlichen Teilnehmern an dieser Medienkommunikation zumeist nicht bewußt, ja, viele meinen sich sogar völlig distanzieren zu können von Stereotypiebildungen aller Art, die durch die Medien gefördert werden. Vielfach ist die Kluft zwischen der literarischen Bildung und einer Breitenorientierung an den Medien, insbesondere am Informationsangebot des Fernsehens noch so groß, daß es unmöglich erscheint, hermeneutisch Korrelationen herzustellen und diese didaktisch zu nutzen.

Diese Schwierigkeiten stellen sich aus der Außenperspektive ganz

anders dar. Der auswärtige Lerner braucht möglichst genaues und viel-
gestaltiges *referentielles Wissen*, um die fremde Literatur als *Objekti-
vation* verstehen zu können. Gerade die Darstellung von Extremmöglichkeiten, die man in der modernen Literatur immer häufiger findet,
kann leicht zu Mißverständnissen führen, wenn der fremde Leser nicht
ein ganzes Netz realer Bezugsmomente kennt. Die bewußt verzerrende
und überzeichnende literarische Darbietung kann nur als Fiktionskor-
relat – nicht als Widerspiegelung – aufgefaßt werden, so daß der
fremde Leser eine Realitätsvergewisserung über andere Medien einho-
len muß.

Wer allein ästhetisch verbürgte Wirklichkeit zu verstehen suchte, verfehlte die tatsächliche Situation der Zielkultur. Oder bestenfalls wäre
es ihm möglich, literarhistorische Entwicklungslinien bis zur Gegenwart
hin durchzuzeichnen und so ein ästhetisch immanentes Bezugssystem
zu schaffen. Selbst dann bliebe die Intentionalität auf die ganze Fülle
gegenwärtiger Wahrnehmungsmöglichkeiten verdeckt.

Es ist eine hermeneutisch aufzeigbare Tatsache, daß die Gegenwartsliteratur insgesamt für den ausländischen Lerner kein genaues Bild von
der Wirklichkeit der Zielkultur zu vermitteln vermag, wohingegen es
noch im späten 19. und frühen 20. Jahrhundert möglich schien, sich
durch die Literatur ein Bild vom fremden Land zu machen. Dies hängt
zweifellos mit einer Verschiebung der medialen Funktionen der Literatur zusammen. Die Literatur hat die Aufgabe, welthaft umfassende
Beschreibungen, Darstellungen und Verarbeitungen zu liefern, anderen
Medien überlassen müssen. Insofern stellt die Weiterverwendung der
ästhetischen Totalitätskategorie in Widerspiegelungstheorien, medienhermeneutisch betrachtet, einen Anachronismus dar.

Die literarästhetischen Brechungen von Realität erlauben kein Rück-
schlußverfahren, das dem fremden Lerner ein feinkörniges Bild der
Gesellschaft verschaffte.

Literarhistorisch hat sich die Vorstellung, daß Literatur mit Hilfe
immer subtiler werdender Verfremdungstechniken die normalen Rezeptionsweisen außer Kraft setzen müsse, weitgehend durchgesetzt und
verfestigt. Aber es bedürfte einer weitreichenden literar-historischen
Kompetenz, um Fehlschlüsse von ästhetischen Transformationen auf
repräsentative Realitätsvergewisserung hin zu vermeiden.

Der fremde Lerner braucht also Anleitungen und Verstehenshilfen,
um die verschobene Medienfunktion der Literatur richtig einschätzen
zu können, um keinen Fehleinschätzungen der literarisch dargebotenen
Extremmöglichkeiten und der Alltagsrealität, aber auch der in beiden

angelegten historischen Potentials zu erliegen. Erklärt man ihm vorab die *Interrelation der modernen Medien* im makrohistorischen Funktionswandel, so ist er eher zu einer quellenkritischen Betrachtung fähig und wird die Reichweite von Aussagen und den Geltungsrahmen von Abbildungen und Signalen vorsichtiger einschätzen.

Insofern ist es ratsam, einem Kurs mehrere Sorten von Medientexten zugrundezulegen und in einleitenden Erörterungen aufeinander zuzuordnen. Dies ist sowohl themenbezogen als auch der Appellstruktur der Texte nach möglich. Die Verarbeitung einer Nachricht, die situative Ausgestaltung, die Dichte und die assoziative Verknüpfung von Begleitinformationen, Charakter und Reichweite von Hintergrundanalysen etc. werden an Beispielen verschiedener Tages- und Wochenzeitungen, Illustrierten, Rundfunkmagazinen, Fernsehnachrichten, -dokumentationen und Fernsehfeatures, schließlich, wenn es sich um längerfristig diskutierte Themen handelt, in filmischen und literarischen Reflexen, Anspielungen und Darstellungen aufgezeigt. Die Medientexte sollten aber nicht nur funktional und informationsanalytisch verglichen werden. Vielmehr ist es notwendig, in einem nächsten Schritt zu zeigen, wie die Medien sich nicht nur gegeneinander abgrenzen, sondern auch aufeinander reagieren.

So läßt sich in Erzählformen der Gegenwartsliteratur der Kamerablick ebenso feststellen wie quasifilmische Sequenzen, Schnitte etc. Andererseits enthalten Filme Elemente quasiliterarischer Narrativik. Auf einer ganz anderen Ebene gehört es zur medienhermeneutischen Kompetenz, zu wissen, wie beispielsweise der Rundfunk in Interviews und Kommentaren bei seinen Hörern Zeitungswissen voraussetzt und auf Presseinformationen reagiert. Ebenso muß der Lerner wissen, wie von der organisatorischen und politischen Grundstruktur her Presse und Rundfunk bzw. Fernsehen sich zueinander verhalten, wie sich dadurch Ergänzungs- und Kontrastfunktionen im Rahmen eines gesellschaftlichen Pluralismuskonzepts eingespielt haben. Der Lehrer hat also den Stellenwert des einzelnen Medientextes in diesem Rahmen zu bezeichnen. Hat er die gegenwärtige Interrelation der Medien an mehreren Beispielen verdeutlicht, so empfiehlt es sich, wenigstens zwei historische Kontrastkonstellationen zu charakterisieren, etwa das Verhältnis von Literatur und Film in der Frühmoderne um 1930 und das Verhältnis von Presse und Romanliteratur im späten 19. Jahrhundert. So werden unter anderem die anfängliche Überschätzung der Einflußmöglichkeiten des Films, aber auch die gesteigerte Expressivität deutlich. Der Lerner wird gerade an frühmodernen Beispielen auf die Bedeutung der Wort-Bild-Relation aufmerksam. Liest man spätrealistische Romane des 19. Jahrhunderts als Medientexte, so ist es empfehlenswert, das soziale Spektrum von Informationen mit dem in Pressetexten zu vergleichen. So läßt sich die allmähliche Verschiebung der medialen Funktionen verdeutlichen.

Im Bezug auf das Verständnis des einzelnen Medientextes hat die Verdeutlichung des Rahmens, des Stellenwertes im interrelationalen und historischen Zusammenhang eine ausgesprochen hermeneutische Funktion. Der einzelne Medientext wird auf eine Totalität medialer Wirkzusammenhänge hin erklärt, und andererseits verdichtet sich die Kenntnis eines solchen komplexen Zusammenspiels durch die exakte Detailanalyse. Wir haben es also, genau genommen, mit einer Ausdehnung des hermeneutischen Zirkels zu tun. Es genügt nicht mehr, den Leseprozeß zirkelhaft aus den Verstehensentwürfen auf Ganzheiten hin zu erklären und zu organisieren. Vielmehr ist die neue übergeordnete Ganzheit die der historisch verstandenen Wirkungszusammenhänge.

Wie notwendig diese hermeneutische Konstruktion ist, wird erst deutlich, wenn wir die möglichen Mißverständnisse und Fehleinschätzungen auf der Ebene der *interkulturellen Kommunikation* beachten. Vergewissern wir uns dieser Schwierigkeiten an zwei Beispielen. Ein französischer Lerner verfolgt die Rezensionen zweier deutscher Filme, sagen wir von Herzog und Fassbinder, im Feuilleton deutscher Tageszeitungen und sieht sich auch einen Bericht in einem Kulturmagazin des Fernsehens an. Er wird die Wirkungsreichweite dieser Kritiken, ihren Einfluß auf eine kulturpolitische Öffentlichkeit sicherlich überschätzen, weil er einerseits in der Perspektive eines öffentlichkeitswirksameren, politischeren Feuilletonismus versteht, andererseits aber auch die längere Tradition des französischen Films und dessen medienpolitischen Stellenwert unbewußt in seinen Verstehensvoraussetzungen überträgt. Oder stellen wir uns einen Lerner aus den Vereinigten Staaten vor, der eine deutsche Talk-Show und ebenso eine Sendung der Reihe "Bürger fragen – Politiker antworten" verfolgt. Er wird sicherlich die wenigen inszenatorischen Elemente mit Show-Charakter für selbstverständlich halten und diejenigen politisch-demoskopisch vorausbedachten "Ausgewogenheits"-Übungen, die sich bis in die Moderatorenattitüden hinein feststellen lassen, nicht bemerken oder falsch einschätzen.

In beiden Fällen fehlt also nicht nur referentielles Wissen, sondern auch eine Kenntnis der Bewertungskriterien, der Erwartungen, die auf

Grund des spezifischen Stellenwertes an das jeweilige Medium in der Zielkultur gerichtet werden.

Diese Verstehensschwierigkeiten sind auch dann gegeben, wenn ein fortgeschrittener auswärtiger Lerner über gute literarhistorische Kenntnisse verfügt. Stellen wir uns einen italienischen Germanisten vor, der die Geschichte des deutschen Dramas studiert hat und ebenso die gattungstheoretischen Bewertungskriterien deutscher Ästhetiker des 19. und 20. Jahrhunderts kennt. Soll er beispielsweise ein neueres deutsches Volksstück, etwa Martin Sperrs "Jagdszenen aus Niederbayern" beurteilen, so fehlt ihm nicht nur die Kenntnis der Wirkungsgeschichte von Kontrastbeispielen des trivialen Volksstücks, das in Form von Fernsehproduktionen eine mediale Aufwertung erfahren hat, sondern auch die semiotische Anschauungsqualität, ebenso die Kenntnis der sigmatischen Unterlage. Obwohl er historische Vorstufen in Dramen von Horváth und Fleißer oder Entsprechungen bei Faßbinder, Kroetz u. a. kennen mag, kann er sich diese *sigmatische Ebene* nicht vorstellen oder erschließen. Diese wird ihm eher zugänglich, wenn er beispielsweise von der Verfilmung der "Jagdszenen aus Niederbayern" ausgeht, kontrastweise einige Fernsehaufzeichnungen trivialer Volksstücke und darüber hinaus vielleicht noch einige Features über agrargesellschaftliche Enklaven oder ganze Landschaften anschaut. Die bildsprachliche Interpretation bedeutet zwar, literaturtheoretisch betrachtet, daß ein Text einen Teil seiner Unbestimmtheitsstellen einbüßt, daß er vereindeutigt wird, daß er seine hermeneutische Ambivalenz verliert, die ja auch für die interkulturelle Kommunikation förderlich sein kann, insofern ja Übertragungen im Sinne produktiven Weiterverstehens hermeneutisch wünschenswert sind. Andererseits aber erschließt die bildsprachliche Interpretation und die kontrastive oder ergänzende sigmatische Betrachtung einen Bereich, der für die interkulturelle Kommunikation ebenso wichtig ist. Dies reicht bis zur Kenntnis körpersprachlicher Details, Gesten, Attitüden, Rollenrealisationen, interpersoneller Wahrnehmungsweisen, Interaktionsformen usw.

Es geht bei alledem nicht nur um medienspezifische Kompetenzen oder um einzielige oder eindimensionale Analysen der Funktion von Medientexten der Zielkultur. Vielmehr wird der Lerner in einen wirklichen interkulturellen Verstehensvorgang hineingezogen.

Sobald er die Bewertungsweisen, Einstellungen, Sehgewohnheiten, Identifikationsformen kennenlernt, die in der Zielkultur bestimmten Medientexten gegenüber gelten, wird er auch aufmerksam auf seine eigenen Sehgewohnheiten, auf Rezeptionsbedingungen, feste Erwartungen, Präsentationsformen, Appellstrukturen, die in seinem Lande wirksam sind. Die unbewußte Übertragung von Verstehenseinstellungen wird zunächst abgelöst durch genaue Objektanalysen, durch Versuche, aus den Präsentationsformen auf Erwartungen des fremden Publikums zu schließen. Schließlich vergewissert sich der Lerner seiner eigenen Erwartungen, vergleicht objektanalytisch Beispiele der Nachrichtenübermittlung, der Kommentierung, der Moderation und sucht dann wiederum auf breiterer Basis die allgemeinen Rezeptionsbedingungen seiner Ausgangskultur publikumssoziologisch aufzuschlüsseln und zu differenzieren. So ist es möglich, ja wahrscheinlich, daß der auswärtige Lerner auch die Mediennutzung, die er zu Hause zunächst getrennt praktiziert, etwa in der Weise, daß er literarästhetisch und filmästhetisch bestimmten Wertvorstellungen anhängt und diese auf seine Erwartungen gegenüber der Rhetorik und Narrativik bestimmter Fernsehsendungen nicht anwendet oder überträgt, erstmals tatsächlich aufeinander bezieht.

Durch den interkulturellen Medienvergleich erwirbt der Lerner auch Voraussetzungen für eine größere historisch-hermeneutische Kompetenz. Indem er in den Rezeptionsweisen Bedingungen für Wirkungskonstanten kennenlernt, wird er aufmerksam auf *wirkungsgeschichtliche Leitlinien*, die er beispielsweise in Interpretationen von Schlüsseltexten ausmachen kann oder auch bis in moderne Inszenierungen klassischer Dramen hinein verfolgen kann.

Allerdings muß man anerkennen, daß es beim gegenwärtigen Forschungsstand der Medienwissenschaft noch nicht möglich ist, Bildsprachen generell zu vergleichen, semiotische Kürzel in repräsentativer Weise zusammenzustellen und so einen systematischen Zugang beispielsweise zu Sehgewohnheiten einer Zielkultur zu schaffen.

Die Einzelergebnisse lassen sich oftmals noch nicht auf gesamtkulturelle Prozesse beziehen. Aber das gilt ja auch für die vergleichende Literaturwissenschaft. Ebensowenig wie sich schon hinlänglich erklären läßt, warum beispielsweise Formen der Identitätsdiffusion des Erzählers im neueren deutschen Roman enger an das Problem der Rollenaufspaltung und der Rollendistanz rückgebunden sind als im französischen nouveau roman, ebensowenig ist es möglich, etwa die Rhetorik der Schnitte im Rahmen einer vergleichenden Filmästhetik zu entwikkeln. Vorerst ist man auf Einzelvergleiche und Hypothesen auf der Basis mehrerer Medientexte angewiesen.

Immerhin ist es bereits möglich, auf medienhermeneutischem Wege praktische Ergebnisse im Sinne einer interkulturellen Kommunikation zu erzielen. Eine wesentliche Voraussetzung für diese Kommunikation besteht ja darin, Vorurteile und Voreingenommenheiten abzubauen. Vergewissern wir uns, wie etwa im 18. und 19. Jahrhundert bestimmte Typisierungen von Eigenschaften, Einstellungen, Verhaltensweisen, Interaktionsformen einer fremden Kultur literarisch reproduziert und festgeschrieben wurden, so wird auch hier der Wandel im Medienbereich deutlicher. Viele Vorurteile, die heute bestehen, sind filmisch fixiert worden, werden in stereotypen Handlungsmustern und festen Figurenkonstellationen von Trivialfilmen verbreitet, wobei diese oftmals auf bestimmte historische Phasen beschränkt zu sein scheinen, tatsächlich aber unterschwellig weiterreichen. Dieser semiotisch verfestigten Vorurteilsbildung gilt es ebenso mit semiotischen Mitteln zu begegnen. Die kommunikationswissenschaftlich entwickelte Technik der Seitenattacke läßt sich dabei übertragen und anwenden. Je mehr bildsprachlich konkretisierte Inhalte neuer Art vermittelt werden, um so mehr semiotisch verfestigte Einstellungen und Vorurteile können abgebaut werden.

Die weiteren Vorteile eines intensiven Einsatzes verschiedener Medien im fremdsprachlichen Unterricht lassen sich folgendermaßen zusammenfassen:

1. Dem auswärtigen Lerner wird eine *authentische Landeskunde* vermittelt, wenn er sowohl aktuelle politische Konflikte in Form von Diskussionen, Kommentaren, Interviews in Fernseh- und Rundfunkaufzeichnungen kennenlernt, als auch, daran anschließend, die Fortsetzung solcher Auseinandersetzungen in verschiedenen Presseorganen verfolgen kann. Der Lehrer sollte also verschiedene Medientexte so auswählen, daß mehrere Phasen einer aktuellen Auseinandersetzung deutlich hervortreten und so ein möglichst breites, evtl. sogar repräsentatives Spektrum von Meinungsäußerungen bis hin zu Leserbriefen, Höreranrufen, abgefilmten Stellungnahmen etc. wiedergegeben wird. Auf diese Weise kann man auch einen Überblick über die Presselandschaft vermitteln. Redaktionelle Akzentuierungen, das Verhältnis von Nachricht und Kommentar, schließlich zusammenfassende Dokumentationen, Hintergrundanalysen lassen sich so vergleichen, daß der Lerner schließlich sogar publikumssoziologische Vermutungen anzustellen vermag, die der Lehrer mit weiteren soziologischen Hintergrundinformationen bestätigen oder korrigieren kann.

Die üblichen Formen einer geographischen, institutionenkundlichen, dialektgeographischen etc. Landeskunde lassen sich aktualisieren, indem man eindeutig regionalrepräsentative Fernsehsendungen aufarbeitet und so präsentiert, daß sowohl das Nord-Süd-Gefälle als auch bestimmte Konstanten im deutschen Föderalismus hervortreten. Auch die Verteilung der kulturellen Zentren und Unterzentren läßt sich, bis hin zu Besonderheiten der Atmosphäre, dokumentarisch aufzeigen, wenn man insbesondere Sendungen der dritten Fernsehprogramme systematisch aufzeichnet und zusammenstellt.

Angesichts des Zuwachses an historischen Dokumentationen im Fernsehen ist es interessant, über jene Einführung in aktuelle Diskussionen hinaus, Formen der geschichtlichen Selbstverständigung, der Präsentation von historischen Dokumenten (auch filmischer Quellen), der Bewertung, der kausalen Verknüpfung etc. zu analysieren und diese Ergebnisse sowohl mit popularwissenschaftlichen als auch fachwissenschaftlichen, aber auch mit didaktisch gerichteten Darstellungen in Schulbüchern zu vergleichen. So ist es im günstigsten Falle möglich, die Diskrepanz zwischen Formen der geschichtlichen Selbstverständigung und festgeschriebenen Weisen der Beurteilung von außen zu verdeutlichen bzw. den Ausfall einer interkulturellen geschichtshermeneutischen Verständigung kenntlich zu machen.

An eine solche landeskundliche Betrachtung läßt sich leicht ein Versuch anschließen, makrohistorisch gemeinsame, aber ungleichzeitig abgelaufene Entwicklungen, wie etwa die der Industrialisierung, zu vergleichen. So kann man beispielsweise bestimmte Einstellungen und Vorurteile, die aus dem gegenwärtigen industriesoziologischen und ökonomischen Gefälle in Europa resultieren oder sich auf dieses beziehen, leichter relativieren. Wer etwa die Verzögerung des industriellen Diffusionsprozesses von England über Frankreich nach Deutschland zwischen 1760 und 1840 an regionalen Beispielen darzustellen versteht, weckt das Verständnis für partielle Umkehrungen, aber auch für weiterbestehende Gefälle etc. und beugt abwertenden Einschätzungen vor. Das landeskundliche Orientierungswissen, das durch Medienausschnitte vermittelt wird und durch sozialgeschichtliche Lehreinheiten vertieft werden kann, hat eine semiotische Qualität, die trotz massenhafter Verbreitung von Bildbänden und bebilderten Informationen für Touristen neue Zugänge eröffnet, insofern die vielfach eingeschränkte und vorweg gelenkte Wahrnehmung des Lerners verbreitert wird.

2. Ein weiterer wesentlicher Vorteil der Verwendung von Medientexten besteht darin, daß der Lerner die *Inszenierung von Redehandlungen in bildsprachlich verdeutlichten öffentlichkeitswirksamen Situationen* kennenlernt. Man könnte zwar ein didaktisches Konzept dagegenstellen, wonach der Lerner eher mit alltäglichen Situationen und

einfachen Rollenpattern vertraut gemacht werden sollte, aber die gesamte Orientierungsfähigkeit wird doch wohl eher durch die Kenntnis öffentlichkeitswirksamer Rolleninszenierungen verbessert. Auch in diesem Falle ist es möglich, eine breite Palette von Interviewattitüden und soziologisch differenzierbaren Antworten aus den Bereichen der Politik, der Wirtschaft, der Arbeitswelt, der Behörden, der Schulen, der Unterhaltung, etc. zusammenzustellen.

Führt man den Lerner in dieser Weise rollentheoretisch ein, so ist er auch bald imstande, Appellstrukturen beispielsweise in Fernsehdiskussionen mit festem Rahmen auszumachen und zu charakterisieren. Er wird bei nachträglicher Bearbeitung mitgeschriebener Texte leicht die Reizworte unterstreichen können, über deren Verwendungsumfeld er in keinem Lexikon Auskünfte erhält. Wird er in dieser Weise aufmerksam auf Persuasionsstrategien, so bildet er auch rascher die Fähigkeit aus, Magazinsendungen und Kommentare zu verorten und auf ihre Adressaten hin zu analysieren.

Von diesen Voraussetzungen her ist es auch möglich, Moderationsformen auf ihre 'Objektivität' hin zu überprüfen bzw. mehrheitlich akzeptierte Spielregeln der Präsentation und Reihung bzw. formalen Gewichtung von Informationen herauszufinden.

Eine besonders günstige Form stellen Sendungen mit Hörer- bzw. Seherbeteiligung dar. Hier lassen sich deutlich Sprachebenen und Einstellungsstereotypien herausarbeiten. Im Fernsehen gibt es verschiedene Sendungen über Streitfragen, in denen Journalisten, Sachverständige und Zuschauer in der Rolle einer eingestalteten Öffentlichkeit figurieren. Für die rollentheoretische Betrachtung müssen diese Sendungen als komplexe Einheiten gelten, die erst am Ende einer Medieneinführung behandelt werden sollten. Will man die Rollenanalysen fortsetzen, so wäre es nun sinnvoll, Figurenkonstellationen in sozialkritischen Spielfilmen des Fernsehens mit solchen in typischen Serienfilmen des Fernsehens zu vergleichen, um figuralistische Pattern herauszuarbeiten, denen ebenso feste Erwartungshaltungen des Publikums entsprechen, und um den Spielraum filmischer Kritik abzustecken.

3. Die *didaktisch-hermeneutischen Vorteile* einer solchen Mediennutzung sind zunächst einmal darin zu sehen, daß der Lerner mit 'totalen Situationen' konfrontiert wird, die auch bildsprachliche und parasprachliche Komponenten aufweisen. Er lernt also eine Vielfalt komplexer inszenatorischer Möglichkeiten kennen. Auch wenn er zunächst eher zu verstehen als nachzuahmen vermag, hat dies doch den Vorteil, daß er sich nicht auf einer Rollenebene einrichtet, sondern auf die

Übertragungsmöglichkeiten seines eigenen Rollenrepertoires sowie der medienkommunikativ gewohnten Repertoires aufmerksam wird und diese in Beziehung setzt zu dem Dargebotenen. Insbesondere die Analyse von Fernsehsendungen mit aktiver Publikumsbeteiligung und kontroverser Fragestellung eignet sich, um *konversationsevokative didaktische Situationen* in einer Lernergruppe zu schaffen.

Eine besondere gruppendynamische Chance liegt darin, das Spektrum möglicher Stellungnahmen in der Lernergruppe mit dem Dargebotenen der Fernsehsendungen (oder auch einer Rundfunksendung) zu vergleichen. Oftmals zeigt sich, daß die Fähigkeit, imitativ oder simulativ auf solche Präsentationen zu reagieren, sich stetig verbessern läßt.

Eine ausgesprochen didaktisch-hermeneutische Möglichkeit der Mediennutzung ergibt sich schließlich für den Literaturunterricht durch die immer besser und auch ästhetisch interessanter werdenden Literaturverfilmungen.

Bei umfangreichen Romanen ist es oftmals eine große Erleichterung, wenn das Gesamtverständnis erst einmal durch eine gute Verfilmung hergestellt wird, so daß dann die Lektüre ausgewählter Kapitel bei genauer Strukturierung des Leseprozesses möglich wird. Dies gilt etwa für die Verfilmung von Fontanes 'Effi Briest' (Faßbinder) oder von Fontanes 'Stechlin' (Meichsner/Hädrich). Der Lerner wird durch intensiven Vergleich der Darstellungsmittel medienbewußter und vermag zuletzt manche Verfilmung als *eine* mögliche semiotische Interpretation zu relativieren und den literarischen Text wieder in der ganzen Unbestimmtheit zu restituieren.

Literaturangaben

Hagemann/Tulodziecki: Einführung in die Mediendidaktik. Medienpraxis Medientheorie, Köln 1978.

Willy Michel: Überlegungen zur Begründung einer Medienhermeneutik für Auslandsgermanisten. In: Jahrbuch Deutsch als Fremdsprache 4, 1978, 76–85.

Edmund Nierlich: Fremdsprachliche Literaturwissenschaft und Massenmedien. Hochschulschriften Literaturwissenschaft Bd. 33, Meisenheim a. Glan 1978.

Helmut Schanze: Medienkunde für Literaturwissenschaftler, UTB 302, München 1974.

Siegfried J. Schmidt

TEXT und KOMMUNIKAT

Zum Textbegriff einer Literaturwissenschaft des Faches Deutsch als Fremdsprache

1. Vorbemerkungen

Nachdem in der literaturwissenschaftlichen Diskussion der sechziger Jahre der Versuch unternommen worden war, die Linguistik zur zentralen Bezugswissenschaft der Literaturwissenschaft zu machen, stehen die siebziger Jahre unter dem Motto, Literaturwissenschaft auf die Sozialwissenschaften hin zu orientieren. (Ansätze dazu finden sich auch in der fremdsprachlichen Germanistik, wie verschiedene German Studies-Konzepte belegen.) Beide Versuche sind gesteuert von den jeweils dominierenden Modellvorstellungen, die man sich vom Untersuchungsbereich und – damit zusammenhängend – von den für relevant gehaltenen Problemen einer Literaturwissenschaft macht: "linguistische Poetiken" sind nach wie vor fixiert auf den "literarischen Text", der nun strukturalistisch (aber immer noch Werk-immanent) analysiert werden soll; Theorien "literarischer Handlung" weiten dagegen den Untersuchungs- und Problembereich einer Literaturwissenschaft aus auf die Gesamtheit der sozialen Prozesse, die die Produktion, Vermittlung, Rezeption und Verarbeitung "literarischer Texte" betreffen und versuchen, diese Prozesse empirisch zu erforschen.[1] (Der Ausschnitt aus der Gesamtheit dieser Prozesse, der aus kommunikativen Handlungen besteht, wird im folgenden als *Literarische Kommunikation* bezeichnet. Auf ihn beziehen sich die Überlegungen dieses Beitrags.)

Nun ist zwar keineswegs zu übersehen, daß auch in der Linguistik der siebziger Jahre eine deutliche Tendenz besteht, Linguistik als empirische Sozialwissenschaft zu verstehen.[2] Aber diese Umorientierung hat – soweit ich sehe – noch nicht zur Entwicklung einer Konzeption von 'Text' geführt, die zu einem der Grundkonzepte einer empirischen Theorie Literarischer Kommunikation werden könnte und die *auch* im Literaturunterricht praktikabel wäre. An die Entwicklung eines solchen Text-Konzeptes sind – aus literaturwissenschaftlicher wie aus literaturdidaktischer Sicht – zwei die grundsätzlichen Forderungen zu stellen:

(a) daß dieses Konzept nicht nur die *Struktur*(en), sondern auch die *Funktion*(en) von "Texten" angemessen zu berücksichtigen erlaubt;

(b) daß dieses Konzept den Zusammenhang zwischen "sprachlichem Material" und "kognitiven Operationen" von Kommunikationsteilnehmern ausreichend berücksichtigt.

Wie ein solches Konzept aussehen könnte, soll im folgenden diskutiert werden.

2. *Erkenntnistheoretische Grundlagen einer "Textsemantik"*

Die Grundvorstellung aller Semantiken geht – in aller Kürze gesagt – dahin, daß im Prozeß des sogenannten Verstehens einem "Kommunikationsmittel" etwas zugeordnet wird, was die "Bedeutung" oder den "Sinn" dieses "Kommunikationsmittels" ausmacht. Was unter 'Sinn' oder 'Bedeutung' zu verstehen ist, bestimmen die verschiedenen Semantiken zum Teil sehr unterschiedlich (etwa als: Begriff, Konzept, Intension, Extension, Wahrheitswert, Stereotyp, Denotation, Konnotation, lexikalische Repräsentation u. a. m.). Eine Klärung in diesem Gebiet ist m. E. erst möglich, wenn deutlich gmacht wird, von welchen erkenntnistheoretischen und erkenntnispsychologischen Voraussetzungen bzw. Modellvorstellungen eine Semantik ausgeht.

Die im vorliegenden Ansatz vertretenen Modellvorstellungen schließen sich an die von gewichtigen empirischen Forschungsergebnissen gestützten Vorstellungen der Erkenntnisbiologie und Erkenntnispsychologie von Humberto Maturana, Heinz von Foerster und Ernst von Glasersfeld (im Anschluß an Jean Piaget) an. Da diese Arbeiten im deutschen Sprachraum fast unbekannt sind,[3] und da die Auswirkungen der Ergebnisse dieser Arbeiten auf Linguistik und Literaturwissenschaft m. E. ganz erheblich sein können, gebe ich im folgenden eine relativ ausführliche Darstellung der für die sog. konstruktivistische Kognitionstheorie repräsentativen Forschungsergebnisse Maturanas. Dabei kann auf längere Zitate deshalb nicht verzichtet werden, weil Maturana so konzise argumentiert, daß Kondensate unmöglich sind. Zugrundegelegt ist Maturanas Schrift: Biologie der Kognition. Paderborn 1974/75. Maturana geht davon aus, daß "Kognition"[4] ein *biologisches* Phänomen ist und nur als solches verstanden werden kann.

Der erste Grundbegriff seiner Biologie der Kognition ist '*Beobachter*' qua menschliches lebendiges System, das durch seine Äußerungen zu anderen Beobachtern spricht, die es selber sein könnte. Der Beobachter betrachtet gleichzeitig Gegenstände und deren Umwelt.

Etwas ist dann ein Gegenstand für den Beobachter, wenn er es beschreiben kann. "Beschreiben heißt, die tatsächlichen oder möglichen Interaktionen und Relationen des Gegenstandes aufzählen." (a.a.O.: S. 7).

"Die Menge aller Interaktionen, in die ein Gegenstand eintreten kann, ist sein Interaktionsbereich. Die Menge aller Relationen (Interaktionen durch den Beobachter), in denen ein Gegenstand beobachtet werden kann, ist sein Relationsbereich. Dieser Bereich liegt innerhalb des kognitiven Bereichs des Beobachters. Ein Gegenstand ist ein Gegenstand dann, wenn er einen Interaktionsbereich hat, und wenn dieser Bereich Interaktionen mit dem Beobachter einschließt, der dafür einen Relationsbereich angeben kann. Der Beobachter kann einen Gegenstand durch die Angabe seines Interaktionsbereiches definieren." (a.a.O.: S. 7).

Nach Maturana sind Beobachter als lebende Systeme – biologisch-physiologisch gesehen – *zirkulär organisierte homöostatische Systeme*, deren Funktion darin besteht, diese zirkuläre Organisation zu erzeugen und zu erhalten. Die zirkuläre Organisation bestimmt ein lebendes System als eine Interaktionseinheit in wechselnden Interaktionsumgebungen; um zu überleben, muß das System seine Zirkularität erhalten. Aufgrund dieser zirkulären Organisation sind lebende Systeme *selbstreferentielle Systeme*.

Da solche Systeme immer in einer Umgebung existieren, können sie nicht unabhängig von demjenigen Teil der Umgebung verstanden werden, mit dem sie interagieren: der sogenannten "Nische". Diese wird definiert durch die Klassen von Interaktionen, in die ein Organismus eintreten kann.

"Die Organisation eines jeden lebenden Systems impliziert somit die Voraussage einer Nische, und die so vorausgesagte Nische als ein Bereich von Klassen von Interaktionen stellt dessen totale kognitive Realität dar." (a. a. O.: S. 12).

Lebende Systeme sind *kognitive Systeme*, d. h. Systeme, deren Organisation einen Interaktionsbereich definiert, in dem das System zum Zweck der Selbsterhaltung handeln kann: "Lebende Systeme sind kognitive Systeme und Leben als Prozeß ist ein Prozeß der Kognition." (a. a. O.: S. 15).

Nervensysteme erweitern den kognitiven Bereich lebender Systeme dadurch, daß sie Interaktionen erlauben, in denen der Organismus seine internen Zustände in einer für ihn relevanten Weise durch sogenannte "reine Relationen", d. h. nicht durch physikalische Ereignisse, modifizieren kann. Dadurch können Organismen mit eigenen internen Zuständen so interagieren, als ob diese von ihnen unabhängige Gegenstände wären: "Sie schaffen damit das scheinbare Paradox, ihren kognitiven Bereich innerhalb ihres kognitiven Bereiches zu enthalten. In uns selbst wird dieses Paradox aufgelöst durch das, was wir "abstraktes Denken" nennen, also durch eine weitere Ausdehnung des kognitiven Bereiches." (a. a. O.: S. 17). Diese Erweiterung des kognitiven Bereichs ist von grundlegender Bedeutsamkeit für die Möglichkeit von *Kommunikation;* denn die Ausdehnung des kognitiven Bereichs in den Bereich der reinen Relationen erlaubt "... nicht-physikalische Interaktionen zwischen Organismen, und zwar in der Weise, daß die interagierenden Organismen einander auf Interaktionen innerhalb ihrer jeweiligen kognitiven Bereiche hin orientieren." (a. a. O.: S. 17). D. h. das orientierende Verhalten wird zu einer "... Repräsentation der Interaktionen, auf die hin es orientiert, und wird so zu einer Interaktionseinheit eigener Art. Genau dieser Prozeß erzeugt jedoch ein weiteres scheinbares Paradox: es gibt Organismen, die Abbildungen ihrer *eigenen* Interaktionen dadurch erzeugen, daß sie Gegenstände spezifizieren, mit denen sie interagieren, so als ob diese einem unabhängigen Bereich angehörten, während sie als Repräsentationen lediglich ihre eigenen Interaktionen abbilden." (a. a. O.). Dieses Paradox wird beim Menschen auf zwei Arten gleichzeitig aufgelöst: Dadurch daß wir zu Beobachtern werden, indem wir rekursiv Repräsentationen unserer Interaktionen erzeugen; und dadurch, daß wir durch Selbstbeobachtung "Selbstbewußtsein" erzeugen: "Wir erzeugen Beschreibungen unserer selbst (Repräsentationen), und können uns dadurch, daß wir mit unseren Beschreibungen interagieren, in einem endlosen rekursiven Prozeß als uns selbst beschreibend beschreiben." (a. a. O.: S. 18). Ein Organismus *kommuniziert* mit einem anderen, "... indem er das Verhalten des anderen Organismus auf einen Teil seines Interaktionsbereiches hin orientiert, der von der gegenwärtigen Interaktion verschieden ist, aber mit der Orientierung des Interaktionsbereiches des orientierenden Organismus vergleichbar ist. Dies kann nur stattfinden, wenn die beiden Organismen in ihren Interaktionsbereichen weitgehend übereinstimmen." (a. a. O.: S. 42).[5]
Um Maturanas Annahme über das Funktionieren von Sprache und

Denken nachvollziehen zu können, muß zunächst seine schwierige und in der Terminologie nicht eben glückliche Unterscheidung zwischen *"Beschreibungen"* erster und zweiter Ordnung eingeführt werden.

Jedes Verhalten eines Organismus erscheint einem Beobachter als eine Aktualisierung der Nische, "... d. h. als eine Umweltbeschreibung erster Ordnung." (a. a. O.: S. 41) (= Beschreibung).

Kommuniziert ein Organismus mit einem anderen, dann erzeugt der erste Organismus eine Beschreibung (erster Ordnung) seiner Nische, die das Verhalten des zweiten Organismus auf eine Interaktion hin orientiert. Dieses durch Orientierung hervorgerufene Verhalten ist denotativ: "... es weist auf ein Merkmal der Umwelt hin, welches der zweite Organismus in seiner Nische antrifft und durch angemessenes Verhalten beschreibt, und das er als eine selbständige Größe behandelt." (a. a. O.: S. 42).

Das Orientierungsverhalten ist für den Beobachter eine Beschreibung zweiter Ordnung (= *Beschreibung*), "... die das repräsentiert, was sie seiner Auffassung nach bezeichnet. Im Gegensatz dazu ist das Orientierungsverhalten des ersten Organismus für den zweiten konnotativ, und impliziert für ihn eine Interaktion innerhalb seines kognitiven Bereiches [...]. Was Orientierungsverhalten konnotiert, ist eine Funktion des kognitiven Bereiches des Orientierten, nicht des Orientierenden." (a. a. O.: S. 43).

Orientierende Interaktion bezeichnet Maturana als *"kommunikative Beschreibung"*.

Wenn ein Organismus eine kommunikative Beschreibung erzeugen und dann mit seinem eigenen Aktivitätszustand interagieren kann, der diese Beschreibung repräsentiert, und wenn damit eine andere Beschreibung erzeugt wird, die auf diese Repräsentation hin orientiert, dann wird der Organismus bei rekursiver Anwendung dieser Operation zu einem "Beobachter". Dieser Beobachter kann sich nun durch Orientierungsverhalten auf sich selber orientieren und dann kommunikative Beschreibungen erzeugen, die ihn selbst auf seine Beschreibung dieser Selbstorientierung hin orientieren. Diese Orientierung auf Selbstbeschreibung nennt Maturana "Selbstbewußtsein" und kennzeichnet es als einen "neuen Interaktionsbereich des Organismus".

Bei der Einführung dieser Begriffe ist folgende grundlegende Annahme Maturanas zu berücksichtigen: "Der sprachliche Bereich, der Beobachter und das Selbstbewußtsein sind jeweils möglich, weil sie sich als verschiedene Bereiche der Interaktion des Nervensystems mit seinen eigenen Zuständen in Situationen ergeben, in denen diese Zustände verschiedene Modalitäten der Interaktionen des Organismus repräsentieren." (a. a. O.: S. 45).

Derjenige neurophysiologische Prozeß in einem zustandsdeterminierten Nervensystem, der darin besteht, daß das System mit einigen seiner internen Zustände so interagiert, als handle es sich bei diesen um unabhängige Größen, wird von Maturana "Denken" genannt. (a. a. O.). Dieser Denkprozeß ist unabhängig von Sprache.

Natürliche Sprachen erlauben über sprachliches Verhalten ein solches Orientierungsverhalten, das den zu Orientierenden innerhalb seines kognitiven Bereichs auf Interaktionen hin orientiert, die von der Art der orientierenden Interaktion unabhängig sind. Wenn die Interaktionsbereiche zweier Organismen in bestimmtem Maße miteinander vergleichbar sind, sind "konsensuelle Orientierungsinteraktionen" möglich. Dann können die daran beteiligten Organismen ein konventionelles System kommunikativer Beschreibung entwickeln, "... um einander auf kooperative Klassen von Interaktionen hin zu orientieren, die für beide relevant sind." (a. a. O.: S. 47). Mit dieser Annahme wird erklärlich, warum soziale Interaktion und sprachliche Kommunikation auch zwischen geschlossenen Systemen (menschlichen Individuen) möglich sind. Der für sprachliche Kommunikation, Semantik und ähnliche Probleme wichtigste Punkt der Maturanaschen Argumentation liegt darin, daß Sprache seines Erachtens "konnotativ" und nicht "denotativ" ist. Die Funktion der Sprache besteht nach Maturana darin, "... den zu Orientierenden innerhalb seines kognitiven Bereiches zu orientieren, und nicht darin, auf selbständige Entitäten zu verweisen ..." (a. a. O.: S. 47). Daraus folgt, "... daß es keine Informationsübertragung durch Sprache gibt. Es ist dem Orientierten überlassen, wohin er durch selbständige interne Einwirkung auf seinen eigenen Zustand seinen kognitiven Bereich orientiert. Seine Wahl wird zwar durch die "Botschaft" verursacht, die so erzeugte Orientierung ist jedoch unabhängig von dem, was diese "Botschaft" für den Orientierenden repräsentiert. Im strengen Sinne gibt es daher keine Übertragung von Gedanken vom Sprecher zum Gesprächspartner. Der Hörer erzeugt Informationen dadurch, daß er seine Ungewißheit durch seine Interaktionen in seinem kognitiven Bereich reduziert. Konsens ergibt sich nur durch kooperative Interaktionen, wenn das sich dabei ergebende Verhalten jedes Organismus der Erhaltung beider Organismen dienstbar gemacht wird. Ein Beobachter, der eine kommunikative Interaktion zwischen zwei Organismen betrachtet, die beide bereits einen konsensuellen sprachlichen Bereich entwickelt haben, kann die Interaktion als denotativ beschreiben. [...] Weil jedoch das Ergebnis der Interaktion im kognitiven Bereich des Orientierten unabhängig von der Bedeutung der Botschaft für den kognitiven Bereich des Orientierenden determiniert wird, liegt die denotative Funktion der Botschaft lediglich im kognitiven Bereich des Beobachters und nicht in der operativen Wirksamkeit der kommunikativen Interaktion. Das kooperative Verhalten, welches sich zwischen den interagierenden Organismen aus diesen kommunikativen Interaktionen entwickeln kann, stellt einen sekundären Prozeß dar, der unabhängig ist von ihrer operativen Wirksamkeit." (a. a. O.: S. 50 f.).

So wie das Nervensystem ein geschlossenes System darstellt, so ist auch der Bereich sprachlicher Äußerungen ein geschlossener Bereich, "... und es ist unmöglich, aus ihm durch Äußerung hinauszutreten. Da der sprachliche Bereich ein geschlossener Bereich ist, ist es möglich, die folgende ontologische Aussage zu machen: *Die Logik der Beschreibung ist die Logik des beschreibenden (lebenden) Systems (und seines kognitiven Bereichs.)*" (a. a. O.: S. 63).

Wann immer wir mit Sprache interagieren, bleiben wir im Bereich von "Beschreibungen" (zweiter Ordnung), auch wenn wir über "Welt", "Wissen von Welt" etc. reden. Dieser Bereich ist begrenzt, insofern alles was wir sagen eine "Beschreibung" ist; er ist offen, weil jede "Beschreibung" im Organismus die Basis für neue Orientierungsinteraktionen und folglich für neue "Beschreibungen" konstituiert (a. a. O.: S. 79).

Aus den hier in aller Kürze referierten Annahmen Maturanas zu Struktur und Funktion lebender Organismen folgt, "... daß eine Realität als eine Welt unabhängiger Gegenstände, über die wir reden können, notwendigerweise eine Fiktion des rein *deskriptiven* Bereiches ist, und daß wir den Begriff der Realität gerade auf den Bereich der *Beschreibungen* anwenden sollten, indem wir, die *beschreibenden* Systeme, mit unseren *Beschreibungen* so interagieren, als ob diese unabhängige Gegenstände wären." (a. a. O.: S. 83).

Realität ist also ein Bereich von "Beschreibungen", kein Bereich unabhängiger Gegenstände. "Es gibt keine Gegenstände der Erkenntnis. Wissen heißt fähig sein, in einer individuellen oder sozialen Situation adäquat zu operieren." (a. a. O.: S. 84)[6].

3. Folgerungen für ein Kommunikationsmodell

Anhand dieser erkenntnispsychologischen Annahmen lassen sich m. E. einige wichtige Überlegungen für mögliche (empirisch validierbare) Modelle der Kommunikation anstellen.

Die erste und wichtigste Überlegung betrifft die Konzepte von 'Bedeutung', die im geschilderten erkenntnispsychologischen Rahmen sinnvoll sind. Danach kann 'Bedeutung' nur konzipiert werden als ein mehrstelliger Begriff relativ zu Kommunikationsteilnehmern, Kommunikationssituationen und Kommunikationszeitpunkten (X bedeutet a für K in S zu z).

Die zweite Konsequenz besagt, daß nicht "Kommunikationsmittel" "Bedeutungen" *haben*, sondern daß Kommunikationsteilnehmer "Kommunikationsmitteln" durch kognitive Operationen "Bedeutungen" *zuordnen*. Daraus folgt, daß man strikt unterscheiden muß zwischen dem "Kommunikationsmittel" und dem kognitiven Konstrukt, das ein Kommunikationsteilnehmer (qua "kognitives" System) dem wahrgenommenen "Kommunikationsmittel" zuordnet.

Um diese Unterscheidung auch terminologisch aufzuarbeiten, sollen im folgenden Vorschläge für eine entsprechende kommunikationstheoretische Terminologie gemacht werden.

Nach Maturana bestehen Kommunikationshandlungen darin, daß ein Organismus einen anderen Organismus auf einen bestimmten Teil seines Interaktionsbereiches hin orientiert, indem er bestimmte Repräsentationen von "Orientierungsinteraktionen" anbietet und erwartet, daß der andere Organismus ihnen in seinem Kognitionsbereich "Beschreibungen" zuordnet. Solche Repräsentationen von Orientierungsinteraktionen nenne ich im folgenden *Kommunikatbasen*.

Kommunikatbasen sind "Gegenstände" (i. S. Maturanas), die Organismus A aufgrund von Regeln und Verfahren produziert, die er im Verlauf seiner Sozialisation erlernt hat, und die Organismus B aufgrund der Struktur seines Wahrnehmungsapparates sowie durch Anwendung von Regeln und Konventionen, die er in seiner Sozialisation internalisiert hat[7], als solche Gegenstände erkennt, denen er kognitive Repräsentationen zuordnen kann. Ein von B als Kommunikatbasis erkannter Gegenstand kann dann für B die Funktion erfüllen, ihn innerhalb seines kognitiven Bereichs zu orientieren. Wird dieses Ziel erreicht, dann fungiert die Kommunikatbais für einen Organismus in einer Kommunikationssituation als Kommunikat. D. h. der Organismus ordnet der Kommunikatbais eine kognitive Struktur (im folgenden mentale Repräsentation oder kurz *Leseart* genannt) zu, nimmt eine emotionale Haltung ein, zieht Konsequenzen unterschiedlicher Art aus der Leseart-Zuordnung etc.

Betrachtet man nun den Bereich der sprachlichen Kommunikation im engeren Sinne, dann lassen sich diese allgemeinen kommunikationstheoretischen Überlegungen wie folgt spezifizieren: Wie für alle Kommunikate gilt auch für Kommunikate im Bereich sprachlicher Kommunikation, daß sie eine materiale Basis haben müssen, die durch die Verwendung zu bestimmten Zwecken bzw. in bestimmten Funktionen für Kommunikationspartner *als* Kommunikate fungieren. Intersubjektiv feststellbar gibt es nun bestimmte materielle Objekte im Rahmen unserer Gesellschaft, die bestimmten Bedingungen genügen; von diesen Bedingungen, deren Einhaltung alle diejenigen Kommunikationspartner kontrollieren können, die bestimmte Beschreibungskategorien akzeptieren, seien hier drei genannt:

(1) Die Objekte bestehen aus Bestandteilen, die aufgrund konventionalisierter Rede- oder Schreibgewohnheiten Repertoires von artikulierten Lauten bzw. distinkten Schriftzeichen einer natürlichen Sprache zugeordnet werden können, d. h. die Objekte bestehen aus sog. "phonetischen" oder "graphematischen" Einheiten.

(2) Die beobachtbaren Ketten von "phonetischen" oder "graphematischen" Einheiten, aus denen die fraglichen Objekte bestehen, lassen sich in solche Komplexe segmentieren, die aufgrund geltender Konventionen einer Sprechergemeinschaft Repertoires von sog. "lexikalischen Einheiten" einer natürlichen Sprache zugeordnet werden können.

(3) Die "lexikalischen Einheiten" sind in diesen Objekten in einer Weise miteinander verbunden, die Verkettungsregeln für solche Einheiten in einer Sprechergemeinschaft entspricht bzw. nur so davon abweicht, daß Kommunikationspartner diesen Abweichungen einen "Sinn" zuschreiben können; d. h. die lineare Ordnung der "lexikalischen Einheiten" folgt erkennbaren sog. "syntaktischen Regeln".

In Kommunikationssituationen wahrnehmbare Objekte, die diesen drei Bedingungen genügen, werden im folgenden als solche Kommunikatbasen eingeführt, denen das Merkmal der *Sprachlichkeit* zukommt[8]. Benennt man die o. g. Bedingungen abkürzend als

(1) Bedingung der "Phonetizität/Graphematizität";

(2) Bedingung der „Lexikalität" und

(3) Bedingung der "Syntaktizität" von Objekten in bezug auf eine natürliche Sprache, dann ist eine *sprachliche Kommunikatbasis* diejenige materiale Kommunikatbasis, die den Bedingungen der Phonetizi-

tät/Graphematizität, Lexikalität und Syntaktizität in bezug auf eine natürliche Sprache genügt.

Um nicht immer mit einem unhandlichen Begriff wie 'sprachliche Kommunikatbasis arbeiten zu müssen, wird als terminologische Regelung vorgeschlagen, 'sprachliche Kommunikatbasis' und 'Text' als Synonyme zu gebrauchen.

Die in der Definition von 'sprachliche Kommunikatbasis' (= 'Text') enthaltene Definition von 'Sprachlichkeit' kann nun übertragen werden auf die Definition des Begriffs *sprachliches Kommunikat*. Mit diesem Begriff wird die kommunikative *Funktion* bezeichnet, in der Kommunikationsteilnehmer in Kommunikationshandlungen Texte "gebrauchen". Der Zusammenhang zwischen den Begriffen 'Text' und 'sprachliches Kommunikat' ist also grob gesagt der zwischen strukturellem und funktionalem Aspekt "sprachlicher Kommunikationsmittel". Dabei gilt, daß alle sprachlichen Kommunikate Texte sein bzw. Textstrukturen haben müssen, während nicht alle Texte auch als Kommunikate fungieren müssen.

Die hier vorgeschlagene Trennung zwischen einem materialen[9] Textbegriff und einem kommunikativ-funktionalen sprachlichen Kommunikatbegriff hat verschiedene Gründe:

- Sie erlaubt und erfordert eine deutliche Trennung zwischen strukturellen und funktionalen Aspekten in der Analyse von Kommunikationsprozessen.

- Sie verlangt andererseits, beide Aspekte angemessen zu berücksichtigen, da Struktur und Funktion nie unabhängig voneinander sind und betrachtet werden sollen.

- Sie stellt einen weiten "Text"-Begriff zur Verfügung, der dann in bezug auf Literarische Kommunikation nach Bedarf eingeschränkt bzw. spezifiziert werden kann, während textlinguistische "Text"-Begriffe meist ziemlich eng angelegt sind[10].

Stellt man weiterhin in Rechnung, daß 'sprachliches Kommunikat' ein relationaler Begriff ist (X ist ein sprachliches Kommunikat *für* Kommunikationspartner in einer Kommunikationssituation), dann läßt sich eine Definition des Begriffs nach den oben angestellten Vorüberlegungen so anlegen:

Kommunikat für Kommunikationsteilnehmer in einer Kommunikationssituation

K ist Kommunikat für Kommunikationsteilnehmer in einer Kommunikationssituation gdw es gibt einen Text T; Kommunikationsteilnehmer R; eine Kommunikationssituation KSit; konventionalisierte

Bedeutungsregeln r_1, r_2, ..., die in Sprechergemeinschaft G gelten;
Lesearten l_1, l_2, ..., so daß gilt:

(1) KSit besteht aus dem Wahrnehmungsraum von R und den dort
befindlichen Objekten und Individuen zum Handlungszeitpunkt z.

(2) r_1, r_2 ... regeln in G die Zuordnung von Lesarten zu Bestandteilen von T bzw. zu T.

(3) l_1, l_2, ... sind "Beschreibungen" (i. S. Maturanas), die R den Bestandteilen von T durch Rekurs auf Gedächtnisinhalte oder KSit zuordnet und emotional besetzt.

(4) R nimmt in KSit T wahr.

(5) R beherrscht r_1, r_2, ...

(6) R ordnet durch Anwendung von r_1, r_2, ... auf T diesem l_1,
l_2, ... zu.

Mit dieser Definition ist festgelegt, daß ein Text nur dann für Kommunikationsteilnehmer zu einem Kommunikat wird, wenn sie in der
Lage sind, dem Text mit bezug auf Bedeutungsregeln eine Lesart zuzuordnen, die in jedem Fall auch emotionale Komponente enthält.
Gelingt dies, dann hat der Text für diese Kommunikationsteilnehmer
Sinn. Damit ist aber noch nichts entschieden hinsichtlich der Frage, ob
dieses Kommunikat für die Kommunikationsteilnehmer in der jeweiligen Situation auch relevant ist. Mit *relevant* ist hier gemeint, ob die
Beschäftigung mit Kommunikat zu solchen Veränderungen im kognitiven, normativen oder emotionalen Bereich führt, die der Kommunikationsteilnehmer als für ihn positiv einschätzt.

4. *Folgerungen für eine kommunikationsorientierte empirische Literaturwissenschaft*

Die bisherigen Überlegungen sollen jetzt bezüglich ihrer Auswirkungen
auf literaturwissenschaftliche[11] Probleme und Lösungen befragt werden.

(a) Eine empirische Literaturwissenschaft untersucht Handlungs-
zusammenhänge, die sich auf solche sprachlichen Kommunikate richtet,
die Kommunikationsteilnehmer für "literarisch" halten; denn die Einschätzung von Kommunikationsteilnehmern entscheidet notwendigerweise in letzter Instanz darüber, ob ein Text als *literarisches* Kommunikat angesehen und behandelt wird oder nicht. (M. a. W.: es gibt nur
literarische Kommunikate, keine literarischen Texte.)

Fragestellungen, die sich von diesen Voraussetzungen her für eine
empirische Literaturwissenschaft ergeben, lauten etwa:

– was tun Rezipienten, wenn sie einen Text als literarisches Kommunikat realisieren?
-- aufgrund welcher Strukturen, Normen, Werte etc. realisieren Rezipienten bestimmte Texte als literarische Kommunikate?
– wie verlaufen die Sozialisationsprozesse, die die Teilnahme an Literarischer Kommunikation regeln?
– welche sozialen, ökonomischen und politischen Faktoren spielen in Literarischer Kommunikation eine Rolle?
– welche Rolle spielen bestimmte Medien in Literarischer Kommunikation?, usw.

(b) Eine empirische Literaturwissenschaft geht davon aus, daß Rezipienten Texten Lesarten zuordnen. D. h. sie operiert mit der Vorstellung, daß Rezipienten Texten "Bedeutungen" *zuordnen*, nicht daß Texte "Bedeutungen" *haben*. Aufgrund dieser Voraussetzung sieht sie es nicht als eine sinnvolle Fragestellung an, nach "der Bedeutung" (oder gar nach "der richtigen Bedeutung") eines Textes zu fragen. Eine empirische Literaturwissenschaft ist daran interessiert zu erforschen, *welche* Lesarten Rezipienten(gruppen) welchen Texten zuordnen und was sie damit anfangen, davon haben usw.

Die erkenntnispsychologisch gestützte Annahme, daß Texte jeweils soviele "Bedeutungen" haben wie Rezipienten, die sie als Kommunikate realisieren[12], hat m. E. erhebliche Auswirkungen auf Literaturwissenschaft und Literaturunterricht. Die Auswirkungen auf die Literaturwissenschaft sehe ich u. a. darin, daß

– der Begriff 'sprachliches Kunstwerk' ent-ontologisiert werden muß: Daten einer empirischen Literaturwissenschaft sind – neben dem Text – die Kommunikate, die Rezipienten als literarisch realisieren. D. h. allgemein gesagt: Literaturwissenschaft kann nicht Texte für sich allein untersuchen, sondern sie muß Konstellationen vom Typ "Text: textbezogene Handlung: sozialer Handlungskontext" analysieren, erklären, beschreiben etc.

– "Interpretation" im Sinne von Ermittlung der "richtigen Bedeutung" eines literarischen Werkes keineswegs als zentrale Aufgabe des Literaturwissenschaftlers angesehen werden kann, ja daß "Interpretation" gar kein Verfahren im Rahmen der Literaturwissenschaft darstellt, sondern als eine Form der aktiven Teilnahme an (nicht der wissenschaftlichen Analyse von) Literarischer Kommunikation betrachtet werden muß. Nimmt man den hier eingeführten und begründeten kommunikationswissenschaftlichen Ansatz ernst, dann bedeutet das, daß *jede* Konzeption von Literaturwissenschaft darüber Auskunft geben können muß, inwiefern sie die Unterscheidung zwischen Text und Kommunikat und die sich daraus ergebenden Konsequenzen behandeln und berücksichtigen kann. M. a. W. die m. E. unausweichliche Kommunikationsorientierung betrifft alle Formen von Literaturwissenschaft, nicht etwa nur die Germanistik. Sie folgt aus der Einsicht in die Tatsache, daß literarische Kommunikate nie isoliert vorkommen, sondern immer und notwendig im Handlungsskopus von Kommunikationsteilnehmern, die entweder in der Rolle von Produzenten, Vermittlern, Rezipienten und Verarbeitern oder in einer Mischung dieser Rollen agieren.

Ebensowenig wie ein Text "an sich" eine Bedeutung hat, ist er auch "an sich" literarisch: literarisch sind immer nur Kommunikate *für* Kommunikationsteilnehmer.

Mit Blick auf die *Auslandsgermanistik* stellen sich auf der oben skizzierten theoretischen Basis viele interessante empirische Forschungsaufgaben, so z. B.:

- die empirische Untersuchung der Frage, ob ausländische Leser deutsche literarische Werke (nur) deshalb für literarisch halten, weil sie ihnen so präsentiert werden, oder ob sie sie auch ohne diese Information so einschätzen (würden);
- die Erforschung von Lesarten, die Ausländer deutschen literarischen Werken zuordnen, und die Erforschung der dabei ablaufenden Rezeptionsprozesse und ihrer individuellen wie sozialen kulturspezifischen Bedingungen;
- die empirische Erhebung von Wertsystemen zur Bewertung literarischer Phänomene;
- die Erforschung unterschiedlicher kulturbedingter Ausgestaltungen der zentralen Handlungsrollen im System literarischer Kommunikation (also der Rolle des Produzenten, Verarbeiters), usw.

Forschungsergebnisse aus solchen Untersuchungen hätten m. E. den großen Vorteil, daß sie für verschiedene gesellschaftlich interessante Bereiche *anwendbar* wären (für den Literaturunterricht, für die Kulturpolitik, für den kulturellen Austausch usw.), statt als irrelevante (oder bestenfalls für die Karriere des Schreibenden punktuell wichtige) Interpretationsmakulatur in Bibliotheken zu verschwinden.

Anmerkungen

Die Begriffe 'TEXT' und 'KOMMUNIKAT' werden hier nicht im umgangssprachlichen oder im geläufigen "umgangslinguistischen" Sinne gebraucht, sondern explizit eingeführt. Um Verwechslungen zu vermeiden, werden sie in Kapitälchen gesetzt. Nichtdefinierte "umgangssprachliche" bzw. "umgangslinguistische" Begriffe werden in "" gesetzt. Von anderen Autoren in deren Definition bzw. Verwendungsweise übernommene Termini werden in «» gesetzt.

[1] Wenn hier u. a. von Theorien literarischer Kommunikation gesprochen wird, so sind darunter solche Ansätze zu verstehen, die sich entweder auf "dialektischer" oder auf "analytischer" wissenschaftstheoretischer Grundlage auf den Gesamtprozeß des "literarischen Lebens" richten und nicht primär auf "literarische Texte". Zur Orientierung sei verwiesen auf Rolf Gramminger: Abriß einer Theorie der literarischen Kommunikation. In: Linguistik und Didaktik 12, 1972, S. 277–293 und 13, 1973, S. 1–15 (für einen "dialektischen" Ansatz) sowie auf Siegfried J. Schmidt: Grundriß der Empirischen Literaturwissenschaft. Erster Halbband: Theorie Literarischen Kommunikativen Handelns (im Druck).

[2] Als ein Beispiel für viele sei genannt P. Finke: Grundlagen einer linguistischen Theorie. Empirizität und Begründungsproblem in der Sprachwissenschaft. Wiesbaden 1978.

[3] Ein Sammelband mit den wichtigsten Arbeiten Maturanas wird 1979 im Vieweg Verlag in der Reihe "Wissenschaftstheorie. Wissenschaft und Philosophie" erscheinen. In Vorbereitung sind ferner Bände mit den Arbeiten H. von Foersters und E. von Glasersfelds.

[4] Maturana hat keine formale Definition dieses und aller folgenden Begriffe gegeben mit der Begründung, er versuche, ihre „... Bedeutung aus ihrer Verwendung klar werden zu lassen." (a. a. O.: S. 5).

[5] Was Maturana hier als «Orientierung» bestimmt, habe ich intuitiv als "Instruktion" beschrieben in meinem Buch: Texttheorie. München 1973.

[6] Eine analoge erkenntnistheoretische Position hat – im Anschluß an J. Piaget – E. von Glasersfeld entwickelt. Er weist mit Nachdruck darauf hin, daß der Organismus Strukturen *erzeugt* und nicht etwa "der Realität" absieht. "Whatever is perceived is basically composed of signals within our sphere of experience." (Ernst von Glasersfeld: Piaget and the radical constructivist epistemology. Arbeitspapier, University of Georgia, Athens 1974, S. 16).
Zwar könnte man sagen, diese Signale kämen "von außen", wären von dort bedingt. Aber diese "außenliegenden" Bedingungen können eben nicht als solche beschrieben werden, sondern nur durch ihre Wirkungen, die sie im Organismus hervorrufen. So ist das, was "innen" oder "außen" ist, lediglich ein Konstrukt des Organismus, eine Koordination von "Daten", die sich *für* den Organismus aus neuronalen Aktivitäten ergeben. –

Cf. auch H. von Foersters biokybernetische Darstellung des Erkenntnis-
prozesses als «Er-Rechnen» einer Realität. (Heinz von Foerster: Kybernetik einer Erkenntnistheorie. In: Wolf D. Keidel, Wolfgang Händler und
Manfred Spreng, Hrsg., Kybernetik und Bionik. München–Wien 1974,
S. 30 ff.)

[7] Nur wenn Organismen zumindest partiell ein analog konventionalisiertes
System *«kommunikativer Beschreibungen»* (i. S. Maturanas) entwickelt
haben, d. h. wenn sie zumindest partiell dieselben "Bedeutungsregeln" auf
Kommunikatbasen anwenden, werden die von A intendierten Orientierungsinteraktionen bei B auch tatsächlich vorgenommen. Dabei muß aber
in Rechnung gestellt werden, daß A zwar ... "stillschweigend voraussetzt,
der Hörer sei mit ihm selbst identisch und besitze folglich den gleichen
kognitiven Bereich wie er selbst (was nie der Fall ist) ..." (Maturana,
a. a. O., S. 51), daß aber aufgrund der oben geschilderten Unmöglichkeit,
Gedanken bzw. Informationen zu übertragen, A nur hoffen kann, durch
die Erzeugung von Kommunikatbasen B zu den von ihm intendierten
Orientierungsinteraktionen zu bewegen.

[8] Diese "materiale" Definition von 'Sprachlichkeit' ist m. E. voll verträglich
mit der Definition, die E. von Glasersfeld von der empirischen Psychologie
her, für "Sprache" anbietet: "To sum up this discussion of linguistic
communication, I would suggest three criteria to distinguish „language",
all of which are necessary but individually insufficient:

1) There must be a set of communicatory signs, i. e., perceptual items
   whose meaningfullness (SEMANTICITY) is constituted by a conventional
   tie (semantic nexus) and not by an inferential one.

2) These signs must be symbols, i. e., linked to representations (SYM-
   BOLICITY); therefore they *can* be sent without reference to perceptual
   instances of the items they designated and received without "triggering"
   a behavioral response in the receiver. As symbols they merely activate
   the connected representation.

3) There must be a set of rules (GRAMMAR) governing the combination
   of signs into strings, such that certain combinations produce a new
   semantic content in addition to the individual content of the component
   signs". (Ernst von Glasersfeld: The development of language as pur-
   posive behavior. Paper to the Conference on origins and evolution of
   speech and language. New York Academy of Science, September 1975,
   S. 20 f.).

[9] Diese Unterscheidung, die von Walther Kindt vorgeschlagen und begründet
worden ist, modifiziert meine in (1973) vorgeschlagene Unterscheidung
zwischen 'Textformular' und 'Text-in-Funktion'. Cf. auch N. Groebens
Vorschlag, zwischen «materialobjektiven» Beschreibungen und «semantischen» Beschreibungen von «Texten» zu unterscheiden (Norbert Groeben:
Rezeptionsforschung als empirische Literaturwissenschaft. Kronberg 1977).

[10] Zur Rekonstruktion der Geschichte der Textdefinition in der Textlinguistik
cf. Heinrich F. Plett: Textwissenschaft und Textanalyse, Heidelberg 1975.

[11] Als literaturwissenschaftliches Konzept lege ich hier die von mir zusammen mit der Bielefelder Arbeitsgruppe Literaturwissenschaft entwickelte Theorie Literarischen Kommunikativen Handelns zugrunde (cf. Anm. 1). Diese Position orientiert sich wissenschaftstheoretisch an der Konzeption von J. D. Sneed und verfolgt als metatheoretische Werte Empirizität, Theoretizität und Relevanz (auch im Sinne von Anwendbarkeit).

[12] Daß diese "Bedeutungen" aufgrund ähnlicher Sozialisationsprozesse und der Wirkung sprachlicher Stereotype, Konventionen etc. nicht völlig voneinander abweichen, darf nicht die grundsätzliche Einsicht verstellen, daß "Bedeutungen" sprachlicher TEXTE prinzipiell rezipientenspezifisch sind.

Horst Steinmetz

Textverarbeitung und Interpretation

Einführung: Der Streit um die Aufgabe der Literaturwissenschaft

Die Geschichte der Literaturwissenschaft kennt viele Perioden, in denen man Aufgabe, Methoden und Ziele der Literaturwissenschaft diskutiert hat. Seit einigen Jahren befinden wir uns zweifellos wiederum in einer solchen Periode der Diskussion. Sie unterscheidet sich vermutlich durch ihre Heftigkeit von allen früheren. So wird zum Beispiel die in der Nachfolge vor allem Wilhelm Diltheys viele Jahre allgemein akzeptierte prinzipielle Scheidung zwischen Natur- und Geisteswissenschaften im Zusammenhang der heute geführten Diskussion wieder in Frage gestellt. Es herrscht zur Zeit ein ziemlich scharfer Streit zwischen den Vertretern der Hermeneutik und den Anhängern einer empirisch-analytischen Wissenschaftstheorie. Die letzteren werfen den Hermeneutikern unter anderem vor, sie hätten vom Begriffe des Verstehens aus nie eine Methode wissenschaftlicher Untersuchung formulieren können, sie hätten den berühmt-berüchtigten hermeneutischen Zirkel zur Mythisierung und Immunisierung ihrer Wissenschaft benutzt, sie hätten schließlich auch dafür gesorgt, daß sich zum Beispiel die Literaturwissenschaft noch heute in einem vorparadigmatischen Stadium befinde. Umgekehrt halten die Hermeneutiker den analytischen Wissenschaftstheoretikern entgegen, sie wollten unter anderem die Literaturwissenschaft auf das Niveau einer simplen positivistischen Methodologie herabdrücken[1].

Doch nicht allein die angebliche Dichotomie von Natur- und Geisteswissenschaften und die daraus sich ergebenden methodologischen Probleme bilden den Gegenstand der Diskussion. Nicht weniger deutlich steht etwa die Frage nach der gesellschaftlichen Rolle und Relevanz der Literaturwissenschaft zur Debatte. Und nicht zuletzt ist ein sehr lebendiger Streit um den Gegenstandsbereich der Literaturwissenschaft zu beobachten. Von allen Seiten hört man die Forderung, Literaturwissenschaft dürfe sich nicht mehr elitär gebärden, dürfe ihr Objekt nicht allein in den sogenannten hohen Werken der Literatur sehen; sie müsse vielmehr auch die sogenannte Trivialliteratur endlich in ihre Untersuchungen einbeziehen, ja sie müsse jede Art von Texten zu ihren Objekten rechnen; Literaturwissenschaft müsse sich überhaupt und grundsätzlich als Teil allgemeiner sozialer Kommunikationsprozesse begreifen. Nicht mehr die Analyse von Texten, schon gar nicht die Analyse von wertvollen dichterischen Werken stelle ihre Aufgabe dar. Die bestehe vielmehr in der Untersuchung von Kommunikationsvorgängen, die über diese Texte zustande kommen, in der Untersuchung von Kommunikationsprozessen, die zwischen Textproduzenten und Textrezipienten sowie unter den Rezipienten in Auseinandersetzung mit Texten entstehe. Aus der allgemeinen sozialen Kommunikation könne man allenfalls den Bereich einer "literarischen Kommunikation" als spezielleren Aufgabenbereich der Literaturwissenschaft ausgliedern. Aber auch das sei im Grunde zweifelhaft, da man unter Texte auch Erscheinungen wie Film, Fernsehen oder Reklame zu subsumieren habe[2].

Es ist wahrlich eine Grundlagendiskussion, die im Augenblick geführt wird. Nichts scheint mehr selbstverständlich oder vorgegeben. Und dann ist einer der Hauptvorwürfe an die bisherige Literaturwissenschaft noch nicht einmal erwähnt, nämlich daß sie ihre eigene Vermittlung, sprich: eine Didaktik der Literaturwissenschaft, bislang weithin außer acht gelassen habe. Wenn man schließlich noch bedenkt, daß zu diesen innerliteraturwissenschaftlichen Diskussionen sehr vehemente bis zynische Bemerkungen über das völlige Versagen der Literaturwissenschaft von Logikern, Phänomenologen, Linguisten und Soziologen kommen – von Schriftstellern und Naturwissenschaftlern sind wir das schon lange gewohnt –, dann kann man nur noch konstatieren: die Krise ist total. Und manchmal fragt man sich, woher man eigentlich den Mut hat, sich noch immer als Literaturwissenschaftler auszugeben.

Angesichts dieser Situation ist nicht zu erwarten, daß allgemein akzeptierbare Lösungen in kurzer Zeit gefunden werden, daß ein sich durchsetzendes Paradigma sich schnell wird etablieren können. Mehr als Vorüberlegungen zu bestimmten Aspekten der Gesamtproblematik sind im Augenblick kaum möglich. Inventarisierung der entstandenen Lage und kritische Prüfungen vorgeschlagener Lösungsmöglichkeiten sowie mit diesen möglicherweise verbundenen Konsequenzen sind zur Zeit wahrscheinlich die fruchtbarsten Ansätze, die der Literaturwissenschaft zur Verfügung stehen und die auf längere Sicht einen Ausweg aus dem derzeitigen Dilemma anzeigen können.

In diesem Sinne ist auch der vorliegende Beitrag gemeint. Er nimmt bestimmte in den letzten Jahren vorgetragene und diskutierte Gedanken und Thesen auf, um Folgen und Konsequenzen zu beschreiben, die

implizit und explizit mit ihnen zusammenhängen können. Daraus resultieren wiederum einige eigene Vorschläge. Sie verstehen sich ausdrücklich nicht als fertige Lösungen, die als solche ohne Umschweife
übernommen und angewandt werden sollen. Sie sind vorläufige Resultate vorläufiger Überlegungen. –

1. Die Funktionalität der Texte

Stimmt man der Auffassung zu, Gegenstandsbereich der Literaturwissenschaft sei die "literarische Kommunikation", dann bedeutet das unter anderem, daß man die Funktion von literarischen Texten, oder besser: die Funktion von Texten, die für literarisch gehalten werden, untersucht. Diese Aufgabenstellung reaktualisiert ein altes Problem der
Literaturwissenschaft. Besonders in der traditionellen Diskussion um
die sogenannte Fiktionalität poetischer Texte hat man sich direkt oder
indirekt immer auch um eine Abgrenzung der Literatur von Nicht-
Literatur bemüht. Die Analyse der literarischen Kommunikation setzt
voraus, daß man eine Reihe von Kriterien entwickelt, die diese Kom-
munikationsform von anderen unterscheidbar macht. Unter anderem
bedeutete das, daß man Kriterien schafft, nach denen man literarische
Texte von nichtliterarischen trennen kann. Denn literarische Kommunikation heißt Kommunikation über literarische Texte. Diese müßten
daher von anderen, die man in diesem Zusammenhang und global-
vereinfachend pragmatische Texte nennen kann, isoliert werden können. Da eine wissenschaftlich exakte Beschreibung der Qualitäten eines
als literarisch geltenden Textes, jedenfalls zum heutigen Zeitpunkt,
nicht möglich zu sein scheint – auch die sogenannte Deviationstheorie
kann sie nicht leisten[3] –, ist man gezwungen, von anderen Gegebenheiten auszugehen. Zu diesen hat man unter anderem die Vorgänge zu
rechnen, die sich zwischen Lesern und den von ihnen für literarisch angesehenen Texten abspielen. Diese Vorgänge können analysiert werden.
Und von ihnen aus lassen sich außerdem einige denkbare Richtlinien
für die literaturwissenschaftliche Interpretation der als literarisch fungierenden Texte beschreiben. Im übrigen, das sei hier kurz eingefügt,
besagt die Feststellung, linguistisch sei ein objektiv nachweisbarer Unterschied zwischen literarischen und nichtliterarischen Texten nicht zu
belegen, keineswegs, daß solche Unterschiede nicht doch bestehen könnten. Im Unterschied zu anderen könnten literarische Texte Merkmale
und Strukturen besitzen, die linguistisch nicht beschreibbar sind, einfach

weil sie nicht auf dem Terrain der Linguistik liegen[4]. Doch ist es bislang nicht gelungen, solche nichtlinguistischen Merkmale und Strukturen aufzuzeigen.

Darum muß man wenigstens vorläufig wohl das Faktum hinnehmen, literarische Texte seien von pragmatischen nicht objektiv zu unterscheiden. Literarische Qualität wäre dann also keine objektiv nachweisbare Eigenschaft eines Textes, sondern etwas, das die mit den Text Umgehenden ihm zuerkennen, etwas, das im Textgebrauch entsteht. Das erklärte auch, warum es Texte gibt, die im Laufe der Geschichte ihren literarischen oder nichtliterarischen Status verändern können.

2. Die Funktionalität des Lesers und des Lesekontextes

Mit dieser Feststellung ist man in der heute so unübersichtlichen Diskussion über die Probleme der Literaturwissenschaft auf ein Gebiet gekommen, auf dem ein relativ einheiliger Konsens herrscht. Ganz gleich, welchen Standpunkt man sonst vertritt, in allen Lagern ist man sich darüber einig, daß der Leser, der Rezipient, oder besser: die von ihm vorgenommene Rezeption sprachlicher Texte auch für die Erkenntnis der Texte als wissenschaftliche Objekte eine außerordentlich große Rolle spiele. Spätestens seit Roman Ingardens Arbeiten ist die Auffassung verabschiedet, der Rezipient verhalte sich dem Text gegenüber passiv, er überlasse sich ihm gewissermaßen, vollziehe lediglich, was ihm im Text vorgegeben werde. Textrezeption stellt vielmehr eine sehr aktive Tätigkeit dar. Der Rezipient tut etwas mit dem Text; indem er ihn rezipiert, strukturiert er ihn gemäß seinen Intentionen. Götz Wienold hat die aktiven Prozesse der Rezeption als "Textverarbeitung" bezeichnet[5]. Jede Beschäftigung mit einem Text münde in eine Textverarbeitung, so daß zum Beispiel auch die literaturwissenschaftliche Interpretation als ein Phänomen der Textverarbeitung zu betrachten sei. Wienold mißt den Operationen der Textverarbeitung eine so große Macht zu, daß bei ihm undeutlich bleibt, ob ein Text überhaupt andere Strukturierungen als die ihm von Rezipienten mittels der Verarbeitung zuerkannten besitzen könne.

Die Skala der verschiedenen Arten von Textverarbeitungen ist unendlich groß. Sie sind abhängig von der Einstellung des Rezipienten gegenüber dem Text, von dem Zweck, den er mit seiner Verarbeitung verfolgt, von der speziellen Beschaffenheit der Textsorte, zu der er den Text rechnet. Gewisse Grundtypen der Verarbeitung entstehen auf diese Weise bereits auf der Basis prinzipieller Vorentscheidungen. Zu ihnen gehört wohl auch diejenige, die einen Text als literarisch oder pragmatisch zu rezipierenden bestimmt.

Auch wenn wissenschaftlich-linguistisch nicht bewiesen werden kann, daß literarische und pragmatische Texte exakt voneinander abzugrenzen sind, so läßt es doch die Rezeptionspraxis zu, eine *literarische Rezeption* von einer *pragmatischen Rezeption* zu unterscheiden. Die Rezipienten verhalten sich, als ob es literarische und pragmatische Texte gäbe. Diese funktionieren in der Kommunikation als jeweils literarische oder pragmatische. Welche von den beiden Rezeptions- beziehungsweise Verarbeitungsformen zur Anwendung gelangt, ist von einer Vielfalt von Faktoren abhängig, unter anderem auch von der jeweils applizierten Einstellung der Rezipienten. Und diese Einstellung ist ihrerseits wiederum weitgehend von dem Kontext bestimmt, in dem die Rezipienten dem Text begegnen.

Zur Veranschaulichung der Kontextabhängigkeit der gewählten Rezeptionsform kann das folgende Beispiel dienen. Von Eduard Mörike gibt es ein Gedicht, das eine Art Rezept für die Herstellung eines bestimmten Gebäcks darstellt:

Frankfurter Brenten

Mandeln erstlich, rat' ich dir,
Nimm drei Pfunde, besser vier
(Im Verhältnis nach Belieben):
Diese werden nun gestoßen
Und mit ordinärem Rosen-
Wasser feinstens abgerieben.
Je aufs Pfund Mandeln akkurat
Drei Vierling Zucker ohne Gnad'.
Denselben in den Mörsel bring'
Hierauf ihn durch ein Haarsieb schwing!
Von deinen irdenen Gefäßen
Sollst du mir dann ein Ding erlesen, –
Was man sonst eine Kachel nennt;
Doch sei sie neu zu diesem End'!
Drein füllen wir den ganzen Plunder
Und legen frische Kohlen unter.
Jetzt rühr' und rühr' ohn' Unterlaß,
Bis sich verdicken will die Mass',
Und rührst du eine Stunde voll:

Am eingetauchten Finger soll
Das Kleinste nicht mehr hängen bleiben;
So lange müssen wir es treiben.
Nun aber bringe das Gebrodel
In eine Schüssel (der Poet,
Weil ihm der Reim vor allem geht,
Will schlechterdings hier einen Model,
Indes der Koch auf ersterer besteht):
Darinne drück's zusammen gut;
Und hat es über Nacht geruht,
Sollst du's durchkneten Stück für Stück,
Auswellen messerrückendick
(Je weniger Mehl du streuest ein,
Um desto besser wird es sein).
Alsdann in Formen sei's geprägt,
Wie man bei Weingebacknem pflegt;
Zuletzt, – das wird der Sache frommen,
Den Bäcker scharf in Pflicht genommen,
Daß sie schön gelb vom Ofen kommen![6]

Dieses Gedicht wurde zuerst in der *Frauen-Zeitung für Hauswesen,
weibliche Arbeiten und Moden* im Jahre 1852 publiziert. Nicht in einer
literarischen Zeitschrift also, so daß die Leserinnen Mörikes Gedicht
wahrscheinlich auch nicht als Kunstwerk rezipiert haben, sondern tatsächlich als Backanleitung, als pragmatischen Text. Ein Leser in anderer
Rezeptionssituation wird jedoch anders lesen. Heute findet man das
kleine Gedicht in Mörikes Gesammelten Werken. Und schon das genügt
vermutlich, um eine pragmatische Rezeption zu verhindern. Man liest
das Gedicht als literarischen Text, der darum nicht dazu auffordert,
das darin enthaltene Backrezept in der Küche auszuprobieren.

3. Literarische und pragmatische Textverarbeitung

Nicht der Text als solcher ist also literarisch oder pragmatisch, sondern
die Weise der Rezeption verleiht ihm diese Qualitäten.
    Der Analyse der literarischen Kommunikation wird man nun einen
Schritt näher kommen können, wenn man zum Beispiel untersucht,
worin literarische und pragmatische Textverarbeitungen beziehungsweise -rezeptionen voneinander abweichen. Man kann daher versuchen,

die Grundlinien der zwei Rezeptionsarten modellartig zu beschreiben. Dabei kann man davon ausgehen, daß die Textverarbeitung der literarischen Rezeption unter anderen Voraussetzungen und Bedingungen sowie mit anderen Zielen vollzogen wird als die Textverarbeitung der pragmatischen Rezeption.

Eine erste, vorsichtige Deskription der beiden verschiedenen Textverarbeitungen soll hier mit Hilfe des folgenden kurzen Textbeispiels von Kafka unternommen werden.

Es war sehr früh am Morgen, die Straßen rein und leer, ich ging zum Bahnhof. Als ich eine Turmuhr mit meiner Uhr verglich, sah ich, daß es schon sehr viel später war, als ich geglaubt hatte, ich mußte mich sehr beeilen, der Schrecken über diese Entdeckung ließ mich im Weg unsicher werden, ich kannte mich in dieser Stadt noch nicht sehr gut aus, glücklicherweise war ein Schutzmann in der Nähe, ich lief zu ihm und fragte ihn atemlos nach dem Weg. Er lächelte und sagte: "Von mir willst du den Weg erfahren?" "Ja", sagte ich, "da ich ihn selbst nicht finden kann." "Gibs auf, gibs auf", sagte er und wandte sich mit einem großen Schwunge ab, so wie Leute, die mit ihrem Lachen allein sein wollen[7].

Dieser Text kann sowohl literarisch als auch pragmatisch rezipiert werden. Im Falle seiner pragmatischen Rezeption wird er vom Rezipienten von Anfang an im Rahmen lebensweltlicher Bezüge verarbeitet. Er ist entweder bereits konkret-pragmatisch situiert oder er wird vom Leser in eine solche konkret-pragmatische Situation versetzt. Der Text funktioniert pragmatisch, wenn er zum Beispiel als Bericht eines Besuchers einer bestimmten Stadt in der örtlichen Tageszeitung verstanden wird. Die Reaktion des Schutzmannes muß dann als unhöflich, krankhaft, unlogisch erscheinen, als eine Handlungs- und Verhaltensweise, die ihn seine Aufgabe verfehlen läßt. Die du-Anrede wird dabei als ein besonders markantes Symptom seiner Unhöflichkeit oder Krankheit begriffen. Der Text demonstriert ein Fehlverhalten, das als Fehlverhalten von allgemein akzeptierten lebensweltlichen Normen her identifizierbar ist. Im Kern stellt der Text als pragmatisch rezipierter eine Handlungsanweisung an die verantwortlichen Instanzen der Stadt dar. Sie werden aufgefordert, den versagenden Schutzmann aus dem Dienst zu entlassen. Pragmatische Rezeption führt zu einer Textverarbeitung, die im Text eine Instruktion für ein Handeln erkennt, das außerhalb des Textes selbst liegt[8].

Im Falle einer literarischen Rezeption wird die pragmatische Dimension vom Rezipienten von Anfang an als inadäquat verworfen. Eine konkrete Situierung des Textes wird bewußt aufgehoben oder vermieden. Der Text wird ausdrücklich nicht als Handlungsanweisung aufgefaßt. Die sich aus möglichen pragmatischen Handlungsinstruktionen und Lebenssituationen ergebenden Bedeutungen werden erweitert, letzlich aufgehoben, um durch andere ersetzt zu werden. Als ein möglicherweise zunächst pragmatisch verstandener Text wird er umgedeutet[9]. Das erzählende Ich wird nicht als ein bestimmtes Ich aufgefaßt, sondern eher zum Repräsentanten "des Menschen" werden, der Schutzmann nicht ein bestimmter Schutzmann bleiben, sondern bestimmte Instanzen, Werte, Konzepte vertreten. Literarische Rezeption neigt dazu, aus dem Text ein Gleichnis zu machen. In diesem Falle könnte das Gleichnis etwa lauten: Der Mensch ist auf Erden stets auf der Suche, vermeintlich sogar auf dem Wege nach seinem Ziel. Zeit und geschichtliche Wirklichkeit lassen ihn jedoch die Orientierung verlieren. Er wendet sich deshalb an andere, die dazu berufen zu sein scheinen, ihm den Weg zu weisen. Diese Schutzleute (= Philosophen, Theologen) können ihm jedoch nicht helfen, besitzen höchstens eine tiefere Einsicht in die labyrinthische Situation des Menschen. Das Exemplarische des Gleichnisses, so könnte die literarische Rezeption argumentieren, wird durch die du-Anrede besonders signifikant hervorgehoben, da darin die Elementar-Situation nicht durch Höflichkeitsformeln verschleiert wird.

So etwa könnte die literarische Rezeption des Textes aussehen. Die hier vorgeführte ist nur skizzenhaft und unnuanciert. Wer sich über die Möglichkeiten der literarischen Rezeption gerade dieses Textes genauer informieren will, kann sie in dem Kafka-Buch von Heinz Politzer dargestellt finden[10].

Bereits dieser skizzenhafte Umriß einer möglichen literarischen Rezeption des Textes reicht jedoch aus, um Grundzüge der Verfahren zu erkennen, denen der Rezipient diejenigen Texte unterwirft, die er für literarisch hält. Diese Verfahren haben ihr Zentrum darin, daß der Rezipient die Sprachzeichen mit Bedeutungen versieht, die nicht mit den Bedeutungen identisch sind, die er in einer pragmatischen Kommunikationssituation mit diesen Zeichen zu verbinden gewohnt ist. Selbst dann, wenn die konventionell semantische Dekodierung der Zeichen, also eine pragmatische Rezeption, einen in sich kohärenten Zusammenhang ergibt, wie etwa in dem zitierten Textbeispiel, wird dieser Zusammenhang als unzureichend betrachtet, weil er für die literarische Rezeption nicht genügend "Sinn" erzeugt. Der Rezipient ist daher darauf aus, andere, neue Bedeutungen mit den Zeichen zu verbinden, ihre Selektion und wechselseitige Relation so zu steuern, daß wiederum ein kohärenter Zusammenhang entsteht, der nun jedoch auch den Sinn-Ansprüchen der literarischen Rezeption genügen kann.

Für die literarische Rezeption ist die Umdeutung des konventionell-pragmatischen semantischen Materials entscheidend, die Umdeutung, die ihr Ziel in der Produktion von transpragmatischem Sinn und transpragmatischer Kohärenz findet. Ehe Kohärenz und Sinn jedoch auf dieser Ebene zustande kommen, passiert der Text eine Phase fundamentaler semantischer Offenheit, die hauptsächlich die Folge einer zurückgewiesenen pragmatischen Rezeption ist. Aufgrund dieser semantischen Offenheit oder Unbestimmtheit kann die Rezeption zu den unterschiedlichsten Ergebnissen führen. Der entstandene Freiraum kann mit sehr divergierenden Bedeutungen aufgefüllt werden. Die jeweils gewählte Bedeutung, die besondere Konstitution von Kohärenz und Sinn, sind abhängig von der individuellen, von der gesellschaftlichen, von der historischen Situation des Rezipienten. Seine Rezeption wird festgelegt von den Sinnsystemen in denen er lebt und die er anerkennt. Bedeutungs- und Sinnkonstitutionen sind positiv wie negativ durch die Norm- und Sinnsysteme des Rezipienten begrenzt. Die einzelnen Sprachzeichen des Textes können daher von verschiedenen Rezipienten mit durchaus gegensätzlichen Werten versehen werden. So ist zum Beispiel ohne weiteres eine literarische Rezeption des Kafka-Textes denkbar, in der der Schutzmann eine negative Norm vertritt. Aus der Sicht etwa bestimmter religiöser Sinnsysteme kann eine Bedeutungszuweisung erfolgen, nach der der Schutzmann als teuflischer Verführer verstanden wird, der den schwankenden Menschen endgültig vom rechten Weg abirren läßt.

Erweist sich der Text als umzudeutender in der Beginnphase der literarischen Rezeption zunächst als semantisch kontingent, so wird diese Kontingenz im weiteren Verlauf der Rezeption doch wieder aufgehoben. In gewissem Sinne könnte man davon sprechen, daß nach der programmatischen Entpragmatisierung zu Anfang die literarische Rezeption an ihrem Ende so etwas wie eine Repragmatisierung des Textes vollbringe. Zwar kommt es nicht zu einer konkreten, lebensweltlichen Situationsverankerung, auch wird der Text nicht als unzweideutige Handlungsanweisung aufgefaßt; diese Verarbeitungen bleiben der echten pragmatischen Rezeption vorbehalten; aber der Text wird doch letztlich mit Hilfe der Kohärenz-, Sinn- und Bedeutungskonstitutionen in einer bestimmten Weise situiert, er wird in allgemeine, die konkreten lebensweltlichen Einzelsituationen übergreifende Systeme integriert. Die Sinn- und Bedeutungskonstitutionen werden durch die weltanschaulichen, historischen und individuellen Voraussetzungen des Rezipienten nicht nur gesteuert, sondern sie müssen sich vor ihnen auch bewähren. Der zu Beginn der literarischen Rezeption stattfindende Entpragmatisierungsprozeß endet gewissermaßen in einer Deliterarisierung des Textes, die, so könnte man sagen, zu einer pragmatischen Rezeption zweiten Grades führt. Deliterarisierung oder Depoetisierung bedeutet, daß Kontingenz und semantische Offenheit beseitigt werden. Was sich von pragmatisch-eindeutigen Positionen aus zunächst als Negation darstellt, ist am Ende in einen positiven Status überführt. Die Texte können dann als positiv begriffene Werte in Kommunikationskollektiven fungieren. Die Rezeptionsgeschichte der sogenannten klassischen Werke demonstriert diesen Verlauf der literarischen Rezeption, der in die Integration der Texte in geltende Sinn- und Lebenssysteme mündet, besonders eindringlich. Auch die klassischen sind als literarisch zu rezipierende Texte ursprünglich gegenüber lebensweltlichen Systemen kontingent und offen. Doch werden sie ebenso wie alle anderen repragmatisiert. Den Rang klassischer Werke erhalten diese Texte vor allem dadurch, daß die Repragmatisierung bei ihnen besonders erfolgreich ist. Sie ist nicht nur besonders dauerhaft, das heißt die Offenheit wird bei neuen Rezeptionen kaum je wieder voll restituiert, sondern die Repragmatisierung wird auch von einer sehr großen Rezipientengruppe als überzeugend und sinnvoll akzeptiert, in diesem Fall von ganzen Nationen oder Völkern[11].

Der Deutlichkeit halber sei darauf hingewiesen, daß die beschriebene Dreiphasigkeit der literarischen Rezeption – Entpragmatisierung, Umdeutung, Repragmatisierung – ein Modell darstellt und nicht den Verlauf der tatsächlich stattfindenden Lesevorgänge wiedergibt. Die aktuelle Rezeption wird die hier linear gezeichnete Reihenfolge vielfach durchbrechen, mindestens in mehrere parallel verlaufende Prozesse auflösen. Außerdem wird sie einzelne Textstellen nicht umdeuten, sondern pragmatisch verarbeiten, andere im Laufe des Lektürevorganges bereits repragmatisierte angesichts neuer Textkonstellationen aufs neue umdeuten usw. Überdies hängen Umdeutung und Repragmatisierung des ganzen Textes weitgehend von den Entscheidungen ab, von welchen Textstellen aus der Rezipient die (endgültige) Repragmatisierung steuert, so daß unter vergleichbaren Rezeptionsbedingungen doch unterschiedliche Rezeptionsergebnisse zustande kommen können. Auch die verschiedenen, zum Teil gegensätzlichen Repragmatisierungen, denen derselbe als literarisch aufgefaßte Text in jeweils anderen historischen Perioden unterworfen wird, sind großenteil von derartigen Entscheidungen mitbestimmt, die eine immanente Hierarchie der einzelnen Textpartien bewirken[12].

Auch wenn man (bislang) literarische von pragmatischen Texten nicht über wissenschaftlich identifizierbare Eigenschaften unterscheiden kann, so kann man doch die tatsächlich vorhandenen unterschiedlichen Funktionen von Texten konstatieren, durch die sie in Kommunikationssituationen als je literarische oder pragmatische existieren. Literarisch ist ein Text dann, wenn er literarisch rezipiert, literarisch verarbeitet wird.[13] Immerhin ist es vorstellbar, daß man von hieraus schließlich auch zu einer Definition von Qualitäten und Strukturen literarischer Texte gelangen könnte. Die weitaus meisten der Texte, die als literarische fungieren, sind von vornherein für eine literarische Rezeption produziert. Es sind Texte, die ausdrücklich für eine umdeutende Verarbeitung bestimmt sind. Und das legt den Gedanken nahe, diese Texte könnten von ihren Produzenten von Anfang an mit Strukturen versehen werden, die eine Umdeutung, eine transpragmatische Rezeption erleichtern beziehungsweise nahelegen.

Literarische Kommunikation wird im Laufe der Zeit jeweils gewisse Gewohnheiten der literarischen Rezeption bilden; die Rezipienten entwickeln Strategien und Operationen, mit denen sie eine sinnvolle Repragmatisierung erreichen können. Und sinnvolle Repragmatisierung bedeutet ja nichts anderes, als daß die Integration in herrschende Normsysteme gelingt. Rezeptionsgewohnheiten verfestigen sich zu Rezeptionsregeln. Bisweilen kann es sogar zu Rezeptionsvorschriften kommen, die die Freiheit der Textverarbeitung einschränken. Im Mittelalter zum Beispiel wurden die Vorschriften der Bibelexegese in die Poetik übernommen. Dementsprechend wurden nur vier Rezeptionsmöglichkeiten zugelassen: die wörtliche (pragmatische), die allegorische, die moralische und die anagogische[14]. Doch Rezeptionstraditionen bilden sich nicht nur in derartig extremer Form. Literarische Kommunikation wird ihre Entstehung stets fördern. Auch die Literaturwissenschaft ist gezwungen, solche Traditionsbildungen zu sehen. Sie ist außerdem genötigt, mit der Möglichkeit zu rechnen, daß die Schriftsteller solche Traditionen mit ihren Texten durchbrechen wollen. Sie schaffen Texte, die so strukturiert sind, daß die traditionellen Repragmatisierungen erschwert, wenn nicht gar unmöglich werden. Ein besonders markantes Beispiel für eine derartige Änderung der Textstrukturen durch ihre Autoren zeigt die Literaturgeschichte der letzten hundert Jahre. Bis weit ins 19. Jahrhundert wiesen so gut wie alle literarischen Texte auch als pragmatisch rezipierte Sinn und Kohärenz auf, was gewiß nicht ohne Einfluß auch auf ihre literarische Rezeption gewesen ist. Der Roman erschien zum Beispiel in der Form einer Geschichte mit einem Anfang und einem Ende, die auch als nicht umgedeutete Zusammenhang und Strukturierung besaß. Im Gegensatz dazu ist besonders seit Beginn des 20. Jahrhunderts die Tendenz zu beobachten, eine pragmatische Rezeption literarisch intendierter Texte ins Leere laufen zu lassen: pragmatische Rezeption führt nicht mehr zu Kohärenz und Sinn. Beckett oder Ionesco können nicht mehr pragmatisch verarbeitet werden. Selbstverständlich soll hiermit nicht behauptet werden, daß derartige Strukturänderungen allein durch entstandene Rezeptionstraditionen ausgelöst werden. Sie sind zweifellos auch mitbedingt durch geschichtliche Veränderungen und durch die damit gegebenen Veränderungen des Wirklichkeitsbildes im allgemeinen. Darauf kann hier jedoch nicht genauer eingegangen werden. –

4. Interpretation als Rezeption

Am Anfang dieser Ausführungen war mit Götz Wienold festgestellt worden, daß auch die literaturwissenschaftliche Interpretation ein Phänomen der Textverarbeitung sei. Diese Feststellung kann jetzt präzisiert werden: Literaturwissenschaftliche Interpretation ist eine besondere Form der literarischen Textrezeption. Denn auch die Interpretation hat zu ihrer Grundlage den Dreischritt von Entpragmatisierung, Umdeutung und Repragmatisierung. Sie kann sich nur konstituieren, wenn sie die Verarbeitungsverfahren der Rezeption übernimmt. Ihre Besonderheit liegt darin oder sollte darin liegen, daß sie ihre Verfahren expliziert, daß sie ausformuliert, was sich in der nichtwissenschaftlichen Rezeption implizit und unbewußt vollzieht. In der nicht- oder vorwissenschaftlichen literarischen Rezeption sind dem Rezipienten die Phasen von Entpragmatisierung, Umdeutung und Repragmatisierung als die Konstituenten seiner Textverarbeitung kaum je bewußt. Insbesondere über die Kriterien und Vorentscheidungen, auf Grund derer er die Sinn- und Kohärenzkonstitutionen der Repragmatisierung vornimmt, legt er sich in der Regel keine Rechenschaft ab. Seine Rezeption vollzieht sich vielmehr in einer "selbstverständlichen", unreflektierten Übereinstimmung mit den ihm geläufigen Sinn- und Normsystemen. Die literaturwissenschaftliche Interpretation stünde demgegenüber unter dem Postulat, jeden Akt der Umdeutung zu explizieren, jede Bedeutungskonstitution samt ihren Bedingungen und Voraussetzungen

expressis verbis darzustellen, vor allem aber den Sinnhintergrund sicht‑
bar zu machen, vor dem ihre Repragmatisierung stattfindet.

Neben der Explikation ihrer eigenen Textverarbeitung könnte eine
weitere Aufgabe der Interpretation darin bestehen, andere Textrezep‑
tionen zu analysieren, das heißt deren implizite ideologische Vorent‑
scheidungen bloßzulegen. Es gibt in letzter Zeit mehrere Stimmen, die
für eine solche Definition der literaturwissenschaftlichen Interpretation
plädieren. Stellvertretend sei Siegfried J. Schmidt zitiert:

> Literaturwissenschaftliche Interpretation ist wissenschaftlich kon‑
> tro.lierte und methodologisch bewußt argumentierende Rekonstruk‑
> tion der Rezeption literarischer Texte, wobei der Interpret entweder
> seinen eigenen Rezeptionsprozeß und dessen Ergebnis(se) wissen‑
> schaftlich darstellt oder mit experimentellen psychologischen Mitteln
> Rezeptionsprozesse und deren Resultate bei anderen Rezipienten
> (die nicht mit wissenschaftlicher Absicht rezipieren) als Daten erhebt,
> die er dann zum Gegenstand einer Analyse der Zuordnung von Text‑
> strukturierungen zu Bedeutungskonstitutionen bzw. zu anderen For‑
> men von Rezipientenverhalten macht[15].

Es kann kein Zweifel darüber bestehen, daß die bislang geübte In‑
terpretationspraxis außerordentlich an Wissenschaftlichkeit gewänne,
wenn man diesen Forderungen, die vor allem Forderungen nach Expli‑
zität und Kontrollierbarkeit sind, nachkäme.

Andererseits stellt sich jedoch die Frage, ob die vorgeschlagene Defi‑
nition der Interpretation und die Umgrenzung ihres Gegenstandsbe‑
reiches genügen. Es fragt sich, ob man sich damit zufrieden geben kann,
daß die literaturwissenschaftliche Interpretation eine besondere, ein ex‑
plizierte und rationalisierte Rezeption sein soll. Interpretation wird
auf diese Weise zum Bestandteil der Rezeptionsgeschichte und ist des‑
halb auch prinzipiell der Relativität und Vorläufigkeit aller Rezeption
unterworfen. Außerdem verfügte sie über keine oder nur sehr be‑
schränkte Möglichkeiten zur Beschreibung der semantischen Kontin‑
genz des Textes, die durch die Umdeutung entsteht, und darüber hinaus
zur Beschreibung der Diskrepanz zwischen dieser Kontingenz und den
je geltenden Sinnsystemen, von denen aus rezipiert wird. Denn in der
von ihr vorgenommenen Repragmatisierung überantwortet sie sich
selbst diesen Sinnsystemen und deren Gültigkeitsanspruch, setzt gerade
sie gegen die Offenheit des Textes durch.

Nimmt man einmal an, daß Literatur eine Auseinandersetzung mit,
eine kritische Reaktion auf Wirklichkeit, das heißt auf die von Kom‑

munikationsgemeinschaften strukturierte Wirklichkeit ist oder sein kann, dann manifestieren sich Auseinandersetzung und Reaktion in erster Linie in der semantischen Offenheit und in der Kontingenz, die als Folge der Umdeutung des Textes auftreten. Denn die Kontingenz und die semantische Offenheit bedeuten Infragestellung der Wirklichkeitsmodelle, sie implizieren deren Negation, mindestens ihre Variation. Vom Text her gesehen, ist deshalb der in der Repragmatisierung vollbrachte Anschluß an die Wirklichkeitsmodelle im Prinzip stets willkürlich, daher auch, wie es die Rezeptionsgeschichte der Texte zeigt, stets revidierbar.

Jede literarische Rezeption eines Textes hat die ihm zuerkannte Literarizität aufgehoben, sobald sie ihn repragmatisiert hat. Denn das "Literarische" des Textes besteht in der potentiellen Offenheit und Kontingenz, die das erste Resultat der intendierten Umdeutung sind. Beschränkt man die Tätigkeiten der Interpretation auf rezeptive Operationen, sei es auch in expliziter Form, dann trägt auch die Interpretation wie die Rezeption letztlich zur Annullierung des literarischen Charakters des Textes bei; sie bremst die zukünftige Geschichte des Textes als eines literarischen. Je mehr sich die Interpretation als rationalisierte und explizierte Rezeption perfektioniert, desto größer ist die Gefahr, daß sie ihr literarisches Objekt als solches vernichtet. Dieser Sachverhalt bleibt tendenziell auch dann erhalten, wenn man die Revidierbarkeit der Interpretation als einer Sonderform der Rezeption anerkennt, das heißt, wenn man voraussetzt, daß keine Interpretation des Textes die endgültige sein wird.

5. Suspensive Interpretation

Vielleicht ist es darum sinnvoll, nach anderen Definitionen und Arbeitsbereichen der Interpretation zu suchen. Dazu wird es notwendig sein, die Interpretation aus der sehr engen Verflechtung mit der Rezeption wenigstens partiell zu lösen. Ihre Aufgabe müßte so bestimmt werden, daß der zu interpretierende Text von ihr und durch sie als ein literarisch funktionierender erhalten werden kann. Im Zusammenhang mit der Struktur der literarischen Textverarbeitung würde das vor allem heißen, daß die Interpretation eine andere letzte Phase als die Rezeption kennen müßte, sie hätte auf die rezeptive Repragmatisierung zu verzichten. Auf jeden Fall dürfte die Repragmatisierung der Interpretation nie mehr als eine tentative sein. Noch einen Schritt weiter ge-

langte die Interpretation, wenn sie jeweils zeigte, daß jeder literarisch
aufgefaßte Text mehrere gleichberechtigte Repragmatisierungen zu-
läßt. Dadurch würde sie den Text als literarischen gegenüber den deli-
terarisierenden Tendenzen der nach semantischer Eindeutigkeit stre-
benden Rezeption profilieren. Ich habe an anderer Stelle eine so ver-
fahrende Interpretation eine "suspensive" Interpretation genannt[16].
Mit Suspension ist eine Haltung der Interpretation gemeint, die darauf
ausgerichtet ist, eindeutige Bedeutungsfestlegungen zu vermeiden, die
semantische Offenheit des Textes zu erhalten. Nur indem die Interpretation positive und assertorische Sinn- und Bedeutungskonstitutionen umgeht, ist sie in der Lage, dem Text diejenige Funktion zu bewahren, die ihn als literarischen auszeichnet. Nur solange der semantische Freiraum nicht aufgefüllt wird, kann der Text die Gültigkeit geltender Sinn- und Lebenssysteme, auf die er bezogen ist, in Frage stellen, modifizieren oder erweitern.

Selbstverständlich bedeutet suspensive Interpretation nicht, daß die
Betonung und Beschreibung der prinzipiellen Kontingenz literarischer
Texte ihr letztes Wort ist. Sie kann ihr Ziel nicht in dem zu exemplifi-
zierenden Nachweis finden, literarische Texte könnten alles oder gar
nichts bedeuten. Vielmehr geht es darum, eine jeweils virulente Kontingenz zu beschreiben, eine Kontingenz, die sich aus der Sicht bestimmter,
historisch gegebener Systeme ergibt. Nicht eine absolute, sondern eine
relative Kontingenz gilt es zu zeigen. Die semantische Offenheit des
Textes manifestiert sich als solche nur im Verhältnis zur relativen Ge-
schlossenheit der an den Text herangetragenen Sinnsysteme. Diese Systeme sind für die Interpretation zunächst einmal diejenigen, die zur
Zeit der Entstehung oder Erscheinung des einzelnen Textes herrschen.
Die Interpretation hätte zu zeigen, daß literarische Texte in erster Instanz nicht zur Stabilisierung dieser Systeme beitragen sollen. Literatur
ist als semantisch offener Bereich immer schon weiter als diese Systeme,
signalisiert deren Schwächen, bemüht sich um die Vermittlung von Erfahrungen, welche aus Wirklichkeitserlebnissen hervorgehen, die durch
die Systeme nicht gedeckt werden[17]. Während die Rezeption diese
charakteristische Spannung zwischen Literatur und Lebenswelt regel-
mäßig zu überwinden trachtet, sollte die Interpretation sie gerade ak-
zentuieren.

Eine so angelegte Interpretation wäre immer historisch orientiert.
Sie entginge der Gefahr, sich in Spekulationen über die in literarischen
Texten formulierte zeitlose Menschlichkeit zu verlieren. Ihre histori-
sche Bindung wäre gleichzeitig von der Art, daß sie nicht der schnellen

historischen Überholbarkeit der Rezeption verfiele. Natürlich kann sie dieser Überholbarkeit nicht völlig entgehen. Auch die wissenschaftliche Interpretation kann schlechterdings nicht ohne rezeptive Elemente auskommen. Doch könnte sie deren Anteil auf das unerläßliche Mindestmaß reduzieren. Ein suspensiver Interpretationsansatz könnte als der Versuch gewagt werden, mit Hilfe einer historisch ausgerichteten Textuntersuchung dem Zwange zu entkommen, lediglich aus der Perspektive einer bestimmten historischen Situation zu sprechen.

Anmerkungen

¹ Vgl. hierzu besonders Theodor W. Adorno u. a.: Der Positivismusstreit in der deutschen Soziologie. Darmstadt und Neuwied 1972. (Sammlung Luchterhand 72); und Siegfried J. Schmidt: Zum Dogma der prinzipiellen Differenz zwischen Natur- und Geisteswissenschaft. Göttingen 1975. (Veröffentlichung der Joachim Jungius-Gesellschaft der Wissenschaften).

² Vgl. hierzu u. a. Götz Wienold: Semiotik der Literatur. Frankfurt 1972; Siegfried J. Schmidt: Texttheorie. Probleme einer Linguistik der sprachlichen Kommunikation. München 1973. (UTB 202); Siegfried J. Schmidt: Literaturwissenschaft als argumentierende Wissenschaft. München 1975. (Kritische Information 38).

³ Sie kann sie deswegen nicht leisten, weil es eine Vielzahl von Texten gibt, die als literarische gelten und keinerlei Abweichung von grammatikalischen Normen erkennen lassen. Außerdem hat man die grammatikalische Abweichung bisher immer erst dann als Kennzeichen literarischer Texte diskutiert, wenn man sich bereits mit literarischen Texten beschäftigt. Das heißt, man hat immer schon zwischen literarischen und nichtliterarischen getrennt, wenn man die Abweichung als Merkmal der Literarizität untersucht.

⁴ Vgl. G. Wienold: "Literarische oder dichterische Texte weichen nicht nur von Regeln der Grammatik ab, sie weisen auch Zusatzstrukturierungen auf, die die Grammatik in keiner Weise verletzen, in ihr aber nicht geregelt sind" (S. 24).

⁵ Ebda. passim.

⁶ Mörikes Werke. Hrsg. v. Harry Maync. Neue kritisch durchgesehene und erläuterte Ausgabe. Leipzig 1914. Bd. 1. S. 257/58. – Rezeptgedichte sind auch von Günter Grass und Günter Eich geschrieben worden, vgl. Alois Wierlacher: Der Diskurs des Essens und Trinkens in der neueren deutschen Erzählliteratur. In: Jahrbuch Deutsch als Fremdsprache 3, 1977, S. 150 bis 167, Anm. 37.

⁷ Franz Kafka: Gibs auf. In: Gesammelte Werke. Hrsg. v. Max Brod. Beschreibung eines Kampfes. Frankfurt 1946. S. 115.

⁸ Vgl. Karlheinz Stierle: "Pragmatische Texte sind über sich selbst hinaus

gerichtet auf das Feld des Handelns" (Was heißt Rezeption bei fiktionalen Texten? In: Poetica 7. 1975. S. 354).

[9] Zum Problem der Umdeutung vgl. Jürgen Landwehr: Text und Fiktion. München 1975. (Kritische Information 30).

[10] vgl. Heinz Politzer: Franz Kafka. Parable and Paradox. Ithaca, New York 1962. S. 9–23.

[11] Vgl. hierzu Hans Robert Jauß: Negativität und Identifikation. In: Positionen der Negativität. Hrsg. v. Harald Weinrich. München 1975. (Poetik und Hermeneutik VI). S. 267.

[12] Es ist hier nicht der Ort, auf die kritischen Bemerkungen von Hilmar Kallweit (Transformation des Textverständnisses, Heidelberg 1978, medium literatur 1) über die vorgetragenen Thesen einzugehen. Doch sei soviel festgestellt, daß ich die Nützlichkeit des Modells, das von verschiedenen Rezeptionsarten ausgeht, durch Kallweit nicht widerlegt sehe. Außerdem sei darauf hingewiesen, daß ich im folgenden durchaus von Textstrukturen spreche, die die Rezeptionsart steuern – was Kallweit bei seiner Kritik außer acht gelassen hat.

[13] In einem solchen Konzept von Literatur wird das einzelne literarische Werk großenteils seiner ihm von vielen zugesprochenen Autonomie beraubt; es birgt seinen Sinn nicht mehr als einen zu entschlüsselnden in sich selbst. Literatur wird funktionalisiert. Dadurch wird der Literaturbegriff jedoch nicht nur mit einem starken relativierenden Moment versehen. Er wird vielmehr gleichzeitig auch flexibler und sein Anwendungsbereich größer. Denn wie arbiträr und nuanciert der Literaturbegriff in früheren und heutigen Diskussionen auch erscheint, es handelte und handelt sich dabei stets um denjenigen, der fest mit einer europäisch-abendländischen Kulturtradition verbunden ist. Indem man im Gegensatz zu bisherigen Versuchen die Definition von Literatur mit der historisch und kulturell bestimmten Entscheidung des Rezipienten verbindet, wird es möglich, ihn auch für andere als den europäisch-abendländischen Kulturbereich fruchtbar zu machen. Zu denken ist hier vor allem an den asiatischen und den orientalischen.

[14] Vgl. hierzu Umberto Eco: Das offene Kunstwerk. Frankfurt 1973. S. 32 ff.

[15] Literaturwissenschaft als argumentierende Wissenschaft a. a. O. S. 165/66. Vgl. auch Norbert Groeben: "Der Literaturwissenschaftler konstituiert seine Datenbasis u. a. durch intersubjektive Feststellung und Erfassung der subjektiv-individuellen Konkretisationen des literarischen Werks beim Rezipienten" (Literaturpsychologie. Stuttgart, Berlin, Köln, Mainz 1972. [Sprache und Literatur 80]. S. 168).

[16] In meinem Aufsatz: Franz Kafka. Problemen rond receptie en interpretatie van zijn werken. In: forum der letteren 16 (1975). S. 81–111. Sinngemäß auch in: Rezeption und Interpretation. Versuch einer Abgrenzung. In: Amsterdamer Beiträge zur neueren Germanistik 3 (1974). S.

37–81. – Vgl. auch mein Buch: Suspensive Interpretation. Am Beispiel Franz Kafkas. Göttingen 1977. (Sammlung Vandenhoeck).

[17] Eine ähnliche Auffassung vertritt Wolfgang Iser: "Die Literatur bilanziere epochale Defizite, die von den jeweils geltenden Erklärungssystemen nicht abgedeckt würden. Gerade an den Schwächen der Erklärungssysteme siedele die Literatur sich an, dadurch gewinne sie ihre gesellschaftliche Funktion zurück: sowohl für die Gesellschaft, als auch für den Literaten, der aus der Spätzeit die Epoche überblicke" (Das Werk von Samuel Beckett. Berliner Colloquium. Hrsg. v. Hans Mayer u. Uwe Johnson. Frankfurt 1975. [suhrkamp Taschenbuch 225]. S. 69).

Dietrich Harth

Rezeption und ästhetische Erfahrung

"Literarische Kommunikation" im
Forschungsprogramm der Literaturwissenschaft.

Im Forschungsprogramm der Literaturwissenschaft nimmt der Kommunikationsbegriff einen kaum umrissenen und doch zentralen Ort ein. Es ist gewiß keine Überspanntheit, wenn mit ihm die Hoffnung verknüpft ist, daß die sprachenbezogenen Einzeldisziplinen innerhalb der Literaturwissenschaft sich aufgrund der Neuorientierung von fragwürdigem Herkommen zu lösen vermögen, um anderen als vornehmlich traditionsbewahrenden und -verklärenden Zielen gerecht zu werden. Diese Hoffnung trägt insbesondere den Teil germanistischer Literaturwissenschaft, der im vorliegenden Band zur Diskussion gestellt wird. Auch beim wissenschaftlichen Umgang mit *deutscher als fremdkultureller Literatur* (Alois Wierlacher), halten sich das alte pädagogische Interesse an der Verbesserung der Lesefähigkeit wie der theoretische Sinn für die Konstitutionsbedingungen des literarischen Gegenstandes nach wie vor die Waage, werden aber auf eine neue Basis systematischen Denkens und positiven Wissens gestellt. Wurde die Frage nach den Kriterien angemessenen Lesens ehedem gern mit Sollenssätzen beantwortet und war die Suche nach anerkannter Geltung der Gegenstände im Kanon schon immer ans Ziel gelangt, so hat sich nun die Aufmerksamkeit den Prozessen zugewandt, an deren Ende erst solche Maßstäbe zu erwarten sind. Diese Prozesse kennzeichnet der Begriff "Kommunikation", genauer: "literarische Kommunikation". Er umfaßt alle Beziehungen im 'Gespräch' *mit* dem Text und *über* ihn.

Die Beschränkung auf den Lesevorgang, auf die "Rezeption", bedeutet eine folgenreiche Verkürzung des Kommunikationsbegriffs, die dazu tendiert, den kommunikativen Charakter des Forschungsprozesses selbst aus dem Auge zu verlieren. Damit ist bereits eines der Probleme angedeutet, von denen auf den folgenden Seiten unter anderem die Rede sein soll. Ich möchte es hier unter dem Stichwort 'Literaturwissenschaft als kommunikatives Handeln' nur ankündigen und ausführlich auf zwei Fragen eingehen, die in der Rezeptionsforschung als

dem bisher am besten ausgewiesenen Feld innerhalb des neuen literaturwissenschaftlichen Forschungsparadigmas sich stellen. Die erste Frage betrifft den Zeugniswert von normalen bzw. experimentell ermit-
telten Rezipientenäußerungen im Hinblick auf den Lesevorgang, also
auf den Prozeß der Rezeption. Die andere Frage gilt dem Spezifischen
innerhalb der literarischen Kommunikation, das es erlaubt, über formale Unterschiede hinaus, die so gekennzeichnete Art der Verständigung von der Alltagskommunikation abzugrenzen oder als deren Sonderfall zu begreifen. Diese Frage ist zum Teil identisch mit der nach
dem in literarischen Kommunikationen enthaltenen ästhetischen Interesse.

I

Innerhalb der bereits vorliegenden Forschungen zur literarischen Kommunikation besitzen die genannten Fragen unterschiedliches Gewicht
und werden mit divergierender Reflexionsbereitschaft zur Kenntnis genommen. Das gilt sowohl für die avancierten Positionen der Rezep-
tions- und Wirkästhetik, wie für die empirische Rezeptionsanalyse
und die an sprachphilosophische Modelle sich anlehnende Theorie literarischer Kommunikation.[1] Während die zuletzt genannte Position an
der Übertragung diskurstheoretischer Konzepte in die Literaturwissenschaft arbeitet und das Feld angewandter Forschung noch nicht betreten hat, liegen in den andern genannten Bereichen bereits respektable
Forschungsergebnisse vor. An ihnen läßt sich mit relativer Genauigkeit
ablesen, in welchen Punkten die ältere Forschung überschritten bzw.
korrigiert wurde.

In dem von Hans Robert Jauß entworfenen rezeptionsästhetischen
Modell wird der Lesevorgang als "Frage-und-Antwort-Spiel" begriffen, das zwischen Leser und Text abläuft.[2] Mit dem Spielbegriff ist
jene Freiheit des Lesesubjekts angedeutet, die es ihm erlaubt, an der
Sinn-Schöpfung des poetischen Textes aktiv teilzunehmen. Der Sinn ist
dem jeweiligen Text nicht an die Stirn geschrieben, sondern gilt als Ergebnis eines Lesevorganges, der durch die Frage-und-Antwort-Struktur bereits auf zwei prinzipielle Voraussetzungen festgelegt ist. Zum
einen ist der Text frag-würdig, mit einem passenderen Wort: *interpre-
tationsbedürftig;* daraus folgt für den Lesevorgang – und das ist die
zweite Voraussetzung – eine methodische Regel: dem Text die 'richtigen' Fragen zu stellen. Diese implizite Forderung macht auch An-

spruch auf den Kontext, da ein interpretationsbedürftiger Text selten aus sich heraus alle sinngerichteten Fragen des Lesers 'beantwortet'. Bestärkt wird das noch durch die komplexen Kommunikationsvoraussetzungen, die Jauß sowohl auf seiten des Textes wie auf seiten des Rezipienten vorfindet und zu deren terminologischer Kennzeichnung er den Begriff des "Erwartungshorizontes" eingeführt hat.[3] Zunächst bedeutet dieser zentrale Terminus der Rezeptionsästhetik, daß sich in Text und Leser zwei verschiedene Einheiten gegenüberstehen, die durch Erwartungen und Erwartenserwartungen aufeinander angewiesen sind, indessen durch die Inkongruenz ihrer Horizonte einander auch stören. Im Idealfall ist diese Störung dann beseitigt, wenn das eintritt, was Jauß "Horizontverschmelzung" nennt, ein Aufgehen der Leserfragen im Text, ja im Grunde eine fast mystische Verbindung zwischen dem Leserbewußtsein und dem, was der Text bedeutet. So mystisch wie es das Wort "Verschmelzung" nahezulegen scheint, soll es im kommunikativen Wechselspiel der literarischen Rezeption jedoch nicht zugehen. Wohl verweist der Begriff des "Horizonts" auf Bewußtseinsräume, die begrenzt und vom Standort des gleichsam mitten im Raum stehenden Subjekts aus überschaubar sind. Aber es wird in praxi zugegeben, daß die Fragen des Lesers an den Text der Richtschnur kunstmäßiger Auslegung folgen, so daß kein Bruch mit der Hermeneutik eintritt, sondern eine Erweiterung der methodischen Interpretation.

Versteht man diese als Erweiterung des kommunikativen Spielraumes, den professionelle Interpreten nur bei Strafe des Mißverstands verlassen dürfen, so lassen sich vor allem zwei Schritte über die traditionellen hermeneutischen Grenzen hinaus beobachten. Der eine geht in die Richtung der Interpretationsgeschichten, wie sie Jauß etwa am Beispiel der Deutungsschicksale von Goethes "Iphigenie" skizziert hat.[4] Der andere entspricht den Forderungen der Literatursoziologie, poetische Texte in ihrer repräsentativen Funktion für soziale Normen zu lesen. Im erstgenannten Fall gelten die historisch überlieferten Interpretationen (nach Jauß "Rezeptionen") als Bedeutungsschutt, den die rezeptionsgeschichtliche Forschung wegzuräumen hat, um historische und/oder aktuelle Sinngebungsakte am Text vornehmen zu können. Der zweite Schritt ist vielleicht der problematischere, der uns hier jedoch besonders interessieren muß, da er dazu führen soll, einen präsumtiven Kommunikationsverlust literarischer Texte entschiedener zu beheben als das mithilfe des kritischen Vorgehens der Rezeptionsgeschichte geschehen kann.[5]

Bewegt sich die rezeptionsgeschichtliche Forschung noch weitgehend in den Bahnen der Interpretationskritik, so hält sich die soziologische Lesart, deren erklärtes Ziel der Nachweis der "kommunikativen Funktion" poetischer Texte ist,[6] an fachexterne Handlungsmodelle. Die Wissenssoziologie in ihrer durch den amerikanischen Pragmatismus hindurchgegangenen Version gilt hier als Anschlußwissenschaft.[7] Sie eignet sich dazu aufgrund einer engen methodologischen Verwandtschaft mit den sinninterpretierenden Verfahren der traditionellen Kulturwissenschaften. Zwar richten sich ihre phänomenologischen Analysen auf die gesellschaftliche Konstruktion der Alltagswirklichkeit, sie begreift diese Konstruktion aber als ein komplexes Wechselverhältnis zwischen Identitätsbildung, Institutionalisierung und der symbolischen Rechtfertigung solcher Prozesse, ein Wechselverhältnis, das einer "semiotischen Analyse" zugänglich ist.[7a] Außerdem setzt sie eine Sprachtheorie voraus, nach der sich sowohl die "Wirklichkeit" des Ich (als Selbstbewußtsein) wie die Welt "als ganze" der sinngebenden "Kraft der Sprache" verdanken.[8] Diese erschöpft sich jedoch nicht in ihren Zeit und Raum überschreitenden, in ihren unterschiedene Alltagswirklichkeiten integrierenden sowie kommunikativen Leistungen. Sie vermag die Alltagswirklichkeit in den "symbolischen" Artikulationen der Religion, der Kunst und der Wissenschaft zu übersteigen, ohne in dieser 'anderen Wirklichkeit' sich selbst zu genügen. Die "symbolischen" Sprachen "haben ihren Ort in der einen und 'verweisen' auf eine andere."[9]

Mit diesem Verweisungscharakter ist aber das hermeneutische Prinzip der Auslegungsbedürftigkeit der symbolischen Artikulationen gegeben, dem nicht nur Religion und Kunst, sondern, nach Auffassung der zitierten Autoren, auch die symbolischen Ordnungen der Wissenschaften – mithin der Wissenssoziologie selber – unterliegen müßten. An dieser Stelle kommt es nicht auf eine Kritik dieses Ansatzes an, steht doch lediglich die Anschließbarkeit der Wissenssoziologie an das Forschungsprogramm der literarischen Kommunikation zur Debatte. Unter diesem Gesichtspunkt sind freilich die folgenden Analogien aufschlußreich.

Die Wissenssoziologen gehen von einer Theorie aus, in der die gesellschaftliche Realität nach semantisch relevanten Einheiten – Alltagswelten, Zonen, Feldern, Wirklichkeiten – gegliedert ist. Der Strenge des räumlichen Bildes entspricht die Kennzeichnung der symbolischen Artikulationen als eines "Gebäude(s) symbolischer Vorstellung",[10] das die zeichenvermittelten Gegebenheiten der Alltagswelt übergreift. Die damit ausgesprochene Nichtidentität symbolischer Sprachen mit der

Wirklichkeit der alltäglichen Lebenswelt gehört nicht nur zu den Bausteinen einer jeden ästhetischen Theorie, sondern fundiert auch die hermeneutische Regel, diese Differenz interpretierend einzuholen. Methodologisch ist die Analogie dort greifbar, wo die Wissenssoziologie mit den abstrakten Entitäten der "Welt" und des "sinnhaften Ganzen" operiert. Solchen Einheitskonstrukten entspricht in den Kunstwissenschaften die Kennzeichnung der Gegenstände als kohärente, ja "geschlossene" Gebilde, die an sich schon die Form von Sinn-Welten besitzen.[11]

Ich habe diese bemerkenswerten Analogien genannt, um anzudeuten, wo die Motivation für den soziologisch interessierten Literarhistoriker liegen mag, nach wissenssoziologischen Erklärungsmustern zu greifen. In einer knappen Analyse der französischen Lyrik um 1857 unter dem Aspekt der Vermittlung gesellschaftlicher Normen hat Jauß beispielsweise die Darstellungsfunktion poetischer Texte für soziale Interaktionsmuster untersucht. Mit der Wissenssoziologie geht er von der Annahme aus, daß die symbolischen Artikulationen der lyrischen Sprache den Horizont der historischen Lebenswelt mit Sinn erfüllen und zugleich die Normen sozialen Handelns legitimieren. Es sind demnach zwei kommunikative Funktionen, die als grundsätzliche Leistungen der lyrischen Sprache vorausgesetzt werden: einzelne soziale Normen zu einem sinnhaften Ganzen (der "Subsinnwelt") zu integrieren und dieses über den kommunikativen Akt der Rezeption durch das historische Lesepublikum mit der Lebenspraxis zu vermitteln.[12] Letzteres wird freilich nicht dargestellt, sondern folgt aus dem theoretischen Vorgriff auf die Repräsentanz des Sozialen in den symbolischen Formen lyrischer Sprache.

Den Ergebnissen seiner eigenen Rezeption folgend stellt Jauß die These auf, daß das Motiv "vom Glück am häuslichen Herd" (la douceur du foyer), das er in lyrischen Texten verschiedener Autoren des Jahres 1857 aufgespürt hat, auf ein gesellschaftliches Ideal verweise. Um diesen noch relativ nichtssagenden Befund auf Muster kommunikativen Handelns hin auslegen zu können, sucht der Interpret das Motiv in verschiedenen lyrischen Kontexten auf. Diese hat er indessen im voraus nach Schemata ausgewählt, die es erlauben, in den Texten solche Deutungsmuster zu aktualisieren, die mit soziologisch relevanten Termini belegt werden können: Rollen, Normen, kollektives Denken, ideologische Funktion usw. Unter Verzicht auf die Einheit des Gedichts als eines Besonderen mit eigentümlicher poetischer Semantik lenkt die Anwendung wissenssoziologischer Kategorien den Blick auf solche Strukturen, in denen jene Gleichförmigkeiten sedimentiert sind, an deren Allgemeinheit nun die Besonderheit des Gedichts partizipieren soll. Dem entsprechen die Befunde der Interpretation. Als Oppositionsreihe sozialer Normen fördert Jauß unter anderm die Gegensatzpaare "Freude/Trauer, Geselligkeit/Einsamkeit, Glück/Unglück" zutage.[13] In dieser Reihe soziale Normen wiederzuerkennen, fällt schwer, da sie weder gesellschaftsgeschichtlich spezifisch sind, noch im strengen Sinn als Obligationen einer auf öffentlichem Einverständnis beruhenden 'réalité morale' gelten können. Es macht doch den Charakter sozialer Normen aus, daß sie als Regulative für das gelten, was jedermann innerhalb eines bestimmten Sozialverbandes zu tun hat. Der soziologische Normenbegriff verweist nicht nur auf tatsächliche Regularitäten des Verhaltens und Handelns, sondern auch auf ein Durchschnittsbewußtsein, dessen Erwartungen an die Geltung gesellschaftlicher Normen sich über die Öffentlichkeit von Alltagssituationen konstituiert.[14] Daher fragt der Soziologe: Wer setzt Normen? Wer überwacht ihre Befolgung und Verletzung? Wie ist ihr Geltungs- und Toleranzbereich beschaffen? usf. Solche Fragen stellt Jauß nicht.

Mir scheint aber, daß seine Begriffsreihe eher zur Kennzeichnung von *Erfahrungsqualitäten* dienen kann, ja unter Umständen, die freilich durch die Analyse sozialer Kontexte zu klären wären, noch zur Kennzeichnung jener *Werte,* die verwendet werden, um soziale Normen zu *legitimieren.* Die vom Interpreten hervorgehobene Kommunikation sozialer Normen sehe ich in den Gedichten selbst nicht erfüllt, zumal die "idealisierenden Mittel(n) der Verbildlichung und poetischen Suggestion"[15] normative Wirkungen unterbinden. Es sei denn, man würde in diesen Mitteln nur die raffinierte Artikulation einer persuasiven Absicht erkennen, was Jauß indessen durch die Abgehobenheit der ästhetischen Erfahrung von der des Alltags verneint.[16] Seine These weist, wenn ich ihn recht verstehe, in die Richtung einer privilegierten hermeneutischen Geltung poetischer Texte gegenüber anderen Zeugnissen der Geschichte. Ästhetische Erfahrung, die im zitierten Beispiel allerdings nur an den Texten, nicht an deren Rezeption belegt wird, trage, wie er bemerkt, eher zur Erhellung des Aufbaus von Wirklichkeit bei, als beliebige andere geschichtliche Dokumente.[17] Damit ist die Besonderheit literarischer Kommunikation zunächst nur behauptet. Auf die ausführliche Begründung ist später einzugehen. An dieser Stelle soll das Argument nur verwendet werden, um noch einmal das skizzierte Verfahren – nun vor dem Hintergrund methodologischer Überlegungen – zu prüfen.

Wir haben gesehen, daß Jauß nicht die Fragen des Soziologen stellt. Und doch ist sein Ziel, die historische Rekonstruktion eines gesellschaftlich relevanten Kommunikationssystems, ein soziologisches. Der an den sozialen Funktionen interessierte Interpret poetischer Texte stellt seine Fragen den Texten selbst und bleibt auf diese Weise der hermeneutischen Maxime treu, daß die (hier mit wissenschaftlicher Absicht durchgeführte) Rezeption eine Frage-und-Antwort-Struktur besitzt. Den Fragen dieses Interpreten ist aber eine Begrifflichkeit eingeschrieben, die es erlaubt, von einem bestimmten Deutungsschema zu sprechen. Es ist ein Deutungsschema, das m. E. der Gefahr allegorisierender Auslegung nicht ganz entgeht. Zwar wird den poetischen Texten eine 'eigene Sprache' konzediert,[18] doch verweist diese auf kommunikative Muster, auf Normen und Erwartungen, mit einem Wort: auf gesellschaftlich Allgemeines. Dieses tritt unter Begriffen in Erscheinung, die als Termini einer soziologischen *Theorie* zwar regulative Funktionen im Rahmen der Theorie erfüllen, aber gerade wegen ihrer methodischen Enthaltsamkeit im Vergleich zur inhaltsbezogenen Funktionalität von Interpretationsbegriffen leer sind. Wenn nicht ein naturalistischer Fehlschluß die Anwendung der Theoriebegriffe auf historisches Material leiten soll, dann wäre zuallererst zu fragen, wie der Schritt vom Modellcharakter der Theorie zu den geschichtlichen Inhalten als denknotwendiger Voraussetzung einer jeden Interpretation zu machen ist. Die bloße Umsetzung der Theoriebegriffe in die Interpretationssprache löst dieses Problem nicht, wie an der großen Allgemeinheit jener Ergebnisse abzulesen ist, die Jauß' Studie hervorbringt.

Damit möchte ich nun nicht unterstellen, daß es Jauß' einzige Absicht ist, die Rekonstruktion einer historisch belegten Form literarischer Kommunikation durchzuführen. Vielmehr scheint er in das angedeutete Dilemma zwischen Theorie und Methodik zu geraten, da er mit der Interpretation historischen Materials in einem die Begründungsarbeit für eine Theorie ästhetischer bzw. literarischer Kommunikation leisten möchte. Dabei geht er von der Vorentscheidung aus, daß die Wissenssoziologie die beste Anschlußmöglichkeit biete, ohne diese Vorentscheidung zu hinterfragen. Das Modell des sinnhaften Aufbaus gesellschaftlicher Wirklichkeit wird somit zum Anfang einer Begrifflichkeit, in der die Vermittlung zwischen sozialer und ästhetischer Erfahrung immer schon geleistet ist, während es doch der Interpretation darauf ankommen müßte, die Möglichkeiten und Grenzen dieser Vermittlung aufzuzeigen. Signifikant für diese Tendenz zur Auflösung des Unterschiedenen in einem unausgewiesenen Allgemeinen sind 'Übersetzungen' wie:

"Lyrik" = "Muster kommunikativer Interaktion", oder: "petit monde" (ein Ausdruck aus einem Gedicht) = "Subsinnwelt".[19] Mit dem Hinweis auf das schlagartige Umspringen der einen Erfahrung in die andere, auf anderer Ebene: der Theorie in die Methodik, soll aber nicht nur auf eine unbefriedigende Seite dieses Forschungskonzepts aufmerksam gemacht werden. Er sagt vielmehr etwas über die generellen Schwierigkeiten aus, den Vermittlungszusammenhang zwischen ästhetischer und sozialer Erfahrung adäquat zu begreifen.[20] Ihn begreifen zu wollen, ist nicht nur legitim, sondern vor dem Hintergrund des gegenwärtigen Kunstbegriffs, der als Leitmotiv in die Vorbereitung dieses Forschungskonzepts eingegangen ist, auch geboten.

Indessen haben solche Aussagen über fremde Erfahrungen, und um solche geht es ja in einer Untersuchung der französischen Lyrik um die Mitte des vergangenen Jahrhunderts, etwas Mißliches, halten sie sich allein an die poetischen Texte. Soziale Erfahrung soll in den normativen Erwartungen an zwischenmenschliche Beziehungen und Institutionen (Liebe, Ehe) zum Ausdruck kommen. Die wirkliche normative Organisation dieser Erwartungen in bestimmten kommunikativen Situationen rückt aber nicht in den Blick. Selbst wenn das geschehen würde, müßte sich der Sozialhistoriker darauf verlassen können, daß der indikatorische Wert seiner sprachlichen Dokumente für Strukturen, nicht aber für subjektive Erfahrungen einsteht. Nichts anderes wird der Kunsthistoriker erwarten, der herausfinden möchte, welche ästhetischen Auffassungsmuster zu einem gegebenen Zeitpunkt in Geltung waren und auf welche Rezeptionsbereitschaft sie beim Publikum stießen. In keinem Fall gelingt es dem Forscher, an fremder Erfahrung teilzunehmen. Dem Nachträglichen der sprachlichen Artikulation im Verhältnis zur Unmittelbarkeit des Machens von Erfahrung entspricht auf seiten des Interpreten solcher Dokumente, die prätendieren, Erfahrung darzustellen, die methodische Überbrückung der hermeneutischen Differenz. Sie geschieht aber, wie wir wissen, stets im Hinblick auf ein historisch Allgemeines, auf Strukturen, Verhaltensmuster, sprachliche Regularitäten, Stileinheiten usw. Begriffe wie "Sinnwelten", "semantische Felder" beziehen solche beschreibend erfaßten Strukturen auf kohärente Bedeutungstotalitäten, um sie erklären und bewerten zu können. Beide Verfahren sind auf die *Bedingungen* beschränkt, unter denen Erfahrungen sich bilden. Methoden sind erfahrungsrestriktiv.

Es ist eine sehr genaue Redeweise, zu sagen, daß artikulierte Sprache (Texte) Erfahrungen *darstellt*. Sie zwingt den Forscher, sei er Soziologe oder Literaturwissenschaftler, den Abstand zwischen sprachlichem Dokument und dem, was er ausdrücken will, zu beachten. Zwischen Handeln und Handlung, so heißt es in der Wissenssoziologie, besteht keine Kongruenz, da jenes den Vollzug bedeutet, in dessen Akte man verstrickt bleibt, während eine Handlung zurückliegendes Handeln 'darstellt' und ihr aus der Position des reflektierenden Bewußtseins *Sinn* prädiziert werden kann.[21] Nicht anders steht es mit dem Erfahrungsbegriff, den Jauß im Kontext soziologischer Handlungstheorien verwendet. Zwar ist der Begriff der "ästhetischen Erfahrung" seiner Wortbedeutung nach an sensorische Wahrnehmung gebunden, diese Besonderheit schwindet aber in der ihm zugeschriebenen Funktionalität für soziales Handeln ("Interaktion"). Daß das Medium ästhetischer Erfahrung, hier die Sprache der Lyrik, nicht "unmittelbar auf die Dinge" sondern auf unsere "Vorstellung" von ihnen verweist,[22] scheint mir untauglich für die Begründung einer differentia specifica zwischen ästhetischer und sozialer Erfahrung. Denn im Sinne der zur Untersuchung stehenden bestimmten Kommunikation verweist sprachliches Handeln niemals auf die Dinge als facta bruta, sondern immer auch auf die Vorstellungen, die die Sprecher von ihnen haben.

Die Schwierigkeit, das Besondere der Erfahrung schlechthin in empirisch gehaltvollen Sätzen darzulegen, verschärft sich allemal für eine Interpretation, die das Besondere nicht vor dem Hintergrund eines Allgemeinen, sondern als dessen Ausdruck erfassen will.[23] So muß Jauß, um den Repräsentationswert lyrischer Bilder für soziale Normen behaupten zu können, die Auslegung vom Bild zum Begriff hinführen, im Vorgriff das dokumentarische Material aber bereits nach den theoretischen Ausdrücken der Wissenssoziologie geordnet haben. Einer so zirkelhaften Struktur des Explikationsprozesses haftet an sich kein Makel an. Doch überspringt er im vorliegenden Fall gerade jene empirische Basis, die in ihr Recht zu setzen, eine zentrale Aufgabe der Rezeptionsästhetik ist. Das historische Kommunikationssystem um die Mitte des 19. Jahrhunderts ist kein Gegenstand allgemeiner Sätze und Begriffe. Es setzt sich aus jenen empirischen Data zusammen, die der soziologisch interessierte Historiker mithilfe "dokumentarischer Interpretationen" ermitteln wird.[24] Ihnen hätten Fragen zugrundezuliegen, die auf die Organisation von Kommunikation zielen und damit auf historische Normen der Verständigung mit und über poetische Texte: Wie wurde Lyrik verbreitet? Wer hat Lyrik gelesen? Welche Kriterien der Rezeption – in der Kritik, in Lesergemeinschaften – waren in Geltung? In welchen außerliterarischen Kontexten und mit welchen Absichten waren poetische Texte in Gebrauch? Die Beantwortung solcher auf sozialhistorische Dokumentation bezogener Fragen verschafft zwar der Einsicht in Erfahrungsprozesse keine Gewißheit, aber sie liefert die empirische Anschauung für die vom vergangenen Erfahrungsstand unberührten Theoriebegriffe.

II

Bis hierher wurde der Kommunikationsbegriff genutzt als sei er ganz unproblematisch, und es ist an der Zeit, ihn und die Sache, die er darstellt, kritisch zu betrachten, um seine Tauglichkeit für Zwecke literaturwissenschaftlichen Fragens zu prüfen. In einem sehr formalen Sinne wird man Autor, Text und Leser als zentrale Komponenten des literarischen Kommunikationsfeldes ansehen können. Die Analogie zum Nachrichtenmodell der Kommunikationswissenschaft liegt auf der Hand, und nicht selten sprechen Literaturwissenschaftler von Sender und Empfänger, wenn sie Autor und Leser meinen.[25] Welche Rolle der Autor im kommunikativen Dreieck spielt, ist nicht ganz klar. Für die rezeptionsorientierte Forschungsrichtung scheint er eher entbehrlich, da hier die Wechselbeziehung zwischen Text und Leser im Vordergrund steht. Immerhin ist anzunehmen, daß das soziale Prestige noch lebender und die verehrende Idealisierung längst vergangener Autoren in die Erwartungen der Leser eingehen, daß programmatische Äußerungen der Schriftsteller bestimmte Einstellungen hervorrufen usw. In der immer wieder zu hörenden Behauptung, der Autor müsse das, was er darstellt, in irgendeiner Weise gelebt haben, kommt darüber hinaus ein Bedürfnis nach Erfahrungsechtheit zum Ausdruck, das sich nur schwer durch methodische Deutungskunstgriffe enttäuschen läßt, sondern zur Autorbiographie als 'Erfahrungsquelle' greift. Die Bereitschaft vieler Leser, sich in fremde Geschichten verstricken zu lassen, scheint größer zu sein, als die Neugier auf eine Erörterung des bestrickenden Grundes *im* Text. Eine Sammlung derart ungesicherter, doch plausibler Vermutungen über allgemeine Formen des Lektüreverhaltens ließe sich beliebig ausweiten.

Für das Erkenntnisstreben des an literarischer Kommunikation interessierten Forschers ist die angedeutete Dunkelheit der Lektürebegierden, -habitus, -neigungen, -motive ein grober Anstoß. Er begegnet ihm mit typologischen Versuchen feinsten Kalibers, die schier endlos sind und doch nur der deskriptiven Heuristik kommunikativer Beziehungen dienen können.[26] Der "empirische Leser" ist bestenfalls der im

bestimmten Fall empirisch *ermittelte,* der nach Anordnungen des sozialwissenschaftlich und psychologisch geschulten Forschers mit literarischen Texten umgeht. Auch in den so exakt wie nötig und so differenziert wie möglich durchgeführten empirischen Untersuchungen muß sich
der Forscher an das halten, was *über* den Text geäußert wird, an Interpretationen zum bestimmten Werk.[27] Zwar ist eine Rezeption ohne
Interpretation denkbar, doch gilt nicht das Umgekehrte. Rückschlüsse
auf die Rezeption als Lesevorgang sind nur dann zu ziehen, wenn der
Leser sich in Form von Interpretationen geäußert hat, und seien diese
auch noch so fragmentarisch. Die Nachträglichkeit des Interpretierens
verbietet es, die Rezipientenäußerung mit dem Rezeptionsvorgang in-
einszusetzen.[28] Das gilt allerdings nur für solche Interpretationstexte,
die ausdrücklich Deutungsakte vollziehen. Die Unterscheidung zwischen
philologisch-historischen Interpretationen und ästhetischen Interpretationen ist deshalb sinnvoll, weil erstere semantische und semiotische
Analysen umfassen, während die andern den spezifischen Grund der
ästhetischen Erfahrung aufdecken. Diese Interpretationen haben meta-
phorische Struktur, da ästhetische Wirkung sich nicht anders mitteilen
läßt, als mit dem Ausdruck dessen, was sie ist.[29]

Der Begriff der "literarischen Interpretation" wird hier mit gutem
Grund beibehalten. Kennzeichnet er doch als Standardbegriff alle Arten sprachlicher Äußerung über literarische Texte. Er scheint mir der
besonderen Weise literarischen Kommunizierens immer noch näher zu
stehen als der schwerfällige Terminus "Interaktion". Interagieren verweist nach einer weitgehend akzeptierten Bestimmung der Kommunikationstheorie auf die Einheit von Sprechen und Handeln,[30] die im
Leseakt selbst doch suspendiert ist. Mit welchem Subjekt soll ich, während ich lese, interagieren? Mit dem Autor? Dieser ist nicht gegenwärtig. Mit den dargestellten Figuren? Sie 'interagieren' untereinander
auf einer rein sprachlichen Bedeutungsebene. (Das heißt: alle nicht-
sprachlichen sinnhaften Konstitutionselemente der Interaktion fallen
aus.) Mit dem Erzähler oder dem lyrischen Ich? Sie sind *Setzungen* des
Textes.

Auch der Begriff der Interpretation beharrt auf Vermittlung. Aber
er stellt den Leser in die Mitte der literarischen Kommunikation. Denn
als Rede über den Text teilt Interpretation einem andern (Leser) etwas
über den Gegenstand und seine Konstituierung mit. Sie nimmt die öffentliche Form der Explikation an, wo sie auf Verständigung zielt. Die
Explikation eines Textes mit dem Ziel, ihn zu verstehen (semantische
Analyse) und ihn in Kontexten zu begreifen (semiotische Analyse), hat

den Status eines Sprachspiels, dessen Regeln erworben werden müssen. Es macht daher Sinn, zwischen ungeschulten und geschulten Interpreten zu unterscheiden und das Gelingen des Sprachspiels "literarisches Interpretieren" von angemessener Regelbeherrschung abhängig zu sehen.[31] Um Mißverständnissen vorzubeugen, sei wiederholt, daß auch der normale Leser, soweit er Interpretationen äußert, als Informant für den Sprachspielforscher infrage kommt. Im Durchschnitt mögen die Interpretationen nicht-professioneller Leser verbesserungsbedürftiger sein, als die professioneller Literaturinterpreten. Doch ist das nicht die Regel. Ja die ernsthafte Auseinandersetzung der Literaturwissenschaft mit den Äußerungen verständiger Laienleser (wozu auch die Autoren gehören) belegt, daß hier keine methodologische Reinheit gilt.

Gehen wir kurz auf einige Regeln des Sprachspiels "literarisches Interpretieren" ein, um dessen kommunikativen Eigenwert zu belegen. Mit dem Hinweis auf die Verbesserungsbedürftigkeit von Interpretationen ist z. B. die Erinnerung an die ideale Norm der exhaustiven Interpretation – philologisch: lectio difficilior – verbunden. Sie möchte Sinn und Bedeutung eines Textes am umfassendsten darstellen und dem Ergebnis universelle Zustimmung garantieren. Damit wird das Interpretieren um weitere Merkmale bereichert, die der Geltungsprüfung und somit der Emendation von Rezipientenäußerungen dienen. Kann die lectio difficilior als regulatives Prinzip für jeden Deutungsakt angesehen werden, so ist sie doch den Kriterien der Textadäquatheit und Zustimmungsfähigkeit verpflichtet. Angemessenheit an den Text heißt: zumindest mit dessen Phänomenbestand übereinzustimmen.[32] Fiktive Ergänzungen und Motivunterstellungen, die der Kompensation von Verstehensschwierigkeiten dienen sollen, finden vor diesem Kriterium wenig Gnade. Der Grad der Zustimmungsfähigkeit entscheidet über den Erfolg der Interpretation im kommunikativen Zusammenspiel der Rezipienten. Beide Kriterien beziehen sich implizit auch auf die Form der Interpretation. Denn sie fordern von ihr Sachangemessenheit, Einsichtigkeit der Gründe, Nachvollziehbarkeit und Ausführlichkeit des philologisch-historischen Wissens, soweit es die zur Kommunikation über den Text aufgerufenen Rezipienten nicht teilen. Als Auslegung ist die Interpretation traditionellerweise mit dem Anspruch aufgetreten: so soll gelesen werden. Heute wird über dem Geltenlassen einer Pluralität der Lesarten leicht vergessen, daß die Interpretationen über einen bestimmten Text nicht nur in bezug auf ihren Gegenstand, sondern auch untereinander in kommunikativen Relationen stehen. Das begrenzt eine pluralistische Beliebigkeit von Äußerungen, eine Begrenzung, die durch das Ziel, den Text zu verstehen und sich untereinander über ihn zu verständigen, auf ein allgemeines Prinzip gegründet ist, von dem es schon bei Schleiermacher hieß, daß es dazu beitrage, den Geist über sich selbst aufzuklären.[33]

Damit haben wir einen Punkt berührt, der erst am Ende der Untersuchung wieder aufgegriffen werden kann: die Frage nach den Zielen des institutionalisierten Sprachspiels "literarisches Interpretieren". Nicht von ungefähr ist der Name Schleiermachers in diesem Zusammenhang genannt worden. Er steht für jene Tradition des Textverstehens, auf die nicht nur einige Grundregeln unseres Sprachspiels zurückgehen, sondern auch die Ansicht, daß der interpretierende Leser an der semantischen Konstitution des literarischen Textes – wie der Teilnehmer an einem Gespräch – *produktiv* beteiligt ist.[34] Dieses Moment der Produktivität in den Bedeutungen des Sinnschöpfens und des ästhetischen Wertens läßt es erst vernünftig erscheinen, den Interpretationsgeschichten eines literarischen Textes ebensoviel Interesse zuzuwenden wie diesem selbst. Die Geschichte der Topik des Lesens ist noch nicht geschrieben worden. In ihr als einer Dokumentation des Wandels literarischer Kommunikationsstrukturen hätte die humanistische Rede von der *affektauslösenden und -formenden Ansprache*[35] der Bücher ebenso ihren Platz wie die romantische Ansicht vom Leser als dem *erweiterten Autor*[36] und die Überzeugung der Moderne, daß der Leser mithilfe des Autors *sich selber liest*.[37]

Reichen die hier eher oberflächlich zusammengetragenen Beobachtungen aus, um literarische Kommunikation als eine besondere Erscheinung von den gewöhnlichen des Sprechens und Handelns abzugrenzen? Ich glaube ja. Zunächst suspendiert literarisches Lesen jedes Handeln im Sinne von performativen, d. h. beobachtbaren Akten. Wenn "das Schreiben selbst die Stelle des Sprechens" einnimmt,[38] dann entfallen die Bestimmungsstücke der face-to-face-Kommunikation, es ist nur noch in metaphorischer Hinsicht von "Sprechhandlungen" zu reden. Zugleich damit werden die raum-zeitlichen Determinanten der Dialogsituation entbehrlich: der literarische Text ist in beliebigen Situationen verfügbar, er stiftet – mit andern Worten – der Potenz nach seine eigene universelle Aktualisierbarkeit. Doch bildet die Aktualisierung qua Lesevorgang so etwas wie eine besondere Weise des sprachlichen Vollzugs, nämlich den Vollzug vor-geschriebener Rede, der sich der Beobachtung entzieht. Im Unterschied zur teilnehmenden Beobachtung von Alltagskommunikation, deren Ziel eine direkte Beschreibung der Sprechakte ist, muß sich die Analyse des Leseaktes auf die 'Kommentare' verlassen, die der Leser im Nachhinein über den Text und dessen Vollzug äußert. Der Leser äußert sich in der Rolle des Interpreten, und zwar nicht unabhängig von Regeln, die einem konventionalisierten Sprachspiel "literarisches Interpretieren" entsprechen und auch im gewöhnlichen Gespräch über Literatur regulative Funktionen erfüllen. Lesen sowie über das zu reden, was man gelesen hat, sind – was gern vergessen wird – Fähigkeiten, die in Lernprozessen erworben und durch Übung weiter ausgebildet und verfeinert werden. Mithin gehört zu den Bedingungen erfolgreicher literarischer Kommunikation eine entsprechende Kompetenz des Rezipienten, deren Umfang und Grad der Spezialisierung sich nach den jeweils geltenden Normen der Kritik und des ästhetischen Urteils richtet.[39] Dieses an sich triviale Faktum bindet unsern Gedankengang zurück an die oben angedeutete Historizität der Lektüreeinstellungen und zugehörigen Interpretationsregeln.

Der Topos vom "produktiven Leser" gibt Anlaß, zwischen einer traditionellen und einer modernen Form der Lektüreeinstellung zu unterscheiden.[40] Daran möchte ich hier die These knüpfen, daß die spezifischen Qualitäten literarischer Kommunikation in der "Literaturgeschichte des Lesers" erst mit der Forderung nach produktivem Lesen zu Bewußtsein kamen. Denn "produktives Lesen" bezeichnet eine Einstellung, die an die Konstitutionsregel gebunden ist, daß der Text sich selbst auszulegen vermag. Diese Regel führt darstellungstheoretisch zu immer komplexer ausfallenden Formen der semantischen Differenzierung und Integration. Ihnen gerecht zu werden, macht eine selbstreflexive Leistung literarischen Lesens erforderlich, wie sie unter den Prämissen der traditionellen Interpretationsmonopole mit autoritativem Auslegungsanspruch nicht vorkam. Produktives Lesen stürzt nicht nur die Autorität, die der Literatur von den Inhabern der Interpretationsmonopole zugeschrieben wurde;[41] es entzieht ihr auch die Legitimation, um an ihre Stelle die hermeneutische Dialektik von Selbstauslegung des Textes (in der Bedeutung semantischer Autonomie) und Selbsttätigkeit des Lesers zu setzen. Eine Voraussetzung für diese epochale Veränderung ist zweifellos in dem neuen Formbewußtsein zu suchen, das in der Schriftlichkeit der Literatur nicht mehr die nur stilistisch zu verstärkende Wirkung des gesprochenen Wortes restituieren wollte, sondern in der materiellen Fixierung der Sprache die Bedingung für eine neue Sprachkunst entdeckte. Ein legitimer Grund für die Scheidung von Redelehre und Dichtungstheorie. Lessings Abhandlungen über die Fabel von 1759 markieren, um ein prominentes Beispiel für jenen Wandel zu nennen, gleichermaßen die Überwindung des an autoritative Strukturen literarischer Kommunikation gebundenen Regelkanons der Rhetorik wie die neue Einsicht in das Wechselverhältnis zwischen der semantisch autonomen Form der literarischen Texte und der produktiven Lesereinstellung.[42] Lessings eigene Fabeln muß daher mißverstehen, wer sie allein in der historisch rekonstruierten Perspektive der rhetorischen Fabeltradition liest.

Vor dem hier nur schwach belichteten historischen Hintergrund erhält die Rede vom "produktiven Lesen" ihren eigentümlichen Doppelsinn. Zum einen bezieht sie sich auf die immanente Verweisungskraft des Textes, zum andern auf die davon ausgehende Herausforderung an den Leser, seine eigenen interpretativen Fähigkeiten zu 'produzieren'. Die avantgardistische Moderne geht noch über den interpretationstheoretischen Gehalt des Topos hinaus, da sie die Imaginationskraft des Lesers ausdrücklich in den Dienst der Selbstreflexivität des lesenden Ich stellt. Der Rahmen kommunikationswissenschaftlicher Kategorien wird damit endgültig überschritten und die Introspektion auf jene Vorgänge verwiesen, die sich innerhalb des Leserbewußtseins abspielen.

III

Mit der Analyse dessen, was sich im Kopf des Lesers während der Konkretisation des Textes ereignet, wird freilich die Trennung zwischen Interpretation und Rezeption rückgängig gemacht. Eine Konfundierung zwischen den beiden 'Kommunikationspartnern' Text und Leser ist die unausweichliche Folge.[43] Der 'Leser' ist nun als eine Setzung des Textes, der 'Text' als ein Produkt des Lesers zu begreifen.

Isers wirkungsästhetisches Forschungskonzept schlägt diesen Weg ein. Ihn in allen Phasen zu referieren, ist nicht meine Aufgabe. Doch ist außer dem Grundriß auch der theoretische Rahmen zu skizzieren, ohne den die Erörterung der von Iser dennoch aufrecht zu erhaltenden Trennung von Rezeption und Interpretation sowie das Problem der lebenspraktischen Applikation, das Iser wie Jauß mit der Frage nach der Vermittlung, Bildung und "Umcodierung" von Normen verbinden, kaum zu leisten ist.[44] Von den parallel, ja oft in engstem Austausch entwickelten Theorien der "Rezeptions-" und der neuen "Wirkungsästhetik" hat jene ihren Brennpunkt im Leser, diese im Text. Die Rezeptionsforschung scheint der Selbsttätigkeit des Lesers größeres Interesse entgegenzubringen als die Wirkungsforschung, die, wie ihr Titelbegriff andeutet, das Lesen als ein Bündel von Reaktionsweisen auf die vom Text ausgehenden Impulse begreift. Die Freiheit des Frage- und-Antwort-Spiels scheint hier einer gewissen behaviouristischen Ein- schränkung zu unterliegen. Indessen treffen sich beide Konzepte in der Überzeugung, daß der Beziehungsaspekt literarischer Kommunikation im Zentrum der Fragen zu stehen habe, eine Überzeugung, die – wie gesagt – dazu nötigt, dem Text einen 'Leser' und dem Leser einen 'Text' einzuschreiben. Diese chiastische Konstruktion ist nur sinnvoll im Rahmen eines Modells, das von der individuellen Lektüre absieht, um verallgemeinerungsfähige Aussagen über die *Struktur* des Lesevor- gangs zu bilden.

Die neue Wirkungsästhetik ist wissenschaftshistorisch gesehen eine Fortführung jener phänomenologischen Konstitutionsanalysen, wie sie Roman Ingarden noch ohne kommunikationswissenschaftlichen An- spruch Anfang der dreißiger Jahre zum erstenmal vorgelegt hat.[45] In- garden hat seinerseits das in Kants dritter Kritik aufgeworfene Pro- blem ästhetischer Urteilsbildung lösen wollen und zu diesem Zweck nicht nur die klassische Trennung zwischen praktischer, theoretischer und ästhetischer Erfahrung beibehalten, sondern auch die transzenden- talphilosophische Denkfigur von den Bedingungen der Möglichkeit der ästhetischen Gegenstandskonstitution im anschauenden Bewußtsein sei- nen Überlegungen zugrundegelegt. Die allen phänomenologischen Ana- lysen anhaftende Schwierigkeit, Vorgänge im Bewußtsein (hier des Lesers) mithilfe eben dieses Bewußtseins zu interpretieren, ohne in pure Tautologien zu verfallen, berührt auch die Fundamente der kommuni- kationsorientierten Wirkungsästhetik.

Sehen wir von einer Fundamentalkritik ab, die zuallererst bei In- garden anzusetzen hätte, so fallen bei einem Vergleich zwischen den Analysemethoden des 'Meisters' und des 'Nachfolgers' einige wesent- liche Unterschiede ins Auge. Ingardens Untersuchungen kommen fast ohne Werkinterpretationen aus und erheben den Anspruch, ästhetische Erfahrung schlechthin zu begreifen. Isers Analysen hingegen beschrän- ken sich auf die Romanlektüre und verwenden in reichem Maße Text- interpretationen. Die kommunikationsorientierte Wirkungsästhetik ist daher auch anders einzustufen als die phänomenologische Theorie ästhetischer Erfahrung. Sie läßt sich m. E. als ein Versuch begreifen, mithilfe einer anspruchsvollen Theorie – eben der Phänomenologie – ästhetische und Alltagserfahrung einander näher zu rücken.[46] Dabei muß der in der Unterscheidung von praktischer, theoretischer und ästhetischer Erfahrung noch aufrechterhaltene Wahrheitsanspruch der

Kunst einerseits aufgegeben, andererseits im Sinne einer moralischen Pragmatik neu begründet werden.

Iser übersetzt, um dem ihm hier unterstellten Zweck gerecht werden zu können, die in der älteren Sprache der Bewußtseinsanalyse vorgeführten Beschreibungen Ingardens in eine sozial- und kommunikationswissenschaftlich vorgeprägte Terminologie.[47] Mit den phänomenologischen Analyseprozeduren übernimmt er die Auffassung, daß die Akte des Lesens sich nach den immer gleichen Beziehungsmustern organisieren, während das, was gelesen wird, je nach den in kommunikativen Alltagssituationen verankerten Erwartungen der Leser unterschiedliche moralische und soziale Funktionen erfüllen kann.[48] Die Analogie zwischen den textkonkretisierenden und sinnkonstituierenden Akten des Lesens und den entsprechenden Handlungen in außerliterarischen Situationen ist auf rein struktureller Ebene zu suchen. So entspricht der auf Erfüllung angelegten Intention eines gewöhnlichen Sprechaktes unter Bedingungen der literarischen Kommunikation die auf imaginative Bewußtseinsakte des Lesers bezogene „Textstruktur". Im Begriff des "impliziten Lesers" hat dieses der direkten Beobachtung unzugängliche 'Interaktionsmuster' einen zugkräftigen Namen gefunden.[49]

Es wäre jedoch falsch, wollte man das wirkungsästhetische Konzept als ein Modell *sprachlicher* Kommunikation verstehen. Seine Besonderheit liegt gerade in der Nichtsprachlichkeit der hypothetisch erschlossenen Vorgänge. Die semantische Interpretation eines Textes steht erst am Ende des "ästhetischen" Wirkungsprozesses, den Iser zu beschreiben sucht. So sind auch "Intention" und "Erfüllung" keine sprachbezogene Begriffe, sondern bezeichnen potentielle *Wirkungsfunktoren* innerhalb der Struktur erzählender Texte. Zwar ist die Intention der Texte in ihre sprachlichen Strukturen eingelassen, aber sie weist über diese hinaus auf Bedingungen, die nicht mehr sprachtheoretisch expliziert werden: auf die Einheit möglicher Perspektiven in der Subjektivität des Autors wie des Lesers.[50] Entscheidend ist, daß der im Lesevorgang konstituierte "Sinn" als "ästhetischer" in der Erfahrung des Lesers präsent sein soll, bevor er von diesem mit den Mitteln der ihm vertrauten Sprache auf Begriffe gebracht, d. h. gedeutet werden kann.[51] "Sinn" bezeichnet insofern nicht ein dem Text Zugeschriebenes. Vielmehr ist er identisch mit der am Ende einer als "Geschehen" begriffenen Lektüre stehenden neuen Erfahrung. Den Weg dorthin beschreibt Iser mithilfe von Annahmen über die "Konstitutionsvorgänge im Vorstellungsbewußtsein" des Lesers, die er freilich auf die formalen Anweisungsstrukturen (Leserinstruktionen) von Romanerzählungen stützen kann. Auch auf dieser Ebene ist das von Interesse, was die Sprache des Textes verschweigt: die "Leerstelle". Sie kennzeichnet (zusammen mit andern Negationsformen) jene formalen Züge der Erzählung, die das Dargestellte in einer für die Fiktion spezifischen Unbestimmtheit belassen. Dieses formale Spezifikum gehört indessen zu den zentralen Bedingungen der Kommunikation mit Erzähltexten, da es die Imagination des Lesers veranlaßt, das Unbestimmte in Bestimmtes zu überführen.[52]

An dieser Stelle wird noch einmal deutlich, in welcher Weise Intention und Erfüllung sich zueinander verhalten. Denn die Unbestimmtheitsstruktur des Erzähltextes ist das Signum seiner Indifferenz gegenüber der Erfüllung, die im übrigen niemals durch bestimmte Anschauung vollkommen realisiert werden kann, gerade weil der Text nicht von sich aus spricht. Man muß Isers Konzept sprachtheoretisch umformulieren, um zu sehen, was damit gemeint ist. Nach Husserl läßt sich zwischen solchen sprachlichen Ausdrücken unterscheiden, die etwas "meinen", in ihnen ist die Beziehung auf Gegenständlichkeit realisiert, und solchen, die "sinnvoll" sind: diese haben eine Intention auf Bedeutung, die aber noch nicht erfüllt ist.[53] Sie sind gleichgültig (indifferent) gegenüber den möglichen Bedeutungen, die sie durch die bestimmte gegenständliche Erfüllung erfahren können. Insofern spielen diese bedeutungsintentionalen Ausdrücke auf eine Sphäre nur an, die sich im Vollziehen der Bedeutungsstiftung erst herausbildet. Ohne auf die schwierigen Implikationen dieser semantischen Theorie weiter eingehen zu können, möchte ich doch vermuten, daß in ihr ein Schlüssel zur Theorie literarischer Kommunikation (soweit sie sich auf Erzähltexte bezieht) enthalten ist.

Wenn sprachliche Ausdrücke auf Gegenständliches hinzeigen, dann geschieht das allemal in der perspektivischen Brechung dessen, der spricht. Damit ist das Gegenständliche niemals in seiner vollen Bestimmtheit präsent, sondern die eine Perspektive hebt hervor, was durch andere mögliche Perspektiven begrenzt wird. Daraus folgt, daß die Bestimmtheit des Gegenständlichen und damit der sprachlichen Bedeutungen etwas Virtuelles ist, abhängig von der Einheit aller möglichen Perspektiven. Dieser Bedingungsgrund für die Realisierung der einzelnen Akte, die zur Erfüllung der Bedeutungsintention beitragen, ist mit Husserls Begriff des "Horizonts" getroffen. "Der Horizont", so bemerkt Lothar Eley, "kann als Bedingung der Möglichkeit des Gegenstandes nicht selber gegenständlich sein; er ist *Subjektivität*".[54] Da er nicht nur die Einheit möglicher Perspektiven, sondern auch die möglichen Differenzen einschließt, ist er in dieser über Husserl hinaus erweiterten Bedeutung *Intersubjektivität*. Von Intersubjektivität sprechen wir, wenn wir Kommunikation meinen; und eben die Fähigkeit, in der kommunikativen Situation die Perspektive des Andern einzunehmen, fundiert die mögliche Einheit der sich indifferent zueinander verhaltenden Momente der Intention und der Erfüllung.

Das skizzierte Verhältnis von Intention und Erfüllung und die Begründung ihrer möglichen Einheit in gelungener Kommunikation ist, wie mir scheint, nur bedingt übertragbar auf die Theorie literarischer Kommunikation. Schon bei Iser fiel auf, daß er unter Kommunikation die Teilnahme an einer anderen Erfahrung versteht. In Begriffen der hier bemühten Sprachtheorie läßt sich wohl behaupten, daß der Leser, der einen Roman zum erstenmal liest, sich nicht primär vom Interesse an Verständigung leiten läßt. Worüber sollte er sich mit wem verständigen? Wenn aber ein bestimmtes Subjekt als Gegenüber des Lesers fehlt, so entfällt auch die Basis der Intersubjektivität, sprich: Kommunikation. Auch wenn die Einheit eines Stils eine relativ bestimmte Perspektive kenntlich zu machen scheint, so beweist doch der bloße Anspielungswert des Autornamens für diesen oder jenen Stil, daß hier kaum von einer intersubjektiven Beziehung zwischen Autor und Leser die Rede sein kann. „Die Geschichte des Textes übersteigt den endlichen, vom Autor erlebten Horizont".[55] Damit ist nur noch einmal gesagt, daß der Erzähltext, will er nicht sinnlos sein, die Bedingungen seiner Bedeutungserfüllung selber enthalten muß. Der Horizont des Textes ist die Fundierungsinstanz für die kommunikative Teilnahme an seiner semantischen Autonomie, wir mögen ihn auf eine in ihm sich entäußernde Subjektivität beziehen können oder nicht. Dieser Tatbestand setzt die Rede von der Erfahrungsstruktur des Rezeptionsvorganges in ihr Recht. Denn der Leser (nicht der Interpret) konstituiert, während er im bestimmten Text voranschreitet, dessen eingeschriebene Bedeutungsintention und sucht sie allmählich, durch die einheitliche Organisation der diskreten Figuren- und Darstellungsperspektiven zu erfüllen.

Die Beschreibung dieses Prozesses durch Iser deckt sich nun in auffallender Weise mit jenen Beschreibungsmodellen, wie sie Phänomenologie, Wissenssoziologie und schließlich Symbolischer Interaktionismus für die Konstituionsanalyse lebensweltlicher Erfahrungen vorgelegt haben.[56] So entsteht der Eindruck, daß auch dort, wo Iser von "ästhetischer Erfahrung" spricht, eine Erfahrung benannt wird, die im Sinne etwa von Dewey's *Art as Experience* pragmatische Qualitäten der elementaren,

den Alltag strukturierenden Wahrnehmung umfaßt, die besonderen
Steigerungsformen dieser Erfahrung im Umgang mit Kunst aber verloren gehen. Damit kommen wir zu der Frage zurück, auf welche Weise
die Rezeption poetischer Texte in ästhetischer Einstellung einer Kom-
munikationsanalyse überhaupt zugänglich ist.

Wenn Iser den Rezeptionsvorgang als einen Erfahrungsprozeß beschreiben kann, der auf weiten Strecken in Analogie zur Alltagserfahrung verläuft, dann spricht das zunächst für eine enge Affinität zwischen beiden. Das Moment der Selbstreflexivität – "man sieht sich zu,
worin man ist"[57] – erscheint mir als *das* Differenzkriterium für die
Abgrenzung ästhetischer von anderer Erfahrung noch zu ungenau, wird
Selbstreflexion doch in den Erfahrungsbereichen philosophischen Denkens und der Psychoanalyse in besonderer Weise kultiviert. Das für die
ästhetische Kommunikation als konstitutiv behauptete Wechselspiel
von "Beteiligung und Distanz",[58] dessen einzelne Akte Iser analysiert, ist darüber hinaus zweifellos als eine allgemeine Regel für die
Beschreibung von Erfahrungsprozessen anzusehen. Was heißt unter solchen Voraussetzungen dann noch "Beteiligung", "Kommunikation"
in der Rezeption poetischer Texte? Die so bezeichneten Einstellungen
als rein sprachliche Vorgänge zu begreifen ist, wie sich gezeigt hat, nicht
hinreichend. Sie als Teilhabe an anderer Erfahrung zu beschreiben,
führt indes zu ihrer Auflösung in Erfahrungsstrukturen allgemeinster
Art.

In dieser Allgemeinheit verliert sich aber gerade das, was den ästhetischen Gehalt der Texte ausmacht. Als Reflexionsmoment bleibt das
Ästhetische (analog zu seiner Funktion in Alltagserfahrungen) eine
transitorische Funktion des Lesens auf dem Weg zum umfassenden
Sinn. Damit wird es selber zu einer Kategorie der Textbeschreibung,
mithin zu einem Werkzeug dessen, was ich oben die philologische Interpretation nannte. Iser interpretiert an vielen Stellen seiner Untersuchung, um am Beispiel zu belegen, wie der wirkungsästhetische Prozeß verläuft. Allemal ist die Erfahrung der Texte (von Fielding, Joyce)
vorausgesetzt, allemal ist der Sinn dieser oder jener Stelle mit den Mitteln methodischer Interpretation bereits erschlossen. Als Resultat bleibt
die Unverbindlichkeit der Konstitutionsanalyse, während die einge-
streuten Interpretationen nichts über die Konstitutionsakte aussagen,
sondern diese bestenfalls illustrieren. Ich möchte Isers Konzept daher
als eine fruchtbare Erweiterung des Interpretationsspielraumes für fiktive Erzähltexte verstehen, eine Erweiterung, die es z. B. ermöglicht,
Romane im Hinblick auf die Strukturen der Alltagserfahrung zu in-

terpretieren.[59] Zur hermeneutischen Voraussetzung des so umschriebenen neuen Interpretationsmusters mag die vielerörterte Einsicht gehören, daß Kunsterfahrung sich nur innerhalb der gewöhnlichen Erfahrung bildet und dort auch zur Wirkung gelangen kann.

Damit ist freilich die Frage nach dem Spezifischen literarischer Kommunikation, soweit es sich auf ästhetische Erfahrung bezieht, noch nicht erledigt. Ihre Zeugnisse findet sie, so hieß es weiter oben, in "ästhetischen Interpretationen"; das sind solche Texte, in denen sich die ästhetische Erfahrung in einer individuellen, methodisch undisziplinierten Sprache Ausdruck verschafft. Sie bringt in dieser meist uneigentlichen Sprache ihren diffusen, changierenden Gehalt besser ans Licht, als das je in den diskursiven Begriffen der methodischen Interpretation geschehen könnte. Als ein Rezeptionszeugnis dieser Art seien hier ohne explikativen Anspruch einige Passagen aus *A la recherche du temps perdu* zitiert:

"Auf der Art von Schirm, den mein Bewußtsein beim Lesen in mir ausspannte, erschienen in bunter Folge verschiedene Zustandsbilder, angefangen von den geheimsten Regungen meines Innern bis zu der rein äußerlich mit den Augen wahrgenommenen Horizontlinie des Gartens. Darunter war das zunächst Innerlichste, der ständig bewegte Hebel, der alles regulierte, mein Glaube an den Ideenreichtum und die Schönheit meines Buches sowie mein Wunsch, mir diese zu eigen zu machen, ganz gleich, was für ein Buch es gerade war.
(. . .)
Nach diesem zentralen Glauben, der während der Lektüre in meinem auf Findung der Wahrheit gerichteten Bestreben unaufhörlich von innen nach außen webte, kamen die Gemütszustände, die sich aus der Handlung ergaben, an welcher ich teilnahm, denn diese Nachmittage waren an dramatischen Geschehnissen reicher, als ein ganzes Menschenleben es ist."[60]

Marcel erinnert sich an dieser Stelle der frühen Leseerfahrungen im Garten von Combray. Seine Schilderung interessiert im Zusammenhang der erörterten Fragen, weil sie auf das Ich als den Mittelpunkt der Erfahrung reflektiert. Dieses Ich wird aufgrund seiner Bereitschaft, an die geistigen und ästhetischen Qualitäten des Textes zu glauben, zum Beobachter seiner selbst. Rückblickend ordnet es seine eigenen von der Lektüre hervorgerufenen Zustände auf einer Bewegungsbahn, die vom innersten Motiv der Wahrheitssuche über die Teilhabe am dargestell-

ten Geschehen bis zur optischen Wahrnehmung dessen, was 'draußen'
ist, führt. Das Ich des Lesers macht in diesem Zustand, wie spätere
Passagen zeigen, keinen Unterschied mehr zwischen 'innen' und 'außen'. Nach Art einer osmotischen Wechselbewegung fließen die Erfahrungen des Sommernachmittags, der den Leser umgibt, und der Wahr-
nehmungen, die das Buch in ihm evoziert, ineinander, um die Empfin-
dung zu erhöhen, ganz bei sich selbst zu sein. Der daraus hervorgehende
Zustand gesteigerten Selbstbewußtseins, der nicht zuletzt durch die
Unterbrechung des Opaken und Verbindlichen der Erfahrungswelt, wie
sie ist, auf relative Dauer gestellt ist, wird belohnt durch die Intensität
des Erlebens.

"Wenn uns aber der Verfasser [eines Romans, D. H.] erst einmal in
diesen Zustand versetzt hat, in dem wie bei allen rein innerlichen
Vorgängen jedes Gefühl verzehnfacht ist, und bei dem sein Buch uns
nach Art eines Traumes bewegt, eines Traumes jedoch, der klarer ist
als unsere Träume im Schlaf und auch in unserm Gedächtnis besser
haften bleibt, so läßt er eine Stunde lang alles Glück und Leiden auf
uns los, das es überhaupt gibt, und wovon wir im Leben selbst in
Jahren nur einige Formen kennenlernen könnten; die stärksten aber
würden sich uns niemals offenbaren, denn die Langsamkeit, mit der
sie sich herausbilden, läßt uns den Blick dafür verlieren (so wandelt
sich unser Herz im Leben, und das ist das schlimmste Leiden; doch
wir erleben es nur beim Lesen und in der Phantasie: in der Wirklichkeit vollzieht sich diese Wandlung wie bei gewissen Naturerschei-
nungen so langsam, daß wir zwar nacheinander jede der verschiedenen Phasen feststellen können, aber das Bewußtsein des Wandels
selbst bleibt uns dennoch erspart)."[61]

In dieser Passage wird m. E. ausgesprochen, was ästhetische Erfahrung im engeren Sinne ausmacht. Die in der stillen Ekstase des Lesens
geschaffene Epoché des Ich erlaubt ihm ohne den Zwang zur Selbst-
repräsentanz, zu erfahren, was es heißt, glücklich zu sein bzw. zu leiden.
Die andere Zeitform des Romans läßt eine Steigerung solcher Empfin-
dungen zu, wie sie in der gewöhnlichen Erfahrung entweder aufgrund
ihrer langsamen Veränderung nicht wahrgenommen werden, oder –
treten sie schockartig ein – das betroffene Ich an den Rand seines Selbstbewußtseins rücken. Die im zitierten Text artikulierte Erfahrung hingegen läßt es in Freiheit sich seiner selbst inne werden. Das Ich des Lesenden nimmt an sich selbst Interesse, so daß die während der Lektüre

hervorgerufenen Zustände der Heiterkeit, der Trauer, des Schreckens, der Erhabenheit, der Rührung und des Leidens es dazu befähigen, sich in entsprechenden kommunikativen Gebärden vor sich und vor andern zu äußern.

Die Schwierigkeit, eine so umschriebene ästhetische Erfahrung in ihren kommunikativen Funktionen angemessen zu beschreiben, liegen auf der Hand. Schon der partielle Abriß vergleichbarer Formen ästhetischer Identifikation bei Hans Robert Jauß läßt das ahnen.[62] Ob es hinreichend ist, ästhetische Erfahrung im angedeuteten Sinn als eine besondere Form "personaler Kommunikation" zu begreifen, in der das Ich sich auf dem zwanglosen Umweg über die dargestellte Subjektivität anderer als es selbst zeigen darf, muß hier dahingestellt bleiben.[63]

IV

Wir haben uns im Rahmen des gestellten Themas mit anspruchsvollen und besonders ausführlich begründeten Positionen beschäftigt, die, vertrauend auf die fundierende Kraft des Kommunikationskonzepts, eine Veränderung sowohl im Gegenstandsbereich als auch in Methodik und Zielen der Fachwissenschaft einleiten wollen. Ich möchte dagegen für eine Anerkennung jener Grenzen plädieren, die zwischen den verschiedenen, heute sich abzeichnenden Arbeitsfeldern der Literaturwissenschaft verlaufen. Eine streng systematisch zu begründende Einheit der Literaturwissenschaft verbietet sich m. E. schon deshalb, weil der Gegenstandsbereich nicht eindeutig festlegbar ist. Das, was "Literatur" und somit auch "literarische Kommunikation" ist, bemißt sich an den Konventionen der Textauswahl und der Applikation von Fragestellungen, die längst wissenschaftsimmanent reguliert werden.[64] An Schleiermachers Einsicht, daß dem Leser, der die philologische Unschuld verloren hat, Erlösung allein in den philologischen Wissenschaften winkt, ist nicht zu rütteln.

Daraus folgt, daß die Beliebigkeit der Blickpunkte nur durch Kooperation, und das bedeutet: Kommunikation zwischen den einzelnen Arbeitsgebieten vermieden wird, für die es zwar keine organisatorischen Sonderstatuten, aber doch relativ bestimmte Regeln gibt. Z. B. die Regel, innerhalb des Sprachspiels "literarisches Interpretieren" die Verstehensäußerungen (Interpretationen) anderer Leser ernst zu nehmen, zu prüfen, zu verbessern, zu widerlegen. Der inflationäre Gebrauch des Kommunikationsbegriffs in der Literaturwissenschaft darf nicht den Anschein erwecken, als sei damit der archimedische Punkt gewon-

nen, von dem aus das nach wie vor gültige Hauptgeschäft des Interpretierens aus den Angeln gehoben werden könnte. "Kommunikation"
kennzeichnet zunächst einmal eine nicht zu leugnende Zunahme an
Komplexität für den Interpreten; denn sie erlaubt es nicht mehr, von
starren Deutungs- und Strukturierungsperspektiven – hier des Textes,
da des Lesers – auszugehen. Der kommunikationswissenschaftliche Begriff der "Interaktion" macht – wie metaphorisch seine Verwendung
in der Literaturwissenschaft auch ausfallen mag – darauf aufmerksam, daß ein Prozeß zwischen diesen Konstituierungsinstanzen abläuft.
Die Bewegung aber, die solchen Prozessen innewohnt, verlangt zu ihrer
Beschreibung nach einer angemessenen Begriffssprache, deren Herausbildung wir heute verfolgen können. Auch hier läßt sich beobachten,
wie mit dem Begriff die Aufmerksamkeit anderer Gegenstandsaspek-
ten sich zuwendet – auch in solchen Bereichen, die schon eine erfolgreiche Beschreibungssprache entwickelt hatten. Die Frage nach dem,
was dem Leser geschieht bzw. was er mit dem Text 'macht', zeichen-
theoretisch formuliert: die Frage nach der pragmatischen Funktion, ist
dabei in jedem Fall vorherrschend. Von dieser Verschiebung der Fragestellung profitieren Erzähltheorie (1) und Sozialgeschichte der Literatur (2) ebenso wie die streng empirische Rezeptionsforschung (3). Ich
möchte abschließend in groben Zügen andeuten, welche Schwerpunkte
des literaturwissenschaftlichen Forschungsprogramms dadurch stärker
in den Vordergrund gerückt sind.

(1) Die alte Frage "Wer erzählt den Roman?" sucht man zu beantworten, indem man semiologische oder anderweitig sprachtheoretisch
orientierte Modelle der Beschreibung textinterner Kommunikationsstrukturen zugrundelegt. Radikal vereinfachend lassen sich als Subjekte
dieser internen Kommunikation innerer "Erzähler" und innerer "Leser" setzen, deren Zusammenspiel als ein Netz von Interrelationen zu
beschreiben ist. Die Muster dieses Netzes, die schließlich aus den allgemeinen Erzählstrategien des Textes heraustreten, unterscheiden sich insofern von traditionellen morphologischen und point-of-view-Stand-
punkten, als sie auf mögliche kommunikative Funktionen der ganzen
Texteinheit hin gelesen werden.[65] Der Erzähltext ist "kommunizierte
Kommunikation", die sich dem Leser in keiner bestimmten Situation
darbietet; er hat daher die Bedingungen seiner Kommunizierbarkeit
aus sich selbst hervorzubringen.[66] Gerade diese signifikante Unterbrechung der pragmatischen Funktion, in der fiktive Erzähltexte mit der
poetischen Literatur im ganzen übereinstimmen, wird emphatisch als
"Explikation der Bedingungen sprachlicher Kommunikation" über-

haupt interpretiert.[67] Andererseits soll in der pragmatischen Unterbrechung die Voraussetzung dafür liegen, daß der Leser sich seiner eigenen durch Normen angeleiteten Lebenspraxis bewußt wird. Verfremdung im weiten Sinne eines die Aufmerksamkeitsprägnanz des Wahrnehmenden stimulierenden Verfahrens spielt in solchen Konzeptionen keine geringe Rolle. An ihr tritt die erwähnte Unterbrechung in ihr kritisches Stadium, da der Leser sich vom Rezipierenden zum Erkennenden wandeln soll. Identifikation und Reflexion, die als Antworten des Rezipienten auf die affektiven und gestalthaften "Wirkungen" der Erzählung verstanden werden, haben deutlich gemacht, daß der literarische Kommunikationsbegriff über linguistische und soziologische Konnotationen hinausschießt. Linguistische und semantische Analysen, die mit dem Ziel unternommen werden, anhand der komplexen Hierarchie der Erzähltexte deren pragmatische Intention zu rekonstruieren, müssen diesseits der Schwelle zur ästhetischen Interpretation verharren, da ihre Begrifflichkeit die nichtsprachlichen Komponenten literarischer Kommunikation (Assoziation, Sich-an-die-Stelle-des-Andern-Versetzen, Identifikation, Evokation usw.) nicht erreicht.[68] Diese Unzulänglichkeit dem Spezifischen literarischer Kommunikation gegenüber teilen sie indessen mit den älteren erzähltheoretischen Entwürfen.

(2) In der Geschichte der Literatur sind Aussagen über die ästhetischen Momente der literarischen Kommunikation noch am ehesten dort zu finden, wo Schriftsteller und Literaturtheoretiker über ästhetische Erfahrung laut nachgedacht haben. In der Sozialgeschichte älterer Literaturstufen fehlen solche Anhaltspunkte fast völlig. Daher wird der Kommunikationsbegriff in diesem Forschungsbereich in einem soziologisch engeren Sinne gebraucht. Ein weiterer Grund ist nicht zuletzt in der signifikanten Eigenart vormoderner Kulturstufen zu suchen, Kommunikation über solche Symbole zu vermitteln, deren Sinn auf Geltungsgründen ruhte, die sich der Sprache wie der subjektiven Erfahrung entzogen. Unter dem Begriff der "Kommunikationsgemeinschaft" sucht die sozialhistorische Forschung solche sozialen Einheiten – am Hof, in der Stadt – zu fassen, in denen der unauflösliche Zusammenhang von Lebensform und literarischer Praxis dokumentarisch erschließbar ist.[69] Geht man davon aus, daß in der ethnozentrischen Kultur der traditionalen Gesellschaften das einzelne Ich seine physische und psychische Sicherheit nur im Kollektiv der Gruppe fand, dann ist es einleuchtend, wenn es sich in jene Symbolwelt zu fügen suchte, in der Erfahrung und Herkommen aufbewahrt und tradiert wurden. Die Verletzung dieser Welt durch Abweichung und allmähliche Änderung

findet sich in vielen historisch frühen Texten zugleich mit der Wiederherstellung der Ordnung. Die Ankunft in der wiederhergestellten Ordnung ließ den damaligen Leser, meist ein Zuhörer, erfahren, daß das Verlassen der Kommunikationsgemeinschaft von Vernichtung bedroht war. Aus dem Ernst dieser Erfahrung lassen sich die im Vergleich zur Moderne so ganz anderen Funktionen der mittelalterlichen und spätmittelalterlichen Literatur ableiten. Grob zusammengefaßt konvergieren sie mit Formen des sozialen Lernens und der Bestätigung tradierter Normen, wobei das Soziale im angedeuteten Sinn partikularer, auf Gemeinschaftsdenken bezogener Lebensformen zu verstehen ist. Diese hatten einen familialen und weniger mobilen Zusammenhalt als spätere Formen der Vergesellschaftung. Im Verband von Familie und Gruppe konnte Literatur daher die Aufgaben der Enkulturation, der Bekräftigung des Herkommens, der symbolischen Bestätigung gewachsener Sozialstrukturen und der Abfuhr der den Lebensverband gefährdenden Triebe erfüllen; Aufgaben, die in der Moderne dem Ideologieverdacht verfallen sind, für die alte Gesellschaft aber lebensnotwendig waren.[70] Die Sozialgeschichte der mittelalterlichen Literatur untersucht solche Zusammenhänge, indem sie jene partikularen Öffentlichkeiten literarischer Kommunikation rekonstruiert, in deren Mitte sie die überlieferten Texte in Funktion sieht. Die kommunikationssoziologische Perspektive und die Suche nach dem historischen Zeugniswert der Texte führt leider oft genug zu einer Auflösung des Befremdlichen an den Texten (ihres Mythologischen, ihres substanzialistischen Sprachgebrauchs, ihrer Theologie) in einer unverbindlichen und nicht weiter überprüfbaren pragmatischen Intentionalität.[71] Desiderat bleibt hier nach wie vor eine Geschichte mittelalterlicher Lebensformen aus der Sicht des eine Fremdkultur beobachtenden Ethnologen, der sich nicht scheut, seine eigene kommunikative Erfahrung durch das fremde Muster auf die Probe stellen zu lassen.[72] Schon die rein formalen Bedingungen literarischer Kommunikation (Herstellung, Verbreitung, Vortrag von Manuskripten) im Mittelalter waren so anders beschaffen, daß die Spezifizierung des Kommunikationsbegriffs noch genauer durchzuführen ist, als das in den bisher vorliegenden Untersuchungen geschah.[73]

(3) Die empirische Rezeptionsforschung in ihrer ausgeführtesten Gestalt kennt die Probleme historischen Interpretierens nicht, mit denen es die sozialgeschichtliche Erforschung literarischer Kommunikation zu tun hat. Nach ihrer szientistischen Wendung hat sie diese ganz der Hermeneutik überlassen. Das Schisma zwischen empirischer Methodik

und hermeneutischer Interpretationslehre bezeichnet die radikale Trennung von Rezeption und Interpretation.[74] Rezeptionsforschung soll über die sozialwissenschaftlich angeleitete Erhebung von "Daten" erfolgen, zu denen die nach statistischen Wahrscheinlichkeitsgesetzen ausgezählten Rezipientenäußerungen stilisiert werden. Interpretationen sind nach szientistischem Verständnis solche "theoretisch konstruierten Deutungshypothesen" über den Sinn von Texten, zu deren Validierung die ausgewerteten Rezeptionsdaten beitragen können. Um einen unerwünschten Testbildeffekt der Rezeptionsgegenstände zu vermeiden, hält diese Forschungsrichtung an der Phänomenseite der Texte als der Kontrollinstanz für adäquate Rezipientenäußerungen fest. Es würde zu weit führen, alle Implikationen dieses Programms hier zu erörtern. Mir scheint indessen, daß es die Grenzen der Literaturwissenschaft in Richtung auf eine empirische Sozialwissenschaft überschritten hat, die das, was nach meiner Terminologie "Interpretation" heißt, unter einschränkenden Bedingungen als Indikator des Lesevorganges interpretiert. Die Möglichkeit, mithilfe empirisch ermittelter, nach statistischer Häufigkeit formalisierter Urteilskriterien die Geltungsprüfung von Interpretationen zu verbessern, kann hier nicht prinzipiell infragegestellt werden. Doch geben einige der bereits vorliegenden Forschungsergebnisse Anlaß zur Skepsis. Ihr experimenteller Charakter hat mit der Praxis des Interpretierens auch im gewöhnlichen Sinne des Literaturgesprächs nichts mehr zu tun, da sie mehr oder weniger gut begründete Verfahren der empirischen Verhaltensforschung anwenden.[75] Ihren Fragebögen liegen darüber hinaus Voraussetzungen zugrunde, die – sei es in reflektierter, sei es in unreflektierter Weise – interpretative Vorgriffe aufs Material enthalten, so daß die Trennung von Rezeption und Interpretation schon im Ansatz aufgehoben ist.[76] Beispielsweise geschieht die Wahl eines Textes wie Paul Celans *"Fadensonnen"* als Rezeptionsgegenstand doch unter der Annahme, er sei für sich verständlich und interessiere alle Befragten gleichermaßen. Solche Annahmen liegen aber auch wissenschaftlichen Interpretationen zugrunde, während die "theoretische Konstruktion" des Interpreten die Rechtfertigung des Vorgehens und die Applikation der Auslegungsergebnisse auf Probleme leistet, die dem Text selber nicht mehr angehören. Wer nach der praktischen Relevanz empirischer Rezeptionsforschung Ausschau hält, wird freilich weniger Gefallen an ihrer szientistischen als an ihrer litaraturpädagogischen Variante finden. Als praxisunmittelbare, weil auf teilnehmender Beobachtung beruhende Methodik, kann diese – wie die Arbeiten einer Berliner Forschungsgruppe belegen – durchaus zur Verbesserung der literarischen Kommunikation beitragen.[77] Literarische Kommunikation verstanden im doppelten Sinn der textadäquaten Intentionserfüllung und der vernünftigen Rede über Literatur. Welche der beiden skizzierten Methoden die forschungslogisch fundiertere ist, unterliegt jedoch Geltungsfragen, die nur innerhalb der empirischen Sozialwissenschaft zu beantworten sind und somit die Kompetenz des Literaturwissenschaftlers überschreiten.

Anmerkungen

[1] Rainer Warning (Hrsg.): Rezeptionsästhetik. Theorie und Praxis. München 1975; Wolfgang Iser: Der Akt des Lesens. Theorie ästhetischer Wirkung. München 1976; Hans Dieter Zimmermann: Vom Nutzen der Literatur. Vorbereitende Bemerkungen zu einer Theorie der literarischen Kommunikation. Frankfurt a. M. 1977; Norbert Groeben: Rezeptionsforschung als empirische Literaturwissenschaft. Paradigma – durch Methodendiskussion an Untersuchungsbeispielen. Kronberg/Ts. 1977.

[2] Hans Robert Jauß: Der Leser als Instanz einer neuen Geschichte der Literatur. In: POETICA 7, 1975, S. 333. Ist vorgebildet bei Hans-Georg Gadamer: Wahrheit und Methode. Grundzüge einer philosophischen Hermeneutik. 2. Aufl., Tübingen 1965: Der hermeneutische Zirkel "beschreibt das Verstehen als das Ineinanderspiel der Bewegung der Überlieferung und der Bewegung des Interpreten". (S. 277). Damit kompatibel ist die Auffassung von Jauß, daß Rezeption (Diachronie) und Wirkung (Synchronie) sich komplementär zueinander verhalten. Anders als Gadamer will er diese Komplementarität aber methodisch fruchtbar machen. Zur philosophischen Dialektik von Frage und Antwort vgl. Gadamer a. a. O., S. 344 ff.

[3] In der dritten These von *Literaturgeschichte als Provokation der Literaturwissenschaft*. Konstanz 1967.

[4] Abgedruckt bei Warning 1975, S. 353 ff.

[5] Vgl. das Vorwort zu Hans Robert Jauß: Ästhetische Erfahrung und literarische Hermeneutik. Bd. I: Versuche im Feld der ästhetischen Erfahrung. München 1977.

[6] Hans Robert Jauß: La douceur du foyer. Lyrik des Jahres 1857 als Muster der Vermittlung sozialer Normen. In: Warning 1975, S. 403.

[7] Jauß stützt sich auf die folgenden Abhandlungen: Alfred Schütz: Der sinnhafte Aufbau der sozialen Welt. Eine Einleitung in die verstehende Soziologie (1932). Frankfurt a. M. 1974; Peter L. Berger/Thomas Luckmann: Die gesellschaftliche Konstruktion der Wirklichkeit. Eine Theorie der Wissenssoziologie. Frankfurt a. M. 1969; Alfred Schütz/Thomas Luckmann: Strukturen der Lebenswelt. Neuwied/Darmstadt 1975.

[7a] "Semiotische Analyse" bezieht sich im Unterschied zur immanenten Bedeutungsanalyse (= "semantische Analyse") auf symbolisch vermittelte Interaktionen in ihrer Kontext- und Situationsabhängigkeit. Nach Siegfried J. Schmidt: Text und Bedeutung. Sprachphilosophische Prolegomena zu einer textsemantischen Literaturwissenschaft. In: Ders. (Hrsg.): Text Bedeutung Ästhetik. München 1970, S. 60. Hier auf literarische Texte beschränkt.

[8] Berger/Luckmann 1969, S. 40 f.

[9] a. a. O., S. 42.

[10] Ebd.

[11] In der Bedeutung fiktionaler Einheiten; vgl. u. a. Johannes Anderegg: Fiktion und Kommunikation. Ein Beitrag zur Theorie der Prosa. Göttingen 1973, S. 95 ff.

[12] Jauß, in Warning 1975, S. 407.

[13] a. a. O., S. 412.

[14] Vgl. die terminologische Untersuchung von Rüdiger Lautmann: Wert und Norm. Begriffsanalysen für die Soziologie. Köln/Opladen 1969.

[15] Jauß 1975, S. 412.

[16] Jauß 1977, S. 161 ff.

[17] Jauß 1975, S. 413 und 1977, S. 13.

[18] Jauß 1977, S. 175.

[19] Jauß 1975, S. 413. Zu den mit solchen 'Übersetzungen' verbundenen Problemen vgl. meinen Aufsatz: Fogalomalkotás az irodalomtudományban. In: Helikon 22, 1976, S. 517–544.

[20] Jauß macht dazu einen Vorschlag (1977, S. 175 f.). "Soziale Erfahrung" steht im übrigen für das, was Jauß hin und wieder "pragmatische Erfahrung" nennt.

[21] Schütz 1974, S. 93 ff. Zur weiteren Ausarbeitung dieser Problematik: Richard Grathoff: Ansätze zu einer Theorie sozialen Handelns bei Alfred Schütz. In: Hans Lenk (Hrsg.): Handlungstheorien interdisziplinär IV. Sozialwissenschaftliche Handlungstheorien und spezielle systemwissenschaftliche Ansätze. München 1977, S. 59–78.

[22] Jauß 1975, S. 403.

[23] Diese Schwierigkeit teilt der historische Lebensformen interpretierende Forscher mit dem Ethnologen. Daß ihm das zum Trost gereichen kann, zeigt die phantasievolle Abhandlung von Hans Peter Duerr: Traumzeit. Über die Grenze zwischen Wildnis und Zivilisation. Frankfurt a. M. 1978.

[24] Den Ausdruck "dokumentarische Interpretation" übernehme ich von der Ethnomethodologie, die der Wissenssoziologie nahesteht. Er bezeichnet das Verfahren, sprachliche Äußerungen in ihrer Darstellungsfunktion (= Indexikalität) für formale Strukturen kommunikativen Handelns in Alltagssituationen zu interpretieren. Vgl. Elmar Weingarten/Fritz Sack: Ethnomethodologie. Die methodische Konstruktion der Realität. In:

Weingarten/Sack/Schenkein (Hrsg.): Ethnomethodologie. Beiträge zu einer Soziologie des Alltagshandelns. Frankfurt a. M. 1976, S. 15 f.

[25] Z. B. Anderegg 1973 pass.

[26] Vorschläge zu Lesertypologien bei Harald Weinrich: Für eine Literaturgeschichte des Lesers. In: Ders.: Literatur für Leser. Stuttgart 1971, S. 23 ff. Gunter Grimm: Einführung in die Rezeptionsforschung. In: Ders. (Hrsg.): Literatur und Leser. Theorien und Modelle zur Rezeption literarischer Werke. Stuttgart 1975, S. 75 ff.

[27] Vgl. dazu die sehr differenzierte Methodik in Groeben 1977, S. 70. Groeben trennt scharf zwischen Rezeption und Interpretation (S. 131 ff.), doch sehe ich nicht, wie er unvermittelt von empirisch erhobenen "Rezeptionsdaten" auf das schließen will, was er den "bedeutungskonstituierenden Prozeß der Textkonkretisation" nennt.

[28] An dieser Stelle folgt meine Argumentation weitgehend der Abhandlung von Gisbert Ter-Nedden: Interpretation als fiktive Rezeption. Ein Beitrag zur literaturdidaktischen Kasuistik, dargestellt an Brecht-Interpretationen von Schülern und Studenten. Ersch. 1980 in: Perzeption–Rezeption–Interpretation, hrsg. von H.-G. Soeffner.

[29] Josef König: "Die ästhetische Wirkung ist das, was zu sich kommt oder wird, was es ist, wenn und indem der Mensch sie beschreibt." J. K.: Die Natur der ästhetischen Wirkung. In: Wilhelm Dehn (Hrsg.): Ästhetische Erfahrung und literarisches Lernen. Frankfurt a. M. 1974. S. 79.

[30] Ich denke hier vor allem an den sog. Symbolischen Interaktionismus. Vgl. dazu die Untersuchungen von Erving Goffman (*Interaktionsrituale*, dt. 1971; *Stigma*, dt. 1967) und den Reader: Kommunikation, Interaktion, Identität, hrsg. v.: M. Auwärter/E. Kirsch/K. Schröter. Frankfurt a. M. 1976.

[31] Als institutionalisiertes entspricht es durchaus dem Wittgensteinschen Begriff der "Lebensform", der eine Einheit von Sprachgebrauch, praktischem Verhalten und Welterschließung kennzeichnet; vgl. Karl Otto Apel: Die Frage nach dem Sinnkriterium der Sprache und die Hermeneutik. In: Weltgespräch 4, Welterfahrung in der Sprache, 1. Folge, 1968, S. 9–28. – Natürlich sind die sozialen Bedingungen variabel, unter denen das Sprachspiel realisiert wird, z. B. im Literaturunterricht, im Seminar, in der Diskussion anschließend an die Autorenlesung, im privaten Lesezirkel.

[32] An diesem Kriterium halten auch empirische Rezeptionsforscher fest. Vgl. z. B. Groeben 1977, S. 136 ff. und H. Eggert/H. C. Berg/M. Rutschky: Die im Text versteckten Schüler. Probleme einer Rezeptionsforschung in praktischer Absicht. In: Grimm 1975, S. 272–294.

[33] Fr. D. E. Schleiermacher: Hermeneutik. Hrsg. v. H. Kimmerle. Heidelberg 1959, S. 141.

[34] Vgl. Manfred Frank: Das individuelle Allgemeine. Textstrukturierung und -interpretation nach Schleiermacher. Frankfurt a. M. 1977, S. 351.

35 Vgl. Walter Rüegg: Das antike Vorbild im Mittelalter und Humanismus. In: Agora 12, 1959, S. 11 ff.

36 Novalis: zit. nach Frank 1977, S. 357.

37 Marcel Proust: Auf der Suche nach der verlorenen Zeit (Dt. von E. Rechel-Mertens). Frankfurt a. M. 1974, Bd. 13, S. 329.

38 Paul Ricœur: Die Schrift als Problem der Literaturkritik und der philosophischen Hermeneutik. In: Jörg Zimmermann (Hrsg.): Sprache und Welterfahrung. München 1978, S. 71.

39 H. D. Zimmermann (1977) erörtert dies in dem weiten Rahmen eines Erwerbs kultureller Kompetenz. Aufschlußreich für die Schwierigkeiten einer besonderen, auf den Umgang mit literarischen Texten bezogenen Kompetenz sind nach wie vor die Untersuchungen, die I. A. Richards an Leserkommentaren über 13 verschiedene Gedichte durchgeführt hat: Practical Criticism. A Study of Literary Judgment (1929). London 1973.

40 Rolf Engelsing hat sozialgeschichtlich zwischen den Idealtypen des "intensiven" und "extensiven Lesens" unterschieden, deren Auftreten in etwa mit den Lebensformen traditionaler und moderner Gesellschaften zusammengeht. R. E.: Die Perioden der Lesergeschichte in der Neuzeit. In: Ders.: Zur Sozialgeschichte deutscher Mittel- und Unterschichten. Göttingen 1973.

41 Zum Verlust der "Autorität des Buches" vgl. Engelsing a. a. O., S. 136 ff.

42 Nach einer Untersuchung Gisbert Ter-Neddens: *Lessings Philotas als moderner Ajas* (Ms.) gilt das auch für Dramaturgie und Dramenproduktion.

43 Zur wissenschaftstheoretischen Kritik dieser Konfundierung vgl. Groeben 1977, S. 39 ff.

44 Jauß beruft sich für die besondere Art der Vermittlung praktischer Normen durch ästhetische Erfahrung auf Kant (1977, S. 22 f.). Iser behauptet, daß fiktionale Erzählungen durch Umstrukturierungen des der Lebenswelt entnommenen Materials, die in diesem enthaltenen Normen für den Leser in ein problematisches Licht rücken (1976, S. 122 ff.). Dietrich Krusche: Kommunikation im Erzähltext. München 1978, erweitert dieses Konzept zu einer Analyse "gestörter Kommunikation" und entsprechender Normenunsicherheit in deutschsprachigen Erzähltexten am Beginn unseres Jahrhunderts.

45 Roman Ingarden: Das literarische Kunstwerk. Halle 1931. Ders.: Vom Erkennen des literarischen Kunstwerks. Darmstadt 1968. Ders.: Erlebnis, Kunstwerk und Wert. Vorträge zur Ästhetik 1937–1967. Darmstadt 1969.

46 Nach Iser zeigt Lesen "die Struktur der Erfahrung"; deshalb kann die Erfahrung des Lesers von der im Roman dargestellten anderen Erfahrung infragegestellt werden (1976, S. 215 ff.).

47 Vgl. z. B. Ingardens Analysen der Werkkonkretisation unter dem Aspekt der Zeitperspektive (1968, S. 95 ff.) mit Isers *Phänomenologie des Lesens*

(1976, S. 175 ff.). Freilich beschränkt sich Iser auf die Romanlektüre, während Ingarden literarisches Lesen überhaupt zu beschreiben sucht.

[48] Hermann Kinders Kritik an einer "transzendentalen" Bedingung der Konkretisation scheint mir auf einem Mißverständnis zu beruhen, an dem Isers Begriffsreichtum nicht ganz unschuldig ist, ein Reichtum, den er wohl selber eher in "explorativer" denn "systematischer" Absicht zustandekommen ließ (vgl. seine Bemerkung zur psychoanalytischen Begrifflichkeit: 1976, S. 67). H. Kinder: Transzendentales Standbein gegen historisches Spielbein: noch unentschieden. In: Rezeptionsgeschichte oder Wirkungsästhetik. Konstanzer Beitr. zur Praxis der Literaturgeschichtsschreibung, hrsg. v. H.-D. Weber. Stuttgart 1978, S. 178.

[49] Iser a. a. O., S. 62 f.

[50] Iser a. a. O., S. 63.

[51] Iser a. a. O., S. 42.

[52] Auch in diesem Punkt stimmt Isers Konzept noch mit den Konstitutionsanalysen von Alltagserfahrung überein, wie sie die Wissenssoziologie vorgelegt hat. Vgl. z. B. den Plan von Alfred Schütz zu einer "Philosophie der Leerstelle" in: A. Sch.: Das Problem der Relevanz. Frankfurt a. M. 1971, S. 227 ff. Man ist versucht, der literarischen Leerstellentheorie Stanislav Lems *Vollkommene Leere* (1973) als Gegenstand zu empfehlen.

[53] Edmund Husserl: Logische Untersuchungen. 2. Bd.: Untersuchungen zur Phänomenologie und Theorie der Erkenntnis, 1. Teil. 5. Aufl., Tübingen 1968, S. 32 ff. (hier auch über Ausdrücke "in kommunikativer Funktion").

[54] Lothar Eley: Sprache als Sprechakt. Die phänomenologische Theorie der Bedeutungsintention und -erfüllung und die sprachphilosophische Theorie der Sprechakte (J. R. Searle). In: Aspekte und Probleme der Sprachphilosophie, hrsg. v. J. Simon. Freiburg/München 1974, S. 180.

[55] Ricœur 1978, S. 72.

[56] Zu einem raschen Vergleich mit Verfahren des Symbolischen Interaktionismus bietet sich z. B. die Untersuchung von Ralph H. Turner an: Rollenübernahme: Prozeß versus Konformität. In: Auwärter et. al 1976, S. 115–139.

[57] Iser 1976, S. 218.

[58] Ebd.

[59] Eben diese Konsequenz zieht Eckhard Lobsien: Der Alltag des Ulysses. Die Vermittlung von ästhetischer und lebensweltlicher Erfahrung. Stuttgart 1978. Er setzt fort, was Iser bereits an anderm Ort demonstriert hat; vgl. W. I.: Der Archetyp als Leerform. Erzählmodalitäten und Kommunikation in Joyces *Ulysses*. In: Ders.: Der implizite Leser. München 1972, S. 300 ff.

[60] Marcel Proust: Auf der Suche nach der verlorenen Zeit. Frankfurt a. M. 1974, Bd. 1, S. 115 f.

[61] Proust a. a. O., S. 117 f.

[62] Jauß 1977, S. 212 ff. Identifikation als Sich-Versetzen an die Stelle des

andern wird von der Anthropologie als der einzige Weg betrachtet, sich
selbst zum Gegenstand zu werden. Vgl. Arnold Gehlen: Der Mensch.
Seine Natur und seine Stellung in der Welt. 11. Aufl., Wiesbaden 1976,
S. 318 ff.

[63] S. dazu Ter-Nedden 1980.

[64] Vgl. die Belege bei Herbert Grabes: Fiktion–Realismus–Ästhetik. Woran
erkennt der Leser Literatur? In: Ders. (Hrsg.): Text–Leser–Bedeutung.
Untersuchungen zur Interaktion von Text und Leser. Grossen–Linden
1977, S. 61–82.

[65] Vgl. etwa die Modelle von Anderegg 1973; Dieter Janik: Die Kommunikationsstruktur des Erzählwerks. Ein semiologisches Modell. Beben-
hausen 1973; eine Anwendung bei Hanspeter Brode: Die Zeitgeschichte
in der "Blechtrommel" von Günter Grass. Entwurf eines textinternen
Kommunikationsmodells. In: Günter Grass. Ein Materialienbuch. Hrsg.
v. R. Geißler, Darmstadt/Neuwied 1976, S. 86–114; Krusche 1978; Dietrich Weber: Theorie der analytischen Erzählung. München 1975.

[66] Janik a. a. O., S. 12; Anderegg a. a. O., S. 36.

[67] Zu den strukturellen Voraussetzungen der Entpragmatisierung vgl. Iser
1976, S. 284 ff. Das Zitat aus: Horst Turk: Dialektische Literaturwissenschaft. Zur kommunikationssoziologischen Begründung einer allgemeinen
Texttheorie. In: Historizität in Sprach- und Literaturwissenschaft. Hrsg.
v. W. Müller-Seidel. München 1974, S. 242.

[68] Vgl. z. B. Elisabeth Gülich: Ansätze zu einer kommunikationsorientierten
Erzähltextanalyse. In: Erzählforschung 1. Hrsg. v. W. Haubrichs. LiLi
Beiheft 4. 1976, S. 224–256; Hilmar Kallweit: Transformation des Textverständnisses. Überlegungen zu einer 'pragmatischen' Theorie von Erzähltexten. Heidelberg 1978.

[69] Für die sozialhistorische Forschung fruchtbar gemacht hat das in der trans-
zendentalpragmatischen Hermeneutik (K. O. Apel) zentrale Konzept der
"Kommunikationsgemeinschaft" m. W. als erster Gert Kaiser: Textaus-
legung und gesellschaftliche Selbstdeutung. Aspekte einer sozialgeschicht-
lichen Interpretation von Hartmanns Artusepen. Frankfurt a. M. 1973.

[70] Fast gleichzeitig, doch unabhängig voneinander, entstanden in Heidelberg
zwei umfangreiche Studien, die sinnfällig machen, welche Bedeutung
"Herkommen" für die Funktionen traditioneller Literatur und die sich
davon lösende moderne Dichtung hat: Jan-Dirk Müller: 'Gedechtnus'.
Studien zur Funktion des Ruhmeswerks Maximilians I., Gotthardt Früh-
sorge: Herkommen und Weggehen. Tradition und Krise des "ganzen
Hauses" als Entstehungsfaktor von Dichtungen des jungen Goethe. Beide
erscheinen demnächst.

[71] Aufschlußreich für das dadurch hervorgerufene Schwanken zwischen We-
sensbestimmung und Funktionsbestimmung Wolfgang Haubrichs: Grund
und Hintergrund in der Kreuzzugsdichtung. Argumentationsstruktur und
politische Intentionen in Walthers 'Elegie' und 'Palästinalied'. In: H.

Rupp (Hrsg.): Philologie und Geschichtswissenschaft. Demonstrationen literarischer Texte des Mittelalters. Heidelberg 1977, S. 12–62.

[72] Materialien dazu bei Arno Borst: Lebensformen im Mittelalter. Frankfurt/Berlin 1973. Vgl. vor allem die wegweisenden Vorschläge von H. R. Jauß: Alterität und Modernität der mittelalterlichen Literatur. Gesammelte Aufsätze 1956–1976, München 1977.

[73] Vgl. die interessanten Anmerkungen bei Jan-Dirk Müller: Melusine in Bern. Zum Problem der "Verbürgerlichung" höfischer Epik im 15. Jahrhundert. In: Literatur, Publikum, historischer Kontext. Beiträge zur Älteren Deutschen Literaturgeschichte 1. 1977, S. 71 ff.

[74] Ich referiere hier in sehr verkürzter Weise Groeben 1977.

[75] Vgl. das Kapitel "Methodik" bei Groeben a. a. O., S. 70 ff. Dort werden die einzelnen Verfahren gut gegeneinander abgewogen.

[76] Vgl. z. B. W. Bauer et al.: Text und Rezeption. Wirkungsanalyse zeitgenössischer Lyrik am Beispiel des Gedichtes "Fadensonnen" von Paul Celan. Frankfurt a. M. 1972, S. 224 f.

[77] H. Eggert/H. C. Berg/M. Rutschky u. a.: Schüler im Literaturunterricht. Ein Erfahrungsbericht. Köln 1975.

Franz Hebel

Literatur als Institution und als Prozeß

1. Linguistische und poetische Kompetenz

Der Unterricht in einer Sprache hat im wesentlichen drei Aufgaben: Er
dient der praktischen Übung der Sprache, erleichtert die Verständigung
über Sprache und Sprachgebrauch dadurch, daß der "Bau" der Sprache
und die Regeln der Sprachverwendung beschrieben und erklärt werden,
schließlich führt er in die jeweilige Literatur ein. Diese dreifache Aufgabenstellung gilt für den muttersprachlichen Unterricht und für den
fremdsprachlichen Unterricht, wenn auch die Gewichte jeweils verschieden verteilt sein müssen.

Das allgemeine Ziel dieser drei Aufgabenbereiche: Erweiterung der
Kommunikationsfähigkeit, hat verschiedene theoretische Voraussetzungen. Was die praktischen Sprachübungen und die Erweiterung der
Fähigkeit zu metasprachlicher Kommunikation in einem wie immer
gearteten Sprachlehre-Unterricht angeht, können wir von der Sprachfähigkeit (competence, langage) des natürlichen Sprechers ausgehen, die
er in seiner ersten Sprache, in seiner Muttersprache, mit dem Erwerb
von deren System realisiert (langue). In Abhängigkeit von seiner alltagsweltlichen Lebenspraxis geschieht dies zwar in einer Spezifik, die
regional- oder schichtbezogen sein kann. Innerhalb davon verwirklicht
er seine Sprachfähigkeit aber in dem Sinne ganz, daß er lernt, in ihr
mit einem beschränkten Satz von Regeln und einer offenen Liste sprachlicher Einheiten prinzipiell unbeschränkt viele Sätze zu bilden und zu
verstehen. Dieses Theorem betrifft nicht die tatsächliche Sprachpraxis
beliebiger Sprecher in konkreten Situationen. Für diese sind vielmehr
Bedingungen physischer, psychischer, sozialer Art bedeutsam, die die
empirische Ausdrucksfähigkeit des Sprechers in seiner Sprache, seine
Sprachkapazität beeinflussen, wie sie sich dann in seinem Sprechen
(performance, parole) äußert.[1] Bei der sprachlichen Kompetenz handelt es sich um eine kategoriale Grundfähigkeit jedes (gesunden) Menschen, bei der Sprachkapazität um den individuellen oder gruppenspezifischen Verfügungsgrad der Sprecher über ihre Sprache.

Für den Bereich des Literaturunterrichts sind die theoretischen Voraussetzungen weniger gesichert. Manfred Bierwisch hat versucht, in Parallele zu dem linguistischen Kompetenz/Performanz-Modell solche zu entwickeln. "Der eigentliche Gegenstand der Poetik sind die besonderen Regularitäten, die sich in literarischen Texten niederschlagen und deren spezifische Wirkung bestimmen, und damit letzten Endes die menschliche Fähigkeit, solche Strukturen zu produzieren und ihre Wirkung zu verstehen, also etwas, was man poetische Kompetenz nennen könnte."[2]

Bei strikter Übernahme des linguistischen Modells zur Beantwortung der Frage, wie Produktion und Verstehen poetischer Texte erklärt werden können, müßte plausibel zu machen sein, daß die poetische Kompetenz gleichrangig neben der linguistischen zu sehen ist. Abweichungen auf der Performanz-Ebene, auf der wir die individuellen und gruppenspezifischen poetischen Kapazitätsunterschiede erkennen, müßten dann allein aus kontingenten Situationsbedingungen bei der Verwirklichung der poetischen Kompetenz erklärt werden, nicht aus Unterschieden der Kompetenz selbst, immer gesunde Träger dieser Kompetenz wie bei der Sprachlichen vorausgesetzt. Eine solche Auffassung erscheint aber Bierwisch selbst fragwürdig. Mit ihm nehmen wir an, "daß jeder einzelne Sprecher im Besitz einer kompletten Grammatik ist und folglich bei richtiger Fragestellung stets zutreffend über die Grammatikalität entscheidet – wäre es nicht so, könnte er am Kommunikationsprozeß nicht voll teilnehmen –, während die poetische Kompetenz zweifellos unterschiedlich ausgeprägt ist. Mindestens gilt das für alle differenzierteren Gesellschaften."[3]

Der Kompetenz-Begriff wird unscharf, wenn man ihn für die Poetik in Anspruch nimmt. Es liegt nahe, auf den Begriff der "Kapazität" zurückzugreifen, und zwar in dem eben erläuterten Sinne, daß er nämlich einen individuellen und/oder gruppenspezifischen Grad der Fähigkeit bedeutet, in dem die Sprecher fähig sind, poetische Texte zu produzieren bzw. zu verstehen. Eine solche Unterscheidung der sprachlichen von der poetischen Kompetenz entspricht den Selbst- und Fremderfahrungen, die wir machen. Unsere umfassende soziale Kompetenz schließt Fähigkeiten verschiedener Art und unterschiedlichen Status ein, die wir als grundlegende und als aufbauende voneinander unterscheiden können. Für die Teilnahme am Kommunikationsprozeß ist die sprachliche Kompetenz grundlegend, die poetische Kapazität aufbauend. Nicht nur in dem Sinne, daß die zweite notwendig auf der ersten aufbaut; sondern es gilt auch für poetische Texte, was für Texte anderer Art, z. B. wissenschaftliche, zutrifft. Sie stellen eine spezialisierte

Weise des Wirklichkeitsaufbaus und der Wirklichkeitsvermittlung dar
und teilen deshalb ein Problem mit Ergebnissen anderer spezialisierter
Tätigkeiten: ihre sinnstiftenden Aussagen können und müssen "übersetzt" werden, wenn sie den einheitsstiftenden Sinngebungsprozessen
der Gesellschaft zugute kommen sollen. (Das Besondere der "Übersetzung" poetischer Texte, d. h. die Eigenart von Interpretation also, soll
aus diesem Betrachtungszusammenhang ausgeklammert bleiben.)[3a]

2. Handlung als Ergebnis (Institution) und Handlung als Geschehen (Prozeß)

Die bisherige unterscheidende Betrachtung von sprachlicher und poetischer Kompetenz bzw. Kapazität bringt aber die Gefahr eines Mißver-
ständnisses mit sich, das vermieden werden muß. Es besteht darin, daß
bis jetzt die poetische Kapazität nur in einer sehr eingeschränkten und
einschränkenden Weise als die Fähigkeit verstanden wurde, eine bestimmte Art von Texten – und zwar nur von Texten! – zu entschlüs-
seln. Die Regeln, denen der Handelnde folgt, werden dabei (z. B. von
Bierwisch bei seiner Fassung der poetischen Kompetenz) als Regeln gesehen, die außerhalb der entsprechenden Handlung gegeben sind und
in den Entschlüsselungen angewandt werden. Schon der Begriff der
Entschlüsselung legt das Mißverständnis nahe, daß es hier ein Schloß
und dort einen Schlüssel dafür gebe. Um den Unterschied zu dieser
Auffassung hervorzuheben, sprechen wir im folgenden nicht von poetischer Kompetenz, sondern von literarischer Kompetenz und verstehen
sie als einen Aspekt der sozialen Kompetenz. Sie drückt sich nicht einfach in poetischen Kapazitäten aus, sondern es kann eine starke literarische Kompetenz bei schwacher poetischer Kapazität vorliegen, wie
Beispiele von Lesern von Trivialliteratur zeigen können. Wir verstehen
die literarische Kompetenz, wie gesagt, als Aspekt der sozialen Kompetenz, die uns befähigt, "unser Verhalten und das anderer als Ereignis in
einer sozialen Ordnung erkennbar"[4] zu machen. Der von Bierwisch
mit dem Begriff der poetischen Kompetenz sozusagen "institutionalisiert" gefaßte Regelapparat[5] darf (im Unterschied zu de Saussure und
zu Bierwisch, der hier in seinem Gefolge steht) nicht unabhängig von
den Interaktionsprozessen gesehen werden, die er bestimmt und durch
die er bestimmt wird.

Auf den Zusammenhang zwischen poetischer Kapazität und sozialer
Kompetenz habe ich früher schon öfter hingewiesen.[5a] Auch Hubert

Ivo z. B. kommt dem hier Gesagten nahe, wenn er das allgemeine Lernziel des Literaturunterrichts als "Befähigung zur Teilnahme am literarischen Leben" definiert.[5b] Das erfordert, wie er mit Recht darstellt, einen erweiterten Literaturbegriff, weil die sogenannte "zweite Literatur" zum "literarischen Leben" gehört. Und es kann die einseitige Hervorhebung der "Werke" und ihrer Autoren auf Kosten einer Beachtung der Vermittlungs- und Aufnahmeprozesse dem "literarischen Leben" nicht gerecht werden. Man muß sich darüber klar sein, daß es bis heute nur in einzelnen Arbeiten gelungen ist[5c] Literatur in dem Sinne "geschichtlich" zu sehen, wie Walter Benjamin das einmal gefordert hat: "Deren (der Werke, F. H.) gesamter Lebens- und Wirkungskreis hat gleichberechtigt, ja vorwiegend neben ihre Entstehungsgeschichte zu treten; also ihr Schicksal, ihre Aufnahme durch die Zeitgenossen, ihre Übersetzungen, ihr Ruhm. Damit gestaltet sich das Werk im Innern zu einem Mikrokosmos, oder viel mehr: zu einem Mikroaeon. Denn es handelt sich ja nicht darum, die Werke des Schrifttums im Zusammenhang ihrer Zeit darzustellen, sondern in der Zeit, da sie entstanden, die Zeit, die sie erkennt, – das ist die unsere – zur Darstellung zu bringen. Damit wird die Literatur zu einem Organon der Geschichte und sie dazu – nicht das Schrifttum – zum Stoffgebiet der Historie zu machen, ist die Aufgabe der Literaturgeschichte"[5d] – und der Literaturdidaktik, wie im Sinne Benjamins hinzugefügt werden kann.

Es ist kein Zweifel möglich, daß Walter Benjamin Geschichte als Sozialgeschichte versteht. Die soziale Kompetenz erscheint unter solchen Voraussetzungen als literarische, wenn der Leser vermöge seiner poetischen Kapazität einen Text so aufzunehmen vermag, daß er als Aspekt seiner Entstehungsbedingungen erkannt wird, indem der Leser den Sinn des Textes zugleich als Aspekt der eigenen Verstehensbedingungen aufzufassen vermag. Für das Verfahren einer solchen Verstehensleistung gilt, was für die Leistungen auf Grund der sozialen Kompetenz ganz allgemein festzustellen ist: Bei der Darstellung und Erklärung eigenen und fremden Verhaltens als Ereignissen in einer sozialen Welt "ist es von der Erzeugung und Anerkennung solcher Darstellungen abhängig, als was diese Ereignisse sozial und explizit begriffen (oder auch nur aufgenommen) werden. Der Sinn, den die soziale Welt und alle ihre konstitutiven Elemente für die in ihr Lebenden haben, hängt folglich von dieser wichtigen Darstellungsleistung ab. Weiter ist eben diese Darstellungsleistung eine Handlung in eben dem Handlungsfeld, das sie darstellt oder formuliert. Erklärungen (genauer: Erklärungen durch Regeln) organisieren eine Welt, während sie zugleich in eben dieser Welt und auf eben diese Welt wirken."[6] In diesem Sinne verstehen wir Literatur als Handlung. Sie erklärt und stellt eigenes und fremdes Verhalten in spezifischer Weise als Ereignisse in einer sozialen Welt dar. Sie so zu verstehen, hebt den Unterschied von Institution und Prozeß nicht auf, auf den im Titel dieses Beitrags angespielt wird. Er ist in der doppelten Bedeutung des deutschen Wortes Handlung angezeigt: Handlung als Ergebnis und Handlung als Geschehen. Die Darstellungs- und Erklärungsleistung, von der hier die Rede ist, die literarische, ist – wie die alltäglichen Darstellungen und Erklärungen – im jeweiligen Handlungsfeld stets fixiert, als überkommenes Ergebnis gegenwärtig, und im Entstehen begriffen, ist offene Möglichkeit, ist Prozeß. Ein aktuelles Beispiel kann verdeutlichen, wie Handlung als Ergebnis und Handlung als Geschehen aufeinander einwirken und daß sie nicht getrennt werden dürfen.

In den "Mitteilungen des Deutschen Germanistenverbandes"[7] erschien als Antwort auf den Vorabdruck eines Teils der Rede Hans Magnus Enzensbergers auf dem internationalen Deutschlehrer-Kongreß in Cherry Hill eine Glosse mit dem Titel: "Hans Magnus Enzensbergers trampelnde Hornochsen" von W. K. Der Titel bezieht sich auf den Vorwurf Enzensbergers gegenüber den "Einheitlichen Prüfungsanforderungen in der Abiturprüfung, Deutsch", die die Konferenz der Kultusminister herausgegeben hat[8]: "Das einzige Geräusch, das ich in den zitierten Sätzen wahrnehmen kann, ist das Getrampel von Hornochsen".[9] Der Glossist der "Mitteilungen" schreibt u. a.: "An sich sollte der betroffene Deutschlehrer Enzensbergers Hornochsen liegen lassen, wo sie zuerst gebrüllt haben, in Nr. 215 der 'Frankfurter Allgemeinen Zeitung' vom 25. September 1976. Es wäre auch kein Grund, auf Enzensbergers weitschweifiges Pamphlet nur einzugehen, weil es im III. Programm des NDR am 27. Oktober 1976 beflissen zitiert und gelobt wurde. Denn das langweilige Statement zwischen Literaturprofessoren dort und Literaturdidaktikern hier wurde so öde und voreingenommen moderiert wie tausend ähnliche Sendungen, die mehr über die Leute aussagen, die da angestrengt sitzen, als über die Sache selbst. So qualifizierte z. B. ein naßforscher Moderator den Literaturwissenschaftler Prof. Müller-Seidel sofort als 'konservativ' ab, bevor dieser etwas sagen durfte und so vielleicht dem aufmerksamen Zuschauer selbst Gelegenheit gegeben hätte, die Position des Befragten zu erkennen und zu problematisieren. Aber die medialen Meinungsverwalter der öffentlich-rechtlichen Anstalten sind längst Meinungsmacher geworden, die nicht die Sache liefern, an der sich öffentliche Meinung bilden soll, sondern mit der Sache mitveröffentlichen, wie man über sie zu denken hat."[10]

Der Streit geht um Literatur, d. h. hier: wie literarische Werke innerhalb der deutschen Kultur in bestimmten Handlungsfeldern zur Geltung kommen sollen. Das Handlungsfeld, um das es geht, ist die Schule. Enzensberger erklärt das Verhalten der Lehrer, die Literatur auf mögliche Prüfungen hin mit Schülern interpretieren als "Ereignis in einer sozialen Ordnung", durch das Literatur als Mittel zur Auslese für begehrte Studienplätze benutzt wird; die soziale Ordnung, in der das geschieht, als eine, die die Freiheit des Lesers mißachtet. In Enzensbergers übertreibender Darstellung: "Die Lektüre ist ein anarchischer Akt. Die Interpretation, besonders die einzige richtige, ist dazu da, diesen Akt zu vereiteln. Ihr Gestus ist demzufolge stets autoritär ... Hinter dem Ritual der Interpretation steht immer ein anderes, das der Prüfung, und zwar einer Prüfung, die über das Leben der Schülerinnen und Schüler insofern entscheidet, als sie den Zugang zu den Hochschulen und damit zu vielen Berufen regelt."[11] Der Glossist der "Mitteilungen" weist auf die Interpretationen hin, die der junge Enzensberger selbst verfaßt hat, z. B. die Brentano-Interpretation in seiner Dissertation. Offenbar will er ihm einen Selbst-Widerspruch nachweisen. Nach einem Hinweis auf Friedrich Schlegels Kritik an Wackenroder, man dürfe nicht handeln, "als ob 'Potztausend das beste Kunsturteil über das würdigste Werk' wäre",[12] formuliert er seine Gegenposition: "Da der Lehrer in der Schule arbeitet und diese nach dem Grundgesetz eine Institution des Staates ist, hat sich der Lehrer durchgehend sachlicher und politischer Kritik zu stellen. Er darf sich aber auch wehren, wenn Informationsmangel oder Vorurteile die Fakten verfälschen. Denn nach Enzensberger und anderen Kritikern der Reformdiskussion im Deutschunterricht sollte man dort nur zwei Haltungen des Publikums zulassen, wenn es um Literatur geht:

1. Man kümmert sich nicht um sie oder verhält sich in 'anarchistischer' Beliebigkeit.

2. Man nimmt sie bewundernd zur Kenntnis im Sinne von Schlegels ironischem "Potztausend"[13].

Beide Texte, die Rede Enzensbergers und die Glosse in den "Mitteilungen" sind Gebrauchstexte, beide sind institutions- und rollengebunden. Enzensberger spricht als Poet und Kritiker, W. K. als Lehrer und Glossist. Enzensberger als Gast der internationalen Deutschlehrer-Vereinigung, W. K. als Vereinsmitglied in der eigenen Vereinszeitschrift.

Enzensberger als "Persönlichkeit des öffentlichen Lebens", Schriftsteller, Herausgeber, Redner auch auf politischen Veranstaltungen. W. K.
als Lehrer, der als Beamter in einem besonderen Rechtsverhältnis zum
Staat steht. Enzensberger in kritischem Angriff, sich beziehend auf entsprechende Kritik einer Schriftstellerin, Susan Sontags, W. K. in ab-
wehrender Gegenkritik, sich berufend auf das Grundgesetz. Beide beurteilen Literatur nicht nur verschieden, sondern beide erzeugen auch
verschiedene Literatur. Mit anderen Worten: indem sie ihr Verhalten
als verschiedene Ereignisse in einer sozialen Ordnung erkennbar machen,
zeigen sie, wie sie Literatur verschieden beurteilen. Es kommt in
diesem Zusammenhang nicht nur auf die sehr interessanten Unterschiede der Inhalte an, sondern auch, und hier vor allem, darauf, daß institutionelle Bedingungen verfestigte Erwartungen sind, welches Rollen-
verhalten der jeweilige Positionsinhaber einnehmen oder nicht einnehmen soll. Das "Anarchische" an Enzensbergers Auffassung besteht darin, daß er den Literaturunterricht in der Institution Schule in Handlungen (als Prozeß) zurückgenommen sehen will, so daß "autoritäre"
Interpretation unterbleibt, weil sie in Handlungen als Ergebnis (Institutionen wie Schule) nicht mehr erzwungen werden können. W. K. beruft sich demgegenüber "pragmatisch" auf einen Autor, der seine Rolle
als die eines "poeta doctus" verstand, wie Enzensberger früher auch,
auf Gottfried Benn nämlich – also nicht auf Brecht! –; und auf das
Recht der kleinen Schritte; und auf das Grundgesetz, durch das er offenbar auf die äußersten institutionellen Bedingungen von Schule an-
spielen will. Was ich "pragmatisch" genannt habe, formuliert W. K.
so: "Es ist richtig, auf Irrtümer mit Nachdruck hinzuweisen, andererseits kann jeder Weg zu richtigen Entscheidungen im allgemeinen nur
über vorläufige Lösungen und im Überwinden von Irrtümern führen."[14] Institutionelle Position und die zugeordnete Rolle beeinflussen die Gesellschaftsmitglieder darin, als was Ereignisse sozial und explizit begriffen werden. Handlung als Ergebnis beeinflußt Handlung
als Prozeß und umgekehrt.

Literatur in dem Sinne, wie man z. B. von der deutschen Literatur
der Gegenwart sprechen kann, ist Handlung als Ergebnis und als Prozeß. Wie aber können wir die Positionen und Rollen Enzensbergers
und W. K.'s in diesem Zusammenhang klarer bestimmen?

Helmut Kreuzer[15] stellt die Literatur in der Bundesrepublik
Deutschland als Produkt eines Systemzusammenhangs dar, ähnlich üb-
rigens wie lange vor ihm schon Norbert Fügen.[16] Wir folgen hier der
Darstellung Helmut Kreuzers.

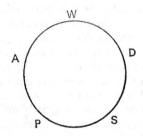

"Das Werk (W) eines Autors (A) kann in die Literatur eingehen, wenn es den Distributionsapparat (D) zu passieren vermag, d. h. wenn ein Lektor, Verleger, Produzent, Redakteur usw. sich seiner annimmt und es über ein Distributionsmedium (Fernsehen, Buchhandel, Radio usw.) vor die Öffentlichkeit (S und P) bringt. Literatur ist bei uns veröffentlichte Literatur. Das Veröffentlichte ist bei uns aber erst potentiell Literatur. Was der Sichtungsapparat (S) überhaupt nicht erfaßt, d. h. was weder von der Literaturkritik (einschließlich Theater-, Film- und Fernsehkritik) noch von der Literaturwissenschaft (an Schule und Universität) bemerkt und öffentlich besprochen wird, hat keine Chance, als Literatur zu gelten. ... Das Publikum (P) spielt für die literarische Geltung erst dann eine Rolle, wenn seine Rezeption in irgendeiner Form auf S zurückwirkt."[17]

Das Schema Kreuzers ist trotz – vielleicht wegen? – seiner Einfachheit geeignet, für verschiedene Probleme den Zugang zu eröffnen. So kann es dazu benutzt werden, durch synchron-interkulturellen Vergleich die einzelnen Positionen darin genauer zu erklären, indem man z. B. die Verteilungs- und Sichtungsinstanzen und -verfahren in der DDR und in der Bundesrepublik Deutschland betrachtet, oder die Entscheidungen für die Inhalte des Literaturunterrichts in französischen, englischen und deutschen Schulen usf. Ebenso erhellend kann der intrakulturelle-diachronische Vergleich sein, wie ihn Kreuzer in einer Anmerkung für den Autor (A) andeutet:

"Unter dem Autor ist für das 20. Jahrhundert nicht mehr nur der einzelne zu verstehen, der ein Werk in Buchform vorlegt. Es mag genügen, zum Beleg an den Film zu erinnern, als dessen Autor in der Regel eine kooperative Gruppe mit unterscheidbaren Tätigkeiten anzusetzen ist, oder an die Urheber der fixierten oder improvisierten Texte verschiedenartigster Fernsehsendungen – wie Reportagen, Diskussionen, Shows, Spielfolgen und sonstige Unterhaltungsserien. Aber bereits der

Publizist älterer Epochen, der für Zeitungen und Zeitschriften schreibt, sprengt den am Buch orientierten traditionellen Autorbegriff."[18] Dadurch wird auch die Beziehung des "Autors" (was immer das dann bedeutet) zum Publikum berührt. Indem dieser sich auf das Publikum einstellt, um z. B. beim Film die immensen Investitionen amortisieren und Gewinn machen zu können, nimmt er seine Rolle in neuer, kaum vergleichbarer Weise wahr. Dabei wird, wenn man dem Bericht Elia Kazans folgt, so gearbeitet: "Ein 'Original'-Stoff ... (ein Roman, ein Theaterstück, eine Story-Idee) wurde angekauft. Damit erwarb das Studio (der "Autor" des Films, falls man den Begriff überhaupt noch gebrauchen sollte, F. H.) Material und entledigte sich gleichzeitig eines möglichen Unruhestifters, des 'Original-Autors'. ... Der 'Original-Stoff' wurde dann einem 'Strukturmann' ... gegeben. ... er sollte das Material in genießbare Form und Länge bringen, es verdrehen, bis es auf die Stars paßte ... Zu diesen (Teilen) gehörten: durch den Code verbotene Teile; andere Teile, die bestimmte Zuschauergruppen in der Welt verletzen könnten; nicht unterhaltsame Teile, also unglücklicher Ausgang ... Es gab ein Wort für alles, was unter den Tisch fiel: das Wort 'ausgefallen' ('offbeat'). Es galt wirklich für alles, was bisher noch nicht versucht, was noch nicht, um in der Sprache der Marktforscher zu sprechen, auf Anmutung getestet worden war. ... Der 'Dialogmann' ... begann daraufhin seine Arbeit. ... Nach dem Mann, der das Dialogisieren besorgte, kam oft der 'Politurmann'. ... Sein Auftrag konnte unter Umständen sehr einfach sein, also etwa: 'Bringen Sie dreißig Lacher hinein!'"[18a]

Die Darstellung betrifft die Typik der Produktion von Unterhaltungsfilmen in Hollywood. Die dargestellte Arbeitsteilung gilt aber – mutatis mutandis – für jede (Fernseh-) Filmproduktion; auch, daß die bestätigend vorwegnehmende oder kritisch beeinflussende Absicht dem Publikum gegenüber im team erarbeitet, zumindest bearbeitet werden muß. Demgegenüber sind die Ideologeme des traditionellen Autors (außerhalb der Gebrauchs- und Trivialliteratur) in einer unmittelbareren Weise biographisch vermittelt; das Zweckhafte möglicher Didaxe ist in den von ihm vertretenen Normen (und Brüchen geltender Normen) begründet. (Das war ja, in der Darstellung Kazans das Störende am "Original-Autor"). Die damit verbundenen Risiken hat Jean Paul Sartre am Beispiel der Novelle "Das Schweigen des Meeres" von Vercors dargestellt. Wir folgen ihm hier, weil wir daran sehen können, wie Literatur als Handlung erscheint, betrachtet unter dem besonderen Gesichtspunkt der Beziehung Autor – Publikum.

3. Exkurs: Autor und Publikum in Frankreich 1942: Beispiel Vercors

Bei unbefangener Betrachtung steht im Mittelpunkt des literarischen Lebens die Beziehung Autor-Publikum, wie sie durch das Werk vermittelt ist. Obwohl wir schon jetzt Zweifel anmelden wollen, daß diese Unbefangenheit bis zum Ende trägt, sei doch zunächst diese Beziehung betrachtet. Jean Paul Sartre hat in seiner Schrift "Was ist Literatur?"[19] auf den komplexen Zusammenhang zwischen Autor, Publikum und Werk hingewiesen. Er hat als Beispiel die Novelle *Das Schweigen des Meeres* von Vercors gewählt. "... es ist erstaunlich, daß 'Das Schweigen des Meeres', ein Werk, das von einem der ersten Widerstandskämpfer geschrieben wurde und an dessen Zweck nicht zu deuteln ist, in den Emigranten-Kreisen von New York und London, hier und da auch in Algier, auf Feindschaft stieß und daß man seinen Verfasser sogar der Kollaboration bezichtigt hat. Und das geschah, weil *Vercors* dieses Publikum nicht ins Auge gefaßt hatte."[20]

Im besetzten Frankreich, führt Sartre aus, zweifelte niemand an den Absichten des Autors. Vercors zeichnete in seiner Novelle ein lebendiges und differenziertes Bild von einem deutschen Offizier, das er "aus der Phantasie heraus"[21] gestaltete, denn er hatte jeden Kontakt mit der deutschen Besatzungsmacht abgelehnt. "Es geschieht also nicht im Namen der *Wahrheit*, wenn man diese Bilder denen vorziehen soll, die die angelsächsische Propaganda uns tagtäglich einhämmerte. Aber für einen Franzosen der Hauptstadt war *Vercors'* Roman im Jahre 1941 außerordentlich *wirksam*. Ist der Feind durch eine Feuerlinie von einem getrennt, dann muß man ihn *en bloc* als Inkarnation des Bösen verurteilen. ... Es ist also begreiflich, wenn die Zeitungen Englands sich nicht dabei aufhielten, in der deutschen Armee die Spreu vom Weizen zu trennen. Umgekehrt aber lernt es die Bevölkerung in einem besetzten Land im Zusammensein mit ihren Siegern, ... die Sieger wieder als Menschen anzusehen ... und da man sich im großen und ganzen an eine passive Masse wandte, da es noch sehr wenig wichtige Organisationen gab und diese in der Wahl ihrer Mitglieder recht vorsichtig waren, war die einzige Form der Opposition, die man der Bevölkerung empfehlen konnte, Schweigen, Verachtung und ein aufgezwungener Gehorsam, der gleichzeitig zu verstehen gab, daß er aufgezwungen war. So bestimmte *Vercors'* Roman sein Publikum; indem er es bestimmte, bestimmte er sich selbst: er will im Geiste des französischen Bürgertums von 1941 die Wirkungen der Unterredung von Montoire bekämpfen."[22]

Sartre zeigte hier am Beispiel einer Novelle von *Vercors*, wie Publikum und Kritik das Verhalten eines anderen, nämlich die Veröffentlichung der Novelle durch den Autor, "als Ereignis in einer sozialen Ordnung erkennbar" machen. Sartre nahm daran 1942 als Publikum und/oder Kritiker teil; wie, das hat er dargestellt. Er nimmt daran noch heute durch die Äußerungen in seinem Essay teil; heute verschieden von seinem Verhalten damals insofern, als er jetzt eindeutig in der Rolle des Kritikers ist und als solcher sein eigenes damaliges Verhalten als "Ereignis in einer sozialen Ordnung" erkennbar macht. Übrigens bestätigt die Art der Verteilung der Novelle das positive politische Urteil Sartres. Die Novelle erschien 1942 anonym in Vercors' eigenem, geheimen Resistance-Verlag "Editions de minuit". Weder diese Erscheinungsweise noch sein Ansehen sicherten aber, wie Sartre berichtet, ein gemeinsames Verständnis des Textes durch französische Patrioten. Dieses Verständnis war vielmehr abhängig von dem Kontext, auf den hin es jeweils die konkrete Situation zu organisieren galt.[23]

4. Kommunikative Rollen: "Meinungsführer", "Pförtner", "Grenzgänger"

Wir erkennen an diesem Beispiel das Wechselspiel zwischen Literatur als Institution und Literatur als Prozeß. Die institutionellen Positionen des Autors, des Publikums, des Kritikers und des Verlegers und die ihnen zugeordneten Rollen sind nicht einfach fixe Größen, die unabhängig vom historischen Handlungsfeld bestehen, sondern die Erwartungen, als die die entsprechenden Rollen beschrieben werden können, die Handlungsabsichten, mit denen die Rolleninhaber auf diese Erwartungen antworten, sind eingebettet in die historisch-gesellschaftlichen Handlungsbedingungen der Beteiligten. Die Konkretionsstufe, bis zu der Sartre seine Analyse treibt, kann oft deshalb nicht erreicht werden, weil uns die notwendigen Informationen fehlen. Daraus kann aber nicht geschlossen werden, daß sich die Beziehung Autor-Publikum-Werk-Verlag nur im Falle guter Informationen so darstellte, wie Sartre sie uns zeigt; vielmehr ist generell anzunehmen, daß für die Beziehung Autor-Publikum und entsprechend für die anderen Positionen und Rolleninhaber in Literatur als Institution und als Prozeß gilt, daß in ihr und durch sie die Beteiligten versuchen, "konkrete Situationen als Aspekte des Kontextes zu organisieren".[23a]

Die Möglichkeit dafür wird immer dann eingeschränkt, wenn institutionelle Bedingungen, ja sogar nur Erinnerungen an sie, den Lese-

prozeß beeinflussen. Eggert, Berg, Rutschky haben das für die Aufnahme von Literatur durch Schüler selbst dann nachweisen können, wenn
das Gespräch über einen literarischen Text außerhalb des Unterrichts
in einem Interview erfolgte. "In unserem Fall wurde er (der Text,
F. H.) zumeist zur Schulaufgabe (obwohl sich die Interviewer bemühten, Ähnlichkeiten mit schulischen Situationen – insbesondere jede Ähn-
lichkeit mit einer Prüfung – zu vermeiden)."[23b] Zur Erklärung führen sie an: "Es ist nicht möglich, von dem konkreten veröffentlichten
Textverständnis ausgehend und den Einfluß von Rollenmustern gleichsam substrahierend, gewissermaßen präsoziale Rezeptionen zu extra-
polieren, etwa zum Vergleich von Dokumenten unterschiedlicher Herkunft, denn die spezifische Interpretation und das Lektüreverhalten
sind institutionell mitgeprägt, was eben als Einschränkung der Kommunikation zwischen Leser und Text analysiert werden muß."[23c]
  Die von Eggert, Berg, Rutschky Interviewten können den Text nur
in dem Rahmen in einen Erfahrensprozeß zurücknehmen, nur in dem
Rahmen sein Verständnis aufbauen, in dem die institutionellen Verstehensbedingungen das zulassen – und zwar nicht nur die unmittelbar
gegenwärtigen. "Konkrete Situationen als Aspekte des Kontexts zu
organisieren", diese Leistung der sozialen Kompetenz, wird in Bezug
auf Literatur – und nicht nur auf sie – dadurch eingeschränkt, daß
die Situationen in ihren institutionellen Bedingungen diese Organisa-
tionsleistung einschränken. Literarische Kompetenz als Aspekt der sozialen besteht darin, die je spezifischen Verstehensdeformationen aufgrund situativ gebundener Institutionsbedingungen zu begreifen und so
die Einschränkungen der poetischen Kapazität als Verstehensbedingungen in das Verstehen aufzunehmen. Zeigt sich nicht in Verballhornun-
gen klassischer Texte ("Wer wagt es, Knappersmann oder Ritt/Zu
steigen in diese Badebütt?") der Widerstand gegen die institutionellen
Einschränkungen der poetischen Kapazität in der Schule an? Das gilt
entsprechend für andere Institutionen. "In diesem Widerstand ist vermutlich die Erfahrung aufgehoben, daß Interpretationsversuche vielfach eben nicht im freiwilligen, gleichrangigen Diskurs, sondern in solchen historisch ausgebildeten, institutionalisierten Situationen unternommen werden, die geprägt sind von der Herrschaft und mit ihr verbundenen Sanktionen."[23d]
  Der Bericht Jean Paul Sartres über die Aufnahme von Vercors' Novelle macht einen Unterschied deutlich, der bei der Aufnahme von Literatur von Bedeutung ist. So sehr der Leser bei der Aufnahme des literarischen Textes auch meint, ganz als einzelner den Text aufzunehmen,

sieht er sich doch oft alleine dem Buch gegenüber, so wenig trifft das zu, wenn wir ihn als Mitglied des Publikums betrachten. Die Leser von Vercors' Novelle in New York und London, auch in Algier, bildeten ein anderes Publikum als die Leser im besetzten Frankreich. Die Gründe dafür, wie Artre sie sieht, wurden bereits erörtert. Dieser verschiedene Aufbau des Literatur-Kontextes, innerhalb dessen der einzelne Leser einen Text aufnimmt, wird durch Personen beeinflußt, die die kommunikative Rolle des "Meinungsführers" einnehmen. Solche Meinungsführer vermitteln zwischen den Systemen der Sekundären Kommunikation und den Primärgruppen im engeren Sinn des Wortes (Familie, Freunde) sowie den Primärgruppen im weiteren Sinne des Wortes (Arbeitskollegen, Nachbarn). Sie zeichnen sich im allgemeinen dadurch aus, daß sie "den Massenkommunikationsmitteln insbesondere ausgesetzt und stärker von ihnen beeinflußt sowie besser informiert"[24] sind als die anderen Mitglieder ihrer Gruppe. Im Handlungsfeld der Massenmedien werden die Beziehungen zwischen den Massenmedien und den Gruppen, deren Zusammenleben durch Vis-à-vis-Kommunikation gekennzeichnet ist, durch folgende Faktoren bestimmt: "1. Der Einfluß von Primärgruppengenossen (spezialisierten Meinungsführern und Prestigepersonen) ist demjenigen der indirekten-sekundären-Kommunikation an Frequenz und Intensität überlegen; 2. Der Einfluß verläuft generell horizontal (innerhalb der Primärgruppe bzw. Quasiprimärgruppe) und im homogenen Milieu (schichtspezifisch); 3. Die gruppenspezifischen Einstellungen können durch indirekte-sekundäre-Kommunikation verstärkt, aber selbst bei überzeugender Argumentation nur ausnahmsweise widerlegt werden; 4. Die spezialisierten Meinungsführer sind insbesondere an sekundärer Kommunikation auf ihrem spezifischen Einflußbereich interessiert."[25]

Welche Rolle "Meinungsführer" zwischen Primärgruppen und Sekundärkommunikation spielten und spielen, lehren uns Autobiographien und ethnographische Darstellungen. Gerade an dieser Rolle auch kann besonders deutlich der Unterschied zwischen mündlich überlieferten und schriftlich überlieferten Literaturen hervortreten. Zum Teil ist diese Rolle auch von der Literaturwissenschaft untersucht worden, wenn es z. B. um die Untersuchung der Lebensgeschichte von Autoren, darin vorkommende Einflüsse, literarische Traditionen usw. geht; auch, wenn der Einfluß von 'Salons', 'Höfen' u. ä. untersucht wurde. Das Interesse galt dann aber der entsprechenden biographischen oder literaturgeschichtlichen Frage, nicht dem hier entwickelten Problem, ob und wie Literatur als Institution und als Prozeß untersucht werden kann.

Die Rolle des Meinungsführers kann in der Institution Literatur an Positionen gebunden sein, die im Bereich dessen liegen, was Kreuzer die Sichtungsinstanzen nennt, was Fügen als "ideelle Vermittler" bezeichnet. Sie wird dann von professionellen Kritikern wahrgenommen, die in den verschiedenen Sub-Institutionen verschiedene Berufe ausüben können, z. B. den des Dramaturgen, des Zeitungskritikers, des Autors, der eine Gruppe leitet (z. B. Gruppe 47) oder der "Meister" eines "Kreises" ist (z. B. George-Kreis). Meist gehören diese professionellen "Meinungsführer" selbst einem System sekundärer Kommunikation an, in dem sie die Institution Literatur, die ja ihrerseits ein sekundäres Kommunikationssystem ist, "vertreten", z. B. als Literaturkritiker in einem Fernsehmagazin.

Eine der wichtigsten Positionen in einem Kommunikationssystem, also auch dem der Literatur, ist die des "Pförtners". Ihr ist die Rolle dessen zugeordnet, der über den Zu- oder Abgang von Informationen verfügt. Je nach Organisation des betreffenden Verteilersystems ist diese Rolle verschieden ausgeprägt. In der politischen Redaktion einer Zeitung wird sie von dem Nachrichtenredakteur eingenommen, also von dem, der darüber entscheidet, welche der eingegangenen Nachrichten in der Zeitung tatsächlich erscheinen. In einem belletristischen Verlag ist es der Lektor, der über Annahme und Ablehnung von Manuskripten entscheidet. In der Schulbürokratie ist eine der Positionen, in denen die Pförtnerrolle wahrgenommen wird, die Zulassungsstelle für Schulbücher, eine andere die Abteilung für Lehrpläne. Selbst Autoren können diese Stelle einnehmen, sie kann sich dann mit der des "Meinungsführers" überschneiden, wenn Autoren nämlich gleichzeitig z. B. beim Rundfunk tätig sind, aber auch wenn sie einer Autorengruppe angehören wie der Gruppe 47 und mit der Entscheidung über die Mitgliedschaft dort zugleich über den Zugang zu Verlagen, Rundfunkanstalten, Zeitschriften usw. entscheiden.

Die Macht, die mit der Pförtnerrolle verbunden ist, trifft oft auf Kritik. Das kann man der Einleitung zu "außerdem, Deutsche Literatur minus Gruppe 47 = wieviel?" von Hans Dollinger entnehmen[26]: "Kein Angriff gegen die Gruppe 47 und auch kein Gedanke an die Vorstellung einer 'Anti'-Gruppe ist die Absicht dieses Bandes, wohl aber der Gedanke, mit dem Maßstab der Qualität ein im In- und Ausland verbreitetes Vorurteil zu beseitigen, wonach die Gruppe 47 und deren Autoren allein repräsentativ für die deutsche Gegenwartsliteratur seien! Gegen dieses Vorurteil haben sich ja selbst die Autoren der Gruppe 47 mehrmals gewandt. Mit Recht, denn dieses Vorurteil

am Leben zu erhalten, wäre töricht. Seine Verbreitung hängt sicher damit zusammen, daß einige wichtige Autoren der Gegenwart – wie etwa
Heinrich Böll, Günter Grass oder Peter Weiss – in dieser Gruppe 47
herangewachsen sind und eine internationale Bedeutung erreicht haben,
die oberflächliche Beobachter mit der Gruppe selbst identifiziert haben."[27]

In seinem "Brief an den Herausgeber" charakterisiert der Gründer
der Gruppe 47, Hans Werner Richter, die Tätigkeit Dollingers für "au
ßerdem" mit Recht als die Wahrnehmung der Pförtner-Rolle, aber im
Interesse anderer Personen (auch anderer Verlage?), als er selbst sie
wahrgenommen hat. Er schreibt da: "... der Anspruch, die Gruppe 47
umfasse die gesamte deutsche Gegenwartsliteratur, ist nie erhoben worden, weder von mir noch von anderen. Die Vorstellung, alle deutschen
Schriftsteller könnten auf einer Tagung der Gruppe 47 versammelt
sein, ist für mich ein Alptraum. Es gibt, wenn die Statistik stimmt, achttausend Schriftsteller in der Bundesrepublik. (1967, F. H.) Selbst wenn
wir beide – Sie und ich – nur jene 'einladen' würden, die wir der Literatur zuzählen, kämen wir auf eine beträchtliche oder auch bedrückende Anzahl."[28] "Der Literatur zuzählen" oder nicht – "einladen"
oder nicht: das ist die Wahrnehmung der Pförtnerrolle. Anthologien
und Verlags-Almanache, Preisverleihungen und andere kanonbildende
Entscheidungen im In- und Ausland machen deutlich, wer diese Position
in der Instititution Literatur einnehmen kann und wie das in der jeweiligen Kultur geschieht. Kanonbildung ist jedenfalls die entscheidende
Wirkung der Tätigkeit derer, die diese Rolle wahrnehmen.

In der Bundesrepublik Deutschland war der Höhepunkt der Diskussion um die Kanonbildung mit der Diskussion um das Lesebuch in der
Mitte der 60er Jahre erreicht. In diese Diskussion griffen Glotz/Langenbucher mit ihrem Gegen-Lesebuch "Versäumte Lektionen"[29] ein.
Als Ziel führen sie an: "Für den Menschen, den heute täglich schwer
durchschaubare Prozesse erwarten, sollten die vielfach verschlungenen
Wirkungszusammenhänge von Politik, Wirtschaft, Kultur und Gesellschaft wenigstens dort überschaubar sein, wo sie sein eigenes Leben wesentlich bestimmen. Er müßte dazu erzogen werden, sich mit dem Unsicherheitserlebnis des 'Ich weiß nicht...', dem er ständig ausgesetzt
wird, rational auseinanderzusetzen und ihm durch überlegte (moralische, sittliche) Entscheidungen zu begegnen, anstatt es durch billige
Patentlösungen aus der Zauberkiste des Irrationalismus hinwegzueskamotieren."[30] Das erfordert, den Schriftsteller als "Sprecher im sozialen Raum" anzuerkennen[31], das erfordert ferner, Stil im Sinne von

sachgerecht – einfacher Ausdrucksweise[32], das erfordert schließlich den Bruch mit einer Tradition, die durch "das gestörte Verhältnis des bürgerlichen Intellektuellen der Jahrhundertwende zur modernen Gesellschaft"[33] in Deutschland begründet ist. Aber Glotz/Langenbucher sind sich über den institutionellen Status ihres "Entwurfs" im klaren, also über die Eigenart der Pförtnerrolle, wie sie sie einnehmen: "Dieses Lesebuch wird den Vermerk 'zugelassen zum Gebrauch in Schulen' nicht bekommen; es entstand, ohne die Prüfungsprozedur eines Kultusministeriums durchlaufen zu haben;..."[34]

Glotz/Langenbucher geben uns außerdem in ihrem Vorwort einen Hinweis darauf, daß die Pförtnerrolle, die sie mit der Herausgabe von "Versäumte Lektionen" übernommen haben, sich gleichzeitig mit einer anderen Rolle überlagert, nämlich mit der des Grenzgängers. Von ihrem Buch sagen Glotz/Langenbucher:

"...es kommt nicht aus dem pädagogischen Raum, sondern von 'außen'."[35] Die Verfasser bewegen sich sozusagen auf der Grenze zwischen zwei Kommunikationsbereichen, sie sind "Grenzgänger", wie der amerikanische Terminus "marginal man" ins Deutsche übersetzt wurde.[36] Wir sind schon vorher auf diese Rolle gestoßen, als Sartre aus der Situation 1950 das Erscheinen der Novelle Vercors' 1942 sowohl von diesseits als auch von jenseits des von den deutschen besetzten Gebietes her beurteilte. Vercors' Novelle selbst ist das typische Produkt eines Autors in der Grenzgänger-Rolle, in der der Inhaber Anpassung leistet, um Widerstand entwickeln zu können. In der deutschen Literatur ist in diesem Zusammenhang vor allem auf Heinrich Heine hinzuweisen. Die Zwischenstellung, um die es bei Heine geht, die mit "Grenzgänger" nur sehr formal angedeutet werden kann, wurde von Theodor W. Adorno inhaltlich differenziert als "Die Wunde Heine" dargestellt.[37] Wie wir aus der Diskussion um die Benennung der Düsseldorfer Universität wissen, schwärt diese Wunde noch; und das Beispiel Heine kann uns deutlich darüber belehren, daß nicht nur die Texte eines Autors in der Grenzgänger-Rolle diese Rolle ausweisen[38], sondern daß diese Zwischenstellung sich auch in der Rezeption des betreffenden Autors spiegelt. Der Titel des jüngsten Forschungsberichtes von Jost Hermand "Streitobjekt Heine"[39] macht das bereits deutlich. Die extremste Form der Wahrnehmung der Pförtner-Rolle ist wohl die Zensur. Im Dritten Reich wurde sie Heine gegenüber unter anderem dadurch ausgeführt, daß die wegen ihrer Bekanntheit unverzichtbare Ballade Heines "Loreley" mit der Quellenangabe "Dichter unbekannt" versehen wurde.[40]

Sowohl bei der Pförtner-Rolle als auch bei der Grenzgänger-Rolle handelt es sich um Vermittler- (Mediatoren-) Rollen. "Während die positive Referenzgruppe (Präferenzgruppe) des Pförtners die eigene Gruppe ist, wird vom Grenzgänger erwartet, daß er eine fremde Gruppe zur Präferenzgruppe wählt."[41] Mediatoren vermitteln aber nicht nur synchronisch zwischen aktuell bestehenden Systemen – wir sahen es bei Sartre –, sondern auch diachronisch zwischen verschiedenen Zeiten. In komplexen Gesellschaften wie denen der westlichen Industriestaaten entwickeln die an der Literatur Beteiligten vielfältige Formen, in denen die verschiedenen Bedürfnisse des Publikums durch die Autoren befriedigt werden; das Beispiel Vercors' hat uns gezeigt, wie eine Gegenwartsnovelle politisch aufklärend auf ein bestimmtes Publikum gerichtet sein kann. Historische Dramen können – von den Autoren aus gesehen – dem gleichen Ziel dienen; dafür haben wir Belege von Shakespeare bis Peter Weiss. Ob und wie diese Autoren-Intention aufgenommen wird, hängt davon ab, unter welchen Verstehensbedingungen die zum "Publikum" integrierten Einzelnen den Text aufnehmen. Unbeschadet dessen kann aber festgehalten werden, daß es sich dabei um eine Weise horizontaler Vermittlung handelt, wenn politische Aufklärung durch Literatur im engeren Wortsinne geschieht. Man bewegt sich dabei auf demselben kulturellen "Niveau" trotz der Verschiedenheit der Inhalte und Formen. Man wendet sich an ein bestimmtes Publikum, dessen Einheit nicht zuletzt durch seine Bildungsvoraussetzungen wesentlich mitbestimmt ist.

Anders erscheinen die Mittlerrollen, wenn man sie vertikal betrachtet, wenn es also um das Problem geht, wie Inhalte auf verschiedene Niveaus "übersetzt" werden können. Als klassische Vermittlerrolle unter diesem Aspekt tritt die des Lehrers hervor. Journalisten sind hier zu nennen, Prediger, Politiker. Wir alle kennen die alltäglich vorkommenden gestuften Übersetzungsprozesse, an denen wir als Fachleute aktiv und als Laien in vielen Bereichen passiv teilnehmen. Man könnte sie idealtypisch so beschreiben, daß man als ihren Ausgangspunkt Erfindungen und Entdeckungen sieht, die Laien mitgeteilt werden sollen. Bei solcher idealtypischer Betrachtung ergeben sich mehrere Vermittlungsstufen: Ergebnisse und Probleme spezialisierter Wissenschaften in theoriebezogener Darstellung – wissenschaftliche anwendungsbezogene Darstellung – populärwissenschaftliche Vermittlung – populäre Darstellung. Die getroffenen Unterscheidungen treten deutlicher hervor, wenn man sich auf die jeweiligen Autoren und Institutionen der Veröffentlichungen bezieht: Forscher äußern sich in Monographien und

Fachzeitschriften – Praktiker in wissenschaftlichen Berufen (z. B. Ärzte, Ingenieure, Lehrer, Richter) schreiben für ihre Kollegen in entsprechenden praxisbezogenen Zeitschriften – Wissenschaftler stellen ein Problem ihres Arbeitsbereiches für Leser anderer Berufe, aber vergleichbarer Ausbildung dar – Schriftsteller und Journalisten führen einen breiten Leserkreis in das entsprechende Problem und seine Lösungsmöglichkeiten ein. Vor allem die letztgenannte Art der "Übersetzung" kann meistens noch weiter differenziert werden, z. B. nach dem Lebensalter, wenn diese Einführung nämlich für Kinder und Jugendliche geschieht. Es handelt sich dabei jedenfalls um einen gestuften Vermittlungsprozeß im Bereich der Sachliteratur. Es ist aber auch möglich, daß Wege der vertikalen "Übersetzung" über fiktionale Literatur führen. Bei historischen und politischen Stoffen ist uns das vom Geschichtsdrama, historischen Roman u. ä. Formen her vertraut. Es ist aber auch darauf hinzuweisen, daß in der neueren Jugend- und Kinderliteratur viele Titel anzuführen wären, in denen Ereignisse der Zeitgeschichte, das Problem des Vorurteils u. ä. in fiktionalen Texten dargestellt werden. Erinnert sei zudem an den Bereich der utopischen und/oder science-fiction-Literatur, in der politische, soziale und technische Probleme erklärt werden.

5. "Blindverteilung", ihre Folgen und mögliche Korrekturen

Vermittlerrollen unterschiedlichster Art kennen wir aus Kulturen verschiedener Zeiten und Regionen. Wir wissen von diesen Kulturen, daß Literatur dort auch institutionalisiert und als Prozeß angetroffen wird, daß es dort auch festgelegte Positionen und entsprechende Rollen gibt, im Islam z. B. oder zur Zeit Homers in Griechenland. Sie unterscheiden sich von unserer Kultur aber dadurch, daß sie die Form der Sekundärkommunikation nicht kennen, wie sie mit dem Aufkommen der modernen technischen Medien als Massenkommunikation entstand. Dort blieb vielmehr die Primärkommunikation bestimmend. Zwar gab es und gibt es Sekundärkommunikation, die nicht durch das Vis à vis der Beteiligten bestimmt ist, wohl schon immer. Aber der Einfluß der Sekundärkommunikation auf das Alltagsleben der Gesellschaftsmitglieder der modernen Industriegesellschaften – und fortschreitend darüber hinaus – war noch nie so groß wie heute.

Auch Literatur ist in den modernen Industriegesellschaften in der Form der Sekundärkommunikation gegeben. Nicht nur: Freilich werden auch heute noch in Familien Märchen erzählt, Sprichwort, Erzählung, Anekdote, Witz und viele andere literarische Formen spielen in unseren alltäglichen Unterhaltungen eine wichtige Rolle. Aber der literarische Autor, der sich auf ein von ihm vorgestelltes Publikum bezieht, gibt seinen Text am Ende doch in einen Verteilungsprozeß, der auf ein disperses, ein gemischt verstreutes Publikum bezogen ist. Diesem gegenüber ist die Verteilung in dem Sinne "blind", daß das tatsächlich erreichte Publikum einerseits und das an dem verteilten Inhalt interessierte Publikum andererseits – vom Autor aus gesehen: das von ihm gemeinte Publikum – nicht einfach übereinstimmen. Das wäre vielmehr eher zufällig. Diesen Prozeß der "Blindverteilung"[42] hat Horst Reimann in einem Schema dargestellt:

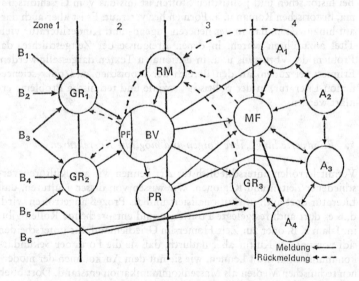

Was damit gemeint ist, macht man sich am einfachsten am Beispiel der Nachrichtenübermittlung in Massenmedien klar. Ausgangspunkt ist eine Begebenheit (B 1 – B 6) in der Erfahrungszone 1 (Zone 1 – Zone 4). Grenzgänger zwischen verschiedenen Erfahrensbereichen nehmen an diesen Begebenheiten teil (z. B. ein französischer Korrespondent in Bonn). Bevor eine Meldung über die Begebenheit als Nachricht an den Adressaten (A1 – A4) in Zone 4 gelangen kann, durchläuft sie in Zone 2 das Blindverteilungssystem (BV), vor allem die Kontrolle durch den

Inhaber der Pförtnerrolle (PF). Von dort kann die Begebenheit als Meldung an Adressaten in Zone 4 gelangen. Aber meist durchläuft sie in Zone 2 und 3 noch zwei Arten der Vermittlung. Die erste in Zone 2 ist auf den Inhaber der Pförtnerrolle bezogen. Durch Rückmeldespezialisten (RM) erfährt er, wie die Adressaten reagieren könnten und durch Public-Relations-Spezialisten (PR) sichert er seine Entscheidungen vorwegnehmend ab. Die zweite Vermittlung, die meistens eingeschaltet ist, ist stärker auf die Adressaten bezogen, obwohl das auch schon bei der ersten den Anschein hat. Hier treten Meinungsführer hervor, die zu den verschiedenen Primärgruppen hin vermitteln. Auch Grenzgänger zwischen dem Blindverteilungssystem und den Adressaten, die das Blindverteilungssystem als Präferenzgruppe haben, spielen eine wichtige Rolle. Blindverteilung, das wird jetzt deutlich, soll besagen, daß der Adressatenbezug nicht nur meist indirekt (sekundär) erfolgt, sondern auch da, wo er direkt erfolgt, wie zwischen A 4, BV und gegenüber dem konkreten Adressaten notwendig "blind" ist.

Das alles leuchtet für Fernsehen, Rundfunk, Zeitung und andere Massenmedien sofort ein. Aber gilt es auch für die Literatur?

Unabhängig davon, ob die Begebenheiten in Zone 1 fiktional sind oder nicht, der Autor vermittelt zwischen den Begebenheiten, die er darstellt, und einem vorgestellten Publikum. Zweifellos sind Eingriffe in die materielle Substanz seiner Darstellung seltener als bei Nachrichtenredakteuren. Deshalb hat der Schriftsteller – so glauben wir jedenfalls – gegenüber dem Inhaber der Pförtnerrolle eine größere Autonomie als der Journalist.

Bei Literatur muß sich der "Pförtner" für oder gegen den ganzen Text entscheiden, er darf im allgemeinen nicht verändern. Bei allen denkbaren Zwischenformen ist es im ganzen doch sicher richtig zu sagen, daß die "Schere im Kopf"[43] den Journalisten der Massenkommunikation stärker bedroht als den literarischen Schriftsteller im engeren Sinn des Wortes. Daß dieser seines Lebensunterhaltes wegen vielleicht die Berufsrolle jenes übernehmen muß, bleibt allerdings offen. Ist der Text unseres vorgestellten Autors aber durch den Inhaber der Pförtnerrolle angenommen, geht er in die Beziehungen ein, die der Blindverteilung entsprechen. Public-Relations: das ist die Werbung; Rückmeldung, das sind die Sichtungsinstanzen und der Publikumserfolg, was nicht übereinstimmen muß; Meinungsführer sind Lehrer, Veranstalter von Kursen der Volkshochschule, Universitätslehrer (was bedeutet es zum Beispiel, daß ein Autor "promotionswürdig" wird?) und so fort. Grenzgänger zwischen Zone 3 und 4 sind Buchhändler und

Buchhändlerinnen, Bibliothekarinnen und Bibliothekare, die zwischen Text und Leser stehen, auf der Seite des Buches, weil sie es für gut halten oder für gut zu halten glauben. Und daß selbst in Situationen, die relativ klar überschaubar, weil durch einfache Gegensätze organisiert sind, für die Beziehung Autor-Publikum "Blindverteilung" vorliegt, zeigen viele Beispiele aus der Literatur; nicht nur das bereits erwähnte von Vercors, auch die Aufnahme von Goethes "Iphigenie", von Brechts "Dreigroschenoper" und viele andere können das belegen.

Es gehört zu den Eigenarten des Blindverteilungssystems, daß es Adressaten auch unvermittelt und über extreme räumliche und kulturelle Entfernungen hinweg erreichen kann. Die übermittelte Mitteilung wirkt dann möglicherweise als "vorausweisendes Wunschbild"[44]. Das ist eine Erscheinung, die Reimann am Beispiel des Fernsehens darstellt. Wenn in armen Regionen Europas, z. B. Sizilien, Fernsehsendungen aus reichen Gebieten Europas, etwa der Bundesrepublik, empfangen werden, und seien es auch nur Ausschnitte in den italienischen Nachrichten, dann kann eine Wirkung entstehen, die in der Völkerkunde als Cargo-Effekt beschrieben wurde. Es geht dabei um die Erfahrung, daß die eigene bisherige Lebenswelt samt ihren sinnstiftenden Wertvorstellungen als unzureichend erfahren wird. Diese Unterlegenheitserfahrung, die die Alltagsroutinen und deren Begründungen erschüttert, wird im Cargo-Effekt kompensatorisch überwunden, indem "verkehrte Welten" aufgebaut werden. Von den Papua berichtet W. E. Mühlmann z. B.: "überhaupt spielt die Denkweise, es sei ihnen von den Weißen eigentlich zu unrecht etwas 'vorenthalten' worden, im Denken der Eingeborenen eine große Rolle. ... Auf Neuguinea werden diese Güter (der materielle Reichtum und technische Vorsprung der Weißen, F. H.) als Cargo bezeichnet. ... Der Cargo ist für uns, sagen die Eingeborenen, die Weißen haben ihn bloß gestohlen."[45] Mit Hilfe des Cargo-Effektes wird – das ist das eine – die eigene Lebenswelt neu erfahren, realistisch in Bezug auf ihre Mängel im Vergleich zu möglichen anderen Lebenswelten. Es ist ein kritisch-utopisches Moment damit gegeben. Der erfahrene Mangel wird dadurch "geheilt", – das ist das zweite –, daß er im Rahmen der vertrauten Lebenswelt als Schuld ("gestohlen") anderer ("der Weißen") interpretiert wird. Das ist aber nicht nur eine Interpretation, – das ist das dritte schließlich –, sondern ein Anspruch mit moralisch-rechtlicher Begründung. Ich will hier nicht darauf eingehen, ob und wie darin geschichtliche Kolonialerfahrung zum Ausdruck kommt. In unserem Zusammenhang ist die Überlegung von Bedeutung, ob Literatur – im Unterschied zu anderen Textarten der Sekundärkommunikation – einen vergleichbaren Effekt des vorausweisenden Wunschbildes hat. Vergleichbar im kritisch-utopischen Anspruch und in der "Heilung" des Mangels durch den – wie immer inhaltlich bestimmten – Charakter des Fiktionalen. Der Bezug auf die Lebenspraxis ist in der Literatur zweifellos vermittelter als beim Cargo-Effekt – aber kann er nicht auch als Anspruch auf eine humane Welt verstanden werden, auch im hermetischen Gedicht, in dem er inhaltlich gerade in dessen Verweigerung gegenüber einem solchen Bezug erscheint? Ich will nur einen Beleg zur Stütze des Gesagten anführen. In seinem Essay "Literaturgeschichte als Provokation der Literaturwissenschaft"[46] zeigt Hans Robert Jauß, wie in dem Prozeß, der Flaubert nach dem Vorabdruck der "Madame Bovary" in der "Revue de Paris" 1857 gemacht wurde, der Verteidiger Sénard versteht, daß der Gebrauch der "erlebten Rede" nicht bedeutet, daß die entsprechenden Inhalte als Auffassung des Autors gedeutet werden dürfen. "Die konsternierende Wirkung der formalen Neuerungen in Flauberts Erzählstil wird im Prozeß offenkundig: die unpersönliche Erzählform nötigte seine Leser nicht allein, die Dinge anders – 'photographisch genau', nach dem Urteil der Zeit – wahrzunehmen, sondern stieß sie zugleich in eine befremdende Unsicherheit des Urteils. Da das neue Kunstmittel eine alte Konvention des Romans: das in der Beschreibung stets eindeutige und verbürgte moralische Urteil über die dargestellten Personen durchbrach, vermochte der Roman Fragen der Lebenspraxis zu radikalisieren oder neu aufzuwerfen.[47]

Zweifellos trug die Verbreitungsweise in der "Revue de Paris" zu der beschriebenen Wirkung bei. Möglicherweise hätten Meinungsführer mit dem Verständnis Sénards vermittelnd wirken können, wenn das Publikum durch die Erscheinungsweise "formiert" worden wäre: z. B. dadurch, daß der Roman in einer teureren Ausgabe erschienen wäre.

Denn es bestehen Möglichkeiten, das zerstreute und gemischte Publikum der Blindverteilung zu "formieren". Wenn das gelingt, werden die Vermittler nicht mehr so dringend benötigt. Die Rückmeldespezialisten informieren ja nicht nur darüber, wie die herausgegebenen Texte (gedruckt, gesendet oder wie auch immer) aufgenommen werden, sondern auch darüber, wer sie anerkennend oder ablehnend beurteilt hat. Solche Rückmeldespezialisten sind bei uns meist Meinungsforscher, und es liegen über die Lesekultur der Bundesrepublik interessante Ergebnisse vor.[48] Das Wissen darüber, wer die Ausstrahlungen des Blindverteilungssystems aufnimmt, in Verbindung mit dem Wissen über die

Lebensgewohnheiten, Interessen, Ausbildungsstand usf. der Betroffenen, ermöglicht es, z. B. über die Plazierung im Rundfunk- oder Fernsehprogramm oder über ähnliche Maßnahmen ein einheitliches Publikum zu schaffen.

Auch im Bereich der Literatur im engeren Sinne des Wortes gibt es entsprechende Möglichkeiten. Dazu gehören die Wahl des Titels, die Auswahl der Werbeträger, die Art von Einband und Satzspiegel, die Lizenzvergabe an Buchgemeinschaften und Taschenbuchverlage (welche?), die Herausgabe einer Literaturzeitung mit Unterrichtsmaterialien[49] usf. Die Versuche, das Publikum zu "formieren" und so vergleichsweise einheitliche Rezeptionsgruppen zu erhalten, sind unterschiedlich im Erfolg. Wo es homogene Publikumsgruppen gibt, etwa Altersgruppen, bedarf es nur eines geringen Aufwandes, wie man an Kinder- und Jugendliteratur sehen kann. Auch nach Tätigkeitsmerkmalen läßt sich das Publikum leicht fassen. Fachzeitschriften bis auf die Ebene von Hobbyzeitschriften belegen das. Aber der Bereich, der uns vor allem interessiert, der der Literatur im engeren Sinne des Wortes, zerfällt nicht nur nach der Eigenart seiner Texte, sondern auch hinsichtlich seiner institutionellen Bedingungen (Erscheinungsweise, Vertriebsweise, Aufmachung, Sichtungsinstanzen) und den entsprechenden Positionen und Rollen nach wie vor schroff in zwei Bereiche; den der anerkannten Literatur und den der Trivialliteratur.

Diese Überlegungen führen uns zu dem Ausgangspunkt zurück. Literatur bietet eine der wohl wichtigsten Möglichkeiten, daß Gesellschaftsmitglieder "ihr Verhalten und das anderer als Ereignis in einer sozialen Ordnung" erkennen. Diese Möglichkeit ist in den ursprünglichsten Eigenarten von Literatur begründet, ihrer kritisch-utopischen, ihrem Spiel in Symbolwelten, das von unmittelbarem Handlungsdruck entlastet bleibt, und darin, daß Literatur gleichzeitig Verhalten vorgibt und verlangt, daß der Leser es erst hervorbringt.[50] In der letztgenannten Eigenart wäre Literatur das von unmittelbarer Praxis entlastete Modell für die sinnstiftenden Leistungen, die nur Menschen vollbringen können und zu deren Charakterisierung wir oben dieses angeführt hatten: "Der Sinn, den die soziale Welt und alle ihre konstitutiven Elemente für die in ihr Lebenden haben, hängt folglich von dieser wichtigen Darstellungsleistung ab. Weiter ist eben diese Darstellungsleistung eine Handlung in eben dem Handlungsfeld, das sie darstellt oder formuliert. Erklärungen (genauer: Erklärungen durch Regeln) organisieren eine Welt, während sie zugleich in eben dieser Welt und auf eben diese Welt wirken."[51]

Literatur wäre dieses Modell – wenn sie nicht, wie andere gesellschaftliche Einrichtungen auch, in Gefahr stünde, daß literarische Handlungen als Ergebnis sich gegen literarische Handlungen als Geschehen durchsetzten; daß Literatur als Institution Literatur als Prozeß stillstellte. Nur wenn ich die historische Gestalt dieses Widerspruchs erkenne, kann ich die Literatur verstehen, in der er sich ausdrückt. Literaturunterricht, so verstanden, ist dann immer auch Sozialgeschichte und insofern Landeskunde.[52]

Anmerkungen

[1] vgl. Fritz Schütze, Sprache – soziologisch gesehen, I und II, München 1975, z. B. S. 230 und S. 263.

[2] Manfred Bierwisch, Poetik und Linguistik, in: Helmut Kreuzer und Rul Gunzenhäuser (Hrsg.), Mathematik und Dichtung, München 2. Auflage 1967, S. 51.

[3] a. a. O., S. 59.

[3a] Hier ist "Interpretation" auf zwei Ebenen gemeint: der des "deutschen Lesens" in meinem Alltag und dem der "wissenschaftlichen Interpretation". Auf den Unterschied kann ich hier nicht eingehen; nur so viel: Interpretation im wissenschaftlichen Sinne ruht auf der alltagsweltlichen Weise der Interpretation auf.

[4] D. Lawrence Wieder und Don H. Zimmermann, Regeln im Erklärungsprozeß, in: Elmar Weingarten, Fritz Sack und Jim Schenkein, Ethnomethodologie, Beiträge zu einer Soziologie des Alltagshandelns, Frankfurt/Main 1976 (= stw 71), S. 105 ff., S. 120.

[5] vgl. dazu: Ferdinand de Saussure, Grundfragen der allgemeinen Sprachwissenschaft 2. Auflage Berlin 1967, z. B. S. 19, S. 89 u. ö.

[5a] vgl. Franz Hebel, Literatur im Unterricht, Kronberg/Ts. 1976 (= Scriptor Taschenbuch 107), S. 67 ff., vor allem S. 70/71; S. 93 ff.

[5b] Hubert Ivo, Kritischer Deutschunterricht, Frankfurt/M. 1969, S. 82 ff., vor allem S. 83–85.

[5c] Außer den Arbeiten Benjamins sind hier zu erwähnen: Theodor W. Adorno, Zum Klassizismus von Goethes Iphigenie, Die Neue Rundschau, 4/78 1967, S. 586 ff. Klaus Scherpe, Werther und Werther-Wirkung, Bad Homburg v. d. H. 1970. Heinz Schaffer, Der Bürger als Held, Ffm. 1973 (es 624). Norbert Haas, Spätaufklärung, Kronberg/Ts. 1976. Vgl. auch die verschiedenen Arbeiten in der Reihe: Literatur im historischen Prozeß, hg. von Gert Mattenklott und Klaus R. Scherpe, Kronberg/Ts. 1973 ff.

[5d] Walter Benjamin, Literaturgeschichte und Literaturwissenschaft (1931) in: W. B., Gesammelte Schriften III. hg. von Hella Tiedemann-Bartels, Ffm., 1972, S. 238 ff., hier: S. 290.

[6] Wieder/Zimmermann, . . ., a. a. O., S. 120/121.

[7] 4/1976, 23. Aug., Frankfurt/Main, 1976, S. 31 f.

[8] Beschlüsse der Kultusministerkonferenz, Einheitliche Prüfungsanforderungen in der Abiturprüfung, Deutsch, Neuwied 1975.

[9] FAZ Nr. 215 vom 25. 9. 76, Tiefdruckteil.

[10] Mitteilungen, a. a. O., S. 31.

[11] Enzensberger in FAZ, a. a. O.

[12] Mitteilungen, a. a. O.

[13] a. a. O.

[14] Mittteilungen, a. a. O., S. 32.

[15] Zum Literaturbegriff der sechziger Jahre in der Bundesrepublik Deutschland, in: H. K., Veränderungen des Literaturbegriffs, Göttingen 1975 (= Kleine Vandenhoeck-Reihe 1398).

[16] H. N. Fügen, Die Hauptrichtungen der Literatursoziologie, Bonn (2) 1966; vgl. z. B. Das Schema S. 107).

[17] Kreuzer, a. a. O., S. 65/66.

[18] Kreuzer, a. a. O., A4, S. 65, Erklärung S. 116.

[18a] Elia Kazan, Schriftsteller und Film in Hollywood, in: Der Film, Bd. 2, Hg. v. Th. Kotulla, München 1964, S. 281 f., hier zitiert nach: Hartmut Bitomsky, Die Röte des Rots von Technicolor, Neuwied und Darmstadt 1972 (= SL 69). S. 11/12.

[19] Jean Paul Sartre, Was ist Literatur? Hamburg 1958 (rde 65).

[20] a. a. O., S. 45.

[21] a. a. O., S. 46.

[22] a. a. O., S. 46/47. In Montoire war Hitler am 22. 10. 1940 mit Laval und am 24. 10. mit Pétain zusammengetroffen, um bessere "Zusammenarbeit" zu verabreden.

[23] vgl. Weingarten, . . ., a. a. O., S. 120.

[23a] a. a. O.

[23b] Hartmut Eggert, Hans Christoph Berg, Michael Rutschky, Die im Text versteckten Schüler, in: Gunter Grimm (Hg.), Literatur und Leser, Stuttgart 1975, S. 282.

[23c] Eggert u. a., a. a. O., S. 283.

[23d] Eggert u. a., a. a. O., S. 280.

[24] Horst Reimann, Kommunikations-Systeme, Tübingen 1968, S. 144.

[25] a. a. O., S. 146.

[26] Hans Werner Dollinger, außerdem, Deutsche Literatur minus Gruppe 47 = wieviel? München, Bern, Wien 1967.

[27] a. a. O., S. 9.

[28] a. a. O., S. 5.

[29] Peter Glotz und Wolfgang R. Langenbucher, Versäumte Lektionen, Entwurf eines Lesebuchs, Gütersloh 1965.

[30] a. a. O., S. 14.

[31] a. a. O., S. 19.

[32] a. a. O., S. 21.

[33] a. a. O., S. 13.

[34] a. a. O., S. 24.

[35] a. a. O., S. 24.

[36] Vgl. dazu: Horst Reimann, a. a. O., S. 155.

[37] Theodor W. Adorno, Die Wunde Heine, in: Texte und Zeichen 1956, 3. Heft, S. 291 ff. und oft an anderen Stellen.

[38] a. a. O.

[39] Jost Hermand, Streitobjekt Heine, ein Forschungsbericht 1945–1975, Frankfurt/Main, 1975 (= FAT 2101).

[40] vgl. Adorno, a. a. O., S. 291.

[41] Reimann, a. a. O., S. 159.

[42] Fernsehwoche, Tele-Star, 18.–24. Dez. 1976, Nr. 51, S. 36 und 37, gekürzt.

[42] Reimann, a. a. O., S. 168. Zeichnung dort.

[43] Vgl. Henryk M. Broder (Hrsg.), Die Schere im Kopf, Köln 1976 (= ranbuch 2).

[44] Vgl. Reimann, a. a. O., S. 154: "Prospektive Bildprojektion".

[45] W. E. Mühlmann, Rassen, Ethnien, Kulturen, Neuwied 1964 (ST 64), S. 342.

[46] in: Hans Robert Jauß, Literaturgeschichte als Provokation, Frankfurt/Main 1970 (= es 418), S. 144 ff.

[47] a. a. O., S. 205.

[48] Vgl. z. B. Gerhard Schmidtchen, Lesekultur in Deutschland, Börsenblatt für den deutschen Buchhandel, Frankfurter Ausgabe, Nr. 70 vom 30. 8. 1968, S. 1979 ff. (= Archiv für Soziologie und Wirtschaftfragen des Buchhandels V); ders., Lesekultur in Deutschland 1974, Börsenblatt für den deutschen Buchhandel, Frankfurter Ausgabe, Nr. 39 vom 17. 5. 1974, S. 705 (= Archiv ... XXX); auch: ders., Lesen für den Beruf, Börsenblatt für den deutschen Buchhandel, Frankfurter Ausgabe Nr. 23 vom 19. 3. 1976, S. W 151 ff. (= Archiv ... XXXIV).

[49] Vgl. "Suhrkamp Literaturzeitung", Suhrkamp Verlag Frankfurt/Main.

[50] Vgl. J. P. Sartre, a. a. O., S. 28: "Lesen ist gelenktes Schaffen"; auch: Franz Hebel, Literatur im Unterricht, a. a. O., S. 144 ff.

[51] Vgl. Anmerkung 6.

[52] Vgl. dazu für die Bundesrepblik u. a.: H. L. Arnold (Hrsg.), Literaturbetrieb in Deutschland, München 1971; Ralf Zoll (Hrsg.), Manipulation der Meinungsbildung, Opladen 1971 (= Kritik 4); Vohrbeck/Wiesand, Der Autorreport, Hamburg 1972 (= dnb 11); Dieter Prokop (Hrsg.), Massenkommunikationsforschung 1: Produktion, Frankfurt/Main 1972 (= Fischer TB 6151), 2: Konsumtion, Frankfurt/Main 1973 (= Fischer TB 6152; Bosch/Konjetzky, Für wen schreibt der eigentlich?, München 1973 (= Serie Piper 55); Knilli/Hickethier/Lützen, Literatur in den Massenmedien – Demontage von Dichtung?, München Wien 1976 (= Reihe Hanser 221); Kürbiskern 1972, Heft 4: "Abhängigkeit in der Kulturindustrie", München 1972.

Robert Picht

Landeskunde und Textwissenschaft

> "Darum kann Landeskunde in diesem
> Konzept nur als fachwissenschaftliches
> und fachdidaktisches Problem einer
> empirischen Linguistik und Literatur-
> wissenschaft behandelt werden."
>
> Siegfried J. Schmidt[1]

> "Aber die Begrenzung auf einen tra-
> ditionellen Kulturbegriff, der sich auf
> die Weitergabe bezugsloser 'Bildungs-
> güter' beschränkt, ist unzureichend.
> Dies ist der Grund, weshalb ich die
> Bezeichnung Landeskunde als bloße
> 'Kontextkunde' für die Literatur ab-
> lehne. Im Sinne eines erweiterten, rea-
> litätsgerechten Kulturbegriffes ist die
> Literatur ein Beitrag zur Globalkunde
> der Vergangenheit und der Gegen-
> wart, und um diese Globalkunde geht
> es, wenn wir die Bildung zur Kultur
> ernst nehmen."
>
> Alfred Grosser[2]

> "Das Literarische macht frei ..."
>
> Theodor Fontane[3]

1. Braucht man eine Leitwissenschaft? –
Wissenssoziologische Vorbemerkung

In der vor allem in der Romanistik und der Auslandsgermanistik seit
zehn Jahren geführten Landeskundediskussion spielt der Begriff der
Leitwissenschaft eine schon fast rituelle Rolle. Das "(Un-)Fach"[4] mit
seinen schwer zu bewältigenden und deshalb irritierenden Anforderungen soll durch die Anbindung an eine "eindeutige Basis-Bezugswissen-
schaft"[5] unter Kontrolle gebracht werden. Hierbei spielt neben frucht-

barem wissenschaftstheoretischem und wissenschaftspraktischem Orientierungsbedürfnis auch das verständliche, allerdings nicht primär wissenschaftliche, sondern aus der Sorge um die Erhaltung etablierter Berufsgewohnheiten motivierte Bemühen eine Rolle, sich durch ungewohnte Fragestellungen nicht auf Gebiete locken zu lassen, für die man nicht ausgebildet ist: wissenschaftliche Legitimationsargumente dienen der Verteidigung angestammter Fächergrenzen, deren Absteckung eher auf – zur Tradition gewordenen – Organisationsprinzipien von Hochschule und Wissenschaftsbetrieb zurückzuführen ist als auf die Natur der zu untersuchenden Sache.

Daß es sich bei diesem Vorgang um paradoxerweise gerade bei Wissenschaftlern und Fakultäten tief verwurzelte Verhaltensmuster handelt, macht Hans Albert deutlich: "Daraus ergibt sich unter anderem die Konsequenz, daß es darauf ankommt, die Resultate und Methoden der verschiedenen Disziplinen füreinander fruchtbar zu machen (. . .) Diese These mag selbstverständlich klingen, aber sie steht im Gegensatz zu der in vielen Wissenschaften deutlich beobachtbaren Tendenz, die in ihr jeweils dominierenden theoretisch-methodischen Traditionen gegen Einflüsse aus anderen Bereichen abzuschirmen und dadurch kritik-immun zu machen. Diese Tendenz hängt ohne Zweifel mit der Institutionalisierung wissenschaftlicher Disziplinen und ihren Auswirkungen auf das Verhalten ihrer Vertreter zusammen."[6]

Wenn nun, wie in der Landeskundediskussion der letzten Jahre, von den Sozialwissenschaften her massive Ansprüche an einen Bereich gestellt werden, der traditionell zum Gebiet der Philologien gehörte, setzen sich die etablierten Vertreter der philologischen Fächer über kurz oder lang entschieden zur Wehr. Umgekehrt weisen viele Sozialwissenschaftler, die Landeskunde nur als politologische, ökonomische oder soziologische Länderforschung verstehen, das Ansinnen weit von sich, näher auf Fragen von Literatur- und Sprachwissenschaften oder gar des Fremdsprachenunterrichtes einzugehen. Auch diese Verteidigungsstrategien hat Albert zutreffend beschrieben: "Verhaltensweisen dieser Art sind in der modernen Ethologie unter der Bezeichnung 'Revierverhalten' bekannt. Sie gehören anscheinend zu einer Klasse phylogenetisch fest verankerter Reaktionen, die auch in Bereichen, in denen nach üblicher Anschauung die 'reine Vernunft' herrscht, oder doch wenigstens herrschen sollte, sich bemerkbar machen (. . .) man (ist) geneigt, jeden Versuch, mit den Ideen und Methoden einer anderen Disziplin in dieses 'Revier' einzubrechen, von vornherein als Anmaßung zu beurteilen und daher zurückzuweisen (. . .) Mitunter werden für die Verteidigung derartiger Fachgrenzen philosophische Gesichtspunkte bemüht, von denen her die jeweils übliche Einteilung wissenschaftlicher Problembereiche in Fachdisziplinen als ontologisch vorgegeben und daher dem Wesen der Dinge entsprechend erscheint, obwohl eine historische Betrachtung die Fragwürdigkeit derartiger Abgrenzungen und ihren vorläufigen Charakter nur zu deutlich zeigen muß."[7]

Für eine Klärung des Verhältnisses von Landeskunde und Textwissenschaft scheint es deshalb angezeigt, die Forderung nach einer Leitwissenschaft, sei sie nun Literaturwissenschaft, Linguistik, Kultur- oder Sozialwissenschaft, nicht unreflektiert zu übernehmen, sondern sich jeweils von der Sache her unvoreingenommen zu fragen, welche Problemstellungen welche wissenschaftlichen Ansätze verlangen, welche Wissensbestände hierzu erschlossen werden sollten und wie sich dies wissenschaftsorganisatorisch oder für die Lehre umsetzen läßt. Der im folgenden entwickelte pragmatische Ansatz versucht, den wissenschaftlichen Problemen des Verhältnisses von Landeskunde und Textwissenschaft nicht auszuweichen, sondern sie durch die Erprobung an konkreten Aufgaben für eine heuristisch sinnvolle Theoriebildung und eine realisierbare Organisation von Forschung und Lehre zu erschließen. Er versucht einen Beitrag zu dem von Albert formulierten Postulat, den "Akzent *nicht* auf die *Abgrenzung* der Fachgebiete und ihre Abschirmung gegen Ideen und Methoden, die in ihnen bisher nicht üblich waren, *sondern* auf die *Überbrückung* solcher Bereichsgrenzen zur Förderung des Erkenntnisfortschritts (zu legen) (...) Es geht nicht mehr darum, einen gegen kritische Argumente und gegen Revision gesicherten Einheitsbau des menschlichen Wissens aufzurichten, in dem alle Resultate der verschiedenen Disziplinen untergebracht werden können, sondern vielmehr darum, die in einem Bereich erzielten – stets vorläufigen – Problemlösungen kritisch und konstruktiv für die Analyse der Problemsituation in anderen Bereichen (...) zu verwerten."[8] Wir gehen deshalb nicht von einer vorgegebenen Definition von 'Landeskunde' aus, sondern versuchen, induktiv zu verstehen, welche Fragestellungen und Realitätsbereiche zu erfassen sind, wenn es darum geht, Texte und soziale Verhältnisse aufeinander zu beziehen.

2. Text und Kontext: Vexierspiele der Textwissenschaft

Die Frage nach dem Verhältnis von Wahrnehmung und Wirklichkeit, Sprache und Sinn, Text als Fiktion oder Text als Abbild ist eine der Grundfragen philosophischer, linguistischer und literaturwissenschaftlicher Forschung, sie ist zugleich eines der Leitthemen des Denkens, Sprechens und Schreibens selbst, das sich in unendlichen Variationen in unterschiedlichen historischen Konstellationen unterschiedlich manifestiert. Untersucht man über den Text selbst hinaus die Bedingungen und Intentionen seiner Produktion, sowie die Voraussetzungen, Störungen und Umdeutungen bei seiner Rezeption (also beispielsweise das Verhältnis von Sprechakt und Situation, oder, im größeren Rahmen, von Literatur und Gesellschaft), entsteht ein Feld der Kommunikation, in dem der Text nicht mehr isoliert steht, sondern in Bezug auf die Wirklichkeit analysiert wird, aus der heraus er entstand, und die teilweise anders geartete Wirklichkeit, in welcher er aufgenommen wird.

Die Frage, welche Voraussetzungen gegeben sein müssen, damit Kommunikation entsteht, also ein Text verstanden oder zumindest für den Rezipienten sinnvoll wird, ist besonders dann von elementarer Bedeutung, wenn es sich um einen Text aus dem Zusammenhang einer anderen Kultur oder einer entfernteren historischen Epoche handelt. Dieses Kommunikationsmodell, das Linguistik und Literaturwissenschaft in einer kohärenten Textwissenschaft zu integrieren sucht, ist für die Landeskunde besonders fruchtbar und zugleich auf sie angewiesen, da es dazu nötigt, nicht nur nach den Realitätsbezügen des Textes zu fragen, sondern immer zugleich darauf zu reflektieren, welche Beziehungen zwischen der im Text zum Ausdruck kommenden Wirklichkeit und der Wirklichkeit des Rezipienten besteht: die Lehre vom Verstehen und Deuten von Texten in der internationalen Kommunikation muß immer zugleich die Lehre von den Beziehungen und Störungen sein, die zwischen den beteiligten Nationen / Kulturen / sozialen Gruppen / Individuen bestehen.

Dieses theoretische Modell, das solange fruchtbar bleibt, wie es das nicht ein für alle Mal festgelegte, sondern ständigem Wandel und jeweils unterschiedlichen Wechselbeziehungen unterworfene Verhältnis zwischen Sprache und Realität, Produktion und Rezeption so offen hält, daß jeweils beide Seiten in ihrem spezifischen Verhältnis analysiert werden können, wird dann zum Vexierbild, wenn sich theoretische Textwissenschaft zur allgemeinen Leitwissenschaft aufwirft, beziehungsweise umgekehrt, wie beispielsweise im Vulgärmarxismus, materialistische Argumente dazu genutzt werden, Literatur nur noch als bloßes Abbild von einseitig sozialwissenschaftlich definierter Realität zu interpretieren. Je nachdem, welcher Seite man sich zuneigt, erscheint Welt entweder nur noch als bloßer Kontext (das Schreckbild von der 'vertexteten Welt' taucht auf), oder Denken, Sprechen und Gestalten wird nur noch als bedingter Reflex auf soziale (beziehungsweise biologische etc.) Gegebenheiten verstanden: als Leitwissenschaften überzogene Teilwissenschaften deformieren oder zerbrechen die Wirklichkeit. Welche Konsequenzen dieser Vorgang für die Landeskunde haben kann, zeigt sich selbst bei einem so subtilen Theoretiker wie Siegfried J. Schmidt, wenn er aus dem Konzept von Textwissenschaft als Leitwissenschaft Landeskunde als bloßes Kontextwissen definieren muß. Aus der allgemeinen theoretischen, nicht mehr historisch konkretisierten Definition des Verhältnisses von Text und Kontext wird Wirklichkeit zum bloßen Material, sie wird zu 'Informationsbeständen' fragmentiert und damit reduziert. Die Kriterien der Auswahl landeskundlichen Kontextwissens oder, wie Schmidt in einer für den Fragmentierungsvorgang charakteristischen Formulierung schreibt, der "Zugriffe auf Informationsbestände"[10] orientieren sich dann ganz an den aus der Theorie a priori definierten Schritten der Textaufarbeitung. Dieses nur auf den Text bezogene Kontextwissen wird damit in sich selbst zusammenhanglos, es zerfällt zu enzyklopädischen Materialtrümmern: "In der Forschung ist dabei 'Kontextwissen' definierbar als diejenige Menge an enzyklopädischen Informationen, die eine Theorie explizit repräsentiert; in der Lehre als die Menge von solchen Informationen, die von Lehrenden vermittelt und/oder vom Lerner aktiv oder passiv beherrscht wird."[11]

Wie wenig derartige Formulierungen für die Praxis erbringen, zeigt sich in Schmidts eigenen Vorschlägen, die trotz allen theoretischen Aufwands der Leitwissenschaft keinen Schritt weiterführen als die Maximalkataloge traditioneller Landeskunde: "Die hierfür angebotene Formel 'Landeskunde als Kontextwissen' versteht '*Kontext*' als Gesamt der politischen, sozio-ökonomischen und kulturellen Gegebenheiten, die für die Produktion und Rezeption sprachlicher Äußerungen maßgeblich sind/waren; sie versteht unter '*Wissen*' die in kognitiven Strukturen verfügbare sedimentierte gesellschaftliche Arbeit und Bewußtseinsbildung der Individuen."[12] In diesen, unvermittelt auf das 'Gesamt' gerichteten und damit empirisch kaum einlösbaren Postulaten taucht die Komplexität der Welt in einer Weise wieder auf, die offenbar vom Text allein her nicht zu erschließen ist. Die in der Kommunikationstheorie vollzogene begrüßenswerte Öffnung der Linguistik und Literaturwissenschaft zur Realität wird durch deren Reduktion auf Kontext wieder verschüttet. Das Problem der Perspektive, unter der Texte gelesen, Fragestellungen entwickelt und Informationen erschlossen und interpretiert werden können – das zugleich das Problem einer didaktisch sinnvollen und realisierbaren Auswahl ist – bleibt weiterhin ungelöst.

Unreflektiert ist auch die historische Wandelbarkeit und erhebliche Differenzierung nach Textsorten und Autoren, der das Verhältnis zwischen Text und Wirklichkeit ausgesetzt ist. Kloepfer hat in seiner Kritik der Textwissenschaft, die aus semiotischer Sicht sowohl die hermeneutische wie die szientistische Schule ("Konstanz" und das hier von Schmidt vertretene "Bielefeld") auf ihr Verhältnis zur Wirklichkeit untersucht, recht, wenn er die Uneinlösbarkeit der in beiden Richtungen aufgestellten Postulate zur Kontexterfassung auf ihren mangelnden historischen Bezug zurückführt: "Geht man mit Berger/Luhmann von der *gesellschaftlichen Konstruktion der Wirklichkeit* aus, so bekommen *Wirklichkeit* und *Fiktion* jene Relativierung, die einem historischen Denken eigentlich vertraut sein müßte (...)[13] Würde man also Literatur in der historisch geprägten Weite sehen, so müßte man feststellen, daß die Vielzahl möglicher Relationen zwischen literarischen und außerliterarischen Wirklichkeitsmodellen ebenso vielfältig ist wie die möglichen Relationen des Menschen zu der in und um ihn gegebenen natürlichen und sozialen Welt überhaupt."[14]

Die Aufgabe bleibt also weiterhin bestehen, sich nicht nur abstrakt, sondern aus dem jeweiligen Interesse an bestimmten Texten / Wirklichkeitszusammenhängen / Kommunikationsverhältnissen konkret zu fragen, welche Arbeitsschritte für Forschung oder Lehre erforderlich sind. Zur Behebung der Verwirrung, die an den Grenzen zwischen Text- und Sozialwissenschaften herrscht, scheint es vordringlich, nach möglichen Perspektiven zu suchen, die sich im Schmidt'schen Globalbegriff des 'Kontextwissens' und der 'Menge an enzyklopädischen Informationen' verbergen, die in ihrer uneinlösbaren Fülle von der Beschäftigung mit Landeskunde nur abschrecken können und es in praxi auch nachhaltig tun.

3. Zur Bestimmung von Ebenen landeskundlichen Erkennens – ein Versuch, Fontane zu lesen

Landeskundliches und literarisches Interesse am Deutschland des ausgehenden 19. Jahrhunderts mögen zur Beschäftigung mit den Romanen Theodor Fontanes führen. Aus einem von ihnen, 'Frau Jenny Treibel' (geschrieben 1888–91, veröffentlicht 1892), sei eine Passage herausgegriffen, die sich ausdrücklich mit Fragen des politischen Engagements beschäftigt.

Wir können sie hier nicht vollständig interpretieren, sondern wollen sie darauf befragen, welche landeskundlichen Fragen der Text aufgibt und was er selbst zugleich zur Erkentnis gesellschaftlicher Verhältnisse beiträgt. Es soll sich dabei zeigen, ob es hier tatsächlich nur um 'enzyklopädische Informationen zum Kontextwissen' geht, oder welche Kategorien zu seinem Verständnis anzuwenden sind. In einem zweiten Schritt sollen dann Ansätze für die Verbindung von Textwissenschaft und Landeskunde in Forschung und Lehre formuliert werden.

"Überhaupt, Kommerzienrat, warum verirren Sie sich in die Politik? Was ist die Folge? Sie verderben sich Ihren guten Charakter, Ihre guten Sitten und Ihre gute Gesellschaft. Ich höre, daß Sie für Teupitz-Zossen kandidieren wollen. Nun meinetwegen. Aber wozu? Lassen Sie doch die Dinge gehen. Sie haben eine charmante Frau, gefühlvoll und hochpoetisch, und haben eine Villa wie diese, darin wir eben ein Ragoût-fin einnehmen, das seinesgleichen sucht, und haben draußen im Garten einen Springbrunnen und einen Kakadu (...) Was wollen Sie mit Politik? Was wollen Sie mit Teupitz-Zossen? Ja mehr, um Ihnen einen Vollbeweis meiner Vorurteilslosigkeit zu geben, was wollen Sie mit Konservatismus? Sie sind ein Industrieller und wohnen in der Köpnicker Straße. Lassen Sie doch diese Gegend ruhig bei Singer oder Ludwig Löwe, oder wer sonst hier gerade das Prä hat. Jeder Lebenseinstellung entsprechen auch bestimmte politische Grundsätze. Rittergutsbesitzer sind agrarisch, Professoren sind nationale Mittelpartei, und Industrielle sind fortschrittlich. Seien Sie doch Fortschrittler! Was wollen Sie mit dem Kronenorden? Ich, wenn ich an Ihrer Stelle wäre, lancierte mich ins Städtische hinein und ränge nach der Bürgerkrone."
Treibel (...) winkte zunächst einen Diener heran, um der Majorin ein zweites Glas Chablis zu präsentieren. Sie nahm auch, er mit, und nun stieß er mit ihr an und sagte: "Auf gute Freundschaft und noch zehn Jahre so wie heut! Aber das mit dem Fortschrittlertum und der Bürgerkrone – was ist da zu sagen, meine Gnädigste! Sie wissen, unsereins rechnet und rechnet (...) Und sehen Sie, Freundin und Gönnerin, nach demselben Ansatz hab ich mir auch den Fortschritt und den Konservatismus berechnet und bin dahinter gekommen, daß mir der Konservatismus, ich will nicht sagen, mehr abwirft, das wäre vielleicht falsch, aber besser zu mir paßt, mich besser kleidet. Besonders, seitdem ich Kommerzienrat bin, ein Titel von fragmentarischem Charakter, der doch natürlich seiner Vervollständigung ent-

gegensieht (...) Außerdem aber, ich erkenne die Lebensaufgabe des Weisen vor allen Dingen in Herstellung des sogenannten Harmonischen, und dies Harmonische, wie die Dinge nun mal liegen (...) schließt in meinem Falle die fortschrittliche Bürgerkrone so gut wie aus (...) Ich frage Sie, können Sie sich einen Handelsgärtner denken, der (...) Kornblumen im großen zieht, Kornblumen, dies Symbol königlich preußischer Gesinnung, und der zugleich Petroleur und Dynamitarde ist? Sie schütteln den Kopf und bestätigen dadurch mein 'Nein'. Und nun frage ich Sie weiter, was sind alle Kornblumen der Welt gegen eine Berlinerblaufabrik? Im Berlinerblau haben Sie das symbolisch Preußische sozusagen in höchster Potenz, und je sicherer und unanfechtbarer das ist, desto unerläßlicher ist auch mein Verbleiben auf dem Boden des Konservatismus. Der Ausbau der Kommerzienrätlichen bedeutet in meinem Spezialfalle das natürlich Gegebene ... jedenfalls mehr als die Bürgerkrone.
Die Ziegenhals schien überwunden und lachte, während Krola (...) beistimmend nickte"[15].

Ein derartiger Text, der als politische Soziologie im Konversationston selbst Landeskunde betreibt, bietet auch dem deutschen Leser zunächst ganz elementare Verständnisschwierigkeiten. Das Preußen des Jahres 1890 ist so in die Ferne gerückt, daß in der Distanz zum historischen Text ähnliche Übersetzungs- und Interpretationsschwierigkeiten bestehen wie in der räumlichen Distanz interkultureller Kommunikation. Von aller Detailanalyse muß deshalb zunächst versucht werden, den 'landeskundlichen Gegenstand' zu konstituieren[16], der in diesem Text enthalten ist. Hierzu können nicht einfach Text und Kontext gegenübergestellt werden, es muß vielmehr zunächst aus dem Text selbst heraus ermittelt werden, wovon hier eigentlich die Rede ist. In Anlehnung an für die Analyse von Pressetexten entwickelten Ansätzen[17] soll deshalb versucht werden, Arbeitsschritte anzugeben, die zur Erschließung des Textes und seines Realitätsbezuges geeignet sind, und damit die Frage zu beantworten, welchen Erkenntniswert der Bezug von Landeskunde und Textanalyse in diesem Fall besitzt.

3.1 Art des Textes: Der Textausschnitt selbst und seine Einbettung in den Roman zeigen, daß es sich nicht um direkte Sachaussagen des Autors, sondern im fiktionalen Romanablauf um die Argumentation aus der Perspektive zweier Dialogpartner handelt. So überzeugend der hier formulierte politisch-soziale Determinismus klingt, muß er doch auf seine Funktion im Roman hin befragt werden. Diese Funktion liegt

beim künstlerischen Text (wobei aber kein radikaler, a priori definier-
barer Schnitt zwischen fiktionalen und nicht fiktionalen Texten möglich
ist.[18] Jeder Text bis hin zur Statistik, die in einem erweiterten Textbegriff ebenfalls in die Analyse einzubeziehen wäre, beruht auf Auswahl und Stilisierung von Realitätsfragmenten) nicht nur in der Relativierung durch andere Aussagen oder durch die Konstruktion des
Romanablaufs (Treibel verliert den Wahlkreis Teupitz-Zossen und
alsbald seine ultrakonservativen Prätentionen), sondern in der satirischen Stilisierung, die Fontane durch den sprachlichen Habitus, die
Nutzung symbolischer Signale (Kakadu, Chablis, Kornblumen und
Berlinerblau) und die Ironie erzeugt, die den Text vor aller Einzel-
aussage in eine relativierende Distanz zur Realität rückt. Das Mittel
der literarischen Darstellung erweist sich als Möglichkeit, auch scharf-
sinnige Analysen zugleich wieder in Frage zu stellen. Treibels politische
Soziologie dient in ihrer Relativierung als heuristisches Instrument, um
soziale Konstellationen so zu zeigen, daß im Ablauf des Romans ihre
Vorläufigkeit und historische Gefährdung deutlich wird. Der literarische Text wird zum Experimentierfeld; die Gattung der Satire erlaubt
in karikaturhafter Überspitzung nicht nur die Demonstration gesellschaftlicher Widersprüche, sondern das Durchspielen aus ihnen folgender Entwicklungsmöglichkeiten.

   3.2 Einordnung des Textes: In dieser gezielten Technik der Überspitzung erweist sich der Text als Eingriff in die von ihm selbst dargestellten Mechanismen. Bei aller Liebenswürdigkeit der Schilderung ist
er keineswegs neutral. Die Offenlegung von Treibels politischer Philosophie ist vielmehr zugleich der Versuch, sie ad absurdum zu führen
und mit den Mitteln der Literatur Fehlentwicklungen der Wilhelmini-
schen Gesellschaft zu bekämpfen. Dennoch wäre es falsch, Fontanes
Roman unter Berufung auf Briefstellen[19] und die von anderen, ebenfalls karikierten Romanfiguren gelegentlich geäußerte Sympathie für
die Sozialdemokratie als antibürgerliches Pamphlet zu deuten. Mit den
Mitteln seiner Kunst erhält Fontane vielmehr jenen für seine Romane
charakteristischen Schwebezustand vielfältiger, sich wandelnder und
historische Wandlung bekundender Perspektiven, der Politik, Besitz,
Tradition und alle Versuche der Festlegung in ihrer Vergänglichkeit
relativiert. Niemand hat diese Ambivalenz Fontanes deutlicher charakterisiert als der ebenfalls höchst ambivalente Thomas Mann: "Was
manchen verwirrt, ist dies, daß er der Mann war, in dem beide An-
schauungen, die konservative und die revolutionäre, nebeneinander
bestehen konnten. Denn seine politische Psyche war künstlerisch kom-

pliziert, war in einem sublimen Sinn zweideutig, zwiespältig, geteilt
vor allem in das mythisch-dichterische und das kritisch-schriftstelleri-
sche Element (...) Geister wie er müssen in ihrem politischen Verhalten
kompliziert und unzuverlässig erscheinen, denn die Widersprüche, zu
denen die Tagesdebatte sie drängt, finden ihre Aussöhnung und Auflösung erst in der Zukunft."[20]

3.3 Zielsetzung des Textes: Diese durch die Entwicklung der Romanfiguren, die Vielfalt der Perspektiven, die subtile Symbolik der Milieus
und Objekte und die schnelle Prägnanz der Fontane'schen Sprache
geschaffene Offenheit, die in der Relativierung aller Fixierungen Platz
zum Weiterdenken, Weiterleben zu schaffen sucht, scheint uns das eigentliche Ziel dieser Kunst, die nicht nur zwischen den von Thomas
Mann etwas schematisch definierten Antithesen schwankt, sondern das
Medium der Literatur sowohl zur Infragestellung der zweifellos ge-
liebten preußischen Tradition wie des bourgeoisen Interessenparlamen-
tarismus wie aber auch des 'Fortschritts' einsetzt. Wie radikal, zeigt
der, allerdings ebenfalls ironisierte, Schluß des Romans: "Für mich
persönlich steht es fest, Natur ist Sittlichkeit und überhaupt die Haupt-
sache. Geld ist Unsinn, Wissenschaft ist Unsinn. Professor auch..."[21]

*3.4 Ebenen des Textverständnisses: Sprache, Information und ana-
lytische Kategorien:* Diese aus dem Text selbst und aus der Kenntnis
des Romans, aus anderen Werken Fontanes und aus Aussagen über
Fontane gewonnene Orientierung über Art und Sinn der hier gemach-
ten Aussagen genügt jedoch nicht, um den Text und seine Bedeutung in
der Intention des Autors und für den Rezipienten zu verstehen. Bei
genauer Lektüre stellen wir vielmehr fest, daß ein derartiger Text
bereits für den heutigen deutschen und a fortiori für den ausländischen
Leser erhebliche Verständnisschwierigkeiten mit sich bringt.

Diese liegen zunächst auf der Ebene des elementar Sprachlichen. Was
bedeutet 'Bürgerkrone', warum ist 'Kommerzienrat' ein Titel von
fragmentarischem Charakter, was heißt 'Petroleur' und 'Dynamitarde', was hat es mit 'Berlinerblau' auf sich? All diese Begriffe –
deren Kommentierungsnotwendigkeit auch in den zahlreichen Anmerkungen der Nymphenburger Ausgabe zum Ausdruck kommt – sind
deshalb unverständlich geworden, weil ihr Sinn, also die Realität, auf
die sie sich beziehen, für uns versunken ist. Die zu ihrem Verständnis
notwendige Information läßt sich nicht durch Übersetzung in äqui-
valente moderne Begriffe leisten, sondern nur dadurch, daß erläutert
wird, daß beispielsweise Kommerzienrat ein vom Staat verliehener
Titel war, zu dem es eine höhere Stufe, den Geheimen Kommerzienrat,

die für Treibel erstrebenswerte Vervollständigung gab. Das Verständnis von Sprache erfordert hier also Information über gesellschaftliche Zustände: das Kontextwissen zur Landeskunde, von dem S. J. Schmidt spricht. Hinzu kommen vergessene Namen und Verhältnisse: Singer oder Ludwig Löwe beispielsweise. Diese Art von Informationsbedürfnissen ist in der Tat 'enzyklopädisches' Nachschlagewissen: heterogene, potentiell uferlose 'Informationsbestände', die für jeden Text anders gelagert sind. Allein für einen Autor wie Fontane, mehr noch für die Literatur einer Epoche oder eines Landes, kann derartiges Kontextwissen deshalb nur ad hoc erschlossen werden, sofern es greifbar ist. In sich inkonsistent kann es nicht Gegenstand einer eigenen Wissenschaft oder landeskundlichen Lehre sein. Es bleibt bloßes Kontextmaterial zum Text.

Einen höheren Grad von Komplexität besitzt bereits der Begriff des 'Fortschrittlers' und das Spiel, das Fontane im Text zwischen dieser Parteibezeichnung und dem allgemeinen Begriff des Fortschritts treibt. Denn hier ist die Lexikoninformation, daß die Fortschrittspartei eine liberale Partei des Kaiserreichs war, nur ein erster Schritt. Sie bleibt solange totes Material, wie sie nicht in Beziehung zu dem Parteiensystem gestellt wird, in dem die Fortschrittspartei eine bestimmte Funktion wahrnahm. Die Frage nach der Funktion setzt aber bereits analytische Kriterien zum Umgang mit Parteien und zur Befragung der Informationsmittel voraus, ohne die sie in ihrer Bedeutung nicht erschlossen werden kann. Nicht bloße Information ist also erforderlich, sondern die Nutzung eines Instrumentariums, das nicht mehr text-, sondern sozialwissenschaftlich ist. Diese analytischen Kategorien bleiben aber unvollständig, wenn sie nicht durch eine, wenigstens rudimentäre, Kenntnis der Geschichte dieses Parteiensystems, also durch die historische, 'landeskundliche' Konkretisierung systematischer sozialwissenschaftlicher Fragestellungen, vervollständigt werden. Wer nicht weiß oder nachliest, daß die Spaltung der Liberalen in Fortschrittspartei und Nationalliberale, oder, wie Fontane schreibt, 'nationale Mittelpartei', in einen rechten und linken Flügel anhand der Zustimmung oder Ablehnung des Bismarck'schen Verfassungsbruchs in der Frage der Militärkredite, also der Stellung zur staatlich-militaristischen Autorität erfolgte, kann Fontanes Text nicht verstehen. Auch dies mag man mit Schmidt noch als 'enzyklopädische' Information bezeichnen – Konnotationen, die dem zeitgenössischen Leser Fontanes vertraut waren.

In ihrer Relevanz erschließen sie sich aber erst der analytischen Frage nach der Funktion dieser Tatsachen, also der nicht mehr textwissenschaftlichen, sondern sozialwissenschaftlichen Frage nach Systemzusammenhängen. Derartige Fakten und Systemzusammenhänge bleiben aber immer noch tote Informationsbestände, wenn ihre Funktionen nicht in ihrem historischen Sinne erfaßt, das heißt, in ihrer Wandelbarkeit begriffen werden. Der Kontext zum Text ist nicht bloße Information, er ist vielmehr diejenige Form der Realitätserschließung, die zeigen kann, aus welchen Zusammenhängen der Text hervorgeht und wie er sich auf sie bezieht. Es lohnt sich deshalb, zu prüfen, ob sozialwissenschaftliche Kategorien geeignet sind, ein vertieftes Verständnis des Textes zu ermöglichen.

In unserem Falle ist diese Aufgabe dadurch erleichtert, daß eines der wichtigsten soziologisch-historischen Bücher über die Entwicklung Deutschlands akkurat das gleiche Thema hat wie Fontanes Text, Ralf Dahrendorfs "Gesellschaft und Demokratie in Deutschland"[22]. Wie Fontane fragt Dahrendorf nach den soziologischen Determinanten der deutschen Sonderentwicklung im Vergleich zu den anderen westlichen Industrieländern. Die von ihm analysierte 'Versäulung' der deutschen Gesellschaft entspricht der bei Fontane formulierten soziologischen Determinierung: "Rittergutsbesitzer sind agrarisch". Die beiden anderen Aussagen: "Professoren sind nationale Mittelpartei, Industrielle sind fortschrittlich", werden dagegen in Fontanes Text selbst relativiert. Nicht nur äußert der Professor des Romans wunderliche Neigungen zum Sozialismus: "Corinna, wenn ich nicht Professor wäre, so würd ich am Ende Sozialdemokrat."[23]

Auch Treibels Verhalten folgt nicht der ihm angebotenen Determinierung. Sein Schwenk zum Konservatismus wird vielmehr doppelt begründet, durch den vom kaiserlichen Staat in Aussicht gestellten Titel und durch die Fabrikation von Preußisch-Blau, "das symbolisch Preußische sozusagen in höchster Potenz"[24]. Die in Treibel symbolisierte Gründerzeitindustrie bleibt also gerade nicht dort, wo sie ihrer soziologischen Zugehörigkeit nach ihren Platz hätte, sie assimiliert sich vielmehr an den feudalistisch-vorindustriellen Staat des Kaiserreichs. Eine analoge Interpretation liefert wiederum Dahrendorf: "Dabei ist ja vor allem zu bedenken, daß der Staat, um den es sich hier handelte, nicht der Staat eines Joseph Chamberlain oder Gladstone, sondern der einer in Ursprung und Haltung vorindustriellen Führungsschicht war. So ist man bei allen Einwänden gegen die polemische Ungenauigkeit der Anspielungen marxistischer Terminologie, geneigt, Mottek zuzustimmen, wenn er sagt: 'Die gemeinsamen Geschäfte zwischen preußischem Staat und Bourgeoisie sowie auch unmittelbar zwischen Junkern und Bourgeoisie, sind eine Ursache für den späteren Verrat der Bourgeoisie an der bürgerlichen demokratischen Revolution von 1848 gewesen, ebenso wie auch später die einträgliche Zusammenarbeit mit dem Kaiserreich zur rascheren Überwindung des früheren Liberalismus der Bourgeoisie beitrug'."[25]

Dahrendorfs im Rückblick erstellte sozialwissenschaftliche Analyse zeigt die historische Dimension der in Fontanes Text nur scheinbar spielerisch gezeigten Wende: die Tragödie des deutschen Bürgertums. Aber Fontane, und analog Dahrendorf, gehen in ihrer Analyse deutscher politischer Kultur noch erheblich weiter. Beide untersuchen das Motiv für diesen Prozeß der Anpassung, die selbst dort nicht aufhört, wo staatliche Autorität den Verfassungsprinzipien der Liberalität widerspricht: "Außerdem aber, ich erkenne die Lebensaufgabe des Weisen vor allen Dingen in Herstellung des sogenannten Harmonischen, und dies Harmonische, wie die Dinge nun man liegen (...) schließt in meinem Spezialfalle die fortschrittliche Bürgerkrone so gut wie aus."[26] "Die aurea aetas des Friedens und der Harmonie (...) verrät den illiberalen Grundzug einer solchen Ideologie (...) Sie fand zudem Unterstützung bei jenem Mittelstand der verängstigten Selbständigen, der seine Überlebenschance allein in der Erhaltung des ökonomischen, sozialen und politischen Status quo erblickte. So entstand eine Koalition der Antiquierten gegen Modernität und Liberalität, der die deutsche Ideologie der inneren Harmonie als Faktum oder doch als Richtpunkt zumindest sehr gelegen kam."[27]

Historisch-soziologische Analyse und literarischer Text erweisen sich in unserem Falle als so komplementär, daß sich zumindest dem heutigen Leser die gesellschaftlich-politische Dimension des Fontane'schen Romans erst voll durch die sozialwissenschaftliche Entfaltung der Kategorien erschließt, die dem Text zugrundeliegen. Die besondere Wirkung des literarischen Textes liegt dabei in seiner fiktionalen Konkretisierung sozialer Entwicklungen in einer hoch stilisierten Situation. Kunst schafft individualisierte Wahrnehmungsformen und Entwicklungsräume, die den begrifflich fixierten verallgemeinernden Kategorien der sozialwissenschaftlichen Analyse verschlossen bleiben müssen.

Mittel dieser Konkretisierung sind neben Personendarstellung, Szenenabfolge und sprachlichem Duktus auch die Verwendung symbolischer Objekte: auch wenn es sich um geläufige Gegenstände Wilhelminischer Kultur handelt, ist sie doch nicht bloße Abbildung realer Verhältnisse. Ihre Auswahl, Kombination und Färbung gehorcht vielmehr künstlerischem Kalkül, das werkimmanent beschrieben werden kann,

in seiner Wirkung aber ebenfalls durch die Tatsache bestimmt ist, daß
Objekte und Objektkombinationen soziale, psychologische und ästhetische Bedeutungen besitzen, deren Sinn ebenso wie die politisch-sozio-
logischen Aussagen nur in Bezug auf die Umwelt verstanden werden
kann, die der Roman beschreibt und die durch diese Beschreibung in
ihrer Sinnhaftigkeit/Absurdität erhellt wird. Im Bereich des Ästhetischen besteht also ein ähnliches komplementäres Wechselverhältnis
zwischen Text und Landeskunde, literarischer Interpretation und sozialwissenschaftlicher Kulturmorphologie der Gründerzeit, der sich an
den Objekten 'Springbrunnen' und 'Kakadu' demonstrieren ließe.
Auch der Chablis ist nicht durch die enzyklopädische Information erklärt, daß es sich um einen trockenen französischen Weißwein handelt.
Fontane-Leser wissen aus "Vor dem Sturm", daß es ein symbolisch-
vornehmes Getränk des preußischen Ancien Régime war. Historische
Kultursoziologie kann erklären, was die Übernahme dieses Getränks
durch die reiche Bourgeoisie der Gründerzeit bedeutet. Wie weit Fontane in der Demonstration gesellschaftlicher Widersprüche und der in
ihnen angelegten künftigen Entwicklung geht, mag die Tatsache belegen, daß die Absurdität der neben die Fabrik gebauten schloßartigen
Gründervilla ökologisch erfahren wird: "Die Nähe der Fabrik, wenn
der Wind ungünstig stand, hatte freilich auch allerlei Mißliches im Ge-
leite; Nordwind aber, der den Qualm herantrieb, war notorisch selten, und man brauchte die Gesellschaften nicht gerade bei Nordwind
zu geben. Außerdem ließ Treibel die Fabrikschornsteine mit jedem Jahr
höher hinaufführen und beseitigte damit den anfänglichen Übelstand
immer mehr."[28]

3.5 Interferenzen der Rezeption: die Zukunft als Vergangenheit

Für den heutigen Leser bietet Fontanes Text aber nicht nur die Schwierigkeiten, die durch das Verständnis seiner Zeit, die Analyse ihrer Verhältnisse nach sozialwissenschaftlichen Kriterien und die Rückkoppe-
lung dieser Analyse an die künstlerische Intention des Textes bedingt
sind. Fontanes Begriffe und die gezeigte Entwicklung seiner Figuren
werden vielmehr nach dem totalen Zusammenbruch des deutschen Reiches durch die Überlebenden anders wahrgenommen und bewertet als
sie aus der Perspektive Fontane'scher Ironie zu Beginn einer von ihm
in aller Luzidität verstandenen, aber noch offenen Fehlentwicklung
erscheinen mußten. Begriffe wie 'Fortschritt', 'Konservatismus' und
'Preußen' haben heute einen anderen Klang, in den die Geschichte

der letzten hundert Jahre und der Zusammenbruch des deutschen Reiches eingegangen sind. Diese Geschichte ist aber nicht nur die Realgeschichte beziehungsweise die Vorstellung dieser Realgeschichte bei unterschiedlich kenntnisreichen, in ihren Bewertungen unterschiedlich orientierten Lesern; sie ist auch die Geschichte späterer Literatur und Ästhetik, die sich Fontane'scher Themen und Objekte bemächtigt haben. Es ist deshalb schwer abzuschätzen, ob und inwieweit unser Bild Treibels nicht durch Heinrich Manns "Untertan" und das Bild seines Milieus durch die Revolte gegen die bürgerliche Ästhetik in der frühen Moderne bestimmt sind.

Darüberhinaus wäre zu prüfen, ob wir Fontanes Romane aus unserer heutigen Realitätserfahrung nicht insgesamt mit einer zugleich verklärenden und verharmlosenden Nostalgie lesen, die sehr viel weniger luzide ist, als Fontanes eigene Ambivalenz zwischen Altpreußen und Sozialismus. Sind wir aus unserer Perspektive, die sich als Interferenz der Begriffe, Wertungen und Reaktionen auf Fontanes Text projiziert, überhaupt in der Lage, die Modernität eines Autors aufzufassen, dessen Zukunft aus unserer Sicht unwiederbringliche Vergangenheit bedeutet? Fontane verstehen bedeutet also zugleich unser Verhältnis zu Fontanes Welt und ihrer auf uns einwirkenden Entwicklung zu analysieren. Auch die, hier nur angedeutete Analyse, ist ohne die gleichberechtigte Komplementarität geistes- und sozialgeschichtlicher Fragestellungen, ohne die reflektierende Analyse unserer eigenen Position in Beziehung sowohl zum analysierten Text wie zu der Wirklichkeit, aus der er stammt und auf die er in künstlerischer Transformation Bezug nimmt, nicht zu leisten. Textwissenschaft ist nicht nur auf die Landeskunde der Verhältnisse angewiesen, in denen der Text seinen Ursprung hat, sondern mindestens ebenso auf die nicht als Kontext, sondern nur als historische und gesellschaftliche Realitäts- und Bewußtseinsbezüge zu erfassende Landeskunde der Beziehungen zwischen unserer Welt und der Welt Fontanes.

4. Landeskunde als Projekt: statt einer Definition

Die skizzierte Interpretation des Fontane'schen Dialogs hat gezeigt, daß ein Text dieser Art sprachlich, inhaltlich, ästhetisch und in seiner Intention sowie Rezeption nicht ohne die Erschließung der Zusammenhänge zu entfalten ist, auf die er sich bezieht und auf die er einwirkt. Diese Erschließung bedeutet dabei nicht nur die Aufzählung von Fakten und Informationsbeständen, sondern die Nutzung sozialwissenschaftlicher Kategorien und Bezugssysteme. Das Verhältnis von Textwissenschaft und Landeskunde hatte sich als komplementär erwiesen: die sozialwissenschaftliche Analyse Dahrendorfs konnte die Realitätsbezüge des Textes und seine spezifische Art der Stilisierung präzisieren, umgekehrt erhellt der Text die gesellschaftlich-historischen Verhältnisse in einer Weise, die mit den Mitteln sozialwissenschaftlicher Generalisierungen nicht zu leisten ist. Das "Un-Fach" bewährt sich an diesem Text als Kombination historischer, soziologischer, kulturwissenschaftlicher und textanalytischer Fragestellungen, die in ihrem konkreten Zusammenwirken die Natur der hier zur Diskussion stehenden Sache verdeutlichen. Die hier skizzierte, von einem Fontane-Text ausgehende Interpretation des Parteiensystems in der Gründerzeit könnte Ausgangspunkt eines multidisziplinären Forschungs- und Lehrprojektes zur textwissenschaftlichen und sozial/kulturwissenschaftlichen Untersuchung von Problemen des Kaiserreichs sein: ein Projekt der Landeskunde.

Nun muß sich die Kombination der Themen, Fragestellungen und Instrumente je nach Untersuchungsgegenstand unterscheiden. Goethes Gedichte oder die Erfahrung des Zusammenbruchs 1945 bedürfen jeweils anderer Ansätze als die literarische Inszenierung des Parteiensystems in einem satirischen Roman Fontanes. Es kann keine allgemeinverbindliche Definition von Landeskunde, sei es nun als Kontextwissen oder als dogmatische Festlegung eines sozialwissenschaftlichen Themenkanons geben. Landeskundliches und textwissenschaftliches Arbeiten sind deshalb nur in der Form des Projekts, der gezielten Nutzung der für eine konkrete Fragestellung jeweils erforderlichen, jeweils unterschiedlichen wissenschaftlichen Ressourcen möglich. Die Interpretation des Fontane-Dialogs hat gezeigt, daß schon die Lektüre eines derartigen kurzen Romanausschnitts projektartige Arbeitsformen verlangt; Semiotik demonstriert, daß selbst der scheinbar realitätsfernste, im extrem scheinbar sinnleerste ästhetische Text in Intention und Rezeption spezifische Realitätsbezüge besitzt, die sich nur in multidisziplinärer Kooperation erschließen. Das Wechselverhältnis von Sprache und Inhalt, Landeskunde und Textwissenschaft macht die Überschreitung der Fächergrenzen zum wissenschaftlichen Gebot.

5. Landeskunde in Forschung, Lehre und Sprachunterricht

Dieses Gebot muß aber wie die Landeskundediskussion der letzten Jahre leerer Appell bleiben, wenn nicht Organisationsformen gefun-

den werden, die seine Realisierung in gezielter Verbindung von text-
wissenschaftlicher und sozial/kulturwissenschaftlicher Erschließung
landeskundlicher Themen ermöglichen. Wenn es zutrifft, daß die notwendige multidisziplinäre Kooperation weder in der additiven Ne-
beneinanderstellung von Fächern oder bloßer Bereitstellung enzyklopädischer Informationsbestände für eine Leitwissenschaft bestehen
kann, genügt die Berufung auf das zufällige Vorhandensein von Wissenschaftlern der Nachbardisziplinen an der gleichen Universität nicht
(die im übrigen meist eine bloße Alibifunktion besitzt, da Nachbar-
schaft nur in den seltensten Fällen zu wirklicher Kooperation führt).
Sie muß sich vielmehr in konkreten Projekten realisieren.

Wie die Interpretation des Fontanetextes gezeigt hat, ist selbst für
ein derart beschränktes Projekt die Heranziehung von Fragestellungen
und Ergebnissen mehrerer Wissenschaften (hier Literaturwissenschaft,
Geschichte, politische Soziologie, empirische Kulturwissenschaft) erforderlich. Eine derartige Integration der verschiedenen Fragestellungen
ist aber durchaus vom einzelnen Wissenschaftler zu leisten, wenn ihm
die Information über die heranzuziehenden Nachbarwissenschaften
zugänglich ist, und er bereit ist, sich in die jeweils relevanten methodischen Ansätze einzuarbeiten. Insbesondere für die Auslandsgermanistik
muß deshalb ein Informationssystem entwickelt werden, das die Vielfalt der mit deutschen Themen befaßten Fächer und Publikationen
für Forschung und Lehre erschließt[29].

Die Konsolidierung einer interdisziplinär orientierten Germanistik
des Deutschen als Fremdsprache könnte darüberhinaus rasche Fort-
schritte machen, wenn derartige Projekte, die jeweils die Perspektive
des Auslands mitreflektieren, also nicht nur, wie in unserer Interpretation, historisch, sondern international vergleichend zu arbeiten hätten, in einer gezielten Strategie so gefördert und durchgeführt würden,
daß die wichtigsten Themenfelder und Forschungsergebnisse nach und
nach für die Projektarbeit erschlossen werden könnten.

Eine derartige Forschungsstrategie ist Voraussetzung wirksamer
Lehre, da sie die inhaltlichen und personellen Grundlagen für projekt-
bezogenes Arbeiten zu schaffen hätte. Da aber auch bei dem wirksam-
sten Informationssystem landeskundliche wie textwissenschaftliche
Projekte nicht ohne einen Fundus historischer und methodischer Kenntnisse und – sprechen wir das anstößige Wort aus – nicht ohne ein Minimum von Allgemeinbildung zu realisieren sind, sollte geprüft werden, in welcher Weise die Vermittlung des grundlegenden Orientie-
rungswissens und die exemplarische Erarbeitung ausgewählter Projekte

in das traditionelle Studium der Philologie einzubeziehen wären.[30] Eine derartige Ausbildung ist aber nicht nur Voraussetzung wirksamer Ausbildung des Nachwuchses für die Forschung. Die notwendige und von der Fremdsprachendidaktik zunehmend anerkannte Integration von Fremdsprachenunterricht und Landeskunde erfordert Methoden des Lehrens und Lernens, die ebenfalls nur wirksam werden, wenn es gelingt, konkret Sprache und Inhalte, Texte, Realität und Perspektiven aufeinander zu beziehen. Forschung, Lehre und Fremdsprachenunterricht erweisen sich also als verschiedene Stufen der gleichen Aufgabe: des Fächer-, Länder- und Sprachgrenzen überwindenden Verstehens.

Anmerkungen

1 in Was ist bei der Selektion landeskundlichen Wissens zu berücksichtigen? Jahrbuch Deutsch als Fremdsprache 3, Heidelberg 1977, S. 27, in diesem Band S. 289 ff.

2 in Was sollen Romanisten lehren? in Baumgratz, G. und Picht, R. (Hrsg.): Perspektiven der Frankreichkunde II. Tübingen 1978, S. 7.

3 in Frau Jenny Treibel, Nymphenburger Taschenbuchausgabe Bd. 11, München 1969, S. 182.

4 S. J. Schmidt, a. a. O., S. 25.

5 ebd.

6 in Theorie und Realität. Ausgewählte Aufsätze zur Wissenschaftslehre der Sozialwissenschaften. Tübingen 1971², S. 4.

7 a. a. O., S. 5.

8 a. a. O., S. 6.

9 a. a. O., S. 25 ff.

10 a. a. O., S. 27.

11 a. a. O., S. 26 f.

12 a. a. O., S. 25.

13 Rolf Kloepfer: Fluchtpunkt 'Rezeption'. Gemeinsamkeiten szientistischer und hermeneutischer Konzeptionen in Bielefeld und Konstanz, Manuskript, S. 14.

14 a. a. O., S. 17.

15 a. a. O., S. 31 ff.

16 Zur Frage der Bestimmung und Erarbeitung landeskundlicher Gegenstände aus Texten vergleiche Gisela Baumgratz, Dieter Menyesch, Henrik Uterwedde: Landeskunde in Pressetexten I und II, Tübingen: Niemeyer 1978 (Arbeitshefte zur Frankreichkunde 1 und 2).

17 siehe dazu insbesondere Baumgratz et alii, a. a. O., II, S. 42 f.

[18] siehe dazu Kloepfer, a. a. O., S. 15.

[19] beispielsweise die von Thomas Mann zitierte Aussage: "Alles Interesse ruht beim vierten Stand. Der Bourgeois ist furchtbar, und Adel und Klerus sind altbacken, immer dasselbe. Die neue, bessere Welt fängt erst beim vierten Stande an (...)" in Essays. Band 1 Literatur. "Einleitung" zu Fontanes Werken. Frankfurt: Fischer Taschenbuchverlag 1977, S. 92.

[20] a. a. O., S. 93 f.

[21] Fontane, a. a. O., S. 191.

[22] München: Deutscher Taschenbuchverlag 1972.^{2}

[23] a. a. O., S. 163.

[24] a. a. O., S. 33.

[25] a. a. O., S. 45.

[26] Fontane, a. a. O., S. 32.

[27] Dahrendorf, a. a. O., S. 146 ff.

[28] a. a. O., S. 17.

[29] Eine erste Einführung in die wichtigsten Fächer, Themen und Publikationen bietet Picht, R. (Hrsg.): Deutschlandstudien I – Kommentierte Bibliographie. Bonn: Deutscher Akademischer Austauschdienst 1978.

[30] Entsprechende Vorschläge für eine sozialwissenschaftlich orientierte Romanistik finden sich in Baumgratz, G. und Picht, R. (Hrsg.): Perspektiven der Frankreichkunde I und II. Tübingen 1974 und 1978.

Siegfried J. Schmidt

Was ist bei der Selektion landeskundlichen Wissens zu berücksichtigen?

1. Landeskunde als Kontextwissen: Theoretische Begründung

1.0. Betrachtet man die jüngsten Diskussionsbeiträge zum Thema Landeskunde[1], so findet man die längst bekannten Klagen über Geschichte und Zustand dieses (Un-)Faches stets wiederholt:

    a) die Geschichte der Landeskunde ist wechselvoll und z. T. politisch anstößig (cf. Landeskunde als Ideologieträger)

    b) bis heute fehlt eine Definition des Begriffs Landeskunde

    c) Landeskunde hat (noch) keine eindeutige Basis-Bezugswissenschaft

    d) Landeskunde verfügt (noch) über keine didaktische Konzeption.

Die in der Bundesrepublik durch Staatsexamensordnungen hier und da vorgeschriebene Landeskunde-Prüfung scheitert in der Praxis oft genug daran, daß Studenten während ihres philologischen Studiums keine Landeskunde-Veranstaltungen besucht haben bzw. besuchen konnten; und wenn sie die Prüfungsschwelle überwunden haben, stehen sie spätestens im Unterricht vor dem Problem Landeskunde. Besonders gravierend ist dieses Problem für alle, die im Ausland deutsche Sprache und Literatur samt Landeskunde vermitteln müssen und in der Regel nicht dafür ausgebildet worden sind. Der Zwang zur Landeskunde-Praxis bei einem nicht zu übersehenden Theoriedefizit in diesem Bereich sowie mangelnder Didaktik, praktische Probleme der Informationsbeschaffung und die endlosen Schwierigkeiten bei der Auswahl, Rechtfertigung und Vermittlung landeskundlicher Wissensbestände[2] sorgen – wie bekannt – dafür, daß die Diskussionen zum Thema Landeskunde ebenso perennierend wie enervierend sind.

1.1. Auch nach den Diskussionen der letzten Jahre bleibe ich bei meinem Vorschlag von 1973, das "Problem Landeskunde" dadurch lösbarer zu machen, daß man Landeskunde nicht als isolierten Aspekt der Forschung, Didaxis oder Ideologie sieht[3], *und* daß man Landeskunde nicht als eigenständiges Fach betrachtet. Stattdessen habe ich angeregt, eine instrumentale Konzeption von Landeskunde als Bestandteil der Disziplinen Linguistik und Literaturwissenschaft sowie des

Sprach- und Literaturunterrichts zu entwickeln. Die hierfür angebotene Formel "Landeskunde als Kontextwissen" versteht '*Kontext*' als Gesamt der politischen, sozio-ökonomischen und kulturellen Gegebenheiten, die für die Produktion und Rezeption sprachlicher Äußerungen maßgeblich sind/waren; sie versteht unter *Wissen* die in kognitiven Strukturen verfügbare sedimentierte gesellschaftliche Arbeit und Bewußtseinsbildung der Individuen.

1.1.1. Die Begründung für eine instrumentale Konzeption von Landeskunde als Kontextwissen habe ich in (1973) und (1976) zu geben versucht. Die wichtigsten Argumente sollen hier noch einmal zusammengefaßt werden:

(1) Die "Pragmatisierung" weiter Forschungsbereiche der Linguistik zeigt immer deutlicher die notwendige Beziehung zwischen sprachlichen Texten und nicht-sprachlichen Kontexten im Handlungszusammenhang kommunikativer Handlungsspiele[4]: Wer die Bedeutung geäußerter sprachlicher Texte und das soziale Funktionieren dieser Äußerungen als Kommunikationshandlungen beschreiben oder gar erklären will, kann sprachliche Erscheinungen nicht in Isolierung von den Kontexten ihres tatsächlichen Vorkommens analysieren; er muß Text- und Kontextwissen aufeinander beziehen. Spracherforschung und Sprachunterricht ohne Rekurs auf die relevanten Kontexte (s. o. 1.1) ist fachwissenschaftlich wie fachdidaktisch nicht zu rechtfertigen, will man Texte hinsichtlich ihrer notwendigen Textsortenzugehörigkeit beschreiben, ihre Kohärenz erklären, Kommunikationsakte analysieren, die sozialen Konventionen für Kommunikationsakte erläutern, Textverstehen als spezifisches Zusammenwirken sprachlicher und enzyklopädischer Kenntnisse rekonstruieren, bei dem neben syntaktischen und semantischen Desambiguierungsoperationen auch Inferenzschlüsse vorgenommen werden (cf. Schmidt 1976a).

(2) Die beginnende Empirisierung der Literaturwissenschaft (cf. Schmidt 1975) geht aus von einer Modellvorstellung des Untersuchungsbereichs einer Literaturwissenschaft, die als Ensemble der kommunikativen Prozesse Literarischer Kommunikation bezeichnet werden kann. D. h. literarische Texte werden nicht länger als "autonome Kunstwerke" betrachtet, sondern als Resultat und Bezugspunkt kommunikativer Prozesse unterschiedlicher Art. Eine empirische Literaturwissenschaft als Theorie der Literarischen Kommunikation (bestehend aus den Prozessen der Produktion, Vermarktung, Rezeption und Verarbeitung literarischer Texte) kann – wie eine linguistische Pragmatik – Texte nur in Kontexten beschreiben und erklären; auch hier sind

Literaturerforschung und Literaturunterricht aus fachwissenschaftlichen wie fachdidaktischen Gründen auf die notwendige Berücksichtigung von Text-Kontext-Relationen verwiesen, will man nicht ideologisch verschweigen, daß Literarische Kommunikation in *allen* ihren Teilprozessen beeinflußt ist von Kontextfaktoren, daß literarische Texte in ihrer Bedeutung und Wirkung nur im Rahmen der für sie maßgeblichen Kontexte verstehbar und erklärbar sind.

Die Beschäftigung mit Kontextwissen ist also sowohl für eine linguistische Pragmatik als auch für eine Theorie der Literarischen Kommunikation integraler Bestandteil von Forschung und Lehre.[5] In der Forschung ist dabei 'Kontextwissen' definierbar als diejenige Menge an enzyklopädischen Informationen, die eine Theorie explizit repräsentiert; in der Lehre als die Menge von solchen Informationen, die vom Lehrenden vermittelt und/oder vom Lerner aktiv oder passiv beherrscht wird. Darum kann Landeskunde in diesem Konzept nur als fachwissenschaftliches und fachdidaktisches Problem einer empirischen Linguistik und Literaturwissenschaft behandelt werden.[6]

2. Landeskunde als Kontextwissen: Vorschläge für die Praxis

2.1. Erste Konsequenzen aus dieser theoretischen Begründung für die wissenschaftliche und didaktische Praxis habe ich in (1973) unter der Überschrift "Zur dreifachen Funktion von 'Landeskunde'" sehr allgemein so gezogen, daß ich drei Anlässe für den Zugriff auf landeskundliche Informationsbestände vorgesehen habe:

a) Zugriffe auf Informationsbestände, die immer dann notwendig werden, wenn man vom isolierten Text zum Text als Faktor kommunikativer Handlungsspiele übergeht (Motto: vom Text zum Kontext).

b) Zugriffe auf Informationen, die notwendig werden, wenn man von komplexen sozialen Systemen ausgehend Entstehung, Rezeption und Funktionsweisen sprachlicher Texte thematisch machen will (Motto: vom Kontext zum Text).

c) Zugriffe auf Informationen, die notwendig werden, wenn sprachliche Kommunikation im weiteren Rahmen von Kommunikation als Form sozialer Interaktion behandelt wird und entweder das Beherrschen kommunikativer Handlungsspiele im Rahmen einer spezifischen Soziokultur oder im Vergleich zu anderen Soziokulturen zum Lehr- und Lernziel gemacht wird. (Motto: Analyse kommunikativer Handlungsweisen und Optimierung kommunikativer Kompetenz und Performanz).

Diese sehr allgemeine Anregung steht in der Praxis des Sprach- und Literaturunterrichts – vor allem bei Deutschunterricht im Ausland – vor dem Problem des sprachlichen und didaktischen Nadelöhrs (H. Melenk): Die Sprach- und Kontext-Kenntnisse der Adressaten sind notwendig begrenzt und durch unterrichtliche Bemühungen nicht beliebig erweiterbar. Daraus folgt, daß Selektionen vorgenommen werden müssen, denen *Entscheidungen* zugrundeliegen. Die Gründe für diese Entscheidungen müssen so explizit wie möglich gemacht werden, damit die fachwissenschaftlichen, allgemein pädagogischen, sozialen und politischen Interessen von Unterricht für alle Beteiligten deutlich und damit kritisierbar und veränderbar werden. Um dieses allgemeine und in dieser Allgemeinheit wohl von keinem bestrittene Postulat zu konkretisieren, wird im folgenden eine Liste von *Selektionskriterien* zur Diskussion gestellt. Diese Liste soll verdeutlichen, welche Bedingungen und Faktoren des Sprach- und Literaturunterrichts – verstanden als Vermittlung von Text-Kontext-Wissen – *bewußt* berücksichtigt werden sollten, wenn jemand kritischen Unterricht geben soll.[7] Leitender Gesichtspunkt bei der Erstellung der Liste ist nicht die Entdeckung, sondern die Systematisierung von Faktoren. Da viele der Faktoren (die natürlich von Lehrenden ganz oder partiell bisher sicher auch schon berücksichtigt worden sind) miteinander zusammenhängen, kommen Überschneidungen und teilweise Wiederholungen vor, die aber bewußt in Kauf genommen werden, da es in erster Linie darauf ankommt, sich in den aufgelisteten Bereichen möglichst klar darüber zu werden, welche Faktoren bei der Auswahl von Texten und der Vermittlung von Kontextwissen zu berücksichtigen sind, welche Entscheidungen bewußt zu treffen sind.

0. *Institutionelle Vorgaben*

Unter diesen Punkt fallen alle für den Lehrenden nicht frei wählbaren oder änderbaren Vorgaben politischer, organisatorischer und curricularer Art, die vom Staat, der Schule bzw. Hochschule vorgegeben sind (z. B. Prüfungsordnungen, Rahmencurricula, Pflichtveranstaltungen etc.)

1. *Textbereich*

(0) Vor bzw. bei jeder Beschäftigung mit sprachlichen Texten sollte sich der Lehrende darüber klarzuwerden versuchen, von welchen

sprach-, text- und kommunikationstheoretischen Modellvorstellungen er ausgeht und wie diese Modellvorstellungen seine didaktischen Entscheidungen sowie seine pädagogischen, fachwissenschaftlichen und politischen Zielsetzungen beeinflussen.

a) Texte als empirisch gegebene Sprachvorkommen sind auf ihre historischen Bedingungen und gesellschaftlichen Implikate hin zu untersuchen. Das bedeutet z. B., daß der Publikationsort, der Publikationskontext und die vom Textautor anvisierte Zielgruppe entsprechend berücksichtigt werden müssen, da sprachliche Texte immer Bestandteile komplexer kommunikativer Handlungsspiele sind, die nur unter kontrollierter methodischer Abstraktion unter partiellen Aspekten betrachtet werden können.

b) Texte sind stets Manifestationen von Textsorten.[8] Sie sind hinsichtlich ihrer propositionalen, illokutiven und perlokutiven Aspekte (im Sinne der Sprechakttheorie) zu untersuchen.[9]

c) Bei der Analyse von Texten sind verschiedene Textdimensionen zu unterscheiden; beim sprachlichen Niveau sind Grammatik, Stil und Register zu berücksichtigen, die unterschiedliche Komplexität aufweisen können und entsprechend unterschiedliche Anforderungen an das Verständnis stellen. Die Komplexität kann strukturell oder funktional sein, wobei man bei funktionaler Komplexität wieder unterscheiden kann im Hinblick auf welches Lesepublikum ein Text komplex ist (zum Autor zeitgenössisches oder heutiges Lesepublikum, muttersprachliches oder fremdsprachliches Publikum). Beim enzyklopädischen Textniveau ist zu fragen, welche terminologischen und thematischen Aspekte eine Rolle spielen, d. h. welches theoretische bzw. empirische Wissen für das Verständnis eines Textes erforderlich ist.

d) Sollen spezielle Lernziele durch die Beschäftigung mit bestimmten Texten erreicht werden (z. B. die Fähigkeit zur syntaktischen Analyse), so ist zu fragen, ob ein Text für diese Aufgabe geeignet ist, d. h. ob es sinnvoll ist, ihn auf diesen abstrakten Gesichtspunkt hin zu behandeln.

2. *Adressatenbereich*

Bei allen an Unterrichtsprozessen Beteiligten sollen generell folgende Aspekte berücksichtigt werden: Können, Wollen, Sollen und Verfügen.

a) Können und Wissen der Adressaten sind auf mindestens drei Ebenen zu berücksichtigen: Auf der Ebene der Lexik, Grammatik und

Stilistik; auf der Ebene des Kontextwissens sowie auf der Ebene produktive oder rezeptive Kompetenz.

b) "Wollen" berücksichtigt die Motivation der Adressaten sowie deren Erwartungen, die im kognitiven oder emotiven Bereich liegen können.

c) "Sollen" berücksichtigt die vom Adressaten anzustrebenden Fähigkeiten und Fertigkeiten bzw. anzustrebende Qualifikationen im institutionellen Rahmen.

d) "Verfügen" betrifft die Zugangsmöglichkeit der Adressaten zu Lernmitteln aller Art, zu Lehrpersonen und anderen Informanten.

3. Lehrende

a) Welche Texte und Themen ein Lehrender im Unterricht behandelt, hängt ab von seinen Kenntnissen und Fähigkeiten in den Bereichen: Sprachliche Kompetenz, Kontextwissen, Fachtheorie und Didaktik.

b) Auch beim Lehrenden sind Motivation und eigene Intention (= selbstgesteckte Zielsetzung) möglichst deutlich zu explizieren, um Texte und Themen auf ihre spezifische Eignung für den Unterricht hin prüfen zu können.

c) "Sollen" verweist auf "von außen" vorgegebene Zielsetzungen, die beim Unterricht berücksichtigt werden müssen.

d) "Verfügen" berücksichtigt auch hier den Zugang zu Lehrmitteln (von Bibliothek und Mediothek bis zu Sprachlabor und technischen Unterrichtshilfen).

4. Lernpsychologie

(0) Unter dieser Rubrik ist zu klären, von welchen lernpsychologischen Modellen, Theorien und Konzepten ein Lehrender (implizit oder explizit) ausgeht.

a) Je nach dem Ergebnis der Adressatenanalyse nach (2.a) muß die Lernkapazität abgeschätzt werden, um die Lerneinheiten, deren Dosierung und Sequentialisierung festlegen zu können.

b) Je nach der Muttersprache der Adressaten sind sprachstrukturelle Besonderheiten auf ihre psychologischen Aspekte hin zu untersuchen (Stichwort: Fehlerquellentypologie).

c) Psychische Lernbarrieren kulturspezifischer Art (kulturelle, soziale, religiöse, moralische etc.) werden eine besondere Rolle spielen für die Lektoren im nichteuropäischen Ausland, obwohl sie auch im muttersprachlichen Unterricht berücksichtigt werden müssen.

5. *Didaxis*

(0) die vom Lehrenden vertretene Didaktiktheorie muß daraufhin befragt werden, welche allgemeinen Lernziele sie abzuleiten und zu legitimieren erlaubt und welche Antwort sie auf die Frage nach der gesellschaftlichen Relevanz von Unterricht geben kann. Ohne Klarheit in diesen Punkten ist Klarheit in der Frage der Selektionskriterien für Kontextwissen kaum erwartbar und eine kritische Entscheidung für spezielle Lernziele unmöglich.

a) Bei den speziellen Lernzielen sollten Differenzierungen der folgenden Art vorgenommen werden:

(*α*) Förderung der sprachlichen Kompetenz, wobei zwischen aktiver und passiver, auditiver und schriftlicher Fähigkeit unterschieden werden muß und besondere Ziele wie Textsortenbeherrschung, Kennenlernen spezieller Register, Sozio- und Idiolekte etc. berücksichtigt werden müssen.

(*β*) Förderung der Fähigkeit, sich in konkreten sozialen Situationen kommunikativ erfolgreich zu verhalten ("kommunikative Kompetenz")

(*γ*) Förderung der Fähigkeit, Texte und Wissensbestände paraphrasieren, kondensieren und analysieren zu lernen und sich metasprachlich dazu äußern zu können. Dazu ist das Kennen- und Beherrschenlernen von Fachsprachen erforderlich, die als Metasprache zur Analyse und zum Kommentar eingesetzt werden.

(*δ*) Förderung der Bereitschaft und Fähigkeit, sich auch außerhalb des Unterrichts Kontextwissen anzueignen (private Lektüre, Medienbeobachtung, Informantenbefragung etc.)

b) Bei den Unterrichtsformen ist je nach Partnerkonstellation zwischen Monolog, Dialog und Polylog als anzustrebenden Kommunikationsformen zu unterscheiden.

c) Kommunikationsarten müssen je nach ihrer Funktion ausgewählt und eingesetzt werden; es geht dabei um kontaktive, argumentative, narrative und diskursive Kommunikationsformen zum Zwecke der Kontaktherstellung, Information, Handlungsauslösung, Selbstdarstellung und metakommunikativen Diskursführung (im Sinne einer Thematisierung der Kommunikationsakte und der sie leitenden Normen).

6. *Methoden*

Mit den Fragen unter 5. eng verbunden sind die methodologischen Entscheidungen des Lehrenden, die hier nur durch einige Fragen illustriert werden sollen:

a) Welche Techniken und Medien werden verwandt (Sprachlabor etc.)?
b) Soll produktiv oder rezeptiv gelernt werden?
c) Ist Anschluß an muttersprachliches Kontextwissen möglich?
d) Sind Transfer und Kontrast einsetzbar?
e) Lassen sich unterschiedliche Textsorten zur Illustration eines Themas einsetzen?
f) Welche Techniken der Verstehenserleichterung (durch Gliederung, Zwischentitel, Resümees, Bilder, Tabellen etc.) sind möglich?
g) Welche Maßnahmen zur Motivationsförderung werden ergriffen?

2.2. Mit dieser Liste kann auf zweierlei Arten gearbeitet werden:
a) Wenn der Lehrende von Texten ausgeht, die er gerne im Unterricht behandeln möchte, kann er anhand der Liste überprüfen, welche Faktoren zu den genannten Textbereichen auf welche Weise im Hinblick auf seine Adressaten berücksichtigt werden müssen oder sollen;
b) wenn der Lehrende von einem Thema ausgeht, erlaubt ihm die Liste, diejenigen Gesichtspunkte zu ermitteln bzw. bewußt zu machen, die bei der Auswahl geeigneter Texte berücksichtigt werden müssen.

Zweck dieser Liste kann es nicht sein, dem Lehrenden Entscheidungen abzunehmen; sie soll lediglich dazu dienen, die Vielfalt von Entscheidungen zu verdeutlichen, die getroffen werden müssen, wenn ein Text-Kontext-Wissensbestand einer spezifischen Adressatengruppe vermittelt werden soll. Vielleicht wird es dadurch leichter, zu einer kritischen Reflexion über die zu treffenden Entscheidungen zu kommen.

2.3. Um die skizzierten Gesichtspunkte überschaubarer zu machen, sollen sie zum Abschluß noch einmal in einer Liste zusammengefaßt werden.

Bei der Selektion von Kontextwissen ist bewußt zu achten auf:

   0. *Institutionelle Vorgaben*
   Nicht wähl- oder änderbare politische, curriculare und organisatorische Vorgaben für Lehre von Seiten des Staates und der Hochschule.

1. *Textbereich*

(0) sprach-, text- und kommunikationstheoretische Modellvorstellungen

a) historische Bedingungen und gesellschaftliche Implikate
b) Textsortenspezifik, Illokution, Perlokution
c) Textdimensionen (sprachlich, enzyklopädisch), sprachliches Niveau (Grammatik, Stil, Register), Komplexität (strukturell und funktional)
d) abstrahierbare Textaspekte (z. B. phonetische oder syntaktische Strukturen).

2. *Adressatenbereich*

a) Können/Wissen (Lexik, Grammatik, Stilistik; Kontextwissen; produktive/rezeptive Fähigkeit)
b) Wollen (kognitive und emotive Erwartungen und Motivationen)
c) Sollen (angestrebte Kompetenz bzw. Qualifikation)
d) Verfügen (Zugang zu Lernmitteln aller Art)

3. *Lehrende*

a) Können/Wissen (sprachliche, fachliche, didaktische Kenntnisse und Fertigkeiten)
b) Wollen (Motivation, Intention)
c) Sollen (Vorgegebene Zielsetzungen)
d) Verfügen (Zugang zu Lehrmitteln)

4. *Lernpsychologie*

(0) vorausgesetzte lernpsychologische Konzepte und Modelle
a) Einschätzung der Lernkapazität nach (2a), Dosierung und Sequentialisierung von Lernschritten
b) sprachstrukturelle Besonderheiten
c) Lernbarrierenanalyse

5. *Didaxis*

(0) vorausgesetzte didaktische Konzepte und Modelle
a) Festlegen spezieller Lernziele
  (α) sprachliche Fähigkeiten (Textsorten, Register, aktiv/passiv, auditiv/schriftlich)
  (β) "kommunikative Kompetenz"
  (γ) analytische und metasprachliche Fähigkeiten (Fach- und Metasprachen), Textverarbeitungsfähigkeiten
  (δ) Informationsaufnahme auch außerhalb von Unterricht

b) Unterrichtsformen je nach Partnerkonstellation
   (α) Monolog
   (β) Dialog
   (γ) Polylog
c) Kommunikationsarten
   (α) kontaktiv
   (β) argumentativ
   (γ) narrativ
   (δ) diskursiv

6. *Methoden*
a) Techniken und Medien
b) produktiv/rezeptiv
c) Anschluß an muttersprachliches Kontextwissen
d) Transfer und Kontrast
e) Einsatz unterschiedlicher Textsorten
f) Techniken der Verstehenserleichterung
g) Motivationsförderung

Anmerkungen

[1] vgl. Köhrig und Schwerdtfeger (1976) sowie die Beiträge in H. Christ u. a., (1976).
[2] Diese Schwierigkeiten faßt H. Melenk (1976, 176 ff.) unter die eingängigen Metaphern "Schrecken des Impressionismus", "Gefahr des Ertrinkens" und "Sprachliches Nadelöhr".
[3] Nach dem Motto: Landeskunde ohne Theorie/Forschung ist provinziell; Landeskunde ohne Lehre ist wirkungslos; Landeskunde ohne bewußtgemachte gesellschaftspolitische Interessen ist kraftlos.
[4] Zur Explikation dieses Begriffs vgl. S. J. Schmidt (1976a).
[5] Damit unterscheidet sich die Auffassung von Landeskunde grundsätzlich von Konzeptionen der Landeskunde als Kulturkunde oder als regionale Kulturstudien (cf. die Konzeptionen der Indiana-University, der University of Surrey, des Institut d'Allemand d'Asnières, der Nanzan-University, Japan).
[6] Damit wird die fachwissenschaftliche Anbindung der Landeskunde an Bezugswissenschaften geleistet, die König und Schwerdtfeger (1976) zu Recht fordern.
[7] Die folgende Liste ist vorbereitet worden für den DAAD-Workshop "Deutschlandstudien" mit den deutschen Lektoren in Japan im Oktober 1976 in Sendai/Matsushima. Den Teilnehmern an diesem Workshop gilt mein Dank für ihre Anregungen und Verbesserungsvorschläge. Eine em-

pirische Erprobung dieser Liste an japanischen Universitäten läuft gegenwärtig.

⁸ Zum Textsortenproblem vgl. Gülich und Raible (1975).

⁹ Zu einer kurzgefaßten Darstellung der Sprechakttheorie vgl. B. Schlieben-Lange (1975).

Literaturverzeichnis

Gülich, E. und Raible, W. (1975): Textsorten-Probleme. In: Linguistische Probleme der Textanalyse. Jahrbuch 1973 des IDS, Düsseldorf 1975, S. 144–197.

Köhring, H. H, und Schwerdtfeger, I. Ch. (1976): "Landeskunde im Fremdsprachenunterricht". In: Linguistik und Didaktik 25, 1976, S. 55–80.

Melenk, H. (1976): Das didaktische Nadelöhr der Landeskunde. In: H. Christ, H. E. Piepho, K. A. Preuschen, Hrsg., Materialien für die 7. Arbeitstagung der Fremdsprachendidaktik an Hochschulen und Studienseminaren. Gießen 1976, S. 156–157.

Schlieben-Lange, B. (1975): Linguistische Pragmatik. Stuttgart, Berlin, Köln, Mainz (Kohlhammer) 1975.

Schmidt, S. J. (1973): 'Landeskunde' als Kontextwissen. Ein Plädoyer für eine instrumentale Konzeption von 'Landeskunde'. In: Kummer, M. und Picht, R., Hrsg., Curriculare Fragen einer sozialwissenschaftlich orientierten Landeskunde, Bielefeld 1973, S. 16–29.

–: (1975): Literaturwissenschaft als argumentierende Wissenschaft. München (Fink) 1975.

–: (1976): 'Landeskunde' als Kontextwissen. In: H. Mainusch, E. Mertner, S. J. Schmidt, K. Schröder, Lehrerfortbildung und Lehrerweiterbildung in der Bundesrepublik Deutschland: Modell Anglistik. Bern und Frankfurt a. M. (Lang) 1976, S. 356–366.

–: (1976a): Texttheorie. 2. Auflage. München (Fink: UTB 202) 1976.

Erwin Theodor Rosenthal

Rahmenbedingungen einer fremdsprachlichen Germanistik. Ein Situationsbild am Beispiel Brasiliens

0. Einführung

Schon 1970 fragt Werner Ross in einer Betrachtung zur außerdeutschen Germanistik, ob "die Philologie alten Stils, die Sprach- und Literaturstudium zusammenfaßt und aufeinander bezieht, noch Sinn und Funktion hat": "Muß nicht die Literatur im Kontext der Gesamtzivilisation gesehen werden, als Dokument und Manifest gesellschaftlichen Wandels, historischer Prozesse, muß sie sich – wenn man überhaupt von 'études germaniques' sprechen will – nicht bescheiden, ein Element neben vielen anderen zu sein"[1] Und längst ist erkannt worden, wie sehr das Schlagwort vom Kontext, der "heute so wichtig geworden (ist) wie der Text selbst" (W. Müller-Seidel) den Nagel auf den Kopf trifft. Tatsächlich muß man, bei der Behandlung des vorgegebenen Themas, sich bewußt sein, daß sowohl die sprachlichen wie die rein literarischen und kulturellen Komponenten des Faches etwa in Übersee mit ganz anderen Erkenntnisinteressen, Voraussetzungen und Überlegungen verbunden werden, als das in deutschsprachigen Ländern der Fall ist. Die Germanistik kann für ausländische Studierende, sowie für nicht-deutsche Lehrer und Forscher, nur in dem Maße ein akademisches Fach bleiben, als sie beiträgt zur Fremdkulturvermittlung und in der Rolle der Fremdsprachenphilologie zugleich das Verständnis von eigenkulturellen Bedürfnissen einer stets wachsenden akademischen Gemeinschaft erleichtert. Hinzu kommt, daß – wie weiter unten ausgeführt – die einzelnen Studienfächer aufeinander bezogen sind, nach Gliederungsgesichtspunkten, die dem jeweiligen Kenntnisstand der Studenten entsprechen und die, parallel zum Hauptfach geboten, allgemeinbildende Wirkung ausüben sollen.

1. Grundsätzliche Überlegungen

Sicher behauptet Heinz Göhring zurecht, daß eine integrative Orientierung bei der Fremdsprachenerlernung einen äußerst positiven Einfluß ausübt[2]. Damit weist er auf die Absicht bestimmter Lernender hin, sich weit über den reinen Fremdsprachenerwerb hinaus, der ihnen zum beruflichen Fortkommen notwendig erscheint, Kenntnisse der Zielkultur anzueignen, um sich so potentiell der fremden Gesellschaft zuzuordnen. Doch obgleich auch in Brasilien das Konzept eines kulturwissenschaftlichen Ausbaus des Faches Deutsch der modernen Entwicklung beigegeben ist, wäre die Hypothese, daß wenigstens ein geringer Prozentsatz der Studenten einer solchen "integrativen Orientierung" entspricht, grundverkehrt. Um es vorwegzunehmen: bis vor etwa 10 Jahren war die Großzahl der Studenten der Germanistik in Brasilien Deutschschüler 'contre cœur', einfach weil ihr Hauptinteresse sich auf die Anglistik konzentrierte und sie Deutsch als zweites Pflichtfach mitbelegen *mußten*. Neuerdings jedoch, nach erfolgter Trennung und Verselbständigung des Faches Deutsch, stellen berufliche und andere Erwägungen, sowie die Tatsache, daß Deutsch als Mittlerrolle wieder hoch im Kurse steht, wohl den Hauptanreiz dar bei den Einschreibungen der beträchtlichen Anzahl Germanisten an der Landesuniversität São Paulo. Um es mit Zahlen zu belegen: vor der Aufhebung der Pflichtverbindung Anglistik–Germanistik waren 447 Studenten immatrikuliert (1969), während sich nun (1978) 475 Studenten für die Germanistik als erstes Hauptfach entschieden haben.

Man könnte glauben, daß die wirtschaftliche Entwicklung des Landes und insbesondere die intensiven Wirtschaftsbeziehungen zur Bundesrepublik die Attraktivität des Faches mitbedingen, doch war das bisher nicht verifizierbar. Allerdings ist erwähnenswert, daß in Brasilien, neben den Deutschlehrern für die Schule, auch Hochschullehrer für nicht-germanistische Gruppen ausgebildet werden, eine Tatsache, die übrigens auch auf eine Fachkonzeption in anderen Ländern zutrifft. Der Deutschunterricht, der beispielsweise in juristischen Fakultäten, in den Hochschulen für Informationswissenschaften u. a. geboten wird, obliegt ausgebildeten Germanisten, was auch der Fall ist im sogenannten "Diplomkurs für Übersetzer" und in den Dolmetscherlehrgängen.

Auch in ihrer Genese ist die brasilianische Germanistik ein Beispiel für zahlreiche 'German departments' in der Welt. Der um 1820 eingeführte Deutschunterricht war zunächst rein sprachlicher Art, und bei den Sprachkursen (meist privater Provenienz, aber auch an einigen höheren Schulen) blieb es, bis das Gesetz im Jahre 1935 in den dann gegründeten Philosophischen Fakultäten die Deutschen Abteilungen schuf, deren erste im Jahre 1939 an der Universität São Paulo ihre Arbeit aufnahm. Drei Jahre später, als Brasilien in den Krieg getreten

war (1942), wurden sie der Anglistik beigeordnet[3]. Das gleiche Ge-
schick ereilte das Fach in allen Universitäten, in denen es eingerichtet
worden war und so war es zum Nebenhauptfach (für Anglisten) herab-
gewürdigt worden, allen Anstrengungen der Lehrer zum Trotz, die sich
jahrelang darum bemühten, einer konzeptionell eigenständigen Germanistik den Weg zu bahnen und gleichzeitig ein vierjähriges Neben-
fachstudium der deutschen Sprache und Geschichte für Geisteswissen-
schaftler zu begründen. Die Einwirkung von Kriegs- und früher Nach-
kriegszeit brachte es mit sich, daß diese Bestrebungen auf dem Papier
blieben und die Germanistik als Anhängsel der Anglistik ihr Dasein
fristen mußte, sich aber – um Relevanz wiederzuerlangen – auf Verbindungen mit dem brasilianischen Kulturraum bedachte, was ihr einen
eigenen Anstrich gab, wenn sie zum Beispiel in das Lehrprogramm des
Sprachunterrichts schon sehr früh kontrastive Syntaxuntersuchungen
und Besonderheiten der deutschen Wortbildungen in Brasilien einbezog
oder, im Literaturunterricht, auch im Lande verfaßte deutschsprachige
Werke zu Worte kommen ließ.

Noch ein Wort sei hinzugefügt zu den Unterschieden, die die einzelnen Universitäten des Landes charakterisieren, denn auch diese Vielfalt
gehört zu den Rahmenbedingungen, denen das Fach generell unterliegt.
Dabei ist geboten, an die Größe des Landes, an die daraus entstehenden
Kontaktschwierigkeiten, an die diskrepante Sozialstruktur des Studen-
tenkörpers, an die ungleich verteilten Subventionen zur Fachbereichs-
strukturierung und zur Lehrmittelbeschaffung sowie an anderes mehr
zu denken, um zu verstehen, daß man bei der brasilianischen Germanistik, ebenso wie in vielen anderen Ländern, bes. den sogenannten Entwicklungsländern, nicht eine homogene Fachentwicklung erwarten
kann. So stellt Georg Bräuer, anläßlich einer Untersuchung des
Deutschunterrichts an der Bundesuniversität von Ceará fest: "Vielmehr
zeigen sich Parallelen mit anderen Hochschulen im Osten, Nordosten
und Norden Brasiliens, wo neben Fortaleza die Städte Salvador, Re-
cife und Belém gegenwärtig als Studienzentren angesehen werden können. Tatsächlich kennzeichnen den umrissenen geographischen Raum
(...) Gemeinsamkeiten, die ihn von Mittel- und Südbrasilien deutlich
unterscheiden. Im wesentlichen durch klimatische Gegebenheiten, durch
eine feindliche Natur bedingt, ist dort die wirtschaftliche Produktivität
vergleichsweise gering, der Lebensstandard niedrig, und sind die Auswirkungen auch auf andere Lebensbereiche, wie Kultur und Wissenschaft, beträchtlich."[5]

Das erklärt schon, warum nicht undifferenziert von einer "brasilianischen Germanistik" gesprochen werden kann, da nicht nur an Auffassungsunterschiede, sondern an regionale Modelle gedacht werden muß, die von geopolitischen und konjunkturbedingten Umständen gesteuert werden. Doch immerhin visieren heute die 33 an brasilianischen Hochschulen bestehenden Seminare für Deutsche Studien (gleichviel, ob sie als Germanistische Lehrstühle – die alte Benennung –, als Abteilung für Deutschstudien, als Unterabteilung der Institute für Moderne Sprachen oder als Seminare für Deutsche Sprache und Literatur geführt werden) eine Studienkonstruktion an, die es erlaubt, gleichzeitig Sprachkenntnisse, literaturwissenschaftliche Themen und Landeskunde zu vermitteln. Dieser Studienhorizont bildet ja überhaupt grundsätzlich den inhaltlichen Rahmen einer modernen fremdsprachlichen Germanistik.

2. Adressatenbereich und institutionelle Vorgaben

Die ausländische Germanistik muß als akademisches Fach dem Erfahrungsbereich der Studierenden in etwa Rechnung tragen. Daher kommt ihr nicht dieselbe Funktion wie der deutschen zu, denn während sie in Deutschland ein zentrales Studiengebiet darstellt, an dem sich nahezu das gesamte Bildungssystem orientiert, steht sie zum Beispiel in Brasilien ungebunden, peripher, neben anderen ausländischen Philologien und muß für die erreichbare Relevanz selbst Sorge tragen. Wie aber setzen sich die Studierenden, die sich für das Fach entschieden haben, zusammen? Oder besser: welche Voraussetzungen bringen neu-immatrikulierte Studenten der Germanistik in Brasilien mit? In den wenigsten Fällen entscheiden sie sich lediglich für die Deutschstudien. Man kann sogar behaupten, daß das Ein-Fach Studium keine große Zukunft in Brasilien hat, da die Tendenz dahin geht, ein zweites Hauptfach und als solches entweder die landessprachliche Fächerkombination oder eine weitere Fremdsprache zu belegen. Das Angebot der Universität São Paulo beispielsweise umfaßt außer Deutsch noch Spanisch, Englisch, Französisch, Italienisch, Chinesisch, Japanisch, Hebräisch, Arabisch, Armenisch, Russisch, Latein, Griechisch und Sanskrit.

Der Durchschnittsstudent ist vor der Aufnahme in die Universität – eine der konstitutiven Rahmenbedingungen junger fremdsprachlicher Germanistik vieler Länder – nicht mit der deutschen Sprache in Berührung gekommen, es sei denn, daß es sich um einen Deutschstämmigen handelt, was höchstens in Rio Grande do Sul und Santa Catarina, zwei

Bundesländern, deren Aufbau und Entwicklung stark von Deutschen mitbestimmt wurde, ins Gewicht fällt, oder aber um Jemanden, der eine der wenigen Schulen besucht hat, die Deutsch neben Englisch auf dem Lehrplan führen. Er könnte auch in einem der zahlreichen Sprachinstitute sich Anfängerkenntnisse angeeignet haben, doch, wie gesagt, weist die Mehrzahl der Studenten keine Vorkenntnisse der deutschen Sprache auf. Sie müssen, in den jeweils sechs Wochenstunden der ersten vier Semester, sich gründlich in die Sprache einarbeiten, um sich dann in den weiteren vier Semestern intensiv der Literatur (die in deutscher Sprache geboten wird) und der Landeskunde widmen zu können. Trotz erheblicher Sprachschwierigkeiten seitens der Lernenden, die in den ersten vier Semestern behoben werden müssen, gelingt es im allgemeinen den sechzehn Lehrkräften, die das Fach an der Universität São Paulo vertreten, das im Fachbereich aufgestellte Lehrprogramm durchzuführen und erhebliche Erfolge zu erzielen. Die sprachliche Ausbildung wird außerdem häufig durch den Besuch der Goethe-Institut-Dozenturen und anderer Sprachinstitute gefördert, und besonders befähigte Studenten bekommen (leider in seltenen Fällen!) noch während ihres Studiums ein Deutschlandstipendium zugesprochen, doch trotzdem erreichen die meisten den Abschluß, ohne außerhalb der Universität Kurse besucht zu haben, dank einer oft erstaunlichen rezeptiven Sprachkompetenz. Nach diesem Abschluß ist eine Spezialisierung für Anwärter der Hochschullaufbahn vorgesehen, in Form von Magister- und Doktorandenseminaren ("pós-graduação"), die sich über vier bis sechs Semester erstrecken. Die Verleihung von akademischen Titeln auf dem Gebiete der Germanistik, die in Brasilien allgemein anerkannt werden, bleibt vorläufig der Universität São Paulo vorbehalten, weshalb zum dortigen Studium der Deutsche Akademische Austauschdienst *Sur-Place Stipendien* an Nachwuchskräfte aus allen Gebieten des Landes vergibt.

Das Dreier-Modell der Germanistik, mit Gliederung in Sprache, Literatur und Landeskunde, das weiter unten erläutert wird, unterliegt einer allgemeinen Studienordnung, die für alle Studenten verbindlich ist. Obgleich der Fachbereich freizügig die disziplinären Programme aufstellen darf, bestehen Vorgaben organisatorischer und curricularer Art, die von Bundesuniversität zu Landesuniversität[6] abweichen, aber sich dem übergreifenden Gedanken eines brasilianischen Modells unterordnen. Andrerseits gibt es Pflichtveranstaltungen, die von den Studenten aller brasilianischen Hochschulen besucht werden (so zum Beispiel zwei Semester Brasilienkunde, *Estudos de Problemas Brasileiros* benannt), sowie ein Mindeststudienprogramm, das als Rahmencurriculum zum Philologiestudium schlechthin gehört und Fächer vorschreibt (Linguistik, Latein, Portugiesische Sprache, Portugiesische Literatur und Brasilianische Literatur), die zu einem vom Studenten frei gewählten Zeitpunkt seines Studiums absolviert werden müssen. Hinzukommt, daß die Bescheinigung der Anwesenheit in mindestens 70 % der Pflichtveranstaltungen vorliegen muß, um die Zulassung zu den Abschlußprüfungen zu gewährleisten, was auch zu den nicht änderbaren Vorgaben gehört, die für das ganze Land Gültigkeit besitzen. Es steht jeder Abteilung frei, die inhaltliche Festlegung der Studienordnung selbst zu bestimmen, wobei man oft bestrebt ist, kohärente Programme aufzustellen, die eine integrierte Pluridisziplinarität schaffen, zur kritischen Reflexion beitragen und das Verständnis der fremden Philologie erleichtern sollen.

3. Die drei Studienkomponenten

Dem Werdegang der brasilianischen Germanistik, die ein akademisches Programm erst erstellen mußte und von Anfang an einen Autonomiebegriff gegenüber der herkömmlichen deutschen Germanistik entwickelt hat, ist es zuzuschreiben, daß das intendierte Berufsbild des dortigen Hochschullehrers das eines Deutschlehrers, der, mit Schwerpunktbildung in Sprach- oder Literaturwissenschaft, als solcher zugleich Landeskenner ist. Diese Tatsache entspricht dem Konzept, das Alois Wierlacher 1972 vorgestellt hat und das vielerorts verwirklicht worden ist.

3.1

Sprachunterricht wird in den ersten vier Semestern den meisten Studenten als Anfangsunterricht erteilt, wobei – nach Erlangung einiger theoretischer Grundlagen – fast durchweg die direkte Methode angewendet wird. In den fortgeschritteneren Semestern beschäftigen sich die Sprachlehrer intensiv mit Problemen der linguistischen Konstitution von Textsorten, mit kontrastiver Phonetik, kontrastiver Grammatik und kontrastiver Beschreibung von Redekonstellationen, die sich – so weit wie möglich – den Normniveaus der gehobenen Umgangssprache anpassen.

3.2

Der Unterricht in der Sprache soll unter anderem das ermöglichen, was
heutzutage auch in Brasilien als wichtige Aufgabenstellung des Studiums Deutsch gewertet wird: die Einführung in die Literatur. Bis
vor etwa zwanzig Jahren wurde der Literaturunterricht in der Landessprache erteilt und – was schwerwiegender war – die Texte sollten in
Übersetzungen gelesen werden. Von dieser Zielsetzung hat man sich
inzwischen gründlich entfernt. Die sprachliche Kompetenz der Studenten muß sie von ihrem fünften Semester an befähigen, literarische
Textsorten zu lesen und ihr weiteres Studium soll durchaus so etwas
wie eine 'literarische Kompetenz' entwickeln.[7] Das Schwergewicht der
Literaturbetrachtung liegt auf modernen Werken, obgleich natürlich
auch die Literatur der vergangenen zweihundertfünfzig Jahre auf
dem Programm steht. Doch ist es wohl so, wie Benjamin einmal
gesagt hat: "Wenn frühere Germanistik die Literatur ihrer Zeit aus
dem Kreise ihrer Betrachtung ausschied, so war das nicht, wie man es
heute versteht, kluge Vorsicht, sondern die asketische Lebensregel von
Forschernaturen, die ihrer Epoche unmittelbar in der ihr adäquaten
Durchforschung des Gewesenen dienten; Stil und Haltung der Brüder
Grimm legten Zeugnis ab, daß die Diätetik, welche solch Werk erfor-
derte, nicht geringer als die großen künstlerischen Schaffens gewesen
ist. An Stelle dieser Haltung ist der Ehrgeiz der Wissenschaft getreten,
an Informiertheit es mit jedem hauptstädtischen Mittagsblatt aufnehmen zu können."[8] Diese fast dokumentarische "Informiertheit", die
manche Werke unserer Tage prägt, hat es auch den südamerikanischen
Studenten angetan. Es wird noch zur Sprache kommen, in welcher
Form literarische Erzeugnisse deutscher Provenienz innerhalb der brasilianischen Kultur im universitären Handlungsfeld zur Geltung kommen; hier sei erst einmal auf den literaturwissenschaftlichen Zweig
verwiesen, der von Kurztexten ausgeht, die repräsentativ für die verschiedenen Gattungen stehen. Die Arbeit an diesen durchweg modernen
Texten, die der Interessenstruktur der angesprochenen Studenten entsprechen sollen, wird unter strikter Anleitung des Lehrers durchgeführt
und soll nicht nur den Umgang mit literarischen Begriffen vertraut
machen, sondern auch den Blick für die spezifische Problematik heuti-
ger Gegebenheiten schärfen. Andererseits muß hinzugefügt werden, daß
gegenüber früheren Studienprogrammen, die die Beschäftigung mit alt-
hochdeutscher und mittelhochdeutscher Sprache und Literatur vorschrie-
ben, der Gegenstandsbereich zwar auf die Behandlung der deutschen

Sprache der Gegenwart und der Literatur von der Aufklärung zur Jetztzeit eingeschränkt, aber zugleich insofern erweitert wurde, als er die schweizerischen und österreichischen Literaturen sehr deutlich miteinbezieht. Die zeitliche Begrenzung hat überdies die Besinnung auf gewisse Epochen gelenkt, deren Texte erst wieder durch die Reprintfreudigkeit unseres Zeitalters zugänglich gemacht worden sind, so z. B. auf den Expressionismus, der in den letzten Jahren von einer Promotionsarbeit und einer Habilitationsschrift in São Paulo in Teilaspekten untersucht wurde.

Zum Interesse an deutscher Literatur im heutigen Brasilien, das sich nachdrücklich an den Erwartungen ablesen läßt, die von den Studenten mitgebracht werden, gehören an erster Stelle die Werke der bekannten Prosaschriftsteller unserer Tage, wie Grass, Böll, Frisch, Johnson, Walser, Lenz, u. a. Unter den verstorbenen Dichtern des 20. Jahrhunderts, denen noch immer reges Interesse entgegengebracht wird, stehen wohl Hermann Hesse, Thomas Mann, Bertolt Brecht und Franz Kafka im vordersten Rang. Viele ihrer Werke liegen in (meist schlechten) Übersetzungen vor, und sicher haben manche von ihnen entscheidend auf die Wahl des Faches der zukünftigen Germanisten eingewirkt. Zu den bekannten Dramatikern deutscher Sprache gehören Brecht, Frisch, Dürrenmatt und Handke, auch werden gerade jetzt Promotionsarbeiten über Heine, Büchner, Günter Eich und Ingeborg Bachmann vorgelegt, was die deutliche Tendenz verrät, sich hauptsächlich gesellschaftsrelevanten Autoren des neunzehnten Jahrhunderts sowie den eher 'unbequemen' und engagierten Dichtern unsrer Zeit zuzuwenden. Natürlich stehen Goethe und Schiller auch weiterhin auf dem Studienplan, genau wie Kleist und Hölderlin. Während der junge Goethe und der *Faust*, genau wie der Schiller der *Räuber*, immer noch zu Diskussionen und Fragen anregen, werden aber die Klassiker, als Repräsentanten dessen, was Heine die 'Kunstepoche' benannte, von den Studenten in die entfernte Ecke derer verwiesen, die entweder Müdigkeit oder Achselzucken hervorrufen. Der *Malte* und der *Törless* gehören zu den dankbarsten Stoffen, wie auch die ganz modernen Erzählungen und Kurzgeschichten sich immer großer Beliebtheit erfreuen. Wie man auch diese Realität beurteilt: es ist selbstverständlich, daß das Lehrangebot an brasilianischen Universitäten nur eine kleine Auswahl aus dem Ganzen bieten kann. Dabei muß bei der Planung auf das vorauszusetzende Allgemeininteresse der Studierenden geachtet werden, was zu Kompromissen führt, die Lehrangebot und Lernbedürfnis gleichermaßen befruchten aber auch oftmals beeinträchtigen.

Für eine fremdsprachliche Germanistik stellt sich schließlich die Frage, ob sie nicht eine interdisziplinäre Erweiterung des Interessengebietes anstreben soll, indem die verschiedenen Fachrichtungen, die von der Mehrheit der Studenten gewählt werden, in gleichen Semestern verwandte Probleme aus der jeweiligen Sicht besprechen und, kontrastiv zur eigenen Wirklichkeit, zu erhellen suchen. So geschieht es etwa in São Paulo, wo vor der Programmgestaltung der jeweiligen Semesterveranstaltungen die Fachvertreter der Abteilung Moderner Sprachen Themen absprechen und aufeinander beziehen. Natürlich können, schon des Zeitdrangs und der Komplexität der Aufgabenstellung wegen, lediglich Ausschnitte der ganzen Stoffkomplexe geboten werden, die aber auf das Ganze verweisen und zur Eigenarbeit anspornen. Nur aus dieser Perspektivierung glaubt man, die Verantwortung übernehmen zu können, ein so anspruchsvolles Gebiet, wie es die deutschsprachige Literatur nun einmal ist, in das Programm aufzunehmen, dessen profilierteste Erscheinungen und Entwicklungen in Ansätzen erarbeitet werden, die aber danach von den Studierenden, die sich auf die akademische Laufbahn vorbereiten, in Magister- und Doktorandenseminaren, sowie in eigenen Untersuchungen interpretiert werden müssen.

3.3

In den vergangenen zehn Jahren hat sich die brasilianische Germanistik nicht mehr darauf beschränkt, sprach- und literaturwissenschaftliche Lehrveranstaltungen zu bieten, sondern ist bemüht, unter Hinzuziehung eines Komplementärstranges, genannt *Cultura e Civilização dos Países de Língua Alemã* (Kultur und Zivilisation deutschsprachiger Länder), ein Gesamtbild des von der deutschen Sprache umfaßten Gebietes zu vermitteln, wobei der Gesellschaftsstruktur, der geschichtlichen Entwicklung, der geographischen Beschaffenheit und den Eigenheiten des Erziehungswesens besondere Aufmerksamkeit zukommt. Als Leitfaden dienten anfangs Bücher französischer Provenienz, die in portugiesischer Übersetzung vorlagen (von Spenlé oder Drijard, beispielsweise) und die Kurse wurden in der Landessprache durchgeführt. Dank einer namhaften Spende durch die Deutsche Forschungsgemeinschaft, die an internationale Bibliotheken des Fachbereichs ging, wurden später die verschiedenen Lehrstühle mit deutscher Literatur zu diesem Gebiet versorgt; seitdem konnten auch die Lehrveranstaltungen (wie immer geplant) auf Deutsch realisiert werden. Hier muß auch der Kurs für Diplomübersetzer erwähnt werden, der erst seit zwei Jahren an der Universität São Paulo besteht, sich über vier Semester erstreckt und an dem, nach bestandener Prüfung, Germanistikstudenten teilnehmen können, die schon mindestens 4 Semester ihres Faches und der Nebenfächer sowie die Zwischenexamina mit Erfolg absolviert haben. Diese Kurse seien als weitere Leistung der Germanistik im Ausland genannt und in dem hier behandelten Rahmen sei hinzugefügt, daß auf landeskundliche Kenntnisse besonderen Wert gelegt wird, so daß der Studienplan für die gesamten 4 Semester jeweils zwei Wochenstunden vorsieht.

Überhaupt ist diese Thematik[9] von unüberbietbarer Relevanz für die Ausbildung der Auslandsgermanisten, denn nicht nur die Sprachkenntnisse, sondern auch die für das Textverständnis erforderlichen Kontexterfahrungen sind notwendigerweise lückenhaft. Wie wäre ohne Kenntnis der historischen Abläufe, der geographischen Gegebenheiten, der politischen Kräfteverteilung und der gesellschaftlichen Wirklichkeiten ein realitätsgerechtes Verständnis der deutschen Sprache und der dazu gehörenden Literatur möglich, die diese konkreten Existenzverhältnisse spiegeln? Sicher genügen zwei Semester landeskundlicher Veranstaltungen nicht (m. E. müßten alle ausländischen Germanisten wenigstens vier Semester lang diese Kenntnisse erläutert bekommen), um ein vollständiges Bild zu vermitteln, und doch tritt dem Studenten vieles klarer entgegen, deutlicher konturiert und leichter verständlich. In der Studienplanung sollte daher der Landeskunde im außer-deutschsprachlichen Bereich eine größere Relevanz zukommen und es liegt in der Entwicklung, so wie sie sich darbietet, daß das Angebot intensiviert wird, doch auch jetzt schon ist das bestehende Dreier-Modell positiv zu beurteilen, da es Vorkenntnisse schafft, ohne die die Sprach- und Literaturveranstaltungen sozusagen im luftleeren Raum schweben würden.

4. Die Funktion von Lehre und Lehrer

Wie bereits erwähnt, zeichnet sich die Germanistik in Brasilien, die wir hier als Beispiel betrachten, durch erhebliche Schwankungen je nach Bundesland und häufig sogar nach der Universität, in der sie gelehrt wird, aus, doch existieren gewisse Rahmenbedingungen einer fremdsprachlichen Germanistik, zu denen auch eine komparatistische Ausrichtung gehört. "Um seiner Aufgabe gerecht zu werden, muß das Leitprinzip der Lehre des nicht-deutschen Germanisten das Hinführen zum besseren Verständnis des Eigenen durch Konfrontation mit der seinen Lesern und Studenten fremden Materie sein", sagt J. William Dyck und fügt hinzu: "Das setzt natürlich die Kenntnis eines Fachbereichs voraus, der seine Reichweite wesentlich weiter steckt als dies bei höchster Spezialisierung in beschränktem Rahmen möglich wird."[10]

Das entspricht der Lage der Dozenten der Germanistik an brasilianischen Universitäten, die sich mit der Lehre innerhalb eines sehr breiten Spektrums befassen und dabei die eigene Forschungsarbeit nicht vernachlässigen dürfen, um sich nicht in ihrer Karriere beeinträchtigt zu sehen. Seit Jahren bemüht man sich, das früher fast allgemeingültige Prinzip der Teilbeschäftigung (das Anstellungsverhältnis jener Lehrer, die an verschiedenen Hochschulen oder Schulen arbeiten müssen, um so honoriert zu werden, daß sie überleben können) abzubauen und heute sieht es in der Germanistik der Universität São Paulo, bei fast 500 Studenten und 120 Wochenstunden folgendermaßen aus:

a) 8 Lehrer sind exklusiv-beschäftigt, d. h. es ist ihnen untersagt, außerhalb der Universität bezahlte Arbeit zu leisten, weshalb sie das 4fache des gesetzlich festgelegten Grundgehalts beziehen;

b) 2 Lehrer sind vollbeschäftigt. Sie beziehen das Doppelte des Grundgehalts und müssen für die Universität wöchentlich 24 Arbeitsstunden bereithalten, in denen sie – zusätzlich zu den Lehraufgaben – Seminare vorbereiten, Arbeiten korrigieren und Studenten beraten;

c) 6 Lehrer sind teilbeschäftigt, beziehen lediglich das Grundhonorar, müssen sich 12 Wochenstunden der akademischen Arbeit widmen und haben fast stets Nebenberufe. Hier handelt es sich entweder um relativ neu hinzugekommene Hilfskräfte oder um Lehrer, die zu irgend einem Zeitpunkt freiwillig von der Voll- oder Exklusivbeschäftigung abgesehen haben.

Tatsächlich ist der dem Hochschullehrer in der fremdsprachlichen und fremdkulturellen Germanistik gesteckte Rahmen seiner Aktivität ungemein breit: er muß für die Studentenanleitung Sorge tragen, der Sprachunterricht in den frühen Semestern nimmt viel Zeit und großen Kräfteaufwand in Anspruch, und in den Proseminaren der Literaturwissenschaft (5./6. Semester) werden die Studenten mit der Notwendigkeit konfrontiert, ihre noch ungenügenden Sprachkenntnisse in Diskussionen und schriftlichen Übungen anzuwenden. Es erfordert vom Lehrer außerordentliche Geduld und Festigkeit, den anfangs immer wiederkehrenden Anspruch zum muttersprachlichen Ausdruck zurückzuweisen. Die Magister- und Doktorandenseminare (pós-graduação), die meistens von habilitierten Dozenten[11] geleitet werden, doch – eines vielfältigeren Angebots wegen – letzthin auch von promovierten Assistenten übernommen werden können, stellen hohe Ansprüche, da es sich um auf die Promotion vorbereitende Programme handelt. Hinzu kommen die bereits erwähnten Kurse für Diplomübersetzer und zur Landeskunde, die alle von den Lehrern dauernde Bemühung um ihr Fach und ständige Fortbildung erfordern.

Abschließend soll auf zwei andere Probleme hingewiesen werden, die man wohl als zwei weit verbreitete Rahmenbedingungen der Germanistik als Fremdsprachenphilologie bezeichnen darf: zum einen die erwähnte Aufgabe der Studentenanleitung zum wissenschaftlichen Arbeiten. Es genügt nicht, Verzeichnisse der benötigten Literatur anzulegen und auszuteilen. Der Lehrer muß zu Semesteranfang die Studenten in die Bibliothek begleiten, ihnen die Einteilung des Buchbestands erläutern, die Zeitschriften und andere Periodika zeigen, die Benutzung der Kartei und weiterer Hilfsmittel erklären. Die germanistische Bibliothek der Universität São Paulo ist, an entsprechenden deutschen oder nordamerikanischen Einrichtungen gemessen, lächerlich klein und unbedeutend, und doch ermöglichen die siebzehn Fachzeitschriften, die seit fast zwanzig Jahren hier im Abonnement bezogen werden, sowie die etwa achttausend Bände, intensive Forschungsarbeiten, was die zahlreich vorgelegten Magisterdissertationen und Promotionsarbeiten belegen. Doch, dies die andere 'Rahmenbedingung', muß im Fall der Bibliothek auf die Unterstützung durch die Deutsche Forschungsgemeinschaft und durch Inter Nationes verwiesen werden, die sich oft bereit gefunden haben, der Abteilung oder dem jeweiligen Forscher fehlende Werke zu besorgen, soweit die Zielsetzung überzeugend dargelegt werden konnte.

5. Zusammenfassung und Schlußfolgerung

Die Themenstellung des vorliegenden Beitrags ist mit Schwerpunkt am Beispiel der Universität São Paulo gedeutet worden. Dort kommt das Dreiermodell Sprache, Literatur und Landeskunde zur Verwirklichung und wird so weit wie möglich kontrastiv geboten. Der Sprachunterricht, Kernstück der ersten vier Semester, ist progressiv gestaltet und orientiert am Lehrwerk *Deutsch 2000*.[12] In den darauf folgenden vier Semestern soll er, über die reine Sprech-, Lese- und Schreibkompetenz hinaus, zum Literaturverständnis und zum landeskundlichen Wissen hinführen. Die Behandlung dieser Landeskunde ist problemorientiert und versucht, mit der fremden auch die eigene Wirklichkeit zu erhellen. Demzufolge kann das Berufsbild des Germanisten nicht das eines Spezialisten sein, sondern eher eines Deutschlehrers, der sich auf den drei anvisierten Gebieten auskennt und gleichzeitig als Propädeut immer bestrebt ist, die Lernenden beim wissenschaftlichen Arbeiten anzuleiten. Diese Arbeit, so weit sie sich auf literaturwissenschaftlichem Gebiet bewegt, wird der modernen Literatur den Vorzug geben und sich selten weiter als in das 18. Jahrhundert zurückversetzen. Nur in Magister- und Doktorandenseminaren können Themen der mittelhochdeutschen Literatur, des Meistersangs und der Reformation beispielsweise behandelt werden, aus den obligatorischen Lehrveranstaltungen sind sie ausgeklammert. Das Fazit wäre, daß die andersgeartete Aufgabenstellung sowie die Tatsache, daß es sich häufig um Studenten handelt, die ohne nennenswerte Deutschkenntnisse in die Universität aufgenommen werden, eine von der deutschen Germanistik grundverschiedene Studienplanung und Didaktik erfordern, die jedoch, genau wie in Deutschland auch, zur Lehrbefähigung führen sollen. Daß dabei, die erworbenen Sprachkenntnisse einmal vorausgesetzt, der literarische und landeskundliche Teil nur in Ansätzen vermittelt werden kann, ist selbstverständlich und doch soll er, kontextorientiert dargeboten, eine interaktive Kompetenz bewirken, die zur Ausübung der Mittlerrolle befähigt, die den brasilianischen Germanisten kennzeichnet.

Anmerkungen

[1] Werner Ross: Internationales Seminar "Die Kultur der deutschsprachigen Länder im Unterricht". In: Jahrbuch für Internationale Germanistik, II, 1, 1970, S. 213.

[2] Heinz Göhring: Kontrastive Kulturanalyse und Deutsch als Fremdsprache. In: Jahrbuch Deutsch als Fremdsprache 1, 1975, S. 80–92.

[3] Zur Problematik der brasilianischen Universität u. a. Erwin Theodor Rosenthal: Brasilianisches Hochschulwesen. In: Zeitschrift für Kulturaustausch, 4, 1962.

[4] Bundesuniversitäten sind die "Universidades Federais", die vom Bund verwaltet werden, deren Rektoren aus einer dem Bundespräsidenten vorgelegten Liste ernannt werden und die direkt dem Bundesministerium für Erziehung und Kultur unterstehen. Jedes Bundesland zählt eine solche Universität. Es gibt eine weit geringere Anzahl Landesuniversitäten ("Universidades Estaduais", die wichtigsten im Staate Rio de Janeiro (1) und im State São Paulo (3)), die autonomer geführt werden, der Landes-

hoheit unterstehen und nur rahmengesetzlich an die Verfügungen des zentralen Ministeriums für Erziehung und Kultur gebunden sind.

[5] Georg Bräuer: Methodik des Deutschunterrichts in einem Entwicklungsland, untersucht am Beispiel einer Universität im Brasilianischen Nordosten. In: ACTA, IV. Lateinamerikanischer Germanistenkongreß, 1974, S. 103–119.

[6] s. Anmerkung 4.

[7] vgl. zu dieser Zielsetzung Alois Wierlacher: Literatur und ihre Vermittlung: Aspekte einer Literaturwissenschaft des Deutschen als Fremdsprache. In: Jahrbuch Deutsch als Fremdsprache 3, 1977, S. 77 ff.

[8] Walter Benjamin: Literaturgeschichte und Literaturwissenschaft. In: W. B.: Angelus Novus, Ausgew. Schriften, 2, 1966, S. 455.

[9] zu ihr vgl. Robert Picht: Textwissenschaft und Landeskunde, Siegfried J. Schmidt: Was ist bei der Selektion landeskundlichen Wissens zu berücksichtigen?, beide im vorliegenden Band; vgl. ferner Alois Wierlacher: Literaturlehrforschung Deutsch als Fremdsprache, Band 2 des vorliegenden Readers.

[10] J. William Dyck: Germanistik und Deutschunterricht in Kanada. In: Jahrbuch Deutsch als Fremdsprache 2, 1976, S. 189 f.

[11] Die im Jahre 1934 gegründete Universität São Paulo (einzelne Fakultäten existieren seit Anfang des 19. Jahrhunderts, wurden aber erst zu diesem Zeitpunkt zusammengeschlossen) ist nach einem gemischt-europäischen Modell eingerichtet worden. Die Habilitation wurde von Deutschland übernommen und besitzt noch den alten Stellenwert, den sie in den Bundesuniversitäten längst eingebüßt hat.

[12] hierzu vgl.: das Mannheimer Gutachten zu ausgewählten Lehrwerken Deutsch als Fremdsprache, Heidelberg ²1978, S. 143–159.

Es erscheint in Kürze:

Alois Wierlacher, Hrsg.

Fremdsprache Deutsch

Grundlagen und Verfahren
der Germanistik
als Fremdsprachenphilologie

Band 11

Uni-Taschenbücher 912

Wilhelm Fink Verlag München

INHALT

Alois Wierlacher
  Literaturlehrforschung des Faches Deutsch als Fremdsprache. Zugleich eine Einführung in Absicht und Funktion des vorliegenden Bandes.

Dietrich Krusche
  Brecht und das Nō-Spiel. Zu den Grundlagen interkultureller Literaturvermittlung.

Christian Grawe
  Der Lektürekanon der Germanistik als Fremdsprachendisziplin: Grundsätzliche und praktische Überlegungen.

Franz Hebel
  Die Rolle der Literatur in der Kulturvermittlung oder: Gibt es eine 'repräsentative Relevanz' von Texten? Erörtert am Beispiel von Gerhard Hauptmanns Komödie "Der Biberpelz".

Raimund Belgardt
  Dichtung: Zwischen Eudämonie und Ideologie. Prolegomena einer integrativen Literaturtheorie.

Eberhard Frey
  Rezeptionsforschung in der Didaktik deutscher als fremder Literatur.

Gerald Stieg
  Dialektische Vermittlung.

Rainer Kußler
  Zum Problem der Integration von Literaturvermittlung und Landeskunde.

Theodore Ziolkowski
  Zur Unentbehrlichkeit einer vergleichenden Literaturwissenschaft für das Studium der deutschen Literatur.

Hans Hunfeld
Einige Grundsätze einer fremdsprachenspezifischen Literaturdidaktik.

Siegfried J. Schmidt
Anmerkungen zum Literaturunterricht des Faches Deutsch als Fremdsprache

Roland Duhamel
Zum Einsatz literarischer Texte im fremdsprachlichen Deutschunterricht der S II-Stufe.

Bernd Kast
Legetische Aufgaben und Möglichkeiten des fremdsprachlichen Deutschunterrichts.

Helm von Faber
Der Medientext im fremdsprachlichen Deutschunterricht.

Fritz Hermanns
Das ominöse Referat. Forschungsprobleme und Lernschwierigkeiten bei einer deutschen Textsorte.